U0147001

「科幻推進實驗室」的誕生

雖然生物技術已經越來越高深
可是《科學怪人》的憂慮卻似乎離我們越來越近

雖然「一九八四」已經過去二十幾年
可是人類卻好像越來越走向《一九八四》

偉大的科幻心靈就像宇宙中原子聚合的恆星
發光發熱，照亮銀河中黑暗的角落

「科幻推進實驗室」立志要集合這些既精采又深刻
既娛樂又啟發的科幻傑作，逐年出版

把科幻推進到這個社會
讓我們享受這些非凡想像力所恩賜的心靈奇景

讓我們在娛樂中獲得啟發
在通俗中得到智慧

這就是「科幻推進實驗室」誕生的目標

經典艾西莫夫 03

機器人四部曲之Ⅲ

曙光中的機器人

經典艾西莫夫 03

機器人四部曲之Ⅲ

曙光中的機器人

艾西莫夫◎著

葉李華◎譯

〔導讀〕

艾西莫夫偏心的理由

葉李華

科幻大師艾西莫夫用了半生的歲月，以整個銀河系為背景，撰寫了一套俯仰兩萬載、縱橫十萬光年的未來史，為二十世紀科幻文壇，立下一個難以超越的里程碑。

這套名副其實源遠流長的「大河科幻小說」，其上、中、下游分別為機器人系列、銀河帝國系列與基地系列。雖說手心手背都是肉，但艾氏晚年曾在一篇文章中「偷偷告訴讀者」，還是機器人系列在他心中佔了最重的份量。

如果要認真探究艾西莫夫為何「偏心」，至少得寫一篇上萬字的論文。但若抽絲剝繭，直指核心，那麼首要的理由，應當是三大系列中，要數機器人系列最為豐富多元，並且包羅萬象。最簡單的例子，本系列包含三十幾個中短篇（主要描述近未來世界，全部收入《機器人故事全集》一書）以及四部長篇（描述大約兩千年後的遠未來），就和其他兩大系列，在結構上有顯著的不同。

其次，雖說早在一九四二年，艾西莫夫就以「機器人學三大法則」，開創了一個嶄新的科幻領域，並終身奉行不渝，以致他筆下的機器人，無異於三大法則的化身（只有極少數例外），然而這絕不代表，在本系列各個故事中，除了三大法則之外，再無其他可觀之處。

事實上，艾氏在闡揚三大法則之餘，總不忘求新求變，在他的機器人小說裡，加入其他（科幻或非科幻）主題和元素，尤其擅長將表面上冷冰冰的機器人，寫成有情有義甚至賺人熱淚的角色。這在《機器人故事全集》的中短篇裡，已經屢屢可見，到了本系列的長篇部分，更是發揮得淋漓盡致。

舉例而言，貫穿四部長篇的主角丹尼爾，便是這類機器人的典型，至於「後起之秀」的吉斯卡，在情義這方面的表現，也可說不遑多讓。

此外，就類型小說而言，本系列每一部長篇，都並非單純的機器人科幻小說。但在探討這個特點之前，需要先做些歷史背景的介紹。

若從寫作順序來看，四部長篇明顯分割成兩個時代，《鋼穴》和《裸陽》是一九五〇年代的作品，《曙光中的機器人》和《機器人與帝國》則晚了近三十年。可是，在研究這四本書的時候，最好避免這樣的二分法，因為實際上，艾氏早就有心寫成一套「機器人三部曲」，只是好事多磨，早年未能完成這個心願。換言之，《曙光中的機器人》可算是難產多年之後才終於誕生的作品，其基本架構並未偏離當初的寫作大綱。

後來，讀者們自然而然，將這三本書合稱為「貝萊三部曲」，因為這三個故事的第一男主角，是一位名叫貝萊的地球警探。由此即不難想像，貝萊三部曲同時也是標準的推理小說；每一個故事，都以一件兇殺案為主軸。

兩種類型小說的聯姻，總是能帶來無窮的新意，在這個實例中，艾西莫夫更是將「科幻＋推理」玩得出神入化。一來，他本身也是推理迷（自己也動手寫過）；二來，機器人學三大法則天生就是極佳的推理題材；三來，推理小說在科幻世界裡找到了更寬廣的舞台，使得以巧智見長的艾西莫夫，倍感如魚得水，揮灑自如。

因此之故，在這套三部曲中，處處可見顛覆傳統推理小說的情節，其中最重要的，當數機器人可以扮演各式各樣的角色，從警探到受害者，從兇手到幫兇和兇器，幾乎無所不包。只不過，在此當然不能討論機器人行兇是否有違「第一法則」，得請大家靜待作者揭開謎底。

至於第四本長篇，則需要多花些筆墨來討論。

首先，在這個故事裡，貝萊已經作古將近兩百年，成了銀河中家喻戶曉的傳奇人物（頗為類似基地系列的謝頓），所以當然可將這本書，視為貝萊三部曲的「後傳」。

我們只要多讀幾遍，即可發現艾氏相當用心經營這本後傳，比方說，他特別利用倒敘手法，讓讀者瞥見貝萊臨終前，所交代的一番重要遺言（導致丹尼爾悟出了凌駕三大法則的「第零法則」，其影響力一直延伸到基地系列的大結局）。此外，貝萊三部曲的場景，分別是地球、索拉利星和奧羅拉星，而在本書，或許為了暗示它是三部曲之後的「句點」，所以刻意讓這三顆行星，都在故事裡佔有一席之地。

更耐人尋味的是，如果我們換個角度，不難看出由於第四冊的加入，這個「四部曲」還巧妙地組成了雙重三部曲——後面三本，可稱為「嘉蒂雅三部曲」。

這位嘉蒂雅不是別人，正是遲至《裸陽》才終於出場的女主角。她的出現，替陽剛的機器人推理小說，不著痕跡地注入一絲浪漫氣息，而且越到後面，這股氣息越明顯。因此我們可以大膽假設，艾西莫夫至少在潛意識中，試圖將嘉蒂雅三部曲寫成一套愛情科幻小說。

所謂橫看成嶺側成峰，除了上述這些觀點，其實還能從另一個完全不同的角度，解析艾氏撰寫這本書的動機和目的。原來，在艾氏早年的作品中，刻意不讓機器人系列和其他系列扯上關係，以暗示彼此是互相獨立的虛擬歷史，但在沉潛二十多年後，艾西莫夫終於決定，要將三大系列融鑄成一個科幻有機體，亦即本文開頭所提到的銀河未來史。

種種證據顯示，艾氏在生命中最後十年，最大的心願就是修完這套未來史！所以他在這段時期所寫的長篇小說，無論機器人系列或基地系列，都含有替這個目的鋪路的企圖。而在這個補綴和自圓其說的浩大工程中，最關鍵的一環，莫過於在機器人系列和銀河帝國系列之間，搭起一座時空橋樑──在這個譬喻下，這座橋名叫《機器人與帝國》，自然再恰當不過。

最後再回過頭來，對《機器人故事全集》做些補充。顧名思義，本書當然是艾氏所寫的機器人中短篇故事大全，其中還包括一篇貝萊與丹尼爾的故事〈鏡像〉，而《我，機器人》這部經典之作，則化整為零地藏身於這本全集內（因此嚴格說來，艾氏未來史的「機器人系列」只有五冊，並不包括《我，機器人》）。不過除了完整之外，本書另有一大特色，就是以分門別類的方式編排所有的故事。例如上述的〈鏡像〉，收錄在「人形機器人篇」；艾氏自己最喜歡的機器人故事〈雙百人〉，則收在「壓軸篇」。這種別出心裁的呈現方式，顯然兼顧了舊雨新知──新讀者很容易一目了然，老讀者則會有一網打盡的滿足感。唯一美中不足的是，本書始終未曾再版，以致艾氏晚年的幾篇作品（例如蘇珊・凱文的最後一役〈機器人之夢〉）因而成了遺珠之憾。

＊　＊　＊

十多年前，聯合報王開平先生神來一筆，送給我「艾西莫夫中文世界代言人」這樣的榮銜，老實說，我內心始終相當惶恐。因為過去二十年來，雖然我一直有心想要完成「艾西莫夫未來史」三大系列的翻譯工作，可惜陰錯陽差，竟讓機器人四部曲兩度擦身而過，所以我經常戲稱自己只能算是「十五分之十一的代言人」。

如今，先有上海讀客出版社的鼓勵，後有台北貓頭鷹出版社的肯定，讓我終於得以完成這個重大心願，並以兩種中文於同一年發表。從今以後，我總算能心安理得地接受這個代言人的封號了。

【參考資料】皆收錄於筆者個人網站「艾西莫夫未來史」單元

・現代機器人故事之父（《我，機器人》導讀）
・樞紐與轉捩點（銀河帝國系列導讀）
・不朽的科幻史詩（基地三部曲導讀）
・基地與機器人（基地前後傳導讀）

導讀人兼譯者簡介

葉李華，一九六二年生於高雄市，台灣大學電機系畢業，加州大學柏克萊分校理論物理博士，致力推廣中文科幻與通俗科學二十餘年。曾任交通大學科幻研究中心主任，現為自由作家。著有科幻小說「衛斯理回憶錄」系列，主編有《倪匡科幻獎作品集》等。科普譯作包括《胡桃裡的宇宙》等十餘冊，科幻譯作包括艾西莫夫科幻經典「機器人系列」、「銀河帝國系列」與「基地系列」共十六冊，被譽為「艾西莫夫在中文世界的代言人」。個人網站 http://www.yehleehwa.net/。

〔代序〕

機器人小說背後的故事

艾西莫夫

我和機器人結下不解之緣的時間，就寫作而言是在一九三九年五月十日，然而身為科幻迷的我，在更早之前就愛上了機器人。

畢竟，機器人並不是什麼新鮮的科幻題材，早在一九三九年已是如此。在古代和中世紀的神話傳說中，就有不少機械所製造的人類。至於「robot」這個名詞，最早則是出現於卡爾・查別克（Karel Capek）所寫的劇本《RUR》，這齣舞台劇於一九二一年在捷克首映，而劇本很快就翻譯成許多種外語。

RUR的意思是「羅森的全能機器人」，劇中的羅森是一位英國工業家，他為了讓人類能夠過著充滿創造性的悠閒生活，因而製造了一批人造人來為人類服務（「robot」就是衍生自捷克文的「奴工」一詞）。雖說羅森的立意良好，事實並未照他的計畫發展，那些機器人叛變了，人類因此自取滅亡。

這種想像中的新科技，會在一九二一那個年頭被視為大災難的根源，或許並沒有什麼好驚訝的。別忘了，當時第一次世界大戰剛結束不久，人類才見識過戰車、飛機和毒氣的威力——借用「星際大戰三部曲」的說法，那正是「原力的黑暗面」。

相較於《科學怪人》這個更有名的故事，《RUR》注入了較濃的悲觀色彩，前者雖然也有人造人的情節，而且這個舉動同樣導致不幸，相對而言規模卻小得多。由於這兩部經典作品的影響，在一九二〇和三〇年代的科幻作品中，作者經常將機器人描寫成危險的裝置，照例一定會毀掉它的創造者。這類作品一而再、再而三強調一個寓意，那就是：「有些事物人類不該知道。」

不過，我在十幾歲的時候就有不同的見解，我無法接受「如果知識代表危險，無知就是解決之道」這樣的觀點。在我看來，解決之道似乎是善用人類的智慧才對。人類不該拒絕面對危險，而應當學習如何化險為夷。

畢竟，早在某一群靈長類變成人類之初，這樣的問題已經是人類所面臨的挑戰。任何一項新科技都有可能帶來危險，打從一開始，火就是一種危險的科技，而語言又何嘗不是（且危險性尤有過之），這種情形直到今天仍未改變。可是如果沒有這兩項科技，人類就不是人類了。

總之，當時我雖然不太清楚自己對機器人故事有何不滿，內心卻一直在期待更精彩的作品。不久我終於等到了，那是刊登於《震撼科幻小說》一九三八年十二月號的一個短篇〈海倫‧奧洛〉，作者是列斯特‧德爾瑞（Lester del Rey），他以極富同情心的筆調來描寫一個機器人。我相信那只是他所發表的第二個故事，但從此以後，我就是個至死不渝的德爾瑞迷了（請大家千萬別告訴他，他一定還不知道）。

而幾乎同一時間，在一九三九年一月號的《驚異故事》中，因多‧班德（Eando Binder）在短篇小說〈我，機器人〉裡也創造了一個引人同情的機器人。雖然相較之下，這個故事的內容貧乏得多，但我再度大受感動。不知不覺間，我開始有了想要創作機器人故事的念頭，而且決心要把我的機器人寫得人見人愛。在一九三九年五月十日這一天，我終於動筆了，前後總共寫了兩週，因為在那個時代，我寫作的速度還相當慢。

這個故事被我命名為〈小機〉，主角是個機器人保母，雖然它和所照顧的女孩感情很好，女孩的媽媽卻怕它怕得要死。然而，弗列德‧普爾（Fred Pohl，當年他和我一樣才十九歲，此後我們的歲數也年年相同）比我來得聰明，他讀完這個故事之後告訴我，由於情節和〈海倫‧奧洛〉

太接近了，大權獨攬的《震撼》主編約翰．坎柏（John Campbell）不可能刊登。他說得很對，後來坎柏正是以這個理由退稿。

沒想到幾個月後，弗列德成為兩家新雜誌的編輯，而他竟然在一九四〇年三月二十五日買下了〈小機〉，並將它刊登在一九四〇年九月號的《超級科幻小說》，不過題目改成了〈奇異的玩伴〉（弗列德有個可怕的惡習，就是喜歡亂改別人的題目，而且幾乎總是改得更糟。後來，這個故事在別處發表過許多次，一律使用我原來的題目）。

然而在那個時代，除非是將作品賣給坎柏，否則我無論如何都會感到遺憾。所以不久之後，我便試著創作另一個機器人短篇。不過，這回我先和坎柏討論了自己的構想，以確定本篇完成之後，他退稿的唯一原因就是寫得不夠好。然後，我才正式動筆寫出〈理性〉這個故事，大意是說一個機器人有了宗教信仰。

坎柏於一九四〇年十一月二十二日接受了這篇小說，並於次年四月刊登在他所主編的《震撼》。這是我賣給他的第三個作品，但卻是他第一次照單全收，沒有要求我做任何修改。我因此感到十分得意，於是很快又寫了我的第三個機器人短篇，主角是個擁有讀心術的機器人，題目叫做〈騙子！〉。坎柏同樣爽快地接受了，將它刊登於一九四一年五月號，換句話說，連續兩期《震撼》都有我的機器人小說。

但我並未打算就此停手，我心中有一系列的故事要寫。

還有一件更重要的事。一九四〇年十二月二十三日，當我和坎柏討論讀心機器人這個構想的時候，兩人不知不覺談起了規範機器人行為的規則。在我看來，機器人應該是具有內建安全機制的工業產品，於是我們開始替這些安全機制設想白話的版本——這就是「機器人學三大法則」的前身。

後來，我在第四個機器人短篇〈轉圈圈〉中，首次寫出三大法則的確定內容，並在故事裡直接引用。這個短篇發表於一九四二年三月號的《震撼》，其中「機器人學三大法則」在該刊第一百頁首次出現。我很重視這件事，因為據我所知，這也是「機器人學」這個名詞在人類歷史上首度亮相。

在一九四〇年代結束之前，我又賣了四個機器人短篇給《震撼》，分別是〈抓兔子〉、〈逃避〉（坎柏改成了〈矛盾的逃避〉，因為兩年前他刊登了一篇同樣叫做〈逃避〉的故事）、〈證據〉和〈可避免的衝突〉，分別發表於一九四四年二月號、一九四五年八月號、一九四六年九月號以及一九五〇年六月號。

自一九五〇年起，幾家大型出版機構（其中最有名的是雙日公司）開始出版精裝的科幻小說。一九五〇年一月，雙日公司出版了我自己的第一本書——長篇科幻小說《蒼穹一粟》，與此同時，我已在埋首撰寫自己的第二部長篇。

那陣子，我的經紀人剛好是弗列德．普爾，他自然而然想到，或許我的機器人故事也可以出一本書。雖然當時雙日公司對短篇小說集沒什麼興趣，但另一家非常小的格言出版社態度則不同。

於是，一九五〇年六月八日，我將這個選集交給了格言出版社，暫訂的書名是《心靈與鋼鐵》。結果，出版商搖了搖頭。

「改為《我，機器人》吧。」他說。

「不行。」我說，「十年前，因多．班德的短篇小說就用過這個題目。」

「管他的！」出版商答道（不過這幾個字是經過我刪節之後的版本）。結果，我懷著相當不安的心情，勉強被他說服了。《我，機器人》成為我的第二本書，在一九五〇年的年尾問世。

這本書收錄了我在《震撼》所發表的八個機器人短篇，但次序經過了調整，好讓前因後果更為合理。除此之外，我還把那篇〈小機〉也收在裡面，因為雖然它被坎柏退稿，我仍舊很喜歡這個故事。

其實在一九四〇年代，我另外還寫過三個機器人短篇，它們或是遭到坎柏退稿，或是他根本沒看過，但由於和其他故事構成的主線欠缺直接關聯，我並未將它們收錄於《我，機器人》。後來，在該書出版後的幾十年間，我又寫了好些機器人短篇，最後它們連同上述三篇，全部毫無遺漏地收錄於另一個選集中——書名是《機器人短篇全集》，由雙日公司於一九八二年出版。

《我，機器人》的出版並未造成什麼轟動，但是年復一年，它的銷售量即使不大，至少一直很穩定。而在五年之內，這本書又陸續推出軍用平裝本、平價精裝本、英國版和德文版（這是我的書第一次譯成外文）。到了一九五六年，「新美國文庫」甚至也替它出了平裝本。

唯一的問題是，格言出版社長期處於苟延殘喘的狀態，從未提供一份清楚的銷售報表給我，稿酬就更別提了（我的「基地三部曲」也交給了格言出版社，所以遭到同樣的命運）。

一九六一年，雙日公司在獲悉格言出版社的困境之後，趕緊設法接手《我，機器人》以及「基地三部曲」。從那時開始，這幾本書的銷售狀況不可同日而語。事實上，《我，機器人》自問世以來，始終未曾絕版過，至今已經三十三年了。而在一九八一年，我甚至賣出了電影版權，可惜目前為止尚未開拍。此外據我所知，它被翻譯成了十八種語言，包括俄文和希伯來文在內。

但我的故事好像講得太快了。

再回到一九五二年吧，當時《我，機器人》尚未脫離苦海，只是格言出版社的叢書之一，而我根本不覺得有任何成就感。

當時，好些新的一流科幻雜誌出現了，科幻文壇又來到「百家爭鳴」的時期。例如一九四九年創刊的《奇幻與科幻雜誌》，以及一九五〇年的《銀河科幻》都是代表。約翰．坎柏因而喪失了獨霸的地位，四〇年代的「黃金時代」也隨之結束了。

在這種環境下，我開始為《銀河》的主編侯瑞斯．高德（Horace Gold）供稿，而這也令我鬆了一口氣。前後曾有八年的時間，我一律只投稿給坎柏，不禁覺得自己是他的專屬作家，萬一坎柏哪天出了意外，我也就完了。好在，和高德的密切合作解除了我這方面的焦慮。高德甚至連載了我的第二部長篇小說《繁星若塵》，不過他將書名改成《太暴星》，我覺得很糟糕。

我新認識的編輯其實不只高德一人，例如我還把一個機器人短篇賣給了霍華德．布朗尼（Howard Browne），那陣子他正任職於想轉型為高格調雜誌的《驚異》。後來，這篇〈保證滿意〉發表於該刊的一九五一年四月號。

不過，這件事只能算是例外。整體而言，當時我已不打算再寫機器人的故事。《我，機器人》的出版似乎自然而然為我這方面的文學生涯畫上了句點，而我也已經開始朝其他方向發展了。

然而，高德幫我連載完那部長篇之後，非常希望再接再厲，而更重要的原因，則是我剛完成的另一部長篇《星空暗流》已交由坎柏連載。

於是，一九五二年四月十九日，高德找我討論接下來能再為《銀河》寫一部什麼樣的長篇。他建議寫個機器人的故事，我卻堅決地搖了搖頭。在此之前，我寫的機器人都是短篇，而我根本不確定能否以機器人為題材，寫出一部長篇小說。

「你當然沒問題，」高德說：「要不要寫一個人口過剩的世界，機器人逐漸取代了人力。」

「太灰色了。」我說：「我不覺得自己會想處理這麼沉重的社會議題。」

「那就保持你的風格。你喜歡推理故事，就在裡面安排一樁謀殺案，然後讓一名偵探和一個機器人合作辦案，如果偵探束手無策，機器人就會取而代之。」

這句話激起了火花。坎柏常常說，所謂的「科幻推理」本身就是個矛盾的名詞，因為作者可以投機取巧，利用新科技替偵探解決疑難雜症，而讀者也就上當了。

因此，我決心寫一個不會欺騙讀者的正統推理故事——但同時也要是標準的科幻小說。結果我寫出了《鋼穴》，隨即在一九五三年十月號至十二月號的《銀河》分三期連載完畢。次年，雙日公司出版了這部長篇小說，是為我的第十一本書。

毫無疑問，《鋼穴》是我那時為止最成功的作品，不但比之前的每一本書都要暢銷，就連讀者的來函也變得更為親切了，而（最佳的證明是）雙日公司對我眉開眼笑的程度大大超過以往。過去，他們在簽約之前，一律要求我提供大綱並試寫幾章，但從此以後，我只要表示想寫一本新書，合約就會立刻送來。

事實上，由於《鋼穴》太過成功，令我無可避免地想要寫個續集。要不是當時我剛投入科普的創作，而且覺得其樂無窮，我想自己一定會馬上動筆。由於這個緣故，我直到一九五五年十月，才真正開始撰寫《裸陽》這個故事。

然而一旦開動，一切便很順利。就許多方面而言，它和前一本書起著互相平衡的作用：《鋼穴》的時空背景是未來的地球，那是個人類太多而機器人太少的世界；《裸陽》的故事則發生在索拉利，那個世界恰恰相反，人類太少而機器人太多。此外，雖然我的小說通常欠缺男歡女愛，這回我卻刻意用輕描淡寫的筆法，在《裸陽》中引進一段愛情故事。

我對這個續集極為滿意，而且在我內心深處，甚至認為它比《鋼穴》更精彩，問題是，接下來我該怎麼做呢？當時我和坎柏已經有些疏遠，因為他開始涉獵一種稱為「戴尼提」的偽科學，而且竟然對飛碟、心靈力學等等的怪力亂神越來越感興趣。但另一方面，我受過他太多的恩惠，因而對於自己將重心轉移到高德身上（我最近的兩個作品都交給他連載）我感到相當內疚。好在高德從未參與《裸陽》的寫作計畫，它的歸宿當然可以完全由我決定。

因此之故，我將這部小說投給了坎柏，他立刻接受了，分成三部分連載於《震撼》的一九五六年十月號至十二月號，而且照例沒有更動我的書名。次年，也就是一九五七年，雙日公司出版了這部長篇小說，成了我的第十二本書。

即使沒有青出於藍，《裸陽》的表現也絕對不輸《鋼穴》，於是雙日公司立刻指出，我可不能到此為止。正如我的「基地三部曲」那樣，我應該再寫一本，湊成另一個三部曲。

我完全同意，而且心中很快就有了粗略的構想，甚至連書名都想好了，叫做《無限的邊界》。一九五八年七月，我們全家安排了一個長達三週的假期，住在麻州馬什菲爾德的海濱度假小屋。我原本打算利用這個空檔，把這本新書寫出七、八成來。故事預定發生在奧羅拉，其中的「人類／機器人比」相當合理，既不像《鋼穴》那樣前者遠遠超過後者，也不像《裸陽》那種剛好相反的情形。而且，我決定對其中的愛情部分更加著墨。

看來是萬事俱備——結果還是出了問題。這麼說吧，進入一九五〇年代之後，我對「非小說文類」的寫作越來越感興趣，於是生平頭一遭，寫小說時竟擦不出火花。我勉強寫了四章，就再也寫不下去，最好只好放棄。我檢討了一下，認為那是由於我在內心深處，總是覺得自己無法處理男女之愛，也無法將人類和機器人的比例調整到旗鼓相當的地步。

其後的二十五個年頭，這個情況一直沒有改變。但另一方面，《鋼穴》和《裸陽》始終沒有絕版，更沒有消失。比方說，這兩本書曾合併為《機器人小說》重新出版，也曾經和其他幾個機器人短篇組成一大冊的《機器人餘集》。此外，還有好幾種平裝本陸續問世。

因此，在這二十五年間，讀者都不難找到這兩本書，而且（我假設）讀得津津有味。於是有許多讀者來信要求我再寫一本續集，而在科幻大會之類的場合，他們更是當面質問我。久而久之，它成了我最難迴避的一個要求（唯一能相提並論的，就是要求我寫第四本基地小說的呼聲）。

而每當被問到我是否有這個打算，我總是回答：「會的——總有一天——所以祈禱我長命百歲吧。」

雖然我也覺得應該寫，但一年又一年過去了，我卻越來越肯定自己處理不了這個主題，也就越來越含淚相信自己永遠寫不出第三本機器人小說。

然而，一九八三年三月某一天，我還是將這個「千呼萬喚始出來」的第三冊交給了雙日公司。這本書叫做《曙光中的機器人》，內容和一九五八年那個半途夭折的嘗試毫無關係。一九八三年十月，它終於和讀者見面了。

——以撒·艾西莫夫於紐約市

目次

〔導讀〕艾西莫夫偏心的理由　葉李華……9
〔代序〕機器人小說背後的故事　艾西莫夫……14
第一章　貝萊……29
第二章　丹尼爾……58
第三章　吉斯卡……83
第四章　法斯陀夫……103
第五章　丹尼爾與吉斯卡……126
第六章　嘉蒂雅……162
第七章　法斯陀夫之二……196
第八章　法斯陀夫與瓦西莉婭……223

第九章　瓦西莉婭……246
第十章　瓦西莉婭之二……270
第十一章　格里邁尼斯……288
第十二章　格里邁尼斯之二……308
第十三章　阿瑪狄洛……335
第十四章　阿瑪狄洛之二……353
第十五章　丹尼爾與吉斯卡之二……382
第十六章　嘉蒂雅之二……407
第十七章　主席……423
第十八章　主席之二……449
第十九章　貝萊之二……472

機器人學三大法則

一、機器人不得傷害人類，或因不作為而使人類受到傷害。

二、除非違背第一法則，機器人必須服從人類的命令。

三、在不違背第一及第二法則的情況下，機器人必須保護自己。

獻給馬文・閔斯基與約瑟夫・F・恩格柏格，他們兩人（分別）是機器人學理論和實務的化身。

第一章　貝萊

1

以利亞·貝萊來到樹蔭下，開始喃喃自語：「我就知道，我出汗了。」

他拉了拉衣服，反手擦去額頭上的汗水，然後悶悶不樂地望著濕答答的手背。

他繼續自言自語：「我最討厭流汗。」這句話，像是在宣稱一項放諸宇宙皆準的法則。想到宇宙總是製造這種既討厭又不可或缺的東西，他再度感到厭煩不已。

只要待在大城內，你就永遠不會流汗（當然，除非是故意的），這是由於大城內的空氣和濕度始終受到絕對的控制，因此，無論從事任何必要的活動，你所產生的熱量一律不會超過消散的熱量。

那樣才叫作文明。

他放眼望去，田野中零零星星有好些男男女女，這些人可算都歸他管轄，其中大多數是接近二十歲的青年，但也有些是像他一樣的中年人。他們正在做的每一件事，例如墾地翻土，其實都是機器人分內的工作——而且它們能做得更有效率得多，絕不會像這些主人那麼笨拙，不過這回人類堅持親自動手，所以它們奉命站在一邊旁觀。

天上飄著幾朵雲，而且眼看太陽就要被遮住了。他抬頭望了望，心情有些矛盾。雖然這意味著直射的陽光（以及汗水）會暫時終止，可是另一方面，是否意味著可能會下雨呢？

置身於城外就是有這種麻煩，惡劣的環境總是換湯不換藥，永遠不會令人愉快。

一片不大不小的雲朵，竟然就能完全遮住太陽，令大地整個陷入陰暗，卻對蔚藍的天空幾乎沒有影響——這種大自然的奇景，總是令貝萊嘖嘖稱奇。

這時，他站在茂葉形成的樹蔭下（這是最原始的牆壁和天花板，堅實的樹皮更有一種足以撫慰人心的觸感），再次望向並審視那群人。無論天氣如何，他們風雨無阻，固定每週來這兒一次。

一開始，只有極少數的勇者響應這個活動，如今則是越來越聲勢浩大，人數明顯增加了許多。大城政府即使不算積極支持這個活動，至少並未橫加阻撓，這已令人感激不盡。

在貝萊右手邊的地平線上——根據逐漸西沉的太陽，不難推斷那邊是東方——他能看到大城內一座座外形酷似手指的穹頂，那才是地球人安身立命之處。除此之外，他注意到遠方有個移動的小黑點，只是目前還看不太清楚。

根據它的運動方式，以及其他一些很難形容的跡象，貝萊相當確定那是個機器人，但他絲毫不覺得驚訝。只要出了大城，地球表面處處皆為機器人的活動領域，人類從不涉足其間——例外的只有他們（包括他自己）這些夢想征服外星的少數人。

想到這裡，他自然而然又轉向那群正在鋤地的星空夢想家，目光輪流掃過每一個人。每一個人他都認識，而且叫得出名字。他們都在工作，都在學習應付城外的環境，都在……

他突然皺起眉頭，低聲嘀咕：「班特萊哪兒去了？」

立刻有一個聲音（雖然有些氣喘吁吁，卻顯得生氣蓬勃）在他身後回應道：「爸，我在這裡。」

貝萊隨即轉身。「班，別這樣。」

「別怎樣？」

「別偷偷摸摸冒出來。來到這城外，想要維持心情平靜已經很不容易，我可沒多餘的精神留意這種惡作劇。」

「我並不是故意要嚇你。走在草地上，想弄出一點聲音都很難，所以我也沒辦法。不過，爸，你是不是該進去了？你出來足足有兩小時，我想應該夠了吧。」

「為什麼？因為我已經四十五歲，而你只是十九歲的毛頭小子？你認為得好好照顧年老力衰的父親了，是嗎？」

班說：「沒錯，我就是這麼想。你真是個了不起的警探，一句話就把我拆穿了。」

班露出燦爛的笑容。他有一張圓圓的臉龐，以及一雙閃亮的大眼睛。貝萊心想，班太像他的母親了，他身上有太多潔西的影子。反之，貝萊自己這張冷峻的長臉則幾乎沒有一絲一毫遺傳給他。

然而，班卻遺傳到了父親的思考方式，例如不時會眉頭深鎖。無論誰看到那種嚴肅的表情，都不會懷疑他們的父子關係。

「我的狀況很好。」貝萊說。

「是啊，爸，你是我們當中最好的，尤其是以……」

「以什麼？」

「當然是以你這種年紀。而且，我從未忘記這個活動是你發起的。話說回來，剛剛我看到你躲在樹下，於是我想——嗯，或許老人家受不了了。」

「你才老人家呢。」貝萊說。這時，剛才他瞥見的那個機器人已經來到近處，可以看得一清二楚了，但貝萊並未多加注意，他繼續說：「如果陽光太強，本來就該偶爾到樹下避一避。我們不但要學習忍受城外的種種不便，還要學習如何就地取材——瞧，太陽又從雲端露臉了。」

「沒錯，是要出來了。好啦，你到底要不要進去？」

「我還能撐下去。每週我都可以休息一個下午，而我選擇把時間花在這裡。身為C7級，這是我應享的權利。」

「這並非權利不權利的問題，爸，問題在於你是否過勞了。」

「我告訴你，我感覺很好。」

「是啊，只不過一回到家，你就會直接衝到床上，躺在黑暗中不肯起來。」

「那是對抗過度曝光的天然解藥。」

「可是媽會擔心。」

「嗯，讓她去擔心吧，這對她其實有好處。再說，到這兒來又會有什麼害處呢？最糟也不過是流汗而已，但我正要學著適應流汗，不能避之唯恐不及。當初剛開始的時候，我只要走出大城這麼一小段，就再也走不下去——而當時只有你陪著我。現在你看看，有多少人加入我們，而我又能毫無困難地走出多遠。此外，我還學會了許多事。我可以再撐一個鐘頭，輕而易舉。我告訴你，班，如果你母親也和我們一起來，對她真的會有好處。」

「誰？媽？你絕對是在說笑。」

「並不盡然。等到啟程那一天，我將無法和大家同行——因為她不會去。」

「我想你會因此感到慶幸。你就別哄自己了，爸，距離那天還有好長一陣子呢——即使你現在還不算太老，到時也一定是老人家，恐怕無法參與年輕人的遊戲了。」

「給我聽好，」貝萊半握著拳頭，「你這種『年輕人』的論調，可真是天縱英才。你有沒有離開過地球？田野裡那些人又有誰有過這種經歷？我就有，那還是兩年前的事。當時我完全沒有受過這種適應訓練，而我撐過來了。」

「我知道，爸，但那只是短期旅行，而且是執行任務，而且你從頭到尾接受妥善的照顧，所以兩者不能混為一談。」

「我認為可以。」雖然明知並非事實，貝萊仍舊倔強地堅持己見。「而且，我們不一定要等很久才能出發。只要我獲准去一趟奧羅拉，我們就有機會隨時離開地球。」

「算了吧，事情不會那麼容易的。」

「我們必須試一試。想要地球政府放我們走，除非奧羅拉點頭。在太空族世界中，要屬奧羅拉最為強大，它的主張深具……」

「影響力！這我知道。關於這件事，我們已經討論過一百萬次了。可是，想要獲得奧羅拉的許可，你不一定要親自跑一趟，別忘了還有超波中繼器這種東西。你在這裡就可以和他們通話，我已經提醒你無數次了。」

「不一樣的。我們需要做面對面的溝通——我已經提醒你無數次了。」

「總之，」班說：「我們還沒準備好。」

「所謂沒準備好，是因為地球不肯給我們太空船。而太空族不但願意，還會提供必要的科技協助。」

「你還真有信心！太空族為何要這麼做？打從什麼時候開始，他們對短命的地球人這麼友善了？」

「只要我有機會和他們談談……」

班卻哈哈大笑。「得了吧，爸，你想去奧羅拉，只是為了再去看看那個女人。」

貝萊不禁皺起眉頭，一對眉毛緊緊貼著深陷的眼眶。「女人？耶和華啊，班，你到底在說什麼？」

「好啦，爸，我保證守口如瓶，不會傳到媽耳朵裡——你和那個索拉利女人到底發生了什麼事？我已經夠大了，你可以告訴我。」

「什麼索拉利女人？」

「地球上家家戶戶都從超波劇中認識了那個女人，你怎能當著我的面否認呢？就是那個女人，嘉蒂雅．德拉瑪！」

「沒發生任何事。那齣超波劇毫無根據，我已經對你強調一千次了。她不是劇中那個樣子，我也不是劇中那個樣子，所有的劇情都是編出來的。你也知道，我曾經提出抗議，可是戲卻照拍不誤，因為政府認為它有助於地球和太空族的親善關係。你要留心，在你母親面前要堅持這個立場，千萬別亂講話。」

「我保證不會。只不過，這位嘉蒂雅去了奧羅拉，碰巧你也一直想去那裡。」

「你是想告訴我，你真的認為我想去奧羅拉是因為……喔，耶和華啊！」

「怎麼回事？」兒子揚了揚眉。

「那個機器人，竟然是機．吉洛尼莫。」

「誰？」

「它是局裡的信差機器人，而它到這兒來了！今天是我的休假日，我故意把收訊器留在家裡，就是不希望他們找到我。身為C7級，那是我應有的權利，而他們竟然派機器人來找我。」

「爸，你怎麼知道它是來找你的？」

「藉由非常高明的推理。一、除我之外，這裡沒有第二個人和警局有任何關聯。二、那個破銅爛鐵正對準我走過來。我就是根據這兩點，推論出它是來找我的，我該趕緊站到大樹另一邊去。」

「樹木又不是牆壁，爸，機器人站在樹這邊，還是可以跟你說話。」

就在這個時候，那機器人開始喊道：「貝萊主人，我給你帶口信來，總部要你趕回去。」

說完後，機器人等了一會兒，然後再度喊道：「貝萊主人，我給你帶口信來，總部要你趕回去。」

「我聽到了，也聽懂了。」貝萊硬邦邦地說。他不得不回答，否則機器人會一直重複下去。貝萊微微皺著眉頭，開始打量這個機器人。它屬於一種新的型號，比那些舊型要更像真人幾分。短短一個月前，它們才正式拆箱啟用，當時還引起不大不小的轟動。政府總是嘗試利用各種方式——任何方式都不放過——讓機器人變得更受大眾歡迎。

這種機器人表面呈暗灰色，並沒有金屬光澤，而且或多或少有些彈性（有點像軟皮革吧）。它的表情雖然幾乎沒有變化，卻不像大多數機器人那樣看起來像個白癡。不過就心智而言，它和其他的地球機器人如出一轍，實際上通通是白癡。

這時，貝萊突然想起了機·丹尼爾·奧利瓦這個太空族的機器人——他曾經兩度和自己合作辦案，一次是在地球上，另一次是在索拉利；而他們最後一次見面，則是丹尼爾為了「鏡像案」來請教他的時候。丹尼爾這個機器人實在太像人類了，貝萊甚至可以將他當成朋友，而且至今仍舊想念他。如果所有的機器人都像他那樣……

貝萊收回思緒，答道：「小子，我這半天休假，沒必要回總部去。」

機·吉洛尼莫並未接口，但貝萊注意到，它的雙手正在微微發抖。他相當瞭解，這意味著機器人的正子徑路出現了某種程度的衝突。機器人必須服從人類的命令，可是在日常生活中，經常會出現兩人的命令互相牴觸的情形。

機器人終於做出決定，它說：「你正在休假沒錯，主人——總部還是要你趕回去。」

「既然他們要找你，爸……」班的口氣有點不安。

貝萊聳了聳肩。「別給唬弄了，班。如果他們真急著找我，就會派出一輛密封車，裡面或許還會坐著一名自告奮勇的同事——絕不會派一個機器人走路過來，還帶著惹我生氣的口信。」

班不以為然地搖搖頭。「我可不這麼想，爸。他們並不知道你在哪裡，更不知道要花多少時間才能找到你。這種充滿變數的搜尋工作，我認為他們不會派真人來執行。」

「是嗎？好吧，咱們看看總部的命令到底有多強——機．吉洛尼莫，馬上回總部去，告訴他們明天〇九〇〇時我才會上班。」然後，他用更嚴厲的口氣說：「回去，這是命令！」

機器人明顯地猶豫不決了一陣子，然後才轉身離去，但它很快又轉過身來，試圖走回貝萊身邊。最後它停在一個定點，全身顫抖不已。

貝萊終於心知肚明，低聲對班說：「看來我非走不可了，耶和華啊！」

這個機器人所出現的問題，機器人學家稱之為「第二級等電位矛盾」。服從是機器人學第二法則的主旨，但機．吉洛尼莫此時卻面對著兩個強度大致相等而內容互相矛盾的命令。一般人將這種情形稱為「機器人困阻」，而「機困」則是更常用的簡稱。

那機器人又慢慢轉了過來，它最初接受的命令終究比較強，卻也只強了一點點，以致它的聲音含糊不清。「主人，我被告知你有可能這麼說，在這種情況下，我就要回應……」它頓了頓，然後嘶喊道：「我就要回應——但你現在不是單獨一人。」

貝萊對兒子點了點頭，班立即會意，趕緊退了下去——他十分清楚父親何時是「爸爸」，何時又是一名警官。

一時之間，惡作劇的念頭在貝萊心中起伏不已，他很想再加強自己的命令，讓機困效應發揮得更徹底，可是這麼一來，這機器人注定嚴重受損，必須接受正子分析和程式重設。所有的修復費用都得由他支付，他一整年的薪水很可能會全被扣光。

於是他說：「我收回我的命令，你到底奉命如何回應？」

機．吉洛尼莫的聲音立刻變得清晰。「我奉命回應說，事情和奧羅拉有關，所以要將你緊急召回。」

貝萊轉向尚未走遠的班，高聲喊道：「我必須先走一步，讓他們再做半小時，然後說我命令收工。」

他邁開大步往回走，同時沒好氣地問機器人道：「他們為何不能叫你一見面就說清楚？又為何不能給你裝個駕駛程式，省得我一路走回去？」

第二個問題的答案，其實他心中非常清楚。如果讓機器人駕駛車輛，只要出一點意外，一定會引起另一波的反機器人暴動。

他一直沒有放慢腳步。他們要走上兩公里，才能抵達大城的外牆，然後，還要在擁擠的交通狀況中一路走到總部。

奧羅拉？這回又有什麼樣的危機呢？

2

貝萊花了半小時才走到大城的入口，他開始繃緊神經，迎接即將出現的心理變化。或許……或許……這次不會再發生了吧。

等到終於抵達那道分隔城裡和城外、文明和洪荒的圍牆，他將一隻手貼到訊號板上，圍牆隨即出現一個逐漸擴大的裂縫。一如往常，一旦裂縫開到足以容身，他便迫不及待地擠了進去，機．吉洛尼莫緊跟在他後面。

崗哨中的警衛嚇了一跳——只要有人從城外進來，他的反應一律如此，每一次，他都會露出難以置信的表情，都會進入警戒狀態，都會趕緊握住手銃，也都會猶疑地皺起眉頭。

貝萊沉著臉出示了證件，警衛立刻向他行禮。城門隨即關上——他預期中的事也隨之發生了。

貝萊回到了大城內，在圍牆的重重包覆下，整個大城儼然構成了一個宇宙。他再度鑽進源自人類和機器的噪音與氣味中，這些聽覺和嗅覺的刺激雖然永無止盡，可是不久之後，就會降到閾值之下，令他再也感覺不到。而城內的人工照明，則是既輕柔又間接，一點也不像城外那種既不均勻又不穩定的強光——綠、褐、藍、白混在一起，不時還夾雜著紅光和黃光。此外，大城裡沒有飄忽的強風，沒有過冷過熱的溫度，沒有晴雨不定的天氣——只有一股股完全感覺不到的氣流，永恆不變地靜靜吹拂，令萬物永遠保持清爽乾燥。至於溫度和濕度，則調整到完美的組合，令人一無所覺卻舒適無比。

貝萊近乎抽搐地猛吸著氣，同時滿心歡喜地想到，自己又回家了，一切的未知數和威脅也隨之消失了。

這就是總會發生的那件事。他再度把大城視為子宮，每次回到裡面，照例欣慰地大大鬆了一口氣。他明明知道人類必須鑽出這個子宮，降生到世上，可是自己為何總是離不開它？難道事情一定會這樣嗎？難道說，即使他引領無數群眾走出大城、離開地球、飛入星際，到頭來自己卻無法成行？難道只有待在城內，他才會感到舒適自在嗎？

他咬緊牙根——這些胡思亂想根本沒用。

他回過神來，對機器人說：「小子，你是不是搭車來到這兒的？」

「是的，主人。」

「車子哪兒去了？」

「主人，我不知道。」

貝萊轉向那名警衛。「警官，這機器人是兩小時前搭車來此地的，送他來的那輛車去了哪裡？」

「報告長官，我值勤還不到一小時。」

老實說，這真是個蠢問題。無論那輛車裡有些什麼人，他們都不知道機器人需要多久才能找到他，所以當然不會在此等候。貝萊曾動念想要打電話，但想必他們會叫他搭乘捷運，那樣一定更快。

他之所以猶豫不決，唯一的原因是機．吉洛尼莫在他身邊。他不希望帶著機器人一起登上捷運，但滿街都是對機器人充滿敵意的群眾，他又絕對不能讓它自己走回總部。

他處於進退維谷的窘境，而毫無疑問，這是局長有心刁難他。無論是不是上班時間，只要聯絡不上他，局長就會很不高興。

貝萊說：「走這邊，小子。」

這座大城佔地五千餘平方公里，人口數遠超過兩千萬，而大眾運輸全靠總長四百多公里的捷運帶，以及幾百公里的支線緩運帶。這個繁複的交通網上下共有八層，此外再加上數以百計、大小不一的轉接點。

身為便衣刑警，理當熟悉所有的交通路線，這點貝萊絕不含糊。如果將他蒙上眼睛，帶到大城任何一個角落，等到重見光明，他一定能毫無困難地前往另一個隨機指定的地點。

因此毫無疑問，他當然知道怎樣回到總部。然而，總共有八條路線可供選擇，此時到底哪條最不擁擠，他一時之間還拿不定主意。

但他只遲疑了一下子，隨即做出決定，說道：「跟我走，小子。」機器人便溫馴地跟在他後面。

他們跳上附近的一條支線帶，貝萊立刻抓住一根微溫的白色扶桿——它的特殊質地讓人握起來輕鬆而舒適。貝萊不想坐下，因為並不會搭乘太久。機器人則是直到貝萊揮手示意，才學著他也握住那根桿子。其實它大可什麼也不抓，仍舊不難保持平衡，可是這麼一來，就可能會有人站在他們中間，貝萊可不想冒這個險。此時此刻，這個機器人由他負責照顧，萬一機．吉洛尼莫出了任何事，大城政府蒙受的損失都要由他來賠償。

這條支線帶上的乘客雖然不多，但人人都無可避免地向機器人投以好奇的目光。貝萊則擺出一副高官的模樣，一一回瞪眾人，令他們個個不安地別過頭去。

不久之後，這條支線眼看就要和普通路帶交會，速度也剛好和最接近的路帶一致，因此完全沒有必要減速。貝萊做了一個手勢，領著機器人下了支線帶。由於上方不再有防護罩，他一踏上那條最近的路帶，便感到一陣強風襲來。

他傾身向前，駕輕就熟地對抗著強風，並舉起一隻手臂擋在眼睛的高度。然後，他跨越一條條越來越慢的路帶，一路朝捷運交點跑過去，接著再跨越一條條越來越快的路帶，一路跑到捷運旁邊的高速路帶上。

這時，他聽到幾個青少年大喊「機器人！」，立刻料到將會發生什麼事（別忘了，他自己也經歷過這種年齡）。一群青少年——可能兩三個也可能五、六個——會在幾條路帶之間跳來跳去，而機器人遲早會被絆倒，噹啷一聲跌到路帶上。事後如果鬧上法庭，被捕的青少年便會堅稱是機器人向他撞過來，真正威脅交通安全的是機器人——於是一定會被釋放。

至於機器人，事發當時它根本無法自衛，而事後也不能出庭作證。

貝萊趕緊採取行動，擋在機器人和最前面的青少年之間。然後，他橫步跨到速度高一級的路帶上，同時高舉手臂，彷彿為了對抗更強的風力，其實是要在那個青少年毫無準備之際，將他推向低一級速的路帶。青少年慘叫了一聲「嘿！」，馬上摔個狗吃屎，他的同伴趕緊重新評估形勢，隨即一舉做鳥獸散。

貝萊發號施令：「小子，上捷運帶。」

由於在無人陪伴的情況下，機器人不得自己登上捷運，所以機・吉洛尼莫稍微遲疑了一下。然而，貝萊的命令相當堅決，它不得不照做。好在貝萊立刻跟上去，這才解除了機器人的心理壓力。

貝萊將機・吉洛尼莫推到自己前面，硬生生擠過站在底層的人群，來到了乘客較少的上層。他一隻手抓住扶桿，一隻腳牢牢踩著機器人的腳掌，同時忙著再次以怒目驅散好奇的眼光。

走了十五公里半的路程之後，終於來到警局總部附近，貝萊下了捷運，機・吉洛尼莫緊跟在後——自始至終，它未被任何人摸一摸或碰一碰。貝萊將毫髮無損的機器人帶到警局門口，換回一張收據。他仔細檢查了收據上的日期、時間以及機器人序號，這才將它放進皮夾裡。今天稍後，他還得確認電腦已經記錄了這個交接手續。

現在，他就要去見局長了。貝萊自認很瞭解他，這位局長嚴厲無比，而且將貝萊過去的功績通通視為大逆不道。無論貝萊出了任何差錯，都會是遭到降級的最佳理由。

3

局長名叫威爾森・魯斯，他在兩年半前接下這個職位。當時，那宗太空族謀殺案所引起的軒然大波總算逐漸平息了，在情勢許可後，前任局長朱里斯・恩德比第一時間辭職求去。

貝萊自己從未真正適應這個改變。朱里斯雖然有許多缺點，但他除了是貝萊的上司，還有另一重朋友的身份。相較之下，魯斯卻只是上司而已；他甚至沒有大城血統，起碼不是這個大城，他是從外地空降而來的。

魯斯有著中等身材，既不特別高，也不特別胖。不過，他的腦袋相當大，似乎壓得他的脖子微微向前傾。這使得他整體而言堪稱「厚重」：厚重的身軀配上厚重的頭顱，就連他的眼皮都很厚重，幾乎遮住一半的眼睛。

任何人第一次見到他，都會覺得他還沒睡醒，其實他永遠眼觀四面、耳聽八方。這一點，在魯斯接掌這個職位之後，貝萊很快就發現了。打從那時起，貝萊從未幻想魯斯會喜歡他，更不曾幻想自己會喜歡這位新長官。

「貝萊，你為什麼總是那麼難找？」魯斯的口氣並不算壞——他一向如此——但也絕不能算高興。

貝萊盡可能以恭敬的口吻回答：「局長，我今天下午休假。」

「是啊，這是你身為C７級的特權。但你總該知道有『隨身波』這種東西吧？總該知道它能讓你隨時隨地收到官方訊息吧？即使並非上班時間，你也應該隨時待命。」

「這點我非常瞭解，局長，可是如今，隨身波不離身這類規定已經不存在了。無論我們帶不帶，反正一定能被找到。」

「在大城之內，的確，但你剛剛卻在城外——難道我搞錯了嗎？」

「你沒搞錯，局長，我確實在城外。可是也沒有任何規定，要求我在那種情況下，必須攜帶隨身波。」

「所以說，你在用法規條文當護身符？」

「是的，局長。」貝萊心平氣和地說。

局長站了起來，顯得威風凜凜，隱隱散發著懾人的氣魄，然後，他一屁股坐到辦公桌上。想當初，恩德比曾在辦公室牆上開了一扇窗，如今早已封死，而且重新粉刷過，於是在這個封閉

（因而更加溫暖舒適）的空間中，局長的身形看來更為巨大。

他並未提高音量，繼續說：「貝萊，我想你是仗著地球對你的感激，這才有恃無恐。」

「我之所以有恃無恐，局長，是因為我在工作上全力以赴，而且完全遵守規定。」

「但你仗著地球對你的感激，一再扭曲那些規定的精神。」

這回貝萊並未回答。

局長又說：「大家都認為，三年前你偵辦薩頓的謀殺案，表現十分出色。」

「謝謝你，局長。」貝萊說，「而我相信，這件案子最後導致太空城從地球上消失。」

「沒錯，這一點，贏得地球各個角落的掌聲。而兩年前，你在索拉利的表現也被公認為可圈可點——別急，我正要說，這導致了太空族世界主動修改和我們的貿易條約，結果對地球極為有利。」

「我相信這些都有案可查，局長。」

「結果，你就變成了一個大英雄。」

「我從未這麼說。」

「你每破一案就升一級，短時間內竟連升兩級。而你在索拉利的事蹟，甚至改編成了超波劇。」

「那齣戲並未獲得我的許可，而且違反我的意願，局長。」

「雖然如此，它還是把你塑造成了英雄。」

貝萊聳了聳肩。

局長等了幾秒鐘，並未等到貝萊開口回應，便逕自說下去：「可是過去這兩年，你並沒有什麼重大貢獻。」

「我最近有何貢獻，地球當局自然有權質疑。」

「完全正確，而且可能真的質疑過。所以當局知道，你領導了一個城外探險的新興運動，帶著一大群人去玩泥巴，扮演機器人的角色。」

「這些活動都獲得了批准。」

「獲得批准並不代表贏得讚賞，認為你是怪人的群眾可能超過了把你視為英雄的崇拜者。」

「或許，我對自己的看法也正是這樣。」貝萊答道。

「群眾是健忘的，這點眾所周知，在他們心目中，你的怪異行徑很快便會取代你的英雄事蹟，所以只要你犯一點錯，就會帶來嚴重的後果。你所仰仗的聲譽……」

「請容我澄清，局長，我並未仰仗什麼聲譽。」

「好吧，警局覺得你仰仗了那些聲譽。可是那些聲譽救不了你，而我也無能為力。」

有那麼一瞬間，貝萊陰沉的表情中似乎閃現一絲笑意。「局長，我可不希望你冒著丟官的危險，莽莽撞撞對我伸出援手。」

這回輪到局長聳聳肩，並擠出一個同樣飄忽短暫的微笑。「這倒不勞你操心。」

「那麼局長，你跟我說這些到底是為什麼？」

「為了要警告你。我並不想毀掉你，瞭解吧，所以我至少要警告你一次。你即將捲入一個非常敏感、非常容易犯錯的事件，而我要特別警告你，從頭到尾一點小錯都犯不得。」說到這裡，他終於露出一個如假包換的笑容。

貝萊對那個笑容視而不見，追問道：「你能否告訴我，這個非常敏感的事件究竟是什麼？」

「我也不知道。」

「是否牽涉到奧羅拉？」

「機．吉洛尼莫奉命在必要時可將這點透露給你，但除此之外，我就不知道了。」

「那麼局長，你又如何斷定它是個非常敏感的事件？」

「別忘了，貝萊，你自己就是專破奇案的推理專家。地球司法部明明可以把你叫去華盛頓，就像兩年前派你去辦索拉利上那件案子一樣，可是這回他們卻派專人來找你，這是為什麼呢？而這位司法部的專員抵達之後，聽說無法第一時間見到你，立刻皺起眉頭，顯得不太高興，而且越來越不耐煩，這又是為什麼？你讓自己隱遁半日的決定是個錯誤，這件事我無法替你負責。或許這還不算致命的錯誤，可是我相信，你至少已經邁出錯誤的第一步。」

「然而，你卻繼續耽擱我的時間。」貝萊皺著眉頭說。

「並不盡然。那位司法部的專員正在享用點心——你也知道，地球政府的高官一向不介意接受款待。等到專員吃完，我們再一起開會。我已經派人傳達說你回到警局了，所以你我就繼續等吧。」

貝萊開始耐心等待——他早已心知肚明，那齣在他抗議之下照播不誤的超波劇，雖然或許有助於提升地球的地位，卻毀了他在警局的前途。如今在這個扁平的組織中，他活脫一尊突出平面的立體浮雕，自然而然成為眾矢之的。

沒錯，他一再晉升，獲得越來越多的特權，可是與此同時，他在警局中也累積了越來越多的公憤。因此，他爬得越高，就越容易摔得粉身碎骨。

哪怕只是犯一點錯……

4

司法部的專員走了進來，四下望了望，隨即走到魯斯的辦公桌後面，逕自坐下來。身為上級長官，這位專員表現得恰如其分，魯斯則默默選了一個下首的座位。

貝萊繼續站在那裡，竭力壓抑著驚訝的表情。

魯斯好歹應該先提一下，可是他並未那麼做。而為了避免洩漏真相，他剛才說話的時候，顯然還刻意字斟句酌。

那位專員竟然是女性。

其實，這並無任何違背常理之處。任何官員都可能是女性，即使部長也不例外。而警方成員中也不乏女性，甚至有一位女警做到了隊長。

只不過，無論在任何情況下，除非事先被人告知，誰也不會先做這種心理準備。雖然在過去某些時代，曾有女性擔任行政主管的諸多先例，熟讀歷史的貝萊對這點絕不陌生，可是如今卻不屬於那樣的時代。

她個子相當高，而且此時坐得筆直。她身上的制服和男裝並沒有很大差異，而她的髮型和化妝同樣屬於中性。唯有那突出的胸部能讓人一眼看出她的性別，而她絲毫沒有掩飾的意思。

她看起來有四十幾歲，五官端正，輪廓很深。雖然已經明顯步入中年，她的一頭黑髮卻看不出任何斑白。

她說：「你就是C7級便衣刑警以利亞．貝萊。」這是一句陳述，後面並沒有問號。

「是的，長官。」貝萊卻還是照例回答了。

「我是司法部次長拉維尼雅．迪瑪契科，你看起來和超波劇裡面那個演員不太一樣。」

貝萊最近常常聽到別人這樣說，他公式化地答道：「次長，如果他們找的演員長得太像我，那齣戲就不會那麼受歡迎了。」

「我倒不那麼想，你看起來要比那個娃娃臉演員性格多了。」

貝萊僅僅遲疑了大約一秒鐘，便決定把握住這個機會——也或許是這個機會令他不忍放棄，總之，他神情嚴肅地說：「次長，您的品味很高。」

她笑了幾聲，貝萊則趁機盡可能輕輕地吐了一口氣。然後她說：「我也願意這麼想——好啦，你讓我久等到底是什麼意思？」

「沒有人通知我您將到訪，次長，而我今天恰好休假。」

「據我瞭解，你去了城外。」

「是的，次長。」

「如果我的品味不高，我會說你是那群怪人的一份子。不過，還是讓我換個方式問吧，你是那群狂熱份子的一員嗎？」

「是的，次長。」

「你指望有一天能夠移民星際，在茫茫銀河中找到幾個新世界？」

「次長，或許並非我自己去。我也許年紀太大了，但……」

「你幾歲？」

「報告次長，四十五。」

「嗯，看起來很像。而我，剛好也是四十五歲。」

「您看起來卻不像，次長。」

「看起來比較老，還是比較年輕？」她又笑了幾聲，然後說：「我看咱們別再打啞謎了，你是否在暗示我已經太老，沒機會成為移民先鋒了？」

「如果不接受城外訓練，大城居民沒有一個能夠成為移民先鋒。而訓練最好從小開始，比方說，我兒子就有希望踏上另一個世界。」

「是嗎？但你當然知道，整個銀河都在太空族的掌握中。」

「他們總共只有五十個世界，次長。而在整個銀河中，至少有幾百萬個世界適合人類居住，或是能改造成可住人的世界，而且可能並沒有土生土長的智慧生物。」

「沒錯，可是太空族如果不點頭，地球的太空船一律飛不出去。」

「這也許有商量，次長。」

「我並不像你那麼樂觀，貝萊先生。」

「我曾和太空族溝通過……」

「這點我知道，」迪瑪契科說：「阿伯特．敏寧是我的頂頭上司，兩年前，就是他把你送到索拉利去的。」她擠出一個淺淺的笑容，「他在那齣超波劇中也有一點戲分，我還記得，飾演他的那個演員和他本人很像，而我也記得，他很不高興。」

貝萊突然改變話題。「我曾請求敏寧次長……」

「你該知道，他已經升官了。」

貝萊萬分瞭解官階和頭銜有多麼重要。「次長，他升了什麼官？」

「副部長。」

「謝謝您。我曾請求敏寧副部長，設法把我送到奧羅拉去商討這個提案。」

「什麼時候的事？」

「我從索拉利回來之後不久。後來，我又兩度提出申請。」

「可是從來沒有獲得正面答覆？」

「是的，次長。」

「你感到詫異嗎？」

「我感到失望，次長。」

「大可不必。」她上身微微向後靠，「我們和太空族世界的關係非常緊張。你或許覺得自己扮演兩次神探便改善了這種情況——事實的確如此，甚至那齣超波爛劇也有貢獻。然而整個加起來，只改善了這麼一點點——」她舉起右手，拇指和食指幾乎貼在一起。「有待改善的關係卻有那麼大。」這回她將雙手盡量展開。

「在這種情形下，」她繼續說：「我們不太可能冒險把你送到奧羅拉——它可是太空族世界的龍頭老大——以免你一不小心，惹出了星際糾紛。」

貝萊迎向她的目光。「我曾經去過索拉利，不但沒有闖禍，而且……」

「對，我知道，但那次你是應太空族之邀，這和我們主動送你過去，兩者相差不可以光年計。你不可能不瞭解吧。」

貝萊啞口無言。

她輕哼了一聲，表示並不意外，接著繼續說：「副部長因此對你的申請置之不理，這是非常正確的處置。巧的是，在你提出申請的同時，上述情況就開始惡化，而在上個月，惡化到了無以復加的程度。」

「所以才有今天這場會議嗎，次長？」

「你不耐煩了，警官？」她故意用下屬對上司的口吻來表示諷刺，「你在指示我趕緊進入正題嗎？」

「報告次長，絕無此意。」

「你當然有，但這又何嘗不可呢？畢竟我越扯越遠了。且讓我言歸正傳，先問你一個問題，你可認識漢．法斯陀夫博士？」

貝萊謹慎地答道：「將近三年前，我在太空城和他見過一面。」

「我相信，你對他有好感。」

「就一個太空族而言，他相當友善。」

她又輕哼了一聲。「我可以想像。你曉不曉得，早在兩年前，他已經是奧羅拉上一位重量級的政治人物？」

「我聽說過他從政了，這是我的……一個同事告訴我的。」

「就是那個機．丹尼爾．奧利瓦，你的太空族機器人朋友？」

「我的老同事，次長。」

「是在你們上次碰面，你替他解決兩個數學家在太空船上的爭執那一回？」

貝萊點了點頭。「是的，次長。」

「你瞧，我們一向消息靈通。過去這兩年，漢．法斯陀夫博士幾乎可說已經成為奧羅拉政府的精神領袖；他是他們的世界立法局的重要成員，甚至有人說他可能成為下屆的立法局主席。而你該瞭解，所謂的立法局主席，本質上就是奧羅拉的最高行政長官。」

貝萊敷衍道：「是的，次長。」他心裡卻在想，局長提到的那個非常敏感的事件，要什麼時候才會講到呢？

迪瑪契科似乎一點也不急，她又說：「法斯陀夫是一個——溫和派，這是他自己說的。他覺得奧羅拉——以及整個太空族世界——越來越朝極端發展，正如你或許覺得我們地球自己的發展也越來越極端。他希望能後退幾步，減少機器人的使用、加速世代的交替，並且加強和地球的聯盟及友誼。我們自然會支持他——但必須非常低調。如果我們太過張揚對他的好感，無異於將他送上死路。」

貝萊說：「我相信，他會支持地球開拓外星世界。」

「這點我也相信，而且我認為，他對你提過這件事。」

「是的，次長，就在上次碰面的時候。」

迪瑪契科雙手合十，指尖頂住下巴。「你認為他能代表太空族世界的輿論嗎？」

「這我倒不敢說，次長。」

「只怕答案是否定的。追隨他的人一律溫溫吞吞，反對他的卻是一群激進人士。他完全是藉著自己的政治長才以及個人魅力，才得以維繫目前的權力。當然，他最大的弱點就是同情地球，他的對手經常拿這件事攻擊他，藉此影響許多在其他方面願意支持他的人。如果你被派去奧羅拉，哪怕只犯一點小錯，也會助長那裡的反地球情緒，因而削弱他的力量，甚至葬送他的政治生命。所以，地球實在不能冒這個險。」

貝萊喃喃道：「我懂了。」

「法斯陀夫倒是願意冒這個險。上回你去索拉利就是他一手安排的，當時他的政治勢力剛剛崛起，地位還非常不穩定。話說回來，他失去的頂多是他個人的政治權力，而我們必須考慮到八十多億地球人的福祉。因此，當今的政治局勢敏感到了令人幾乎無法承受的地步。」

說到這裡她停了下來，貝萊終於不得不發問：「您所指的敏感局勢到底是怎麼回事，次長？」

「是這樣的，」迪瑪契科說：「法斯陀夫似乎捲入一個史無前例的重大醜聞。若是他沒什麼智商，很可能不出幾週，他的政治人格就會破產。若是他有如超人般聰明，或許能夠撐上幾個月。但或早或晚，他在奧羅拉上的政治實力終究會土崩瓦解——而這會給地球帶來大災難，你懂吧。」

「我能否請問，他背負了什麼罪名？貪污？叛國？」

「不是那種小事。他的操守無論如何完美無瑕，連他的政敵也從不懷疑。」

「那麼是出於一時激憤？他殺了人？」

「不完全正確。」

「這我就不懂了，次長。」

「貝萊先生，奧羅拉上除了人類之外，還有許多機器人，它們大多數和我們的機器人類似，很難說有什麼非常先進之處。然而，那裡還有些人形機器人，它們酷似人類到了真假難辨的程度。」

貝萊點了點頭。「這點我非常瞭解。」

「在我想來，根據嚴格的定義，毀掉一個人形機器人並不等於殺人。」

貝萊立刻傾身向前，瞪大眼睛咆哮道：「耶和華啊，你這娘兒們！別再打啞謎了，你是不是要告訴我，法斯陀夫博士把機·丹尼爾給殺了？」

魯斯趕緊跳起來，似乎準備衝向貝萊。但迪瑪契科次長揮手阻止了他，她自己似乎一點也不見怪。

她說：「這次情況特殊，我原諒你的無禮，貝萊。放心，機·丹尼爾沒有被殺掉，他並非奧羅拉上唯一的人形機器人。既然你喜歡用這個字眼，那麼被殺的是另一個這樣的機器人，而不是機·丹尼爾。說得更精確些，它的心智完全遭到摧毀；它進入了不可逆的永久性機困狀態。」

貝萊說：「而他們認為法斯陀夫博士是嫌犯？」

「他的政敵是這麼說的。那些人都是極端份子，他們希望銀河各處只有太空族的足跡，甚至希望地球人從宇宙中消失。如果這些極端份子能在幾週內推動一場選舉，他們一定會完全掌控政府，而後果不堪設想。」

「這樁機困事件為何有那麼大的政治影響力？我實在想不通。」

「我自己也不太確定。」迪瑪契科說，「對於奧羅拉的政治，我並不想硬充內行。據我猜想，人形機器人應該和極端份子的某些計畫有關，因此這件事才會令他們火冒三丈。」說到這裡，她皺皺鼻子。「我覺得他們的政治非常難懂，如果我勉強解釋下去，到頭來只會誤導你。」

貝萊竭力在次長的瞪視下控制住自己的情緒。「把我召來又是為什麼呢？」他低聲問。

「為了法斯陀夫。你曾經為了偵辦一樁謀殺案，去過一趟太空，結果凱旋而歸。法斯陀夫希望你再試一次，這回他要你去奧羅拉，找出引發機困的真正主謀。他覺得，這是他阻止那些極端份子的唯一機會。」

「我並不是機器人學家，我對奧羅拉也一無所知……」

「當初你對索拉利同樣一無所知，但你還是辦到了。重點是，貝萊，我們和法斯陀夫一樣，渴望發掘出事實的真相，因為我們不希望他被打倒。萬一他失勢，地球將直接面對那些充滿敵意的太空族極端份子，那種敵意之大恐怕是空前的，我們可不想發生這種事。」

「我無法承擔這樣的重任，次長，這項任務……」

「幾乎不可能成功。我們當然知道，但我們沒有選擇的餘地。法斯陀夫堅持要你——而挺在他後面的是奧羅拉政府，至少現在如此。如果你拒絕前往，或是我們拒絕讓你去，地球就必須面對奧羅拉的怒火。但如果你去了而且成功了，我們就會有活路，而你也會得到適當的獎賞。」

「萬一我去了——可是失敗了呢？」

「我們會盡全力讓奧羅拉怪罪你，好讓地球得以倖免。」

「換句話說，保住你們這些官僚的面子。」

迪瑪契科說：「用比較好聽的說法是，為了避免地球受到太大的傷害，只好把你推出去餵狼。為了整個世界著想，犧牲一個人並不算太高的代價。」

「可是在我看來，既然注定失敗，我還不如根本別去。」

「你別給我裝傻。」迪瑪契科輕聲道，「奧羅拉指名要你，你根本不能拒絕——話說回來，你又怎麼會想要拒絕呢？過去這兩年，你一直設法去奧羅拉，我們遲遲不批准，還令你心生怨恨。」

「我是想客客氣氣地去請求他們協助，幫助我們移民外星，而不是……」

「貝萊，你還是可以試著爭取他們的協助，幫助你實現移民外星的美夢。畢竟，假如你破案了——好歹這是有可能的——這麼一來，法斯陀夫就會把你視為大恩人，對你提供的協助一定會比原來多得多，而我們這裡同樣會萬分感激你的貢獻。雖說風險極高，難道不值得你冒險嗎？無論破案的機會多麼渺茫，如果你不去，機會卻等於零。想想吧，貝萊，可是拜託——別想太久。」

貝萊緊緊抿起嘴，不久，他終於瞭解根本別無選擇，於是說：「我有多少時間可以準備……」

迪瑪契科心平氣和地說：「得了吧，難道我沒解釋清楚嗎？我們既沒有選擇餘地，也沒有時間可以浪費。我要你——」她看了看手腕上的計時帶，「六小時內啟程。」

5

太空航站設在大城東郊一個幾乎廢棄的行政區，而嚴格說來，此地已經算是城外了。好在，無論售票處或候船室實際上都在大城之內，旅客一律搭車經由密封車道登上太空船。此外根據傳統，所有的太空船一律在夜間升空，好讓漆黑的夜幕進一步緩和置身城外的壓力。

就地球上的稠密人口而言，這座太空航站並不算太忙碌。地球人極少離開自己的母星，來來去去的全是從事商業活動的機器人和太空族。

等待登上太空船的以利亞．貝萊覺得已經和地球脫離了關係。班特萊坐在他旁邊，兩人保持著一種迫人的沉默。最後班終於先開口：「我想媽是不會來了。」

貝萊點了點頭。「我也這麼想。我還記得當年我去索拉利，她的反應多麼激烈，而這次並沒有什麼差別。」

「你曾試圖安撫她嗎？」

「我盡力而為了，班。她認定我會在太空意外中喪命，或是一踏上奧羅拉便慘遭太空族殺害。」

「但你去過索拉利，又平安回來了。」

「那只會讓她更不希望我再度冒險，她假定我的好運遲早要用完。然而，她會調適過來的——你要負起責任，班，多花點時間陪她，還有，無論如何別提你要移民到另一顆行星。你要知道，她真正擔心的正是這件事。她覺得你不出幾年就會離開她，而她明白自己無法跟你去，所以再也見不到你了。」

「她不無道理，」班說：「事情很可能會這樣發展。」

「或許你能輕易面對這個事實，可是她不能，所以千萬別在我離家這段時間和她談這件事，好嗎？」

「好的——我認為她對嘉蒂雅有點反感。」

貝萊猛然抬起頭。「莫非你……」

「我一個字也沒說。但你要知道，她也看了那齣超波劇，所以她曉得嘉蒂雅在奧羅拉。」

「這算哪門子啊？奧羅拉是個很大的星球，你認為嘉蒂雅‧德拉瑪會待在太空航站等我嗎？耶和華啊，班，那齣宣傳用的超波劇十之八九是虛構的，難道你母親不明白嗎？」

班刻意試圖改變話題。「這有點滑稽——我是指你兩手空空，什麼行李也沒帶。」

「我只是兩手空空而已，身上還穿著衣服呢，對不對？一旦我上了船，他們立刻會把我的衣服扒光。經過化學處理之後，這身衣服便會丟棄到太空中。與此同時，我要接受全身消毒，裡裡外外刷洗得乾乾淨淨，然後他們會給我一套全新的服裝。這一切，我以前就經歷過。」

兩人再度陷入沉默，然後班說：「你可知道，爸……」他突然住口，接著又試了一次，「你可知道，爸……」可是並未多說一個字。

貝萊目不轉睛地望著他。「你想說什麼，班？」

「爸，我覺得這樣說真像個蠢蛋，但我想還是說出來吧。你並沒有那種英雄特質，就連我也一向這麼想。你是個好人，而且是天底下最好的父親，但你就是沒有那種英雄特質。」

貝萊只是咕噥一聲。

「話說回來，」班繼續說：「憑良心講，讓太空城從地球上消失的是你，把奧羅拉爭取過來的是你，移民外星計畫的創始人也是你。爸，你對地球所做的貢獻，可比整個地球政府還要多。所以我想不通，為何世人沒有好好感激你？」

貝萊說：「因為我並不具有英雄特質，也因為那齣愚蠢的超波劇害慘了我——它令我成為警局所有同事的公敵，它令你母親成天惴惴不安，它還給了我一個難以承受的名聲。」這時，手腕上的訊號器閃了閃，他立即站起來。「現在我得走了，班。」

「我知道。但我想要說的是，爸，我自己很感激你。不過等你這次回來，那就不只我，而是每個人都會感激你。」

貝萊覺得心頭一股暖意。他很快點了點頭，將一隻手搭在兒子的肩膀上，喃喃道：「謝謝。我不在的時候，好好照顧自己——還有你母親。」

他轉身離去，逕自向前走。其實，他並未說出實情，班一直以為他去奧羅拉是要商討移民計畫。假如真是這樣，他的確有可能凱旋歸來。但事實上……

他想：即使回得來，我也一定會灰頭土臉。

第二章　丹尼爾

6

這是貝萊第三次搭乘太空船，前兩次距今雖然已有兩年，他仍記憶猶新。所以，他十分清楚會遇到些什麼事。

其一是隔離，不會有任何人見到他，或是和他有任何形式的接觸，（或許）只有一個機器人例外。其二是一連串的醫療處理，也就是消毒殺菌（沒有更貼切的說法了）。其三，則是試圖將他改造成適合接近太空族——他們個個患有疾病恐懼症，在他們眼中，地球人都是長了兩隻腳的多重感染源。

然而，這次還是會有些不同。比方說，他不會對上述過程那麼害怕了，而脫離母體的失落感也一定不會再那麼嚴重。

他會做好面對開闊空間的心理準備。這一次，他告訴自己一定要勇敢（儘管腹部還是稍微抽搐一下），甚至可能會堅持要看看太空的景觀。

真實的太空和從城外拍攝的夜空照片，看起來會不一樣嗎？他很想知道答案。

他還記得當年第一次去參觀天象館（當然位於大城內），他並未感到置身城外，因而絲毫沒有不舒服的感覺。

後來，他前後兩次——不，三次——來到露天的夜空，見到了真實天幕上的真實星斗，竟然覺得遠比不上天象館的天幕那麼壯觀。不過，每次都有涼風陣陣，還有一種無形的距離感，而天象館的氣氛就沒有那麼令人戰慄——但相較之下，還是要比白晝好得多，因為黑暗構築了一道令他感到舒適的圍牆。

所以說，從太空船的觀景窗向外望去，會比較像天象館還是地球的夜空呢？或者，那會是一種完全不同的感受？

他專心思考這個問題，彷彿想要藉此忘掉自己即將遠離潔西、班以及這座大城。

他仗著一點匹夫之勇，拒絕搭乘接駁車，堅持要跟前來迎接他的機器人一起走到太空船上。畢竟，只是走過一個有頂棚的走廊罷了。

這條通道並不算很直，但此時貝萊回過頭，仍舊看得到班站在入口處。他很自然地舉手打招呼，彷彿自己只是要搭乘捷運前往特倫頓區。班的反應則熱烈多了，他不但用力揮動雙臂，雙手還伸出食、中兩指，做出中古時代象徵勝利的標誌。

勝利？貝萊確定這是個徒勞的祝福。

為了轉換心情，他開始想些別的事。如果升空時間改在白天，明亮的陽光灑在太空船的金屬外殼上，而他自己和其他乘客都在暴露於外的情況下登船，那會是個什麼光景？

眼前這個小圓桶即將變成一個封閉的世界，而且，即將脫離它暫時棲身的大世界，衝向遠比「城外」巨大無數倍的「天外」，然後穿越無盡的虛空，在另一個世界降落。當一個人完全瞭解這些事實，心中會是什麼樣的感受呢？

他咬緊牙根穩住步伐，不讓臉上的表情有任何變化——至少他自己這麼想。然而，身旁那個機器人卻主動將他拉住。

「先生，你不舒服嗎？」（不喊「主人」，只喊「先生」，果然是奧羅拉的機器人。）

「我還好，小子。」貝萊用嘶啞的聲音說，「繼續走。」

他一路低著頭向前走，直到太空船聳立在面前，他才重新抬起頭來。

一艘奧羅拉太空船！

這點他相當確定。在暖色聚光燈的照射下，它顯得比索拉利的太空船更高大、更優雅，卻也更為強而有力。

貝萊登船後，仍覺得是這艘奧羅拉太空船略勝一籌。比方說，相較於兩年前，這回他的艙房顯然比較大，而且更加豪華舒適。

由於完全瞭解接下來的流程，他毫不猶豫地把自己脫個精光（那套衣服或許會被電漿火炬分解，總之，他即使能回到地球，也一定拿不回來了——上次就是這樣）。

而在他穿上一身新衣服之前，必須先經歷徹底的沐浴、體檢、服藥和注射等程序。他對這樣的屈辱非但不排斥，而且幾乎感到歡迎。畢竟這樣一來，他就不會一直掛心目前的狀況。正因為如此，他幾乎沒注意到太空船開始加速，也幾乎沒時間去想自己何時離開地球、進入太空。

等到終於再度穿戴整齊之後，他一肚子不高興地望著鏡中的自己。這套服裝的材質（不管它是什麼做的）既光滑又反光，從不同角度望去還會呈現不同的色彩。他的下半身整個被褲子包住，褲口不但束住腳踝，而且塞進鞋子裡（那雙鞋子則柔軟地包住雙腳）。他的手臂被長袖上衣一直覆蓋到手腕，手上還戴著一雙透明的薄手套。那件上衣的領口箍住他的頸部，而衣服後面連著一頂兜帽，需要時可將頭部罩起來。他心知肚明，自己被包得如此嚴密，並非為了他的舒適著想，而是為了降低他對太空族的威脅。

他望著這身裝飾，忍不住想到，自己現在應該覺得又悶又熱又潮濕，總之十分不舒服。事實上卻沒有，他甚至沒有出汗，這令他大大鬆了一口氣。

他做了一個合理的推論。「小子，這套衣服有溫控功能嗎？」他向那個剛才接他上船、目前仍留在他身邊的機器人求證。

那機器人答道：「先生，的確沒錯。這是一套全天候的服裝，深受人們喜愛，可是也極為昂貴，在奧羅拉很少有人穿得起。」

「是嗎？耶和華啊！」

他開始打量那個機器人。它似乎屬於相當原始的機型，事實上，可以說和地球製造的機器人差不了多少。話又說回來，它仍有超越地球機型的地方，比方說，它的表情可以做有限度的變化。剛才，當它暗示貝萊正穿著一套昂貴的奧羅拉服裝之際，臉上便浮現了一個非常淺的笑容。

它擁有一副金屬之軀，外殼看起來卻像一層紡織品，不但會隨著他的動作稍微變形，而且色彩的搭配和對比都令人賞心悅目。一言以蔽之，除非你目不轉睛看得非常仔細，否則雖然他絕非人形機器人，卻活脫穿著一件衣服。

貝萊問：「小子，我該怎麼叫你？」

「先生，我叫吉斯卡。」

「機．吉斯卡？」

「您也可以這麼叫。」

「這艘太空船上有書庫嗎？」

「有的，先生。」

「能不能幫我找幾本談奧羅拉的膠捲書？」

「哪一類的，先生？」

「歷史、地理、政治學……凡是能幫助我瞭解那個世界的都好。」

「遵命，先生。」

「還要閱讀鏡。」

「遵命，先生。」

那機器人隨即告退，走出了艙房的雙扇門。貝萊若有所思地點了點頭。當年前往索拉利途中，他從未想到善用穿越星際這段時間學習些有用的東西。兩年來，他多少有點進步。

他研究了一下那道門，發覺它鎖上了，無論怎麼推都紋絲不動。其實如果真能打開，他才會驚訝萬分呢。

他繼續研究這間艙房，不久便發現一台超波螢幕。他隨手按了按控制器，弄出一陣震耳的音樂，忙亂了一陣子才終於把音量降低。他勉強聽了一會兒，相當不以為然，這種音樂既尖銳又刺耳，彷彿每個樂器都經過了改造。

他試了試其他按鍵，總算切換了畫面。這回，螢幕上呈現的是一場太空足球賽，而且顯然是在零重力環境下進行的。只見足球沿著直線飛行，球員則以優雅的姿態飛來飛去（雙方人馬都多到驚人的程度；每個人的背部、手肘和膝蓋都裝有鰭狀物，想必是用來控制運動的速度和方向），這些類似特技的動作看得貝萊頭昏眼花。正當他傾身向前，找到並按下關機鍵，他聽到身後響起了開門聲。

他轉過身來，但由於一心以為會看到機・吉斯卡，所以他最初的反應只是「竟然並非機・吉斯卡」。他眨了一兩下眼睛，才發覺自己正瞪著一個「人」，此人臉龐寬闊、顴骨高聳，銅色的短髮向後梳得服貼，一身衣服無論剪裁或色調都相當保守。

「耶和華啊！」貝萊彷彿掐著脖子喊道。

「以利亞夥伴。」對方一面說，一面向前走，臉上露出嚴肅的淺淺笑容。

「丹尼爾！」貝萊大叫一聲，隨即伸出雙臂，緊緊擁抱住這個機器人。「丹尼爾！」

居然會在太空船上見到這位淵源深厚的老朋友，貝萊真是始料未及，他就這麼一直抱著丹尼爾，心中充滿安慰和感動。

不久，他一點一滴恢復了理智，終於想到自己擁抱的並非「丹尼爾」，而是機．丹尼爾——機器人．丹尼爾．奧利瓦。他正在擁抱一個機器人，而對方也輕輕抱著他。這個機器人之所以如此配合，是由於他認定這麼做會給這個人類帶來快樂；他腦中的正子電位根本不允許他拒絕這個擁抱，因為那將會讓此人感到失望和尷尬。

至高無上的機器人學第一法則是這麼說的：「機器人不得傷害人類……」而拒絕一個熱情的擁抱，當然會給對方帶來傷害。

貝萊慢慢鬆開手，以免心中那股懊悔表現出來。他甚至趁機捏了捏機器人的雙臂，用以進一步遮掩自己的羞愧。

「好久不見，丹尼爾。」貝萊說，「上次碰面，還是你帶著那兩位數學家的『鏡像案』找我討論那回，記得嗎？」

「當然記得，以利亞夥伴，很高興見到你。」

「你能感覺到情緒了，是嗎？」貝萊隨口問道。

「我不能說自己擁有人類般的任何感覺，以利亞夥伴。然而我可以說，看到你之後，我的思想似乎就運作得更順暢，萬有引力對我的感官所造成的負擔也沒有那麼厲害了，除此之外，我實在說不出其他的變化。我想大致來說，我所感受到的這些就如同你所感受到的快樂。」

貝萊點了點頭。「老搭檔，只要你見到我的時候，會感受到比平時更好的狀態，我就心滿意足了——希望你聽得懂我的意思。可是，你怎麼會在這裡呢？」

「吉斯卡．瑞文特洛夫向我報告，說你已經……」機．丹尼爾並未說完這句話。

「淨化完畢？」貝萊語帶諷刺地問。

「消毒完畢。」機・丹尼爾說，「於是我覺得可以進來了。」

「但你當然不必擔心受到感染？」

「完全正確，以利亞夥伴，可是這麼一來，船上其他乘客恐怕都會對我避之唯恐不及了。奧羅拉人對於染病機率的敏感，有時簡直到了毫無理性的程度。」

「這點我瞭解，但我的問題並非此時此刻你怎麼會來到這裡，我的意思是，你怎麼會在這艘船上？」

「我隸屬於法斯陀夫博士的宅邸，博士基於幾個原因，命令我登上這艘前來接你的太空船。他確定你這次的任務十分艱鉅，覺得最好讓你身邊有個熟悉的事物。」

「他真是設想周到，替我謝謝他。」

機・丹尼爾鄭重其事地鞠躬答禮。「法斯陀夫博士還覺得，這次的會面將帶給我——」這機器人頓了頓，「一些適切的感受。」

「你是指快樂吧，丹尼爾。」

「既然你准許我使用這個用詞，那我就不妨承認。此外還有第三個原因——而且是最重要的——」

這時艙門再度打開，機・吉斯卡走了進來。

貝萊轉頭望向它，心中起了一股嫌惡感。誰都能一眼看出機・吉斯卡是機器人，因而只要有它在場，就等於強調了丹尼爾也是機器人這個事實（貝萊突然再次想到，他其實是機・丹尼爾），即使丹尼爾遠遠超越吉斯卡也於事無補。貝萊很不希望丹尼爾的機器人本質被突顯出來；他無法將丹尼爾視為只是說話有點不自然的人類，這使他感到心虛，因而想要極力避免這種情況。

他不耐煩地說：「什麼事，小子？」

機．吉斯卡答道：「先生，我把你想看的書拿來了，還有閱讀鏡。」

「好，放下吧，放下就好——你不必留下來，丹尼爾會在這兒陪我。」

「是的，先生。」機器人的雙眼迅速望向機．丹尼爾（貝萊注意到它的眼睛會發光，丹尼爾則否），彷彿等待這個「高級生物」下達命令。

機．丹尼爾輕聲說：「吉斯卡好友，你不妨就站在門口吧。」

「好的，丹尼爾好友。」機．吉斯卡答道。

等到它離去後，貝萊有點不悅地問：「為什麼要讓它待在門口，難道我是囚犯嗎？」

「既然在這趟旅程中，」機．丹尼爾說：「你不能和其他乘客有任何接觸，所以很抱歉，我不得不說你的確是一名囚犯。但吉斯卡緊跟著你其實另有原因——不過，我覺得應該先告訴你一件事，以利亞夥伴，你最好別再用『小子』稱呼吉斯卡，或是任何機器人。」

貝萊皺起眉頭。「它討厭這個稱呼？」

「吉斯卡不會討厭人類的任何行為，只不過在奧羅拉上，我們通常不會用『小子』稱呼機器人。所以，我勸你最好不要因為這些沒必要的慣用語，無意間突顯了你來自地球，以免你和奧羅拉人產生摩擦。」

「那麼我該如何稱呼它？」

「就像稱呼我一樣，直接用他的專屬名字就行了。畢竟，名字只是代表對方的一組聲音，而聲音又有什麼優劣之分呢？說穿了，只是一種約定而已。還有在奧羅拉上，通常習慣用『他』或『她』來指稱機器人，而不會用『它』這個代名詞。此外，奧羅拉人通常不會在機器人的名字前面冠上『機』字，除非是需要用到機器人全名的正式場合——即便如此，如今還是常常會省略這個字。」

「這麼說的話，丹尼爾，」貝萊壓抑住想叫他「機．丹尼爾」的衝動，「你們在言語中，又如何區別機器人和人類呢？」

「兩者的區別大多是不言而喻的，以利亞夥伴，因此似乎沒有必要特別強調，至少奧羅拉人這麼認為。既然你要吉斯卡替你找些談奧羅拉的膠捲書，我猜你是想熟悉一下奧羅拉的風土人情，為你肩負的任務預作準備。」

「應該說，是我硬吞下肚的任務。可是，萬一碰到人類和機器人的區別並不明顯的情形呢？丹尼爾，例如你自己？」

「既然不明顯，又何必區別呢，除非碰到確有必要的情形，對不對？」

貝萊深深吸了一口氣。他覺得並不容易調適自己的心態，做到像奧羅拉人那樣假裝機器人並不存在。他又說：「可是，如果吉斯卡並非把我當囚犯看管，那麼它——他又為何站在門口？」

「那也是法斯陀夫博士的指示，以利亞夥伴，吉斯卡是奉命來保護你的。」

「保護我？預防什麼事？還是防什麼人？」

「這一點，以利亞夥伴，法斯陀夫博士並未交代得很清楚。話說回來，自從詹德．潘尼爾這件事激起公憤……」

「詹德．潘尼爾？」

「就是那個被終結功能的機器人。」

「換句話說，就是那個被殺害的機器人？」

「以利亞夥伴，殺害這種說法通常只用在人類身上。」

「可是在奧羅拉，你們盡量避免區別機器人和人類，不是嗎？」

「的確沒錯！雖然如此，可是據我所知，就終結運作這個特殊情況而言，過去從未出現該不該區別的問題，所以我也不知道標準何在。」

貝萊思索了一下。這純粹是個語意學的問題，並沒有實質的重要性。話說回來，他想藉此探究奧羅拉人的思考模式，否則他根本踏不出第一步。

他慢慢地說：「一個正常運作的人類就是活人，如果另一個人刻意用激烈的手段終止他的生命，我們就稱之為『殺人』或『兇殺』。不過相較之下，『殺人』是比較強烈的字眼。你若猛然目睹有人試圖以激烈手段結束另一個人的生命，就會大喊『殺人啦！』反之，你絕不可能大喊『兇殺！』因為後者是比較正式、比較不帶感情的用語。」

機．丹尼爾說：「我無法瞭解你所做的區別，以利亞夥伴。既然『殺人』和『兇殺』都代表以激烈的手段終結他人生命，這兩個詞就一定能互換，所以說，區別又在哪裡呢？」

「區別在於，如果你高喊『殺人』，會比高喊『兇殺』更能讓聽到的人血液為之凝結，丹尼爾。」

「為什麼呢？」

「言外之意的聯想；並非字典上的意義，而是經年累月所累積的一種微妙效應；在一個人的經驗中，不同的詞彙適用於不同的句子、情況和事件。」

「我的程式中完全沒有這些知識。」丹尼爾答道，在那顯然毫無感情的聲音之下（他說每一句話皆是如此）似乎透著一種古怪的無助感。

貝萊問：「你願意接受我的說法嗎，丹尼爾？」

丹尼爾彷彿剛剛獲悉一道難解之謎的答案，迅速答道：「毫無疑問。」

「既然這樣，我們應該可以將運作中的機器人稱為活的。」貝萊說，「很多人可能會拒絕擴充『活』這個字的意思，但我認為只要對我們有用，大可自由發明新的定義。把一個運作中的機器人當成活的並不困難，反之，如果硬要發明新字，或者刻意避免使用意思相近的字眼，那就是自找麻煩了。比方說，丹尼爾，你就是活的，對不對？」

丹尼爾放慢速度強調道：「我在運作！」

「得了吧。既然松鼠是活的，蟲子、樹木、青草也都是活的，那麼你又何嘗不是呢？我永遠不會想要在言語中——或心中——強調我是活的但你只是正在運作的，尤其是我將要在奧羅拉生活一陣子，要試著避免在我自己和機器人之間做無謂的區別。因此我告訴你，我們都是活的，而且我要求你接受我的說法。」

「我會接受的，以利亞夥伴。」

「但是，如果一個人刻意用激烈的手段終結機器人的生命，能否稱之為『殺人』呢？這點我們可能還是會有些猶豫。如果把這兩種罪行畫上等號，刑責也就應該一樣，可是這樣對嗎？如果殺人犯應當接受死刑，難道真該把終結機器人的罪犯也處死嗎？」

「以利亞夥伴，殺人犯應當接受的懲罰是心靈穿刺，緊接著是人格重建。真正犯罪的是他的心靈結構，而不是他的肉體生命。」

「那麼在奧羅拉上，用激烈的手段終結機器人的運作，又會受到什麼懲罰呢？」

「我不知道，以利亞夥伴。據我所知，奧羅拉上從來沒有發生過這種事。」

「我猜懲罰應該不是心靈穿刺吧。」貝萊說，「對了，『機殺』如何？」

「機殺？」

「機器人兇殺案的簡稱。」

丹尼爾說：「可是恐怕不能當動詞吧，以利亞夥伴？你絕不會說『誰兇殺了某某某』，因此同樣不適合說『誰機殺了某某某』。」

「你說得對。在這兩種情況下，都應該說『謀殺』才對。」

「可是這個詞專門用在人類身上，比方說，你不可能謀殺一隻動物。」

貝萊說：「沒錯。而且，你甚至不會無意間謀殺一個人，這個詞只能描述蓄意的作為。『殺死』就比較廣義了，既可以用於意外致死，又能適用於蓄意謀殺——而且除了人類之外，還可以用在動物身上。即使是一棵樹，也有可能被細菌殺死，所以說，機器人又為什麼不能被殺死呢，啊，丹尼爾？」

「無論人類或其他動物甚至植物，以利亞夥伴，全都是活生生的。」丹尼爾說，「機器人卻是人造物，這點和閱讀鏡沒有兩樣。人造物可以遭到『毀壞』、『損壞』、『破壞』等等，就是不會被殺死。」

「雖然如此，丹尼爾，我還是要用『殺死』兩字，詹德．潘尼爾被殺死了。」

丹尼爾說：「使用不同的字眼，為何會產生不同的效果呢？」

「『我們叫做玫瑰的那種花，要是換了一個名字，氣味還是同樣芬芳。』對不對，丹尼爾？」

丹尼爾頓了頓，然後說：「我不確定玫瑰的氣味是什麼意思，但如果地球上的玫瑰也就是奧羅拉上稱為玫瑰的那種花，而你所謂的『氣味』是一種可以被人類偵測、度量或感受到的性質，那麼用另一組聲音稱呼它——其他條件通通不變——當然不會對它的氣味，或是任何內在性質產生影響。」

「沒錯，可是對人類而言，改了名字的確會導致感受上的改變。」

「我不懂這是為什麼，以利亞夥伴。」

「因為人類通常都是不合邏輯的，丹尼爾，這是個令人無法恭維的特點。」

貝萊仰靠在椅子裡，玩弄著手中的閱讀鏡，讓自己的思緒暫時封閉幾分鐘。這番和丹尼爾的討論令他很受用，因為在忙著咬文嚼字的時候，貝萊就能忘掉自己身處星空，忘掉太空船正在高速前進，一旦遠離太陽系的質心，便會躍遷到超空間之中。此外，他還能忘掉自己即將距離地球好幾百萬公里，而不多久之後，更會拉大到好幾光年。

更重要的是，他可以從中得到一些肯定的結論。丹尼爾雖然說奧羅拉人並不區別機器人和人類，但這顯然只是表象。奧羅拉人或許出於善意，避免冠上『機』字頭，避免使用『小子』的稱呼，還盡量避免『它』這個代名詞，可是從丹尼爾拒絕對機器人和人類一視同仁地使用『殺死』這種說法，便能確定上述那些只是表面上的改變（既然這種反應源自他的程式，就代表奧羅拉人認定丹尼爾應當表現出這樣的行為）。骨子裡，奧羅拉人和地球人一樣，都堅決相信機器人只是一種比人類低等無數倍的機器。

而這就意味著，在他從事這項艱鉅任務、試圖替這場危機找出解決之道的過程中（倘若確有可能找到），他起碼少了這一個形同絆腳石的誤解。

貝萊曾考慮是否應該詢問吉斯卡，以便驗證他剛剛得出的結論——不過，他並未猶豫太久，就決定不要這麼做。吉斯卡的心靈太過簡單，而且不夠精巧，根本沒什麼用處。到頭來他只會回答「是」或「不是」，那和詢問一台錄音機沒什麼差別。

既然如此，貝萊決定繼續和丹尼爾討論下去，至少他有能力做出些耐人尋味的回應。

他說：「丹尼爾，咱們來談談詹德．潘尼爾的案子。根據你剛才的說法，我假設這是奧羅拉歷史上第一樁機殺案。犯下這案子的人——也就是兇手——我猜還沒找出來吧。」

「如果，」丹尼爾說：「你假設是人類犯下這案子，那麼此人的確身份不明。這點你說對了，以利亞夥伴。」

「那麼動機呢？詹德・潘尼爾為何會遭到殺害？」

「這一點，同樣還不清楚。」

「可是詹德・潘尼爾是個人形機器人，外表像你而並不像——比方說，不像機・吉斯……我是說吉斯卡。」

「這點正確，詹德是個像我這樣的人形機器人。」

「那麼有沒有可能，兇手並非刻意進行一樁機殺案？」

「我不瞭解你的意思，以利亞夥伴。」

貝萊有點不耐煩地說：「難道兇手不可能將詹德誤認為人類嗎？果真如此的話，他的企圖就是兇殺，而不是機殺了。」

丹尼爾緩緩搖了搖頭。「人形機器人的確外表酷似人類，以利亞夥伴，甚至連毛髮和皮膚的毛細孔都維妙維肖。我們的聲音百分之百自然，我們可以進行吃喝等等的動作，可是若和人類比較，我們的言行舉止仍有顯而易見的差異。隨著科技的進步，這些差異或許會越來越少，但目前還是很多。你——以及其他不熟悉人形機器人的地球人，也許不容易注意到這些差異，但奧羅拉人則否。沒有一個奧羅拉人會將詹德——或是我——誤認為人類，哪怕只是一時半刻。」

「那麼奧羅拉以外的其他太空族，他們有沒有可能誤認呢？」

丹尼爾有些猶豫。「我認為沒這個可能。我這麼說並非根據個人的觀察，也不是直接根據內建的知識，而是我腦中的程式告訴我，所有的太空族世界都和奧羅拉一樣，對於機器人十分熟悉——有些世界，例如索拉利，甚至猶有過之——因此我推論，任何太空族都能輕易分辨人類和機器人的差別。」

「其他的太空族世界也有人形機器人嗎？」

「答案是否定的，以利亞夥伴，目前為止，僅僅奧羅拉才有。」

「那麼其他太空族就不會對人形機器人十分熟悉，因此很可能忽略那些差別，而將它們誤認為人類。」

「我可不認為有此可能。即使是人形機器人，仍會在某些方面表現出機器人的特色，任何太空族一眼就能看出來。」

「可是一定有少數人，並不像大多數太空族那麼聰明、那麼成熟、那麼有經驗。至少，太空族兒童就屬於這一類，他們應該看不出差別吧。」

「我們相當肯定，以利亞夥伴，犯下這樁——機殺案——的人，絕不可能智商太低、年紀太小或經驗不足。應該說，百分之百肯定。」

「很好，我們逐漸縮小範圍了。如果太空族通通沒嫌疑，那麼地球人呢？有沒有可能……」

「以利亞夥伴，如果不算早先的移民，那麼不久之後，你將是第一個踏上奧羅拉星的地球人。當今的奧羅拉人幾乎都是奧羅拉上土生土長的，而其餘極少數，則是來自其他的太空族世界。」

「幾千年來的第一個地球人，」貝萊喃喃道，「我感到很榮幸。但有沒有可能在奧羅拉人不知情的情況下，已經有人比我捷足先登了？」

「不可能！」丹尼爾說得斬釘截鐵。

「你所掌握的知識，丹尼爾，或許不夠完整。」

「不可能！」這句話無論用字或語氣都是剛才的翻版。

「那麼我們可以下結論了，」貝萊聳了聳肩，「這件案子的確是蓄意的機殺案，沒有其他的可能。」

「我們早就得到這樣的結論了。」

貝萊說：「你們奧羅拉人早就得到這樣的結論，是因為你們早已掌握所有的線索，而我才剛剛進入狀況而已。」

「我這麼說，以利亞夥伴，並沒有任何貶抑之意，我無論如何不會小看你的能力。」

「謝謝你，丹尼爾，我知道你這麼說並不代表嗤之以鼻——好，不久前你提到，犯下這樁機殺案的人，絕不可能智商太低、年紀太小或經驗不足，而且百分之百肯定這一點。咱們來探討一下你的說法——」

貝萊明知自己是在繞遠路，但他不得不這麼做。由於他對奧羅拉人的行事風格以及思考模式都不夠瞭解，所以不敢跳過任何步驟，更不敢驟下結論。此時此刻，如果他面對的是人類這種智慧生物，對方很可能會覺得不耐煩，索性直接說出答案——而且還會把貝萊當成白癡。然而，身為機器人的丹尼爾則會以全然的耐心，追隨著貝萊迂迴曲折的思緒。

無論丹尼爾外表多麼像人，類似這樣的行為就能洩漏他的機器人身份。此時若有奧羅拉人在場，或許僅僅根據丹尼爾對某個問題的回答，就能斷定他是機器人。丹尼爾說得對，人類和機器人之間的確存在著微妙的差別。

貝萊說：「若能假設這樁機殺案牽涉到暴力行為——詹德的腦袋被打爆，或是他的胸部受到重創，就應該能排除所有的兒童，以及成年人中絕大多數的女性和許多男性。我想，如果不是特別強壯魁梧的人，實在很難做到這一點。」根據當初迪瑪契科所做的簡報，貝萊已經知道這樁機殺案不屬於這一類，可是他又如何肯定迪瑪契科自己並未受到誤導？

丹尼爾說：「其實任何人類都不可能做到。」

「為什麼？」

「不用說，以利亞夥伴，你很清楚機器人骨子裡都是金屬之軀，比人類的骨骼要堅固得多。而我們的行動要比人類更快、更強而有力，而且更加受到精密控制。機器人學第三法則強調『機器人必須保護自己』，凡是人類做出的攻擊，我們都可以輕易防衛；即使再強壯的人，我們都可以將他制住。此外，機器人也不太可能遭到出其不意的襲擊，我們隨時隨地都在注意身邊的人類，否則就無從發揮我們的功能。」

貝萊說：「得了吧，丹尼爾。第三法則其實是這麼說的：『在不違背第一及第二法則的情況下，機器人必須保護自己。』而第二法則是說：『除非違背第一法則，機器人必須服從人類的命令。』第一法則的內容則是：『機器人不得傷害人類，或因不作為而使人類受到傷害。』所以人類能夠命令機器人自我毀滅——然後那機器人就會使盡全力打碎自己的頭顱。而如果人類向機器人發動攻擊，機器人自衛的話便會傷到人類，那就違背第一法則了。」

丹尼爾說：「我猜，你想到的都是地球機器人。奧羅拉——或任何太空族世界——對機器人的重視都超過地球，而且相較之下，太空族世界的機器人一般而言都更複雜、更能幹，同時更有價值。所以在太空族世界上，第三法則相對於第二法則的強度也大大超過地球上的情形。如果接到自毀的命令，機器人會提出質疑，除非聽到確實正當的原因——為了化解眼前一個明顯的危機——機器人才會執行這個命令。至於防衛人類的攻擊，這並不會違背第一法則，因為奧羅拉的機器人都有很好的身手，足以在不傷害人類的前提下將他制住。」

「那麼，假設有人堅決宣稱，除非機器人自我毀滅，否則遭到毀滅的就是他自己——他這個人類，這麼一來，機器人會不會自我毀滅呢？」

「奧羅拉的機器人一定會質疑這樣的說法，因為口說無憑，那個人必須提出明顯的證據來。」

「難道他不可能做出巧妙的安排，讓機器人覺得這個人的確陷入絕境？你之所以排除掉智商太低、年紀太小或經驗不足的人，不正是這個原因嗎？」

丹尼爾說：「不，以利亞夥伴，答案是否定的。」

「我的推理有錯嗎？」

「沒有。」

「那麼我就錯在假設他受到了實質的損傷。事實上，他並未受到任何實質損傷，對不對？」

「是的，以利亞夥伴。」

（貝萊心想：這意味著迪瑪契科的情報正確無誤。）

「所以說，丹尼爾，詹德是心智受到了損傷。哈，機困！徹底且不可逆的機困！」

「機困？」

「機器人困阻的簡稱，就是正子徑路的功能遭到永久性阻斷。」

「奧羅拉人並不用『機困』這種說法，以利亞夥伴。」

「你們怎麼說呢？」

「我們稱之為『心智凍結』。」

「也可以，反正是描述同一種現象。」

「以利亞夥伴，我勸你最好還是使用我們的說法，否則奧羅拉人會聽不懂你在說什麼，交談會因而無端受阻。不久之前，你才提到不同的字眼會造成不同的感受。」

「很好，我會改用『心智凍結』——這種事會不會自動發生？」

「會，可是機器人學家說，發生的機率是無限小。我身為人形機器人，可以提供你第一手資料，我自己從未經歷過可能導致心智凍結的任何效應。」

「那麼我們就必須假設，有人故意製造了一個足以引發心智凍結的情境。」

「法斯陀夫博士的對頭正是這麼一口咬定的，以利亞夥伴。」

「要做到這件事，需要有機器人學的訓練、經驗和技術，所以不可能是智商太低、年紀太小或經驗不足的人。」

「這個推理天經地義，以利亞夥伴。」

「我們甚至可以把奧羅拉上具有這樣技術的人列舉出來，製作一份嫌犯清單，而人數或許不會太多。」

「事實上，清單早已出爐了，以利亞夥伴。」

「總共有多少人？」

「不多不少，剛好只有一個人。」

這回輪到貝萊說不出話來，他惱怒地鎖緊眉頭，然後用相當暴躁的口氣說：「只有一個人？」

丹尼爾心平氣和地答道：「是的，只有一個人，以利亞夥伴。這是漢．法斯陀夫博士所做的判斷，而他是奧羅拉上最偉大的理論機器人學家。」

「可是，這樣的話，本案還有什麼神祕可言？這個人到底是誰？」

機．丹尼爾說：「啊，當然就是漢．法斯陀夫博士自己。我剛剛說了，他是奧羅拉上最偉大的理論機器人學家，而根據法斯陀夫博士的專業意見，只有他自己擁有這個本事，能令詹德．潘尼爾進入徹底的心智凍結狀態，卻又不留下任何蛛絲馬跡。然而，法斯陀夫博士也說過，他並沒有那麼做。」

「可是，別人都沒有這個本事嗎？」

「的確如此，以利亞夥伴，這就是本案的神祕之處。」

「萬一法斯陀夫博士……」貝萊說到一半煞住了。他原本想問丹尼爾，法斯陀夫博士有沒有可能弄錯——其實不只他一個人有這個本事，或者有沒有可能說謊——其實真是他幹的，但他隨即想到這種問題毫無意義。丹尼爾的程式是由法斯陀夫設計的，他絕無能力懷疑自己的設計者。

因此，貝萊盡可能以溫和的口氣說：「我會好好想一想，丹尼爾，然後我們再談。」

「很好，以利亞夥伴，反正已經到了睡眠時間。由於抵達奧羅拉後，工作壓力可能令你無法規律作息，所以你現在最好把握機會好好睡一覺，我來教你怎樣架床和鋪床。」

「謝謝你，丹尼爾。」貝萊喃喃道，不過他並未奢望能夠順利入眠。他奉命前往奧羅拉，目的是要證明法斯陀夫並未涉及那樁機殺案——唯有成功達成任務，地球的安全才會繼續有保障，貝萊自己的前途也才會一片光明（兩者的重要性雖然天差地遠，但在貝萊心中卻不相上下）——沒想到，在尚未抵達奧羅拉之前，他就發現法斯陀夫幾乎等於已經認罪。

8

然而，貝萊最後還是睡著了。

剛才，丹尼爾為他示範了如何降低人造重力場的強度。這種裝置並非真正的重力產生器，後者耗能過大，只有在特定時間和特殊情況下才得以使用。

丹尼爾並沒有能力解釋這個裝置如何運作，但即使他擁有這方面的解說程式，貝萊也確定自己不可能聽懂。好在控制器很容易操作，使用者完全不必瞭解背後的科學原理。

丹尼爾說：「力場強度無法調降到零——起碼這個控制器做不到。總之，睡在零重力環境下並不舒服，尤其是對太空旅行的生手而言。你真正需要的是一個不高不低的力場，一方面讓你幾乎感覺不到自己的重量，另一方面仍然可以維持上下的定向。至於高低則因人而異，大多數人覺得控制器所定的最低強度是最舒服的，不過你是初次使用，或許會希望調高一點，這樣比較能夠讓你保有熟悉的重量感。只要試試不同的強度，很快就能找出最適合你的。」

結果，這種新奇感受不禁令貝萊神迷，他發覺自己逐漸放下了法斯陀夫既承認又否認的問題，就連他的身體也逐漸脫離了清醒狀態，或許兩者是一而二、二而一的過程吧。

他夢見自己回到了地球（當然嘍），雖然沿著一條捷運帶前進，但他並非坐在座位上，而是飄浮在高速路帶的邊緣。他幾乎就飄在眾多路人的頭上，速度比他們稍快，但似乎沒有任何人顯得驚訝，也沒有任何人抬頭看他。這是個相當愉快的感受，醒來之後，還令他懷念不已。

次日早上，用過了早餐——

真的是早上嗎？在太空中，真有早、中、晚的時段之分嗎？

顯然並沒有。他思索了一下，決定將早上定義為睡醒之後那段時間，並將此時吃的那一頓稱為早餐。至於計時器上的時間，至少對他本人毫無用處——雖然對太空船而言或許另當別論。

於是，用過了「早餐」後，他隨手翻了翻最新的新聞報表，為的只是確認有沒有奧羅拉機殺案的進一步消息，然後，他便拿起前一天（前一個清醒週期？）吉斯卡替他找來的那些書籍。

他根據書名，選了幾冊應該和歷史有關的，而匆匆瀏覽一遍之後，他便斷定吉斯卡替他找的都是青少年讀物，不但文字淺顯，還配上大量的插圖。他不禁懷疑，這是否反映了吉斯卡對自己智商的評估——還是單純針對他的需要。貝萊想了想，隨即下了一個結論：吉斯卡是個毫無心機的機器人，他這麼做自有道理，不該懷疑他抱有羞辱自己的意圖。

他定下心來，盡量將注意力放在書本上，卻發覺丹尼爾也拿著閱讀鏡陪他一起看。他這麼做純粹是出於好奇嗎？或者只是不想讓眼睛閒著？

丹尼爾從未要求翻回任何一頁，也從來沒有開口發問。想必，基於機器人對人類的信賴，他對讀到的東西一律照單全收，不允許自己生出任何疑心或好奇。

在此期間，貝萊僅僅問了丹尼爾一個問題，不過這個問題和他們讀到的內容無關，而是由於他對奧羅拉閱讀鏡不太熟悉，想知道該如何下達列印的指令。

偶爾貝萊也會暫停一下，走到隔壁的小艙房。那是一處解決各種衛生需求的隱密場所，因此無論是在地球或奧羅拉（後者是貝萊從丹尼爾口中獲悉的），都毫不避諱地使用「衛生間」這三個字來標示。不過，身為大城居民的貝萊一向使用有著一排排便斗、馬桶、洗臉台和淋浴間的大型衛生間，那間小艙房卻只能容納一個人，令他有點不知所措。

而在閱讀過程中，貝萊並未試圖記住書中任何細節。他並不打算成為奧羅拉社會的專家，也不是想要通過這方面的考試，只是希望讀出一些感覺罷了。

比方說他注意到，這些由歷史學家所撰寫的青少年讀物，雖然一律使用歌功頌德的筆法，可是書中那些奧羅拉的先聖先賢——在星際旅行早期從地球飛到奧羅拉的首批移民——仍是不折不扣的地球人。他們的政治型態、他們的紛爭方式，以及他們所作所為的方方面面，幾乎都有地球的影子。就某個角度而言，奧羅拉上所發生的一切，可說是重演了數千年前地球上某些原始地區的移民史。

當然，在這段過程中，奧羅拉人並未發現或遭遇任何智慧生物，因此這些來自地球的入侵者，不必煩惱到底該用人道還是殘酷的手段對待「原住民」。事實上，這顆行星上原有的生物少之又少，因此人類得以迅速到處生根，而人類所馴養的動植物，以及無意間帶去的寄生蟲和其他微生物，也在最短時間內遍布了整個世界。除此之外，當然，這些移民也帶去了機器人。

由於未曾遭到任何阻力即輕易征服這個世界，首批移民很快覺得自己就是它的主人。最初，他們將這顆行星稱為「新地球」，這是理所當然的，因為它是人類所開拓的第一顆「系外行星」，亦即第一個太空族世界。而它也是星際旅行的第一個具體成果，是嶄新紀元的第一道曙光。然而不久之後，他們就切斷了和地球的血脈關聯，並採用羅馬神話中曙光女神的名字，將這顆星重新命名為「奧羅拉」。

所以說，奧羅拉就是曙光世界，而首批移民更開始刻意宣稱自己是一種新人類的始祖。過去的人類歷史都是漫漫長夜，直到奧羅拉人抵達這個新世界，白晝才終於來臨。這個偉大的事實（或說偉大的自誇）開始逐漸擴散到所有的命名、所有的紀念日、所有歷史人物的評價。最後，它成了無所不在的信仰。

後來，其他太空族世界陸續誕生，它們的移民有些來自地球，也有些來自奧羅拉，但貝萊對這段歷史的細節並未多加注意，因為他關心的是大方向。他注意到，由於發生了兩點重大改變，使得奧羅拉人和地球的淵源因而被拉得更遠。其一是他們越來越讓機器人融入生活中各個層面，其二則是他們的生命不斷延長。

隨著機器人變得越來越先進和多才多藝，奧羅拉人對它們的依賴也越來越重，但從未達到不能自拔的程度。這點和索拉利不同，貝萊記得那個世界的人類非常少，機器人非常多，而奧羅拉的情況並非如此。

但依賴性還是逐漸升高。

在閱讀過程中，他盡可能抓住直覺的領悟，以及趨勢和一般性——結果他發現，在奧羅拉上，人機互動的每一步進展似乎都和依賴性息息相關。甚至「機器人權」這個共識的建立——亦即逐漸廢棄丹尼爾所謂的「不必要的區別」——也是一個突顯依賴的跡象。在貝萊看來，奧羅拉人之所以對機器人越來越講人道，似乎並非由於認同廣義的人道精神，而是他們不想承認機器人的機器本質，於是乾脆將兩者一視同仁，這麼一來，人類必須依賴人工智慧這個令人不快的事實就消失於無形了。

而在生命延長之後，隨之而來的是奧羅拉的歷史開始放慢腳步，起起伏伏也逐漸模糊，而延續性和一致性則越來越高。

毫無疑問，他所閱讀的奧羅拉史越到後面就越沒意思，令人看得幾乎昏昏欲睡。但另一方面，對於置身那段歷史的人而言，這絕對是一件好事。或許可以這樣說，凡是有趣的歷史一律充滿了災難，雖然後人讀來津津有味，當時的人卻苦不堪言。不過可以肯定的是，對絕大多數的奧羅拉人而言，個人生活一直無憂無慮，而如果每一個人的生活都越來越安逸，誰又會反對呢？

假如曙光世界擁有陽光普照的好天氣，誰又會想要呼喚暴風雨？

——就在這個時候，貝萊突然體會到一種難以形容的感覺。如果硬要他試著描述，他會說彷彿一眨眼間，體內的一切整個翻轉到體外，然後又立刻恢復原狀。

由於過程太過短暫，他幾乎沒注意到，差點以為只是自己悄悄打了一個嗝。

直到大概一分鐘之後，他才猛然想起來，自己有過兩次這樣的經驗：一次是在前往索拉利的途中，另一次則是在回程。

這就是所謂的「躍遷」，也就是進入超空間的過程。一旦進入超空間，時間和空間雙雙失去意義，太空船便能打破宇宙中的光速極限，一舉前進許多光年（就字面上來說，這並沒有什麼神祕可言，因為太空船其實就是暫時離開這個宇宙，來到沒有速限的另一種空間。然而，就觀念上而言則剛好相反，因為若想描述超空間的本質，唯有使用數學符號一途，可是那些符號無論如何看不出任何直覺上的意義）。

事實上，人類雖然早就學會如何操弄超空間，卻始終是知其然而不知其所以然。只要你接受上述事實，整件事就一清二楚——前一刻，就天文尺度而言，太空船距離地球還不算遠，而下一刻，它已經來到奧羅拉附近。

在理想情況下，躍遷不需要任何時間——完全不需要，換言之，如果整個過程完美無缺，應該不會造成任何生理上的反應。然而物理學家宣稱，完美無缺的躍遷需要無限大的能量，因此在真實情況中，總會有一個「有效時間」，雖然可以盡量縮小，但絕不等於零。正是這段不可避免的瞬間，導致了那種古怪卻實質無害的翻轉感覺。

想通了自己已經距離地球非常遠、距離奧羅拉非常近之後，貝萊突然很想看看這個太空族世界。

原因之一，這時他很想看到有人煙的地方，而另一個原因，則是出於自然而然的好奇心，想要看看那個他已經從書本上非常瞭解的世界。

這時吉斯卡走了進來，手上端著介於清醒和入睡之間的那一餐（稱之為午餐吧）。他逕自開口道：「先生，我們正在接近奧羅拉，可是很抱歉，你無法從駕駛艙中觀看它。反正，其實也沒什麼好看的。奧羅拉的太陽只是一顆普通的恆星，而我們還需要再飛幾天，才能看到奧羅拉這顆行星的面貌。」然後，他彷彿又想到一件事，連忙補充道：「即使那個時候，你也無法從駕駛艙中觀看它。」

貝萊心中冒出一股莫名的尷尬。顯然，對方不但料到了他這個心願，而且很快讓他死了這條心，原來他們根本不希望他進入駕駛艙。

他說：「沒問題，吉斯卡。」那機器人便走開了。

貝萊悶悶不樂地望著他的背影。今後，他身上還會被扣上多少枷鎖呢？想要圓滿完成任務，原本已經不太可能，不知奧羅拉人還會使出多少陰謀詭計，讓不太可能變成絕無可能。

第三章　吉斯卡

9

貝萊轉過身來，對丹尼爾說：「這太過分了，丹尼爾，因為這艘船上的奧羅拉人擔心我是感染源，我就必須被當成囚犯。這純粹是迷信，我已經徹底消毒了。」

丹尼爾說：「以利亞夥伴，我們要求你待在自己艙房裡，並非由於奧羅拉人的恐懼。」

「不是嗎？那還有什麼原因？」

「或許你還記得，我們在這艘船上重逢之初，你曾問我為何奉命前來接你。我回答說，一來是因為我這個老友能讓你心安，二來我自己也會感到快樂。可是，當我正要說第三個理由的時候，吉斯卡突然拿著你要的閱讀鏡和膠捲書走進來，因而打斷了我們的談話——然後，我們就開始轉而討論機殺案。」

「所以說，你始終沒有告訴我第三個理由。那又是什麼呢？」

「啊，以利亞夥伴，答案很簡單，我或許還可以保護你。」

「我有什麼好保護的？」

「那個我們決定稱為機殺案的事件，已經挑起非比尋常的激烈情緒。你受邀前往奧羅拉，又是為了證明法斯陀夫博士的清白。而那齣超波劇……」

「耶和華啊，丹尼爾，」貝萊義憤填膺地說：「奧羅拉上也看得到那鬼東西嗎？」

「每個太空族世界都看得到，以利亞夥伴。它一度是最受歡迎的節目，而它將你塑造成了最偉大的偵探。」

「於是，機殺案背後的主謀開始庸人自擾，生怕我會調查出什麼來，因此可能會無所不用其極地阻止我——甚至將我殺害。」

「法斯陀夫博士深信，」丹尼爾平心靜氣地說：「這樁機殺案背後並沒有主謀，因為除了他自己，再也沒有第二個人能做到這件事。在法斯陀夫博士看來，它純粹只是偶發事件。然而，有人卻想拿這件事大做文章，所以他們會設法阻止你，以免你證明它純屬偶然。因此之故，必須有人保護你。」

貝萊在兩面艙壁之間來回快步走，彷彿想要藉此加快自己的思考速度。奇怪的是，他就是不覺得自己身處險境。

他問道：「丹尼爾，奧羅拉上總共有多少人形機器人？」

「你是指在詹德終止運作之後？」

「對，在詹德死了之後。」

「只有一個，以利亞夥伴。」

貝萊萬分震驚地望著丹尼爾，還做出無聲的嘴形：一個？

最後他終於開口：「我想確定一下，丹尼爾，你現在是奧羅拉上唯一的人形機器人？」

「我在任何世界上都是唯一的，以利亞夥伴，這點我想你應該知道。我是這種機型的原型，詹德則是第二個。然後，法斯陀夫博士就不願再製造這樣的機型了，而這個技術掌握在他一人手中，別人誰也不會。」

「可是這麼說來，既然兩個人形機器人之一已經死了，難道法斯陀夫博士不會想到另外那個——也就是你，丹尼爾——也可能有危險嗎？」

「他承認有這種可能性。但心智凍結本身已是極其罕見的現象，連續發生兩次的機率當然趨近於零，所以他並不擔心。然而，他覺得其他意外倒是有機會發生。我想，他之所以派我到地球去接你，這個考量也是因素之一。這麼一來，我就可以有一週左右的時間不在奧羅拉。」

「所以說，你現在和我一樣是囚犯，對不對，丹尼爾？」

「以利亞夥伴，」丹尼爾鄭重其事道，「所謂我是囚犯，只有在一個意義下成立，那就是我不該離開這間艙房。」

「還有什麼其他意義之下的囚犯呢？」

「有的，遭到限制行動的人，必須對這種限制心生怨恨。真正的懲罰隱含著強迫性，我卻相當瞭解為何要待在這裡，而且同意確有必要。」

「你同意，」貝萊發起牢騷，「我可不，我認為自己就是不折不扣的囚犯。總之，為什麼我們待在這裡就能安全無虞？」

「原因之一，以利亞夥伴，吉斯卡在門外站崗。」

「他的智慧足以勝任這項工作嗎？」

「他完全明白他所接受的命令。而且他不但身強體壯，還相當瞭解自己的工作多麼重要。」

「你的意思是，他隨時會為了保護你我而犧牲自己？」

「當然，正如我隨時會為了保護你而犧牲自己。」

貝萊覺得有點臉紅，問道：「既然你會被迫為了我而犧牲自己，難道你不怨恨這種處境嗎？」

「我的程式正是這樣設定的，以利亞夥伴。」丹尼爾的語氣似乎變得柔和了，「不過，即使我的程式並未這樣設定，我還是覺得為了救你而犧牲自己是相當值得的，我也說不上來為什麼。」

貝萊感動到不能自已，他伸出手來，和丹尼爾緊緊握了握手。「謝謝你，丹尼爾夥伴，可是請你務必避免這種事，我可不希望失去你。在我看來，我的性命並非那麼有價值。」

這時，貝萊突然驚覺自己說的竟是真心話。為了一個機器人，他居然願意拿自己的生命冒險，這個想法令他心頭一凜。不，不是為了一個機器人，而是為了丹尼爾。

10

吉斯卡逕自走進艙房，猛然出現在他們面前。貝萊這時已經接受了這件事，這個機器人既然身為保鑣，就必須擁有隨意來去的權利。而且在貝萊眼中，吉斯卡只是一個機器人，即使大家刻意用「他」來稱呼他，即使刻意省略「機」字頭，也改變不了這個事實。如果貝萊想要抓抓癢、挖挖鼻孔，或是做出其他不雅的動作，他覺得吉斯卡都不會特別留意或妄加評斷，甚至無法做出任何反應，只會靜靜地將觀察結果輸入內建的記憶庫。

這就使得吉斯卡形同一件有腳的家具，在他面前貝萊不覺得有絲毫尷尬——而且，貝萊不經意地想到，吉斯卡也從未在不適當的時候闖進來。

吉斯卡抱著一個像是空箱子的東西。「先生，我猜你仍然希望從太空中觀看奧羅拉。」

貝萊嚇了一跳。想必是丹尼爾注意到了貝萊在生悶氣，並且推論出原因，隨即決定採取因應之道。而丹尼爾竟然讓吉斯卡來做這件事，好像一切都是這個簡單頭腦所想到的，更表現出他細緻的一面。這麼一來，貝萊就無須表示感激之意，丹尼爾應該是這個意思吧。

事實上，在貝萊的感覺中，自己被無端禁止觀看奧羅拉，要比被當成囚犯更令他忿忿不平。自從躍遷之後，這兩天來，他一直為了喪失這個難得的機會而懊惱不已——因此，他轉向丹尼爾說：「謝謝你，老朋友。」

「這是吉斯卡的主意。」丹尼爾答道。

「喔，當然啦。」貝萊淺淺一笑，「我也要感謝他。這是什麼呢，吉斯卡？」
「先生，這是一台天體模擬儀。基本上它就是一台三維接收器，和觀景室直接聯線。不過我想提醒……」
「提醒什麼？」
「先生，你不會覺得那景象有什麼驚人之處，我不希望你空歡喜一場。」
「我會盡量不抱太高的期望，吉斯卡。萬一我真的感到失望，也絕不會要你負責。」
「謝謝你，先生。我要回自己的崗位了，如果出現任何問題，丹尼爾都可以幫你解決。」
說完他便告退了，貝萊帶著讚許的神情，轉頭對丹尼爾說：「我想，這件事吉斯卡做得很好。他或許是個簡單的機型，但設計得十分精良。」
「他也是法斯陀夫設計的機器人，以利亞夥伴——這個天體模擬儀不但自給自足，還能自我調整。既然它已經瞄準奧羅拉，你只要輕碰『控制緣』即可，這樣就能將它啟動，除此之外什麼也不必做。你要不要自己來操作？」
貝萊聳了聳肩。「沒必要，你來吧。」
「遵命。」
丹尼爾動手將那個儀器放到了貝萊的書桌上。
「以利亞夥伴，這個，」他指著手中那個長方形物體，「就是控制器。你只需要像這樣抓著它的邊緣，輕輕一壓就能開機——再壓一下則關機。」
丹尼爾隨即壓下控制緣，貝萊卻立刻慘叫一聲。
貝萊原本以為這個「空箱子」會亮起來，裡面展現出一個全像式的星像場。結果根本不是那麼回事，貝萊竟然發覺自己頓時置身太空——置身太空之中——四面八方是一顆顆明亮卻不閃爍的星辰。

這個變化只持續了很短的時間，隨即一切又恢復原狀：包括這間艙房，以及其中的貝萊、丹尼爾和那個「空箱子」。

「很抱歉，以利亞夥伴。」丹尼爾說，「我一察覺你感到不舒服，立刻把它關掉了。我不知道你尚未做好心理準備。」

「那就替我做好準備。剛剛發生了什麼事？」

「天體模擬儀會直接刺激人類大腦的視覺中心，使用者根本無法分辨它和三維真實環境有什麼不同。這是個相當新的發明，目前只用於顯示天文景觀，畢竟，星空的內容不算太複雜。」

「你自己也看到了嗎，丹尼爾？」

「看到了，可是非常不清楚，絕不像人類體驗到的那麼真實。我眼前有個模糊的星空輪廓，它和艙房內的景象交疊在一起，可是據我所知，人類只會看到星空而已。毫無疑問，如果我們的正子腦再做更精密的微調……」

這時，貝萊的心情已經恢復平靜。「問題是，丹尼爾，在我的感覺中，其他的一切都不存在了，連我自己也不例外。我看不見也感覺不到自己這雙手，覺得自己彷彿成了無形的靈魂，或是——呃——如果我死後，仍然能以某種非物質的方式存活，我想應該就是這種感覺吧。」

「我現在瞭解你為何頗為心神不寧了。」

「事實上，我覺得非常心神不寧。」

「再說聲抱歉，以利亞夥伴，我會讓吉斯卡把它拿走。」

「不，現在我有心理準備了，把這儀器留給我——對了，既然我覺得自己的雙手已經不存在，我還能不能把它關掉？」

「控制器會黏在你手上，掉不下來的，以利亞夥伴。法斯陀夫博士曾經告訴我，根據他的親身經驗，當使用者意圖結束時，手掌自然而然就會施力。這是一種自動的神經操控，原理和視覺類似。至少，奧羅拉人都屢試不爽，而我猜想——」

「就生理結構而言，地球人和奧羅拉人相當接近，所以這個原理也適用於我們——很好，把控制器給我，我要再試一次。」

貝萊懷著幾絲恐懼，輕輕壓下控制緣，立刻再度來到太空。這回，一切已在他預料之中，而且，一旦發覺自己仍能順暢呼吸、絲毫不覺得被真空環境包圍，他便盡力說服自己，一切只是幻覺罷了。他一面粗重地呼吸著（或許是要讓自己相信這個動作是真的），一面好奇地四下張望。

突然間，他發覺自己聽到了鼻孔裡的粗嘎氣息，連忙問道：「你聽得到我說話嗎，丹尼爾？」

至少他自己聽到了這句話——有點遙遠，有點生硬——可是他聽到了。

然後，他聽到了丹尼爾的聲音——和他自己的聲音不太一樣，所以並非他自問自答。

「我聽得到，」丹尼爾說：「你也應該聽得到我說話，以利亞夥伴。為了讓幻象更加真實，你的視覺和動覺都受到了干擾，但聽覺則未受影響，大致來說就是這樣。」

「嗯，我只能看到許多星星——我是指普通的星星。我們已經很接近奧羅拉，所以我猜，奧羅拉所環繞的那顆恆星，也就是它自己的太陽，要比其他星星明亮許多。」

「應該說太明亮了，以利亞夥伴。它的光芒已被遮蔽，否則你的視網膜會有危險。」

「那麼，奧羅拉這顆行星又在哪裡呢？」

「你看見獵戶星座了嗎？」

「看見了——你的意思是，我們現在見到的各個星座，和地球夜空中或是大城天象館內的星座一模一樣？」

「差不多。就星際尺度而言，目前我們和地球以及太陽系的距離並不算太遠，因此見到的星空沒什麼差別。奧羅拉的太陽就是地球上所謂的『天倉五』，它位於鯨魚星座，距離地球三．六七秒差距——如果你想像以『參宿四』為起點，向獵戶座肚臍上那顆星畫一個箭頭，然後將箭頭延伸一倍多一點，你會遇到一顆中等亮度的天體，那就是奧羅拉行星。未來這幾天，我們會朝它高速前進，而它也會越來越容易辨識。」

貝萊一本正經地望著奧羅拉。它只是一個孤獨的明亮星體，旁邊並沒有任何閃爍的箭頭，周圍也沒有任何解說文字。

他問：「太陽又在哪裡呢？我是指地球的太陽。」

「從奧羅拉來看，它位於室女星座，是一顆二等星。只可惜，我們這個天體模擬儀並非充分電腦化的儀器，不容易把它指出來。反正，它看起來就像是一顆相當普通的星星。」

「那就算了。」貝萊說，「現在我要關機了，萬一不順利——你要幫幫我。」

關機過程十分順利。貝萊剛剛動念，模擬儀隨即關閉，令一切恢復原狀。面對突然出現的燈光，他只能坐在那裡猛眨眼睛。

直到這個時候，也就是他的感官恢復正常之後，貝萊才猛然想到，自己曾有好幾分鐘彷彿真正置身太空，周圍沒有任何保護層，可是他的空曠恐懼症並未因此發作。一旦認定自己根本不存在，他就完全解脫自在了。

這個想法不禁令他困惑，因而有好一陣子，他無心繼續閱讀那些膠捲書。

他一遍又一遍地開啟天體模擬儀，並且採用太空船外最佳的位置來觀看太空，自己卻（顯然）並不在那個位置上。有些時候，只是為了確認自己仍能從容面對無盡的虛空，他只看一會兒；但有些時候，星空的圖案令他著了迷，不知不覺玩起數星星或連連看的遊戲——之前在地球上，拜空曠恐懼症之賜，他無論如何做不到這些事，所以成心好好放縱一番。

幾天後，奧羅拉果然變得越來越亮。沒多久，他就不難從其他光點中找出這顆行星，然後，「不難」變成了「非常容易」，最後則成了根本無法漠視。起初，它只是個小小的狹長亮點，但很快就越來越大，終於開始顯現出盈虧。

等到貝萊察覺到盈虧時，它看起來幾乎已經是個半圓形。

在貝萊的詢問下，丹尼爾解說道：「我們並非沿著軌道面接近這顆行星，以利亞夥伴，所以奧羅拉的南極幾乎在圓盤正中央，稍微偏亮區一點。現在這個時候，南半球正是春天。」

貝萊說：「根據我所讀到的資料，奧羅拉的自轉軸傾斜十六度。」當初，由於他急著瞭解奧羅拉的風土民情，天文地理方面的資料只是匆匆瞥過，但至少他還記得這一點。

「沒錯，以利亞夥伴。我們最後還是會進入軌道面，到時候盈虧變化會迅速得多。奧羅拉的自轉比地球快……」

「對，它一天只有二十二小時。」

「應該說是二十二．三個傳統小時。每個奧羅拉日有十個奧羅拉時，每個奧羅拉時有一百個奧羅拉分，每個奧羅拉分又有一百個奧羅拉秒。因此，一個奧羅拉秒大約等於〇．八個地球秒。」

「我在書上讀到的公制時、公制分等等，就是指這些時間單位嗎？」

「是的。起初，很難說服奧羅拉人放棄他們早已習慣的時間單位，於是兩種同時使用，也就是傳統制和公制。當然，最後公制逐漸勝出。如今我們雖然只說時、分、秒，但一定是指十進位的公制。這套時間單位已經廣為太空族世界採用，只不過在其他世界，它和行星的自轉並沒有直接關係。當然，每顆行星同時也有自己的時間單位。」

「是的，以利亞夥伴，不過地球只用傳統的時間單位。因此在進行貿易時，往往造成太空族世界許多不便，但他們還是讓地球自行其是。」

「我猜，這樣做並非出於善意。在我看來，他們是希望突顯地球的差異——對了，奧羅拉的一年和公制有什麼關係？畢竟，既然這顆行星繞著它的太陽轉，一定有個和季節循環相關的公轉週期，這個週期又如何表示呢？」

丹尼爾說：「奧羅拉的公轉週期是三七三．五個奧羅拉日，差不多等於〇．九五個地球年。這個事實在奧羅拉曆法裡並沒有什麼重要性。我們將三十個奧羅拉日定義為一個月，十個月定義為一個公制年。因此，一個公制年大約等於〇．八個季節年，或是四分之三個地球年。當然，這個比例在各個世界並不一樣。此外，十天通常稱為一旬，所有的太空族世界都使用這個制度。」

「可是，一定有更簡單的方式來配合季節循環吧？」

「每個世界照例都有自己的季節年，但很少有人使用。若有需要，你隨時能用電腦算出過去或未來某一天在季節年中的定位。其實在每個世界上，類似的換算都是很方便的。而且，以利亞夥伴，機器人當然也都會做這種計算，隨時可以替人類服務。公制單位的優點在於提供了統一的計時法，牽涉到的數學卻只有小數點的移動而已。」

在此之前，貝萊未曾在任何書籍中讀到這麼明白的解說，這點令他感到不解。話說回來，根據他自己對地球歷史的瞭解，他知道曾有一段時期，「朔望月」在曆法中扮演重要的角色，可是曾幾何時，基於計時的便利，朔望月逐漸遭到淘汰，終至被人遺忘。假設他要為外星人士選幾本談地球的書，這些書裡極有可能完全找不到有關朔望月或相關曆法沿革的記載。日期就是日期，無須多做任何解釋。

除此之外，還有哪些事物無須多做解釋呢？

所以說，他最近學到的那些知識，可信度又有多少呢？他一定要常常發問，不能將任何事物視為理所當然。

眼前，漠視線索的機會、曲解事實的機會以及誤入歧途的機會，實在是太多太多了。

11

現在，貝萊只要開啟天體模擬儀，奧羅拉就會佔滿整個視野，而且，看起來和地球相當接近（他從來沒有用過這種方式觀看地球，但至少看過這類的天文照片）。

沒錯，此時貝萊眼中的奧羅拉，和那些地球照片十分類似，同樣有著雲層的圖樣、沙漠的蹤跡和晝夜的分界，而且在夜半球部分，也同樣有著閃爍的燈火。

貝萊一面忘情地欣賞，一面設想一種情況：假設他被送上太空，並被告知目的地是奧羅拉，可是基於某種原因——某種微妙又瘋狂的原因——太空船繞了一圈又回到地球，那麼在著陸之前，自己該如何分辨真假呢？

他有理由起疑嗎？丹尼爾曾不厭其煩地告訴他，無論是地球或奧羅拉的夜空，星座看起來都是一樣的，但是，既然兩顆行星所屬的星系相距不遠，這難道不是很自然的結果嗎？至於乍看之下，兩者在太空中的外觀幾乎相同，難道不也是由於同為適宜住人的世界嗎？

還有沒有其他理由，支持他繼續牽強附會地懷疑這是騙局？這樣做有什麼目的呢？萬一真是騙局，表面上看起來牽強和無用又有何不可？假如行騙的理由相當明顯，他會立刻一眼看穿。

這個陰謀丹尼爾也有份嗎？假如他是人類，答案當然是否定的。但他只是個機器人，難道不能命令他配合這一切嗎？

看來，根本無法得到任何定論。不久之後，貝萊卻開始尋找大陸的輪廓，因為他想到，或許可以據此判斷這到底是不是地球。這應該是個有根有據的測試——結果還是失敗了。從雲層之下斷斷續續透出一些模糊的輪廓，可是對他毫無用處。對於地球的地理，他的知識不夠豐富；他真正瞭解的地球僅限於那些大城，也就是所謂的鋼穴。

一段段的海岸線在他看來都相當陌生——它們到底屬於奧羅拉還是地球，他完全沒概念。問題是，自己為何會疑神疑鬼呢？當年前往索拉利，他始終未曾懷疑目的地是別處，也沒有懷疑他們要把自己送回地球——啊，當時他是去執行一個明確的任務，而且勝算相當高。現在，他卻覺得毫無成功的機會。

那麼或許應該說，自己很想回到地球，於是在心中構築出這個假陰謀，以便借題發揮，好好想像一番。

沒想到，這個陰謀論逐漸有了自己的生命，令他怎麼也擺脫不掉。他發覺自己無法再回到真實的艙房，只能目不轉睛地望著奧羅拉，專注到了近乎瘋狂的程度。

奧羅拉處於運動狀態，正在緩緩旋轉——

他看得夠久了，足以發現上述事實。在此之前，當他觀看太空的時候，一切似乎都是靜止的，活脫舞台劇的背景，上面布滿沉默且靜止的光點，後來又加上一個小小的半圓形。是否正因為一切靜止，才使得他免於空曠恐懼症？

可是現在，他看到奧羅拉正在運動，而他也明白，那是因為太空船即將著陸，正在盤旋而下，逐步接近地表。雲層慢慢升起——

不，雲其實沒動，是太空船逐漸盤旋而下。是太空船在運動，是他自己在運動。就在這個時候，他突然意識到了自己的存在；他正迅速劃破雲層，正在向下墜落；在毫無防護的情況下，他穿過稀薄的空氣，衝向堅實的地表。

他的喉嚨不斷收緊，呼吸變得非常困難。

他拚命對自己說：你並未暴露在太空中，有艙壁包圍著你。

可是他感覺不到什麼艙壁。

他又想到：不管有沒有艙壁，你仍並未暴露，還有皮膚包覆著你。

但他也感覺不到自己的皮膚。

這種感覺甚至比赤裸更糟——他成了一個徹底曝光的孤獨個體，成了一個活生生的時空點，一個被無盡虛空包圍的奇點，而與此同時，他還不斷向下墜落。

他猛壓控制器，想要關掉這個影像，可是沒有任何反應。他的神經末梢已經不正常，意志再也無法影響自發性收縮。不，他根本沒有意志——他無法閉上眼睛，也無法攥緊拳頭；他彷彿被恐懼所催眠，渾身上下動彈不得。

他只覺得眼前出現一片片的白雲——不算很白——並非純白——帶著點橙黃——然後，周遭的一切全變成了灰色——他感到被淹沒了，完全無法呼吸。他拚命掙扎，想要撐開喉嚨，想要向丹尼爾求救——

偏偏發不出聲音——

12

貝萊喘得上氣不接下氣，彷彿剛剛衝過馬拉松賽的終點線。他覺得艙房整個傾斜，自己的左手肘頂著一片堅硬的物體。

他終於明白，原來自己趴在地板上。

吉斯卡正跪在他身邊，這機器人的一隻手（堅定但有些冰冷）緊握著貝萊的右拳。當貝萊的視線越過吉斯卡之後，他看到艙房的門開著一條縫。

貝萊無須發問，就知道發生了什麼事。正當自己慌亂無助之際，吉斯卡及時抓住他的手，然後用力一壓，關閉了天體模擬儀。否則……

丹尼爾也在一旁，他的臉靠得貝萊很近，臉上掛著可視為痛苦的表情。

他解釋道：「你什麼也沒說，以利亞夥伴。要是我早些察覺你感到不適……」

貝萊仍舊無法開口，他試著用手勢表示自己完全瞭解、不會放在心上。

兩個機器人就這麼守在貝萊旁邊，等到他勉強恢復，試圖起身之際，他們趕緊一邊一個把他扶起來，安放在一張椅子上，吉斯卡還順便將他手中的控制器取走了。

「我們很快就要著陸，我想，你再也不需要這個天體模擬儀了。」吉斯卡說。

丹尼爾一臉嚴肅地補充道：「無論如何，還是把它拿走比較好。」

貝萊卻說：「等等！」他發覺自己的聲音既細微又嘶啞，不確定對方有沒有聽清楚，於是他深深吸了一口氣，輕輕清了一下喉嚨，又說了一聲：「等等！——吉斯卡。」

吉斯卡轉過身來。「什麼事？」

貝萊並未立刻回應。既然吉斯卡已經聽到自己的命令，他就會耐心地等待，或許會永遠等下去。貝萊試著整理雜亂的思緒，集中精神尋思：不管空曠恐懼症有沒有發作，自己對目的地仍有懷疑。相較之下，這個疑懼出現得更早，很可能因此加劇了空曠恐懼症。

他必須查出真相。吉斯卡不會說謊，因為機器人不能說謊——除非有人下達了非常高明的指令。可是又何必指使吉斯卡這麼做呢？前來迎接自己的是丹尼爾，從頭到尾陪伴自己的也是他，如果真有說謊的需要，也該是丹尼爾的責任。吉斯卡僅僅扮演跑腿和看門的角色，當然沒必要對他下達什麼高明的說謊指令。

「吉斯卡！」貝萊的聲音幾乎恢復正常了。

「什麼事？」

「我們即將著陸，對不對？」

「對，兩小時之內，先生。」

貝萊想，他說的應該是公制時，要比真正的兩小時長一點？或是短一點？這並不重要，只會徒增困擾，還是別追究了。

貝萊以盡可能嚴厲的口吻說：「趕緊告訴我，我們即將著陸的到底是哪顆行星？」

如果向人類提出這樣的問題，對方一定會先頓一頓，然後，即使他決定回答，也會現出相當驚訝的神情。

吉斯卡卻立刻答道：「先生，是奧羅拉。」而且，平板的聲音更突顯了他的肯定。

「你怎麼知道？」

「一來，它是我們的目的地。二來，它絕不可能是地球，原因之一，由於奧羅拉的太陽『天倉五』比地球的太陽輕了百分之十，因此溫度稍低，在陌生的地球人看來，它的光芒帶有明顯的橙色。你可能已經從雲層頂端的反射光，看到了天倉五特有的顏色。稍後，你一定能從地表看得更清楚——直到你的眼睛習慣了，才會視而不見。」

貝萊將視線從吉斯卡面無表情的臉孔移開。他想，自己的確曾注意到陽光的差異，可是並未多加留意，真是個嚴重的錯誤。

「你可以走了，吉斯卡。」

「遵命。」

貝萊苦著一張臉望向丹尼爾。「我覺得自己像個傻瓜，丹尼爾。」

「我想你是在懷疑我們或許欺騙了你，把你帶到別的世界去了。你這麼想有任何理由嗎，以利亞夥伴？」

「沒有。也許是由於空曠恐懼症在潛意識層面發作，令我惴惴不安的緣故。望著似乎完全靜止的太空，我並未察覺任何不適，但意識層面之下可能早就不對勁，使得我的心情越來越不穩定。」

「這是我們的錯，以利亞夥伴。既然我們知道你不喜歡開放的空間，就不應該讓你體驗天體模擬，而既然這麼做了，我們就該寸步不離地在旁守護。」

貝萊搖了搖頭，露出厭煩的表情。「別這樣說，丹尼爾，我被守護得夠了。我現在只關心一個問題：到了奧羅拉之後，我會被守護得多麼嚴密。」

「然而話說回來，那正是我必須爭取的。如果我想查明這樁機殺案的真相，一定要有充分的自由，讓我能去現場直接尋找線索——並詢問相關人士。」

丹尼爾說：「以利亞夥伴，據我所知，恐怕很難讓你任意接觸奧羅拉社會和奧羅拉人。」

這個時候，除了有些疲累，貝萊覺得自己大致已經恢復正常。可是，經歷了那段緊張刺激的情境之後，現在他竟然十分渴望吞雲吐霧一番，這令他感到相當尷尬。他以為自己早在一年多前就完全戒掉了這個嗜好，但此時此刻，他的喉嚨和鼻孔卻能感覺到菸葉燒出來的香味。

他心知肚明，自己也只能藉著回憶過過乾癮。一旦抵達奧羅拉，他無論如何不可能有抽菸的機會。事實上，太空族世界一律沒有菸草，即使他隨身攜帶一些，也遲早會被沒收和銷毀。

只聽丹尼爾說：「以利亞夥伴，我對這件事沒有任何決定權，必須等到著陸之後，請你直接和法斯陀夫博士討論。」

「這我瞭解，丹尼爾，可是我要怎樣和法斯陀夫討論呢？藉由類似天體模擬儀的裝置嗎？我手上仍要拿著控制器？」

「完全不需要，以利亞夥伴。你們將面對面討論，他打算在太空航站和你碰面。」

13

貝萊試圖傾聽太空船的著陸過程，不過，他當然不曉得會聽到哪些聲音。他不知道這艘太空船的結構，不知道船上總共有多少人，也不知道每個人在著陸之際會做些什麼事，更不知道會產生什麼樣的噪音。

呼嘯聲？隆隆聲？還是模糊的震動？

他什麼也沒聽到。

丹尼爾說：「你似乎很緊張，以利亞夥伴。如果覺得哪裡不舒服，希望你都能立刻告訴我。無論你有任何不快，不管原因為何，我都必須第一時間提供協助。」

這句話，稍微加重了「必須」兩字的語氣。

貝萊漫不經心地想：他是受到了第一法則的驅策。剛才，他並未預見我會昏倒，光憑這一點，他所承受的痛苦就一定不下於我。對我而言，正子電位的失衡或許毫無意義，可是他體內因而產生的反應和不適，很可能等同於人類所感受的劇痛。

他又進一步想到：不過，正如丹尼爾不可能真正瞭解我這個人，我又如何能夠瞭解在機器人的人工皮膚和人工意識之下藏著些什麼呢？

貝萊隨即驚覺自己竟然把丹尼爾想成機器人，不禁頗為自責。他望著對方溫柔的雙眼（打從什麼時候起，他心中將那種眼神冠上「溫柔」兩字了）？然後說：「如果我哪裡不舒服，一定立刻告訴你，但現在並沒有。我只是想試著用耳朵來追蹤著陸的進度，丹尼爾夥伴。」

「謝謝你，以利亞夥伴。」丹尼爾一臉嚴肅地答道，他還微微欠了欠身，才繼續說下去：

「著陸應該不會引發任何不適。你的確會感到加速度，但是微乎其微，因為艙房會順著加速方向略微變形，產生緩衝作用。溫度雖然也會升高，但不會超過攝氏兩度。至於聽覺上，當我們穿過越來越濃的大氣時，或許難免出現些許嘶嘶聲。有沒有哪一點會對你造成困擾？」

「應該都不會。目前困擾我的，就是無法自由參與最後這一段旅程。我希望多加瞭解著陸的過程，不希望被囚禁在艙房內，錯過了這段難得的體驗。」

「可是你已經知道，以利亞夥伴，對你而言這種體驗是無法承受的。」

「那麼我該如何克服呢，丹尼爾？」他據理力爭，「這個理由還不足以把我關在這裡吧？」

「以利亞夥伴，我已經對你解釋過，這樣做是為了你的安全著想。」

貝萊搖了搖頭，顯得十分反感。「這點我早就想過了，但我認為是無稽之談。加在我身上的限制那麼多，我想要瞭解奧羅拉已是難上加難，能夠釐清事實真相的機會更是小之又小，任何頭腦清楚的人都知道沒必要阻止我。但如果他們真要自找麻煩，又何必直接對我發動攻擊呢？為什麼不破壞這艘太空船？假設我們所面對的是一群無惡不作的壞蛋，他們根本不會在乎犧牲一艘船——以及上面所有的乘客——以及你和吉斯卡——當然還有我。」

「事實上，我們考慮過這個可能性，以利亞夥伴。這艘船經過詳盡的檢查，並未偵測出任何遭到破壞的跡象。」

「你確定嗎？百分之百確定嗎？」

「這種事一律不可能百分之百確定。然而，我和吉斯卡都很放心，我們認為準確性相當高，出事的機率已經壓到極小值。」

「萬一你們錯了呢？」

丹尼爾的臉孔似乎微微抽動一下，彷彿這個問題干擾了他腦中正子徑路的流暢運作。他答道：「可是我們未曾出錯。」

「你不能這麼講。我們即將著陸，這絕對是危險關頭。事實上，到了這個階段，根本不必再破壞太空船。現在——此時此刻——才是我自己最危險的時候。如果我要踏上奧羅拉，就不可能繼續躲在這間艙房。我必須走出太空船，必須和其他人有所接觸。你們可曾採取各種預防措施，確保著陸安全無虞？」由於長期囚禁令他惱羞成怒，再加上當眾昏倒令他臉上無光，否則貝萊不會如此咄咄逼人，毫無來由地數落無辜的丹尼爾。

但丹尼爾仍心平氣和地說：「當然有，以利亞夥伴。還有，順便告訴你，我們已經著陸了，太空船已停在奧羅拉表面上。」

一時之間，貝萊感到不知所措。他慌亂地四下張望，可是除了密封的艙房，當然什麼也看不到。丹尼爾先前描述的什麼加速、什麼升溫和嘶嘶聲，他一概沒有察覺。或許，剛才丹尼爾故意重提他的安全問題，目的就是為了轉移注意力，以免他想到那些微不足道——卻可能令他不安的效應。

貝萊說：「可是還有個尚未解決的難題，我該如何下船，才不會讓我們的假想敵輕易得手？」

丹尼爾朝一面艙壁走去，伸手按了一下，艙壁便裂開一條縫，然後逐漸一分為二。在貝萊眼前，出現了一個長長的管子——一條隧道。

這時，吉斯卡從另一側走進艙房，說道：「先生，我們三人就用這個逃生管下船，外面還會有人負責監視。在逃生管的另一端，法斯陀夫博士已經在等你了。」

「我們的預防措施滴水不漏。」丹尼爾說。

貝萊喃喃道：「我鄭重道歉，丹尼爾——還有吉斯卡。」他悶悶不樂地走向逃生管，心想，他們致力做到滴水不漏，等於他們認為確有必要採取這些措施。

貝萊從不覺得自己懦弱，可是如今他來到一個陌生的行星，不知該如何分辨敵友，也見不到令他寬心的熟悉事物（丹尼爾當然是例外），到了重要關頭，更別奢望會出現任何提供溫暖和慰藉的屏障。想到這裡，他不禁打了一個冷顫。

第四章　法斯陀夫

14

法斯陀夫博士的確等在那裡——而且笑容滿面。他又高又瘦，淺棕色的頭髮並不算濃密，不過，最顯眼的當然要數那一對大耳朵。即使過了三年，貝萊仍舊記憶猶新。那對幾乎橫長的招風耳讓他看起來有點滑稽，甚至可以說醜得可愛。此時令貝萊展現笑容的正是那對耳朵，而並非由於法斯陀夫親自相迎。

貝萊不禁納悶，是不是奧羅拉的醫療科技並未涵蓋微整形手術，以致無法矯正這樣的耳朵——話說回來，也可能是法斯陀夫和貝萊一樣，就是喜歡這個長相（如此相提並論，他自己都有些驚訝）。擁有一張賺人笑容的臉孔，也是一件值得驕傲的事。

也許，法斯陀夫希望第一眼就換來陌生人的好感？或者他樂於被人低估？或者只是為了與眾不同？

法斯陀夫開口說：「便衣刑警以利亞．貝萊，我一直沒忘記你，只不過，我總是把你想成那個超波劇演員的模樣。」

貝萊立刻收起笑容。「那齣戲始終陰魂不散地糾纏我，法斯陀夫博士，如果我能找到一個可以擺脫它的地方……」

「你找不到的，除非奇蹟出現。」法斯陀夫親切和藹地說，「所以，如果你不喜歡這碼事，我們就把這個話題永久剔除，從現在起我再也不提了。同意嗎？」

「謝謝你。」貝萊逮住這個時機，向法斯陀夫伸出右手。

在表現出明顯的猶豫之後，法斯陀夫才小心翼翼地和貝萊握了握手，動作很迅速。「我姑且假設你並不是感染源，貝萊先生。」

然後，他端詳著自己的雙手，改用懊惱的語氣說：「不過我必須承認，我這雙手經過特殊處理，上面有一層不算太舒服的惰性膜。我也繼承了這個社會的非理性恐懼。」

貝萊聳了聳肩。「大家都一樣。比方說，我就不喜歡置身城外──我是說戶外的空間。正是因為這樣，我並不喜歡被迫在這種情況下來到奧羅拉。」

「這點我很瞭解，貝萊先生。我替你準備了一輛密封車，等到抵達我的宅邸之後，我們也會盡力讓你繼續處於封閉空間。」

「謝謝你，可是在奧羅拉這段時期，我覺得有必要讓自己偶爾待在戶外。我已經做好心理準備──盡可能做好了。」

「我瞭解了，但除非有必要，我們才會讓你受戶外之苦。現在並沒這個必要，所以請鑽進密封車吧。」

那輛車停在隧道外的陰影處，因此在上車的過程中，幾乎完全不會有置身戶外的感覺。貝萊知道丹尼爾和吉斯卡都緊跟在自己後面，這兩個機器人雖然外形迥異，但同樣處於嚴肅的待命狀態──而且同樣有著無窮的耐心。

法斯陀夫打開後車門，說道：「請上車。」

貝萊率先上車，丹尼爾則緊隨在後，動作迅速且一氣呵成。至於吉斯卡，他幾乎在同一時間，以近乎嚴格排練過的舞蹈動作，從另一側鑽進車內。貝萊就這樣被他們兩個夾在中間，不過並沒有什麼壓迫感。事實上，他很喜歡這樣的安排，這讓他覺得在自己和戶外之間，還有厚實的機器人身體在兩側當作屏障。

沒想到他完全見不到戶外。一旦法斯陀夫坐上前座，關上車門，車窗隨即一一封閉，車內泛起一股柔和的人工光線。

法斯陀夫解釋道：「貝萊先生，通常我不這樣開車，但我可以接受，而你會覺得這樣舒服很多。這輛車完全電腦化，自己知道該怎麼走，而且能夠應付任何障礙或緊急狀況，根本不必我們插手。」

隨著一陣極其輕微的加速感，車子便進入幾乎察覺不到的運動狀態。

法斯陀夫說：「我們走的是一條安全路線，貝萊先生。這些天我費盡心思，盡可能不讓閒雜人等知道你會坐上這輛車，而你在車內之際，當然更不會被偵測到。就車程而言——對了，這是一輛氣翼車，實際上是在貼地飛行——這段路並不算遠，但你不妨趁機休息一下，你現在相當安全。」

「聽你這麼說，」貝萊道，「你似乎認為我仍身處險境。之前在太空船上，為了保護我，只好把我當成囚犯——現在又來了。」貝萊環顧這個狹小的封閉空間，覺得自己更像囚犯了，不但有金屬和不透明玻璃圍成的牢房，身旁還有兩個金屬之軀的獄卒。

法斯陀夫輕聲笑了笑。「我知道，我有點反應過度了。問題是如今奧羅拉群情激憤，既然你在這個節骨眼趕過來，我寧願像個傻瓜般反應過度，也不要因為反應遲鈍而令你身冒奇險。」

貝萊說：「我想你應該瞭解，法斯陀夫博士，如果我失敗了，對地球會是個嚴重的打擊。」

「這點我非常瞭解。請務必相信，我的決心和你一樣堅定，我會盡可能避免讓你鎩羽而歸。」

「我相信。此外，萬一我失敗了，不論原因為何，我於公於私都無法在地球上立足了。」

法斯陀夫轉過頭來，帶著驚訝的神情望著貝萊。「真的？這太不合理了。」

貝萊聳了聳肩。「我同意，但事實如此。對於走投無路的地球政府而言，我是最簡單的代罪羔羊。」

「貝萊先生，當初我請你來的時候，並沒有想到這一層。請放心，我一定會盡力保護你。不過，老實對你說，」他刻意移開目光，「萬一我們失敗，我的力量可就小之又小了。」

「這點我知道。」貝萊繃著臉說。然後，他靠向柔軟的椅背，還閉上了眼睛。雖然車子平穩前進，貝萊彷彿躺在搖籃裡，但他始終沒有睡著。反之，他正在絞盡腦汁——希望想出些什麼來。

15

抵達目的地之後，貝萊同樣未曾接觸戶外。他一走出氣翼車，便發現自己置身於一間地底停車場，接著便搭乘一台小型電梯升到（走出電梯他才知道）地面層。

他被一路引領到一間充滿陽光的房間，而在穿過一道道的天然光線之際（沒錯，帶點橙紅色），他不禁顯得有些畏怯。

法斯陀夫注意到了，他說：「這些窗戶無法轉成不透明，不過還是可以調暗。只要你吩咐，我馬上照做。其實，我應該事先想到……」

「不必了。」貝萊硬邦邦地說，「我找個背對窗戶的座位即可，我必須試著適應。」

「那就依你吧，但如果你覺得受不了，請隨時告訴我——喔，貝萊先生，現在此地的時間已經接近中午。我不知道你在船上怎樣設定個人作息時間，如果你已經清醒很久了，想要睡一覺，我們可以立刻安排。如果你現在不睏也不餓，那就不必急著進食。然而，如果你覺得可以吃點東西，歡迎你待會兒和我共進午餐。」

「真巧，這和我的個人時間配合得剛好。」

「太好了。我要提醒你，我們的一天要比地球上短了百分之七。這應該不會對你的生物時鐘產生太大困擾，但如果真有這種事，我們會試著配合你來調整。」

「謝謝你。」

「最後一點——我不太清楚你喜歡什麼樣的食物。」

「我會盡量有什麼吃什麼。」

「話說回來，如果你覺得哪些食物不夠——可口，我不會介意的。」

「謝謝你。」

「還有，你不在乎丹尼爾和吉斯卡作陪吧？」

貝萊淡淡一笑。「他們會一起吃嗎？」

法斯陀夫並未以任何笑容作為回應，而是一本正經地說：「不會，但我希望他們時時刻刻陪著你。」

「我還有危險？即使在這裡？」

「凡事我都不會百分之百放心，即使在這裡。」

這時進來一個機器人。「先生，午餐準備好了。」

法斯陀夫點了點頭。「很好，菲伯，我們一會兒就過去。」

貝萊問：「你有多少機器人？」

「還真不少。但我們遠不及索拉利那種一比一萬的人機比例，像我擁有五十七個機器人，已經超過平均值。這座宅邸很大，而且還兼作我的辦公室和實驗室。此外，當我有妻子的時候，為了避免我的工作打擾到她，必須讓她遠遠住在另一側，由另一批機器人服侍。」

「嗯，既然你有五十七個機器人，出借一兩個我想還好。聽你這麼說，我對你派吉斯卡和丹尼爾護送我這件事不再那麼內疚了。」

「我可以向你保證，貝萊先生，我可不是隨便挑的。吉斯卡不但是我的總管，還是我的左右手，我成年之後，他一直跟著我。」

「你卻派他一路去接我過來，我感到很榮幸。」貝萊說。

「這代表了你的重要性，貝萊先生。吉斯卡既壯健又剛強，在我擁有的機器人當中，他是最可靠的一個。」

貝萊隨即瞄了丹尼爾一眼，法斯陀夫趕緊補充：「我剛才的說法，並未將我的朋友丹尼爾計算在內。他並非我的僕人，而是一項重大成就，一項令我忍不住感到無比自傲的成就。他是這類機型的第一個，雖然他的設計者以及他的藍本都是拉吉・尼曼奴・薩頓博士，也就是那位……」

他警覺地及時住口，貝萊卻猛然點了點頭，接口道：「我瞭解了。」

他並不需要對方說出薩頓慘死於地球這件事。

「雖然薩頓負責丹尼爾的實際監造，」法斯陀夫繼續說：「可是我的理論計算起了關鍵作用。」

法斯陀夫對丹尼爾微微一笑，後者則俯首答禮。

貝萊說：「還有詹德呢。」

「沒錯。」法斯陀夫搖了搖頭，顯得有些沮喪。「或許應該讓他和丹尼爾一樣，也留在我身邊。但他是我製造的第二個人形機器人，意義多少有些不同。打個比方，丹尼爾就像我的長子──地位自然特殊。」

「你不再製造人形機器人了？」

「對，但先別談這些，我們得去吃午餐了。」法斯陀夫搓了搓手，「貝萊先生，我想地球上的人恐怕吃不慣我所謂的天然食物。今天的主菜是蝦肉沙拉，當然還有麵包和乳酪，你可以選擇喝牛奶，或是任何一種果汁，總之這不是什麼大餐。甜點則是冰淇淋。」

「都是傳統的地球食物。」貝萊說，「可是如今，只有在地球的古文獻中，才能見到它們的真實面貌。」

「即使在奧羅拉，這些食物也不算很普通。可是，我認為不該急著讓你品嚐我們的美食，因為無論食材或調味料，其中的奧羅拉口味都太重了，需要些時間才會習慣。」

他站了起來。「請跟我來吧，貝萊先生。既然只有你我兩人，我們不必拘泥禮數，也不必理睬用餐時的繁文縟節。」

「謝謝你，」貝萊說：「真感謝你的好意。旅途中我為了消磨時間，密集閱讀了不少關於奧羅拉的資料，所以我知道，正式的用餐禮儀包含很多規矩，令我想到就害怕。」

「你不必害怕。」

貝萊說：「法斯陀夫博士，我們能不能更進一步打破成規，在餐桌上談點公事？我絕不能無謂地浪費時間。」

「我贊成這個想法。好，我們就在餐桌上談公事，相信你不至於把這個失禮行為告訴任何人吧，我可不想因此被提出這個文明的社會。」他呵呵笑了幾聲，又趕緊說：「其實我不該發笑，這沒什麼好笑的。浪費時間或許不只造成不便而已，很可能會導致極其嚴重的後果。」

16

貝萊離開原來那個房間，來到了餐廳。相較之下，前者實在乏善可陳，只有幾張椅子，一個五斗櫃，以及一個看起來像是鋼琴的樂器，但琴鍵卻是由管樂器的活塞所取代。此外值得一提的，或許就是牆壁上有些似乎微微發光的抽象圖案。地板則是由幾種色澤的褐色方格混拼的，想必是為了營造木頭的質感——雖然亮晶晶的彷彿剛打過蠟，踩在上面卻一點也不滑。

至於餐廳，雖然鋪著同樣的地板，除此之外毫無雷同之處。那是個長方形的房間，給人的第一印象就是裝飾過了頭。裡面有六張顯然屬於一套的大型方桌，可以根據需要以多種方式組合。四面牆壁各有各的不同裝潢，其中一面較短的牆壁整個做成吧台，上面擺著許多五顏六色的酒瓶，後方還裝設一面弧形的鏡子，製造出一種空間無限延伸的錯覺。而另一面短牆上則有四個壁凹，裡面各有一個正在待命的機器人。

兩面較長的牆壁則裝飾著會緩緩變色的鑲嵌畫。其中的一面是大地的景觀，但貝萊看不出那到底是奧羅拉還是其他行星，或者純屬虛構。這幅畫的左端是一大片麥田（或類似的作物），裡面有許許多多的精密農機，全部由機器人操作。當你的目光一路從左掃到右，田野逐漸為三三兩兩的住家所取代，而最右端所畫的內容，貝萊認為應該就是奧羅拉的典型都市。

另一面長牆上畫的是一幅天體圖——一顆藍白色的行星，反映著恆星從遠方射來的光芒，由於光影安排得很巧妙，除非你近距離仔細觀察，否則一定覺得那顆行星正在旋轉。周遭的那些星辰——有些黯淡、有些明亮——似乎也處於變幻不定的狀態，不過一旦你將目光固定在一小塊區域，那些星星又會顯得完全靜止。

貝萊看得眼花撩亂，不禁大起反感。

法斯陀夫說：「這算得上藝術品，貝萊先生，只不過貴得離譜，但范雅非買不可——范雅是我現在的伴侶。」

「她會和我們一起用餐嗎，法斯陀夫博士？」

「不會的，貝萊先生。如我所說，就只有我們兩個人。這段時間，我要求她留在自己的活動範圍。我不想讓她捲入我們這個問題，我想，你該瞭解吧？」

「當然，當然。」

「來吧，請就座。」

一張方桌上已經擺好了杯盤以及精緻的餐具，其中，有幾樣餐具令貝萊感到很陌生。比方說，餐桌中央有個高高的、接近錐狀的圓筒，外形有點像西洋棋的「卒」，不過大了很多，而且是由灰色石材磨製成的。

貝萊剛坐下，就忍不住伸出手摸了摸。

法斯陀夫微微一笑：「那是調味瓶，裡面裝有十來種佐料，你可以利用它的簡易開關，替你的菜餚添加任何一種，多寡也能自由控制。正確的使用方式，首先要把它拿起來，以繁複的手法轉上幾轉，這個動作本身毫無意義，可是講究時尚的奧羅拉人十分重視，認為它象徵著優雅和精緻的用餐禮儀。我年輕的時候，能夠用拇指和食中兩指做到三起三落，等到調味瓶落到手掌中，鹽巴剛好倒出來。現在如果我還想嘗試，則是冒著打破客人腦袋的危險。我看最好別試了，相信你不介意吧。」

「我拜託你別試，法斯陀夫博士。」

不久，一個機器人將沙拉端上桌，另一個用托盤捧來一些果汁，第三個送上麵包和乳酪，第四個則負責侍奉餐巾。四個機器人合作無間，雖然不斷穿梭，從來不曾相撞或彼此阻擋，看得貝萊目瞪口呆。

而在完工時，他們剛好分別站在方桌的四邊，完全看不出彼此經過協調。緊接著，他們動作一致地後退，動作一致地鞠躬，動作一致地轉身，走回了餐廳另一角的四個壁凹中。此時，貝萊突然驚覺丹尼爾和吉斯卡也在屋內，但他明明沒看到他們走進來。原來不知不覺間，那面畫有麥田的牆壁上也出現了兩個壁凹，他們兩人就待在裡面，其中丹尼爾離餐桌比較近。

法斯陀夫說：「既然他們走了……」他隨即住口，慢慢搖了搖頭，萬般無奈地否定了自己的說法。「其實他們根本沒走。通常，在午餐正式開始前，機器人照例要先離開。人類需要吃東西，機器人則否。因此，前者留下、後者離開是很合理的安排。久而久之，這也成了一個規矩。在機器人走掉之前，難以想像誰會有這個胃口。不過，今天卻是例外……」

「他們並未離去。」貝萊說。

「對，我覺得安全比禮儀更重要，而且我覺得，既然你不是奧羅拉人，應該不會介意的。」貝萊靜待法斯陀夫率先開動，等到對方舉起叉子，貝萊便有樣學樣。法斯陀夫也故意放慢動作，好讓貝萊看清楚他如何使用這個餐具。

貝萊試著咬了一小口蝦肉，發覺鮮美無比。這種美味他並不陌生，有點像地球上的蝦球，但相較之下，這口蝦肉更香更濃無數倍。他慢慢咀嚼，慢慢品味，雖然這個時候，他很想在餐桌上展開調查工作，卻發現除了將注意力放在這頓午餐上，根本不可能同時再做別的事。

事實上，首先進入正題的是法斯陀夫。「我們是不是該開始討論了，貝萊先生？」

貝萊不禁覺得有點臉紅。「對，當然應該。真抱歉，這些奧羅拉食物給了我一個驚喜，令我難以把心思轉到其他事物上——如今這個問題，法斯陀夫博士，可說是你咎由自取，對不對？」

「此話怎講？」

「據我所知，這樁機殺案所用的手法極為專業。」

「機殺案？很有趣的說法。」法斯陀夫微微一笑，「當然，我瞭解你的意思——你的情報正確，的確是極度專業的手法。」

「此外據我所知，只有你具有這種專業技能。」

「這點，你的情報也正確。」

「而且，連你自己也承認——其實是你堅持——只有你能夠讓詹德進入心智凍結狀態。」

「無論在任何情況下，貝萊先生，我都永遠堅持真理。即使我願意說謊，對我也沒有好處。在五十個太空族世界中，最傑出的理論機器人學家就是我，這已是眾所皆知的事實。」

「話雖如此，法斯陀夫博士，難道排名第二的理論機器人學家——或是第三名，甚至第十五名——他們真的沒有能力做出這種事嗎？真的需要第一名才有足夠的本事嗎？」

法斯陀夫平心靜氣地說：「在我看來，真的需要第一名才有足夠的本事。更何況，底下仍是我的看法，即使是我自己，也只有在最佳狀態下，才有可能完成這項工作。記住一件事，機器人學界的精英——包括我自己——多年來都在努力研發不會遭到外力凍結的正子腦。」

「這些你都確定嗎？真的確定嗎？」

「完全確定。」

「你也曾公開這麼說？」

「當然。親愛的地球人，我們曾經進行過一場公開的調查。你現在問我的問題，當時都有人問過，而我一律照實回答——這是奧羅拉的優良傳統。」

貝萊說：「此時此刻，我並未質疑你確信自己曾照實回答這件事。可是，你有沒有可能被自傲的天性沖昏了頭？這也是奧羅拉的優良傳統，對不對？」

「你的意思是，我不顧一切要爭第一，甚至不惜把自己推上火線，讓大家不得不承認是我凍結了詹德的心智。」

「我猜，你基於某種原因，不惜毀掉自己的政治和社會地位，好讓你的科學聲譽不受影響。」

「我懂了。你的思考模式頗為耐人尋味，貝萊先生，可是我並不會想到那種辦法。當我面對兩種選擇，或是將第一拱手讓人，或是承認自己——借用你的說法——是機殺案的兇手，在你看來我會故意選擇後者。」

「不，法斯陀夫博士，我不希望把問題簡化成這個樣子。你有沒有可能欺騙了自己，以至於堅信你是最偉大的機器人學家，舉世無人能及，而且願意不惜任何代價來堅持這個信念，因為你潛意識裡——我是說潛意識，法斯陀夫博士——其實已經瞭解有人正在超越你，或是已經超越你了。」

法斯陀夫隨即哈哈大笑，但笑聲中帶著些許惱怒。「並非如此，貝萊先生，錯得離譜了。」

「好好想想，法斯陀夫博士！你確定機器人學界就只有你是天縱英才？」

「在這個圈子裡，有能力研究人形機器人的專家並不多。丹尼爾的研發過程等於創造了一門新的學問，它甚至還沒有正式的名字——或許可以叫做人形機器人學。而奧羅拉上的理論機器人學家當中，只有我一個人瞭解丹尼爾的正子腦如何運作，此外再也沒有第二個人。薩頓博士另當別論，但他已經死了——而且他也不如我那麼瞭解，基本理論都是我發明的。」

「或許這門學問是你發明的，但你絕對不可能壟斷，難道別人都沒有學會嗎？」

法斯陀夫堅定地搖了搖頭。「的確如此。一來我沒有收學生，二來我敢說，當今的機器人學家都不可能自行發展出這套理論。」

貝萊帶著點不悅的口氣說：「難道不會有個大學剛畢業的年輕人，他的聰明才智超出大家的想像……」

「不，貝萊先生，不會的。倘若有這樣的年輕人，我一定會知道。他會加入我的實驗室，會和我一起工作一陣子。當今當世，這樣的年輕人並不存在。將來一定會有，或許還很多，可是如今，一個也沒有！」

「所以說，萬一你死了，這門新科學就會跟你一起進墳墓？」

「我現在只有一百六十五歲而已，當然我是指公制年，所以換算成地球年，我才一百二十四歲左右。根據奧羅拉的標準，我還相當年輕，而且以我的健康狀況來說，我的人生無論如何尚未過半。想要活到公制年的四百歲，並非多麼不切實際的夢想，因此，我不愁沒時間把這門學問傳下去。」

這時他們早已吃完了，但兩人都沒有起身的意思。那些機器人同樣一動也不動，彷彿這場唇槍舌戰把他們嚇呆了。

貝萊瞇著眼睛說：「法斯陀夫博士，兩年前我去過索拉利一趟。根據親身的體驗，我認為整體而言，索拉利人是全銀河最優秀的機器人學家。」

「整體而言，這麼說也許沒錯。」

「他們之中，難道沒一個人有這本事？」

「一個也沒有，貝萊先生。他們的本事僅限於普通機器人——他們那些最先進的機型，也沒有超越我家這個頭腦簡單、忠實可靠的吉斯卡。總之，索拉利人完全不懂如何製造人形機器人。」

「你怎能確定呢？」

「你既然去過索拉利，貝萊先生，就該非常明白索拉利人必須硬著頭皮才能做面對面的接觸，通常他們的互動都是透過三維顯像——只有不得不從事性行為時例外。想想看，索拉利上有誰會夢想設計一個外形酷似人類的機器人，用來時時刻刻刺激自己的神經？如果真的把他做出來，他們一定避之唯恐不及，因為他看起來太像真人，他們根本無法使喚他做任何事。」

「難道整個銀河中，就沒有一個反常的、能夠容忍人形機器人的索拉利人？你又怎能確定呢？」

「這點我無法否認，但即使有這樣的索拉利人存在，今年並沒有任何索拉利人來到奧羅拉。」

「完全沒有？」

「完全沒有！他們甚至不喜歡和奧羅拉人接觸。除非出現十萬火急的情況，他們不會有任何人來我們這裡——或是去其他世界。即使真有十萬火急的情況，他們也頂多停在奧羅拉的軌道上，利用電子通訊和我們打交道。」

貝萊說：「這麼說的話，既然你是整個銀河中——無論理論上或事實上——唯一有這個能力的人，你到底有沒有殺害詹德？」

法斯陀夫說：「這點我早已否認，我不信丹尼爾沒告訴你。」

「他的確告訴過我，但我要聽你親口說一遍。」

法斯陀夫皺起眉頭，並將雙臂交疊胸前。然後，他咬牙切齒地說：「那我就親口告訴你，不是我幹的。」

貝萊搖了搖頭。「我相信你自認這是實話。」

「沒錯，而且是最真誠的實話。我沒說半句謊言，我並沒有殺害詹德。」

「但如果不是你，而其他人又通通沒可能，那麼……等等，也許我做了一個一廂情願的假設。詹德真的死了嗎？或者這只是把我騙來的幌子？」

「那機器人真的壞掉了。我應該可以讓你見見他，除非立法局在太陽下山前對我頒布了禁令——但我認為他們不會那麼做。」

「這樣說來，如果不是你幹的，他人又沒有這個能耐，而那個機器人又真的死了——兇手到底是誰呢？」

法斯陀夫嘆了一口氣。「關於我在接受調查時所堅持的論點，我確定丹尼爾也告訴過你——但你想要聽我親口說一遍。」

「正是如此，法斯陀夫博士。」

「好吧，根本就沒有兇手。導致詹德心智凍結的，其實是發生在他腦中『正子流』裡的一個自發性事件。」

「這有可能嗎？」

「不太可能，可能性微乎其微——但如果不是我幹的，那麼這就是唯一的解釋。」

「我看你撒謊的可能性要比那個自發性心智凍結來得大，我們可以這麼推論嗎？」

「很多人都這麼推論。偏偏我就是知道自己沒有撒謊，因此自發性事件成了唯一的可能。」

「而你把我找來這裡，是要我澄清——證明——的確發生過那個自發性事件？」

「是的。」

「可是我要如何證明這個自發性事件？看來只要能證明這一點，便能夠拯救你、拯救地球，以及拯救我自己。」

「排在越後面的越重要嗎，貝萊先生？」

貝萊顯得不太高興。「好吧，拯救你、拯救我、拯救地球。」

「我仔細思考過這個問題，但只怕我得告訴你，」法斯陀夫說：「結論是根本無法找到這樣的證明。」

17

「無法找到？」貝萊瞪著法斯陀夫，露出驚恐的神情。

「是的，毫無辦法。」然後，他像是精神突然出了問題，一把抓起調味瓶，轉移話題道：「你知道嗎，我很想試試自己還能不能做到三起三落。」

說罷他便手腕一翻，以精準的力道將調味瓶向上拋，當瓶子在空中轉了一圈，開始墜落之際，法斯陀夫以右掌猛然切向瓶口，使得瓶子進入翻飛狀態。然後他又伸出左掌，如法炮製一番，緊接著便進入下一輪。如此三個循環之後，瓶子又被用力拋到空中，轉了整整一圈。最後法斯陀夫伸出右手向它抓去，左手也同時靠了過來。當調味瓶入手之後，法斯陀夫攤開左掌，上面果然有些亮晶晶的細鹽。

法斯陀夫說：「在科學家眼中，這種表演相當幼稚，你的投資和報酬完全不成比例；費了九牛二虎之力，只不過弄出一小撮鹽而已。可是奧羅拉人做東的時候，總是對這種表演感到自豪。有些高手能讓調味瓶在空中停留一分半鐘，雙手的動作快到令你幾乎看不清楚。」

「當然啦，」他若有所思地補充道，「這些動作丹尼爾都會，而且他要比任何人類做得更快更好。為了檢查他的大腦徑路是否正常，我曾經拿這些動作來測驗他，可是如果要他當眾表演，那我就萬萬不該了，真正的調味家會因而受到無謂的羞辱——調味家是這些人的俗稱，你瞭解吧，不過在辭典裡當然查不到。」

貝萊只是咕噥了一聲。

法斯陀夫嘆了一口氣。「但我們必須回歸正題了。」

「這正是你從好幾秒差距之外把我請來的目的。」

「對，有道理——咱們繼續吧！」

貝萊卻問道：「你突然表演一手，到底有何用意，法斯陀夫博士？」

法斯陀夫說：「這個嘛，因為我們好像鑽進了死胡同。我把你請來這裡，調查一個無解的案子——你的表情會說話，我看得一清二楚，實話告訴你，我也好不到哪裡去。因此，我們似乎可以趁機喘口氣。現在，咱們繼續吧。」

「繼續討論那件不可能的任務？」

「你為何一口咬定不可能呢，貝萊先生？你早已享譽銀河，專破不可能的案子。」

「因為那齣超波劇嗎？那是利用我在索拉利的經歷所改編的鬧劇，你竟然相信？」

法斯陀夫雙手一攤。「那是我唯一的指望。」

貝萊說：「其實我也沒有第二條路了，我必須繼續走下去；我絕不能無功而返，地球當局早就讓我明白這一點——告訴我，法斯陀夫博士，要怎麼做才能殺死詹德？需要把他的心智操縱到什麼程度？」

「貝萊先生，即使對另一位機器人學家，我也不知道該如何解釋這個問題，何況你並不是。同理，即使我打算正式發表自己的理論，目前為止也尚未想到該如何下筆。然而，還是讓我試試看吧——你當然知道，機器人是在地球上發明的。」

「在地球，很少有人談到機器人學……」

「地球上有著強烈的反機器人偏見，這在太空族世界是家喻戶曉的事。」

「可是，但凡關心這段歷史的地球人，都曉得機器人源自地球這個事實。眾所皆知，超空間旅行是在機器人協助之下發展出來的，既然太空族世界可說是超空間旅行的產物，自然早在人類開拓銀河之前、地球仍是唯一的住人世界之際，機器人就已經出現了。因此可以斷定，機器人是地球人在地球上發明的。」

「但地球人並不引以為傲，對不對？」

「我們不談論這件事。」貝萊四兩撥千斤。

「那麼地球人是否對蘇珊．凱文這個人一無所知呢？」

「我在幾本古書上看過這個名字，她是機器人學的先驅之一。」

「你只知道這點嗎？」

貝萊做了一個別再追問的手勢。「我想只要仔細搜尋，就能找到更多的資料，只是我從來沒機會這樣做。」

「這就怪了。」法斯陀夫說，「在太空族心目中，她是個了不起的傳奇人物，所以據我猜想，除了真正的機器人學家，其他的太空族幾乎都不覺得她是地球女性——否則等於褻瀆了她。如果你告訴他們，她在世的時間頂多只有一百個公制年，他們一定拒絕相信。然而，你卻只知道她是機器人學先驅。」

「她和目前這個案子有任何關聯嗎，法斯陀夫博士？」

「沒有直接關聯，但還是有關。你應該瞭解，關於她這個人的傳說不勝枚舉，其中大多數無疑都是虛構的，即便如此，還是一直如影隨形地黏著她。最有名的一則傳說——也是最不可信的——是關於一個極早期的機器人，由於生產線上的意外變故，因而有了精神感應力……」

「什麼！」

「這是傳說！我講過，這只是傳說——而且無疑是虛構的！但是請注意，這個可能性還是有一些理論根據，只不過實際上，從來沒有人提出過可行的徑路設計，哪怕只是邁出第一步。所以說，在超空間紀元之前，某個簡陋的正子腦竟會出現那種能力，是完全無法想像的一件事。正是由於這個原因，所以我們相當確定故事是虛構的。但因為裡面有個寓意，還是讓我講下去吧。」

「當然，請繼續。」

「根據這則傳說，那個機器人擁有讀心術，所以當你問他問題時，他會讀取你的心思，然後撿你想聽的告訴你。且說機器人學第一法則明文規定：機器人不得傷害人類，或因不作為而使人類受到傷害。對一般的機器人而言，其中的傷害是指肉體上的。然而，一個擁有讀心術的機器人，他當然會認定失望、憤怒等等負面情緒會導致人類內心痛苦，因此這樣的機器人會把這類情緒解釋為另一種『傷害』。所以說，如果一個會讀心的機器人知道真相可能令你失望、生氣，或讓你出現嫉妒或是哀傷的反應，他就會編出一個美麗的謊言。你聽懂了嗎？」

「當然聽懂了。」

「這個機器人甚至對蘇珊．凱文也撒謊。但他的謊言很快就被戳破了，因為他見人說人話，見鬼說鬼話，要知道，這些謊言不但彼此矛盾，也和陸續浮現的客觀證據不符。蘇珊．凱文終於發現自己被騙了，而且那些謊言令她陷入難堪的窘境──原本只會是普通的失望，但由於她抱著不切實際的幻想，最後的失望卻令她難以承受。你真的沒聽過這個故事嗎？」

「我向你保證。」

「不可思議！但這絕非奧羅拉人杜撰的故事，因為它在其他世界同樣流行。總之，凱文展開了報復行動，她對那個機器人指出，無論他說實話還是說謊，一樣會傷害到對方。換句話說，不管採取什麼行動，他都無法服從第一法則。在瞭解這點之後，那機器人只好遁入全然不作為的狀態。如果你要加油添醋，大可說他的正子徑路當場燒壞，也就是他的大腦徹底毀了。傳說在結尾處還提到，凱文最後衝著那個毀掉的機器人，罵了一聲『騙子！』。」

貝萊說：「我想你是要告訴我，發生在詹德．潘尼爾身上的情形應該很類似。他曾面對一個矛盾，導致他的大腦燒壞了？」

「表面上看起來是這樣，但如今可不比蘇珊．凱文的時代，這種事並沒有那麼容易發生。可能正是由於那則傳說，機器人學家總是小心翼翼，全力防堵出現矛盾的可能性。隨著正子腦的理論越來越精妙，以及正子腦的實務設計越來越複雜，這種系統也就越來越可靠，能將可能出現的各種情況一一分解成不等式，於是，機器人一定可以採取理論上服從第一法則的某種行動。」

「好吧，如今機器人的腦子不會燒壞了，這就是你的結論嗎？但如果真是這樣，詹德到底出了什麼事？」

「這並不是我的結論。我剛才只是說系統越來越可靠，並沒有說百分之百可靠，那是不可能的。無論正子腦多麼精妙，多麼複雜，你總有辦法設計一個矛盾來困住它，這是數學上的基本真理。換言之，你永遠不可能製造一個精妙複雜之極的正子腦，讓它毫無面對矛盾的機會，那是絕對辦不到的。然而，如今的系統已經能讓這種機率趨近於零，所以如果想利用矛盾令某個正子腦凍結，你必須對它有深刻的瞭解——這一點，只有高明的理論機器人學家做得到。」

「比如說你自己，法斯陀夫博士？」

「比如說我自己。而若是人形機器人，那就只有我了。」

「或者誰也做不到。」貝萊以極度諷刺的口吻說。

「或者誰也做不到，說得太好了。」法斯陀夫居然表示同意，「人形機器人的大腦是一種刻意模仿人類的產物，此外，軀體當然也是。這種正子腦精密至於極點，自然或多或少和人類的大腦一樣脆弱。正如人類可能罹患腦中風——由於偶然的內在原因，和外在的影響毫無關係——人形機器人的大腦也可能由於純屬偶然的因素，例如偶發性的正子隨機漂移，而進入心智凍結狀態。」

「你能證明這點嗎，法斯陀夫博士？」

「我能用數學導出這個結果，但是那些看得懂的專家，並非人人同意我的推論過程，因為我用到一些並不符合機器人學主流思想的自家假設。」

「根據你的計算，自發性心智凍結到底有多麼可能發生？」

「如果我們有很多的人形機器人，例如十萬個，那麼平均而言，一個奧羅拉人在他一生當中，有機會見到一次自發性心智凍結。但也可能不需要那麼久，詹德就是一個例子，不過這樣的機會就更小了。」

「可是請注意，法斯陀夫博士，即使你能斬釘截鐵地證明任何機器人都可能出現自發性心智凍結，也不等於證明了這件事會在這個時候發生在詹德身上。」

「對，」法斯陀夫承認，「你說得很對。」

「你，當代最偉大的機器人學家，竟無法針對詹德的個案提出任何證明。」

「這句話，你也說得很對。」

「那你又指望我能做什麼呢，我對機器人學根本一竅不通。」

「你不需要證明任何事，只要想個高明的辦法，讓一般大眾相信自發性心智凍結的確有可能，那就足夠了。」

「例如——」

「我還沒想到。」

貝萊厲聲道：「你確定自己沒想到嗎，法斯陀夫博士？」

「你這話什麼意思？我已經說了還沒想到。」

「那就讓我說得更明白些。我假設，奧羅拉民眾大多知道我已經被請來這裡辦案。由於我是地球人，而這裡是奧羅拉，想讓我的行蹤神不知鬼不覺，可說是難上加難。」

「對，那還用說，我也從來不想那麼做。為了這件事，我專程拜訪過立法局主席，說服他允許我邀請你來這裡。我就是用這個理由，替自己爭取到一些緩衝時間，在我接受審判之前，先讓你試試看能否偵破這件懸案，但我相信他們不會給我太多時間。」

「那麼我再說一遍，奧羅拉民眾大多知道我來了，而且我猜他們完全清楚原因為何——我是被請來解開詹德死亡之謎的。」

「當然，除此之外，還能有什麼其他原因呢？」

「打從我登上那艘太空船，你就認定我身處險境，始終將我置於嚴密保護之下。根據你的說法，你的敵人可能想要除掉我——他們誤以為我是什麼超人，即使一切條件都對我不利，我還是能夠輕易揭開謎底，把勝券送到你手上。」

「是的，我的確擔心有這個可能。」

「假設有人並不希望揭開謎底，更不希望還你清白，而我真的命喪此人之手，在這種情況下，難道社會大眾不會轉而同情你嗎？難道大家不會想到，你的敵人也覺得其實你是無辜的，否則他們不會寧可殺了我，也不願意讓我展開調查？」

「相當複雜的推理，貝萊先生。在我想來，如果善加利用你的死亡，的確可以達到這個目的。可是這種事絕對不會發生，你受到嚴密的保護，不會遭到殺害的。」

「可是為什麼要保護我呢，法斯陀夫博士？你何不乾脆讓他們把我殺了，利用我的死當作勝券呢？」

「因為我寧願由活生生的你來證明我的清白。」

貝萊說：「可是你當然知道我無法證明你的清白。」

「你也許可以。你有足夠的動機。如你自己所說，你的成敗關係到了地球的興衰，以及你自己的前途。」

「動機有什麼用？如果你命令我，要我靠著揮動雙臂飛起來，而且進一步威脅說，如果我做不到，你會立刻動用酷刑處死我，同時還會炸掉地球，消滅所有的地球人，那麼我絕對有強大無比的動機，但我還是無法靠雙臂飛起來。」

法斯陀夫有些心虛地說：「我知道機會很小。」

「你明明知道根本沒機會。」貝萊兇巴巴地說，「只有我的死亡能夠拯救你。」

「那麼我就沒救了，因為我絕不會讓任何敵人接近你。」

「可是你能接近我。」

「什麼？」

「我腦袋裡一直有個想法，法斯陀夫博士，你可能會自己動手把我殺了，卻安排成看似你的敵人下的毒手。然後你再利用這樁兇案對付他們——這才是你把我找來奧羅拉的真正目的。」

接下來幾秒鐘，法斯陀夫只是望著貝萊，並未顯得多麼驚訝。但說時遲那時快，他的情緒突然爆發到了極點，不但滿臉通紅，而且五官扭成一團。與此同時，他一把抓起桌上的調味瓶，高高舉起，隨即砸向貝萊。

一時之間，貝萊完全不知所措，唯一的反應就是盡可能縮進椅子裡。

第五章　丹尼爾與吉斯卡

18

若說法斯陀夫動作快絕，丹尼爾的反制動作則比他快得多。

由於貝萊幾乎忘了丹尼爾也在場，他只覺得依稀有股氣流，伴隨著一聲怪響，然後就見到丹尼爾出現在法斯陀夫旁邊，一面抓著調味瓶，一面說：「法斯陀夫博士，我想並沒有傷到你吧。」

而在恍惚和清醒之間，貝萊又察覺到吉斯卡也從另一側來到法斯陀夫附近，甚至那四個原本待在遠處壁凹的機器人，此時也幾乎趕到了餐桌旁。

法斯陀夫披頭散髮，微微喘著氣說：「我沒事，丹尼爾，你做得非常好，真的。」他提高了音量，又說：「你們都表現得很好，一定要記住，無論如何不能有絲毫遲疑，即使對我也要一視同仁。」

他輕聲笑了笑，重新坐了下來，同時用手整了整頭髮。

「真抱歉，」他說：「讓你受驚了，貝萊先生，但我覺得實際示範一次，要比我講得口沫橫飛更有說服力。」

貝萊早已恢復正常，剛才的窘態只是一種反射動作而已。他鬆開領口，聲音稍帶沙啞地說：「我可沒想到你會用行動來說話，但我同意這個示範很有說服力。好在丹尼爾就在附近，能夠及時阻止你。」

「他們每個都近到足以阻止我，只是丹尼爾離我最近，搶先到我身邊罷了。他來得夠快，這才不必動粗，萬一離我遠了些，他就難免會扭傷我的手臂，甚至得把我打昏。」

「他會做得那麼過分嗎？」

「貝萊先生，」法斯陀夫說：「我下令要他們保護你，而我最懂得如何命令機器人。即使代價是令我受傷，他們也會毫不猶豫地拯救你。當然，他們會盡可能把傷害程度減到最小，丹尼爾正是那樣做的。他只損傷了我的尊嚴，弄亂了我的頭髮而已，還有我的指頭有點發麻。」法斯陀夫帶著苦笑彎了彎手指。

貝萊深深吸了一口氣，試圖擺脫這段混亂的思緒，然後說：「即使你沒有特別下令，丹尼爾不是也會保護我嗎？」

「這點無庸置疑，他一定得這麼做。然而，你千萬別以為機器人的反應只是簡單的是非、上下、黑白，那是外行人常犯的錯誤。要知道，還有反應速度這回事。那些保護你的命令，早已使得這座宅邸中的機器人——包括丹尼爾在內——個個腦中電位異常升高，事實上，這種高度已經是我能做到的極限了。因此之故，如果你有明顯的、立即的危險，他們的反應當然會快到非比尋常的程度。我清楚這一點，而這也是我敢用最快速度攻擊你的原因——這樣才能做出最有說服力的示範，讓你相信我無法傷害你。」

「沒錯，但我並不百分之百領情。」

「喔，我對這些機器人有百分之百的信心，尤其是丹尼爾。不過，我現在才想到——其實有點遲了——剛才我若不及時丟掉調味瓶，他可能會扭斷我的手腕，雖然這樣做有違他的意願——或說有違他的線路。」

貝萊說：「在我看來，你冒這種險，可真是愚蠢。」

「事後回顧，我自己也這麼覺得。聽好，如果換成你打算用調味瓶砸我，丹尼爾同樣會立刻制止你的行動，只不過速度不會那麼快，因為並沒有人命令他要特別保護我。我當然希望他的動作夠快，但不確定他救不救得了我——我寧可不要做這種測試。」法斯陀夫露出親切的笑容。

貝萊問：「萬一有個飛行器，從空中朝這間房子投下爆裂物呢？」

「萬一有人從附近的山頂，向我們發射一道伽瑪射線呢？機器人的保護不可能做到滴水不漏，可是那麼激進的恐怖攻擊，在奧羅拉上發生的機會小之又小，我建議你不必擔這個心。」

「我不想擔心也難啊。老實說，法斯陀夫博士，我並非真的懷疑你會加害我，但我需要徹底排除這個可能性，這樣我們才能討論下去。現在可以繼續了。」

法斯陀夫說：「對，我們可以繼續討論了。雖說剛才這段非常戲劇化的插曲有點啟發性，可是問題依然存在，我們還是得設法證明詹德的心智凍結是自發的。」

由於無法忽視丹尼爾的存在，貝萊有點不自在，索性轉向他問道：「丹尼爾，我們討論這個問題，會不會令你痛苦難過？」

丹尼爾剛剛把調味瓶擺到較遠的空桌上，聽到這個問題，他隨即答道：「以利亞夥伴，我當然希望故友詹德仍在運作，可是既然事實並非如此，而且他永遠無法恢復功能了，我們現在最該做的，就是設法防止類似事故再度發生。既然你們所做的討論和這個目標有關，我非但不會痛苦，還會感到快樂。」

「很好，那麼為了釐清另一件事，丹尼爾，我要請問你，是否相信法斯陀夫博士要為你的機器人夥伴——詹德的死負責？法斯陀夫博士，你不介意我這樣問吧？」

法斯陀夫做了一個請便的手勢，丹尼爾隨即答道：「法斯陀夫博士說過他沒有責任，所以他當然不必負責。」

「你對這點毫不懷疑嗎，丹尼爾？」

「是的，以利亞夥伴。」

法斯陀夫似乎被逗樂了。「你是在盤問一個機器人，貝萊先生。」

「我知道，但我就是無法把丹尼爾單單視為機器人，所以必須問上一問。」

「他的回答不會被任何調查委員會採信，因為正子電位迫使他不得不相信我。」

「我並不是什麼調查委員會，法斯陀夫博士，我這麼做是在清除那些妨礙調查的枝枝節節。且讓我再回到正題：真相只有兩個可能，一、詹德的腦子是你燒壞的，二、此事純屬偶然。你已經向我保證，我絕對無法證明第二點，那麼我唯一能做的就是對第一點提出反證。換句話說，如果我能證明你不可能殺害詹德，那就只剩下偶發事件這一個可能了。」

「你要如何提出反證呢？」

「不外乎方法、機會和動機三者。你掌握了殺害詹德的方法——理論上，你有能力把他操弄成心智凍結。可是你有沒有機會呢？沒錯，他是你的機器人，這是指你負責設計他的大腦徑路，並監督他的製造過程，可是他心智凍結之際，是否真的在你手上呢？」

「事實上並不是，當時他在別人手上。」

「長達多久時間？」

「大約八個月——也就是你們的半年多一點。」

「啊，這就有意思了。當他被毀的時候，你有沒有在他身邊，或是附近？當時你能接觸到他嗎？總歸一句話，我們能否證明當時你離他很遠——或是接觸不到他——而唯有漠視這些條件的人，才會假設你當時有辦法犯下這件案子。」

法斯陀夫說：「只怕那是不可能的事。案發時間並不確定，可能的範圍又很寬。一個機器人被毀掉之後，並不像人類屍體那樣會僵硬或腐爛。我們只能確定，詹德在某個時刻還運作正常，而在另一個時刻已停擺了。這兩個時刻相隔大約八小時，而這段時間中我並沒有不在場證明。」

「完全沒有嗎？在這段時間中，法斯陀夫博士，你到底在做什麼？」

「我待在這座宅邸裡。」

「我想，你家的機器人一定知道當時你在這裡，他們能替你作證。」

「他們當然知道，可是他們的證詞不具任何法律效力，偏偏當大范雅出去辦事了。」

「對了，范雅和你一樣精通機器人學嗎？」

法斯陀夫勉強擠出一抹苦笑。「這方面她還不如你——何況，這根本無關緊要。」

「為什麼？」

法斯陀夫的耐性顯然快要耗盡了。「親愛的貝萊先生，我們並不是在討論什麼近距離攻擊，例如我剛才假裝做出的偷襲。想要加害詹德，我根本不必親臨現場。其實，詹德當時雖然不在我的宅邸，也並沒有離我太遠，退一萬步來講，他即使遠在奧羅拉另一邊也無所謂。我總是能藉著電子裝置和他接觸，然後藉著特殊指令，引發預料中的特殊反應，最後將他導入心智凍結的狀態。其中最關鍵的步驟，甚至不需要花多少時間……」

貝萊立刻插嘴：「所以說，這個過程很短，因此某人在做一件例行工作之際，就有可能意外引發這種狀況？」

「不可能！」法斯陀夫說，「看在曙光女神的份上，地球人，你讓我說下去。我已經告訴過你，事情不是這樣的。導致詹德心智凍結的過程，一定既冗長複雜又迂迴曲折，還需要無比的智力和理解力，除非發生一連串不可思議的巧合，絕不可能被外行人無意間觸發。假如以我的數學推理當前提，那麼相較之下，這種由極度複雜過程所累積出來的意外，發生的機會要遠小於自發性心智凍結。

「然而，若是我自己希望引發心智凍結，我可以一點一滴、仔仔細細地培養各種變化和反應，也許需要幾星期、幾個月，甚至幾年的時間，我才能夠把詹德帶到毀滅的邊緣。在這段過程中，他始終不會顯露即將暴斃的任何跡象，正如你若在暗夜裡一步步接近懸崖，即使只差一步便粉身碎骨，你的腳步依舊穩健如常。然而，一旦我將他帶到了懸崖邊，也就是我所謂的毀滅邊緣，我只要再說一句話，便能終結了他。我說不需要花多少時間，是指最後這一步，你懂了嗎？」

貝萊緊抿著嘴，覺得毫無必要掩飾自己的失望。「總而言之，你有犯案的機會。」

「任何人都有。任何奧羅拉人，只要有這個能力，就有這個機會。」

「但其實只有你具有這個能力。」

「只怕正是如此。」

「那我們就該來談談動機了，法斯陀夫博士。」

「啊。」

「在動機這方面，我們或許能據理力爭。這些人形機器人可以說是你的心血結晶，他們是由你的理論所催生的，而且，雖說是由薩頓博士負責監督他們的製造過程，但每個步驟你都沒有缺席。他們能出現在這個世界，完全是——也僅僅是拜你之賜。你曾提到丹尼爾好像你的『長子』，沒錯，他們就是你的創作、你的孩子，以及你送給世人的禮物，所以他們能讓你永垂不朽。」貝萊覺得自己越來越辯才無礙，一時之間，他甚至想像自己是在對調查委員會發表演說。「地球啊，不，奧羅拉啊，你到底有什麼理由，要毀掉自己的作品呢？你絞盡腦汁創造了奇蹟，又為何要親手將他殺死呢？」

法斯陀夫看來又有點被逗樂了。「唉，貝萊先生，你對整個背景一無所知。你又怎麼知道我的理論是絞盡腦汁所創造的奇蹟？也許它只是某條方程式的一種直截了當的應用，任何人都做得到，只不過在我之前，誰也懶得做這件非常無聊的工作而已。」

「我可不這麼想。」貝萊盡力讓自己冷靜下來，「如果只有你一個人對人形機器人有充分的瞭解，到了足以毀掉它的地步，那麼我認為，很可能也只有你一個人擁有足以創造它的知識，這點你能否認嗎？」

法斯陀夫搖了搖頭。「不，我不否認這一點。但是，貝萊先生，」他的表情變得比剛才都來得嚴峻，「你的精闢分析只能幫倒忙，它會把我們自己逼到絕境。我們已經斷定，在這件案子中，我是唯一既有方法又有機會的嫌犯，但無巧不巧，也只有我才擁有動機——再好不過的動機——而我的敵人心知肚明。所以說，不管你是喊地球啊，奧羅拉啊，或是任何星球啊，到底我們要如何證明兇手不是我？」

19

貝萊氣得整張臉皺成一團。他快步走到房間的一角，彷彿想要尋找一個藏身之處，然後又猛然轉身，厲聲道：「法斯陀夫博士，我覺得你好像故意在整我冤枉，尋我開心。」

法斯陀夫聳了聳肩。「我並非尋你開心，只是把問題攤在你面前而已。可憐的詹德，他的死因純屬意外，只是隨機的正子漂移罷了。因為我知道自己和這件事毫無關係，所以我知道一定就是這個原因。然而，他人都無法確定我是無辜的，而且所有的間接證據都對我不利——我們必須訂出應對之道，絕不能閃躲這個問題。」

貝萊說：「好吧，那麼我們來審視一下你的動機。首先，你自認的那個強烈動機，搞不好根本不算什麼。」

「這點我不敢苟同，貝萊先生，我並不是傻子。」

「你或許根本無法認清自己，連帶無法認清你心目中的動機，這是常有的事。你有可能當局者迷，自己在雞蛋裡挑骨頭。」

「我可不這麼想。」

「那就把你所謂的動機告訴我。到底是什麼啊？告訴我！」

「別急，貝萊先生，這不是三言兩語能解釋的——你能不能跟我出去一趟？」

貝萊迅速轉頭望向窗外。出去？到戶外？

此時太陽斜斜掛在天際，室內因此灌入更多的陽光。他猶豫了一下，然後純粹為了壯膽，刻意提高音量說：「好，我願意！」

「太好了。」然後，法斯陀夫又親切地補充了一句：「但或許你想先去一趟衛生間。」

貝萊想了想，雖然自己並不覺得很急，可是他不知道要去做什麼、會待上多久，以及戶外到底有沒有衛生間之類的設備。更重要的是，他並不清楚奧羅拉這方面的習俗，也不記得當初在太空船上臨陣磨槍時讀過任何相關記載。因此，也許最安全的辦法就是接受主人的建議。

「謝謝你，」他說：「如果不麻煩的話。」

法斯陀夫點了點頭。「丹尼爾，」他說：「你帶貝萊先生到訪客衛生間去。」

丹尼爾馬上說：「以利亞夥伴，請跟我走好嗎？」

等到兩人走到了隔壁房間，貝萊開口道：「很抱歉，丹尼爾，我和法斯陀夫博士說話時冷落了你。」

「那並沒有什麼不對，以利亞夥伴。我雖然有問必答，但我並未受邀加入這場討論，所以沒有多說話。」

「要不是我覺得必須謹守客人的分際，丹尼爾，我一定會邀請你加入。我只是認為，或許自己不該主動提這種事。」

「我瞭解——這裡就是訪客衛生間，以利亞夥伴。只要裡面沒有人，你碰一下這扇門的任何角落，它都會打開。」

貝萊並未立刻進去，他若有所思地頓了頓，然後說：「如果剛才我邀請你加入討論，丹尼爾，你有沒有什麼想說的話？有沒有任何想發表的意見？我很重視你的看法，老朋友。」

丹尼爾以慣有的嚴肅態度答道：「我唯一想說的是，法斯陀夫博士宣稱他有終結詹德運作的極佳動機，這點出乎我意料之外。我想不出那會是什麼樣的動機，然而，不論他的動機為何，或許你該問問他，為什麼對我就沒有這樣的動機。如果別人相信他的確有凍結詹德心智的動機，同樣的動機為何不適用於我？我很想知道答案。」

貝萊以銳利的目光望著對方，下意識地想從這張不會失控的臉孔中看出一絲表情。「你覺得不安全嗎，丹尼爾？你覺得法斯陀夫對你有威脅嗎？」

丹尼爾答道：「根據第三法則，我必須保護自己，但是，如果法斯陀夫博士或任何一個人類在深思之後，認為確有必要把我終結，我也絕不會反抗，那是第二法則對我的要求。然而，我知道自己是個珍貴的資產，一來我有科學上的重要性，二來我代表著人力、物力和時間的重大投資，因此如果你要終結我的運作，必須對我詳細解釋不得不然的理由。就算法斯陀夫博士心裡真有這種想法，我也從未在他的言談之中聽出任何端倪——從來沒有，以利亞夥伴。我自己並不相信他心中有一絲一毫想要終結我或是詹德的念頭。隨機正子漂移一定就是詹德的死因，或許哪天這種事也會發生在我身上——在我們的宇宙中，總是有這個機會的。」

貝萊說：「你這麼講，法斯陀夫也這麼講，而我也願意這麼相信——但困難在於如何說服一般民眾接受這個觀點。」他沉著臉，轉身面向衛生間，隨口問了一句：「你要跟我一起進去嗎？」

丹尼爾努力擠出一個被逗樂的表情。「你把我視為人類到了這個程度，以利亞夥伴，我感到很榮幸。不過，我當然沒這個需要。」

「我當然知道，但你還是可以進來。」

「我不方便進去。根據習俗，機器人不該進衛生間，這種房間是專為人類設計的——何況，這還是個單人衛生間。」

「單人！」貝萊愣了一下子，然而很快便恢復正常。真是一個世界一種習俗！不過，他不記得曾在膠捲書上讀到過這個特定的習俗。「怪不得你剛才說，只要裡面沒有人，我就可以把門打開。假使裡面有人，例如我進去之後，那又會如何呢？」

「當然，那時為了保護你的隱私，從外面就打不開了。但另一方面，你自然可以從裡面開門出來。」

「萬一某位訪客在裡面昏倒了、中風了，或是心臟病發作了，因而不能把門打開，豈不就無法進去救他了？」

「如果真有必要，可以採用緊急措施來開門，以利亞夥伴。」然後，他以明顯不安的口吻問道：「你是不是認為會發生這樣的事？」

「不，當然沒有——我只是好奇而已。」

「我會緊緊守在門外，」丹尼爾顯得如臨大敵，「萬一聽見呼叫，以利亞夥伴，我便會採取行動。」

「我不信會發生那種事。」貝萊用手背隨便輕輕碰了碰，那扇門果然立刻打開。他等了一下子，確定它並未自己闔起來，這才走了進去，隨手關上了門。

當那扇門開著的時候，這似乎是個標準的衛生間，裡面有一個洗手台、一個小隔間（其中想必設有淋浴裝置）、一個浴缸、一扇半透明的矮門（後面八成是馬桶）。此外，還有幾樣他認不太出來的裝置，但他假設應該都和個人衛生有關。

他還來不及研究這些裝置的用途，它們竟然就通通不見了，令他不禁懷疑起自己的眼睛——這些裝置到底是真實的存在，抑或他只是看到了自己想看的東西。

由於沒有窗戶，隨著那扇門慢慢闔起，整個房間逐漸暗了下來。等到門整個關上，室內又重新大放光明，但周遭的一切卻都走了樣。他突然置身於白晝的戶外——或說看起來如此。頭上是廣闊的天空，點綴著足以亂真的朵朵白雲，但雲朵的運動稍嫌規律，因而能一眼看出真假。四面八方則是一望無際的田野，而且同樣呈現類似的往覆運動。

他覺得腹部又開始打結了——每當來到戶外，都會出現這種熟悉的感覺——但他現在並非置身戶外。剛才，他明明走進一間沒有窗戶的房間，一切想必只是光線的魔術罷了。

他直視著前方，慢慢滑開腳步。他將雙手舉在面前，一面慢慢走，一面仔細張望。摸到光滑的牆壁之後，他便沿著牆面左右各走一趟。不久，他的雙手終於碰觸到了起初見到的那個洗臉台，而且藉著觸覺的幫助，他的眼睛也看得見它了——在強烈的光影幻覺中，它顯得隱隱約約，輪廓極為模糊。

他隨即找到了水龍頭，但開口處沒有半滴水。他沿著水龍頭的弧線向後摸，卻找不到任何可以控制水流的把手或開關。但在附近的牆壁上，他倒是摸到一塊觸感不同的長條區域，於是抱著姑且一試的心態輕輕按了按。下一刻，看似無邊無際的田野（範圍遠遠超過他摸到的那面牆）便裂開一條縫，一道水流如瀑布般從天而降，一路沖向他的腳部，並且帶起一聲巨響。

他吃了一驚，自然而然向後一跳，沒想到水滴並未真正落地，而是消失在半空中。換言之，雖然水流從未停止，卻始終沒有流到地板上。他伸出手來，才發現那根本不是水，只是一種光影的幻象；他的手並沒有濕，也沒有任何感覺。但他的雙眼仍拒絕承認這個事實，因為他明明看到了水。

他順著那道水流向上找，最後終於摸到真正的水──從水龍頭慢慢流出來，水量不大，而且很冷。

他再度摸索到那個長條區域，開始按來按去做些實驗。水溫果真迅速改變，沒多久，他便找到一個不冷不熱的適當溫度。

但他一直未曾找到肥皂，只好有點勉強地在這股「清泉」中搓揉雙手──看起來，他讓這股泉水從頭淋到腳，實則他根本沒有淋濕。結果，這個裝置彷彿能夠感知他的心意，不過更可能是受到搓手動作的觸發，他覺得雙手逐漸有了滑膩感，那股似有若無的泉水也開始出現越來越多的泡沫。

他又勉勉強強彎下腰，用那股肥皂水洗了洗臉。雖然摸到了鬍渣，可是他心知肚明，在沒有任何說明的情況下，自己不可能從這個房間變出一把刮鬍刀來。

洗完臉之後，他無助地將雙手繼續擺在水流中。該如何關掉肥皂呢？其實根本不必問，想必仍舊是由雙手控制，只要不再搓揉就行了。果然，水流很快便不再有滑膩感，他手上的肥皂也被沖掉了。他又往臉上撩些水──刻意避免搓揉──於是臉也沖乾淨了。不過，由於視覺並未派上用場，他對整個過程又十分陌生，因此把襯衫弄濕了一大片。

有毛巾嗎？紙巾呢？

他閉起眼睛向後退，同時將頭向前伸，以免臉上的水繼續滴到衣服上。後退這個動作顯然是歪打正著，因為他很快便感到一股暖流，於是他先將臉部伸進去，接著再換雙手。

等到張開眼睛，他發現那股泉水已經停了。他又伸出雙手試了試，的確再也感覺不到任何水流。

這時，他的腹部早已不再打結，胸中卻鬱積了一股怒氣。雖然明知各個世界的衛生間各有千秋，彼此差異極大，可是這個無聊的虛擬戶外也太過分了。

在地球上，衛生間嚴格區分男女，不過一律是集體式的，裡面雖然有些私人小間，但必須有鑰匙才進得去。而在索拉利，衛生間總是建在住宅左右兩側，藉著狹窄的長廊相連，彷彿索拉利人不希望將它視為自家的一部分。然而，雖然這兩個世界的衛生間各方面都天差地遠，但衛生間就是衛生間，裡面每樣東西的功能都能一眼看出來。可是在奧羅拉，為什麼要精心設計這種田園的假象，把衛生間每個角落都完全遮蔽呢？

為什麼？

不管為什麼，由於惱怒佔據他大半的思緒，這個戶外假象幾乎不再令他不安了。他開始根據記憶，朝那扇半透明矮門的方向前進。

但他顯然記錯了方向，最後，他只好摸索著牆面慢慢前進，跌跌撞撞了好幾次，才總算抵達目的地。

等到他終於就定位的時候，面前的幻象是個似乎不堪盛接尿液的小池塘。雖然根據膝蓋的感覺，自己確實瞄準了心目中的小便斗，但他仍在心中自我安慰：如果用錯了裝置，或是並未對準，也絕不是自己的錯。

小解完畢，他本想再一路摸到洗手台邊，最後卻決定乾脆不洗手了，因為他實在不想再經歷一次盲目的摸索，更不想再次面對那個假瀑布。

於是，他開始摸索出去的方向，但直到藉由碰觸打開了那扇門，他才知道自己成功了。所有的虛假光影立即消失，他再度置身於正常的白晝中。

除了丹尼爾，法斯陀夫和吉斯卡也一起在外面等他。

法斯陀夫說：「你花了將近二十分鐘，我們都開始為你擔心了。」

貝萊覺得自己氣得渾身發燙。「都怪你那愚蠢的幻象。」說這句話的時候，他竭力控制著自己的情緒。

法斯陀夫揚起眉毛噘起嘴，雖然並未開口，卻等於嘆了一聲：喔——喔！然後他說：「門後面就有個控制幻象的開關。只要按一下，幻象就會變淡，讓你同時也能看到真實情境——如果你不喜歡，還可以將幻象整個去掉。」

「沒人告訴我。你們的衛生間都像這樣嗎？」

法斯陀夫答道：「不，應該這麼說，奧羅拉上的衛生間一般都備有幻象，但幻象的內容因人而異。我自己喜歡天然的花草樹木，而且不時會改變景觀的細節。要知道，不論任何事物，只要時間一久，都會令人厭煩。有些人愛用情色的幻象，但我並不喜好此道。

「當然，一旦習慣了，幻象就不會對你造成任何困擾。這種衛生間相當標準，每樣設備都有定位。你置身其中，和閉著眼睛在熟悉的地方活動差不多——但我想知道，貝萊先生，你為何不設法打開門來問一下？」

貝萊說：「因為我不想那麼做。我承認那些幻象帶給我極大的困擾，但我還是硬著頭皮接受了。畢竟，剛才是丹尼爾領我到這裡來的，但他並未對我多做說明或警告。如果他能自行其是，一定會仔細對我說明，不這樣做就等於傷害了我，這點他肯定預料得到。因此我不得不假設，你曾特別下令禁止他對我提出警告，又由於我不太相信你會對我惡作劇，因此不得不進一步假設，你這樣做是寓有深意的。」

「哦？」

「畢竟，是你主動邀我到戶外去，而當我答應後，你立刻問我想不想上衛生間。我因而斷定，你之所以讓我接觸戶外的幻象，目的是要看看我受不受得了——或是會驚慌失措地逃出來。如果我受得了幻象，也許就有能力接觸實物。好，我通過了。拜你之賜，我身上有點濕，但很快就會乾了。」

法斯陀夫說：「你這個人頭腦非常清楚，貝萊先生。我願為這個測試以及因此帶給你的困擾向你鄭重道歉。我這樣做，只是想避免給你帶來更大的困擾和不適。你還想要跟我出去嗎？」

「我不只想去，法斯陀夫博士，我還堅持要去。」

20

他們兩人走過一條長廊，丹尼爾和吉斯卡緊緊跟在後面。

法斯陀夫像是閒話家常地說：「我希望你不介意有機器人同行。奧羅拉人出門時，最起碼也會帶一個機器人貼身伺候，由於你的情況特殊，我必須堅持丹尼爾和吉斯卡隨時隨地陪在你身旁。」

他打開一扇門，陽光和微風——還有奧羅拉土地所散發的奇特氣息——紛紛迎面而來，貝萊如臨大敵般力圖站穩腳步。

法斯陀夫側到一旁，讓吉斯卡先走出去。這個機器人仔細張望了好一陣子，令人不禁覺得他將所有的感官都開足了馬力。然後，他回頭打個招呼，丹尼爾便加入了搜索的行列。

「給他們一點時間，貝萊先生。」法斯陀夫說，「等到他們認為安全無虞，就會告訴我們可以出去了。讓我藉著這個機會，再次為衛生間裡的卑鄙把戲鄭重道歉。但我向你保證，萬一你有任何狀況，我們會立刻知道——你的各種生命跡象都受到嚴密監控。我非常高興你洞悉了我的目的，雖說我並不十分驚訝。」微微一笑之後，他帶著難以察覺的猶豫，把手放到貝萊的右肩，輕輕地、友善地捏了一下。

貝萊並未輕易軟化。「你似乎忘了另一個卑鄙的把戲——你曾作勢要拿調味瓶砸我。如果你能向我保證，從現在起我們彼此開誠布公，我就願意把這兩件事視為合理的行為。」

「一言為定！」

「現在可以出去了嗎？」貝萊望向越走越遠、越分越開的吉斯卡和丹尼爾，他們一左一右，仍在四下張望和感測。

「還不算很安全，等他們把整座宅邸繞一遍吧——丹尼爾告訴我，你邀他和你一起進衛生間，你是開玩笑，還是認真的？」

「是認真的。我知道他沒這個需要，但我覺得讓他等在外面並不禮貌。雖然我讀了很多有關奧羅拉的風土民情，但這方面的習俗我並不清楚。」

「我想奧羅拉的作者都覺得並無必要在書中提到這點，你當然不能指望他們會特別為來自地球的訪客說明……」

「因為很少有來自地球的訪客？」

「正是如此。當然，重點是機器人從來不進衛生間，只有在那裡，人類可以完全擺脫他們。我想人類還是覺得，在日常生活中，總該有個能擺脫機器人的時間和地點。」

貝萊說：「可是三年前，丹尼爾在地球上偵辦薩頓案的時候，我不想讓他進公共衛生間，刻意強調他沒這個需要，他仍堅持要進去。」

「那是理所當然的。當時，他接到嚴格的命令，絕對不能洩漏自己是機器人，原因你非常清楚。然而，如今在奧羅拉——啊，他們查完了。」

兩個機器人正走向門口，丹尼爾揮手表示請他們出來。

法斯陀夫卻伸手擋住貝萊。「請別介意，貝萊先生，還是讓我先出去吧。你自己耐心地從一數到一百，然後再加入我們。」

21

貝萊數到一百之後，便邁開堅定的步伐，朝法斯陀夫走去。但他的表情或許太僵硬了些，而且下巴咬得太緊，背脊也挺得太直了。

他四下望了望，周遭的景致和衛生間裡的幻象沒有太大差別，也許法斯陀夫就是利用前者當作藍本。到處都是綠油油的一片，某個角落還有一道溪流順著山坡緩緩流下。雖然或許是人工的景致，但至少並非幻象，因為水是真的，當他經過的時候，還能感覺到飛濺的水花。

不過整體而言，就是有那麼點溫室花朵的味道。相較之下，地球的戶外（雖然貝萊也沒見過多少）似乎就比較狂野，而且更為壯麗。

法斯陀夫輕碰一下貝萊的臂膀，並做了一個手勢。「往這兒走，你看那邊！」

一大片草坪夾在兩棵大樹之間。

直到這個時候，距離感才猛然浮現，貝萊還看到遠方地平線上有一戶住家：房子很矮但相當寬，綠色的外表幾乎和鄉間環境融為一體。

「這裡是住宅區。」法斯陀夫說，「或許你覺得不像，因為你習慣了地球上的巨大蜂窩，不過別忘了，這裡是奧羅拉，而我們腳下的這座厄俄斯城，正是這個世界的行政中心。總共有兩萬人住在這裡，因此不只奧羅拉，就算在整個太空族世界，它也是最大的城市。要知道，整個索拉利的人口加起來也只有那麼多。」法斯陀夫驕傲地說。

「有多少機器人呢，法斯陀夫博士？」

「在這個地區？或許十萬個吧。整個世界平均而言，機器人和人類的比例是五十比一，遠小於索拉利的一萬比一。我們的機器人大多待在農場、礦區、工廠以及太空中。或許應該說，我們覺得機器人還是太少了，尤其是家用機器人。大多數奧羅拉人只有兩三個家用機器人湊合著用，有些人甚至只有一個。話說回來，我們可不想朝索拉利模式發展。」

「有多少人根本沒有家用機器人？」

「一個也找不到，那樣對大家都沒有好處。如果某人因故無法擁有機器人，政府會提供一個給他，必要的時候，還會用公費替他維修。」

「隨著人口的增長，你們會增加機器人的數量嗎？」

法斯陀夫搖了搖頭。「人口是不會增長的。奧羅拉總共有兩億人口，而且已經穩定維持了三個世紀。這是個理想的數目，你一定在那些膠捲書中讀到過。」

「沒錯，」貝萊承認，「可是我覺得難以置信。」

「我向你保證那是真的。在這個數目下，我們能擁有足夠的土地、足夠的空間、足夠的隱私，以及足夠的自然資源。我們的人口恰到好處，既不像地球上那麼多，也不像索拉利上那麼少。」他伸出手臂讓貝萊搭著，好讓貝萊能繼續向前走。

「在你眼前的，」法斯陀夫又說：「是一個馴服的世界。我帶你出來，就是要你親眼看看，貝萊先生。」

「這裡毫無危險嗎？」

「危險總是有的。我們仍有暴風、暴雪、地震、走山、雪崩，而且還有一兩座火山——意外死亡率永遠不可能降到零。此外各種負面情緒，例如憤怒、嫉妒，以及不成熟的愚蠢、短視的瘋狂等等，也都會帶來危險。然而，這些都只是非常微弱的刺激，對這個文明世界的太平影響並不大。」

法斯陀夫這番話似乎令他自己陷入沉思，一會兒之後，他才嘆了一聲，然後說：「對於這個現狀，我幾乎不想做任何改變，不過在理智上，我還是有若干保留。當年我們帶到奧羅拉的動植物，僅限於我們覺得具有實用價值或觀賞價值的。多年來，我們盡全力剷除我們眼中的雜草和害蟲，乃至其他不合標準的事物。而且我們刻意選擇強壯、健康、俊美的人種，當然，這是根據我們自己的標準。我們還試圖——我發現你在笑，貝萊先生。」

其實貝萊只是嘴角抽動了一下。「沒有沒有，」他說：「並沒有什麼好笑的。」

「有的，因為你我都心知肚明，根據奧羅拉的標準，我自己可算不上俊美。問題在於我們無法完全控制基因的組合，以及母體對胎兒的影響。當然，如今隨著人工繁殖越來越普遍——不過我希望永遠別像索拉利上那麼普遍——像我這種人在胎兒的晚期就會被剔除了。」

「那樣的話，法斯陀夫博士，銀河中就失去了一位偉大的理論機器人學家。」

「萬分正確，」法斯陀夫臉不紅氣不喘地說：「可是大家永遠不會知道，對不對？總之，我們努力建立一個非常簡單但完全可以運作的生態平衡，包括穩定的氣候、肥沃的土壤，以及盡可能平均分配的資源。結果就是這個世界提供了我們一切的所需，而且，如果用擬人化的說法，這個世界對我們相當體貼——要不要我講講我們所追求的理想？」

「請講。」貝萊說。

「我們的理想，是打造一個整體而言服從機器人學三大法則的行星。它絕不會因為任何的作為或不作為，導致人類受到傷害。而只要我們不要求它傷害人類，它就會完全遵從我們的意思。此外它還懂得保護自己，除非在某些特殊的時間和地點，它必須犧牲自己來服務或拯救人類。我敢說除了奧羅拉，再也沒有其他世界——無論是地球或任何太空族世界——幾乎達成了這個理想。」

貝萊感慨萬千地說：「地球人對這個境界同樣夢寐以求，可是一來我們早就人口過盛，二來過去的無知導致地球受到了嚴重傷害，以致如今根本欲振乏力——不過，奧羅拉原有的那些生物呢？當初你們絕非來到一顆死氣沉沉的行星。」

法斯陀夫說：「如果你讀過我們的歷史書，就該知道的確是這樣的。我們來到奧羅拉的時候，這裡已經有些動物和植物——以及氮氧大氣層。這一點，五十個太空族世界沒有任何例外。但奇怪的是，無論哪個太空族世界，原本的生物都相當稀少，種類也不多。而且，那些生物對母星並沒有什麼特別的依戀，我們可以說不費一兵一卒就取而代之——從此，只有在水族館、動物園，以及少數刻意維持的保留區，才能見到那些原生物種了。

「有幾個相關問題，我們至今尚未真正瞭解，一是人類所找到的這些有生命的行星，上面的生命為何都那麼貧乏；二是為何只有地球擁有如此多樣化的生命，而且幾乎無所不在；三是似乎只有地球發展出了智慧生命。這背後的原因到底是什麼？」

貝萊說：「可能是數據不足導致的巧合吧，因為目前為止，我們探索過的行星還太少了。」

「我承認，」法斯陀夫說：「這是最有可能的解釋。或許在銀河某個角落，存在著和地球一樣複雜的生態平衡；而在另一個角落，存在著智慧生物和科技文明。可是，地球文明已經朝四面八方擴展了數十秒差距，如果其他角落也孕育著生命和智慧，他們為何偏偏沒有擴展——雙方為何從來未曾相遇？」

「大家都知道，這或許只是早晚的問題。」

「或許吧。但如果這樣的接觸已經為期不遠，我們更不應該只是被動等待。我認為我們越來越被動，貝萊先生。已有兩個半世紀的時間，未曾出現新的太空族世界了。我們這些世界是如此溫馴、如此可愛，使得我們實在不願離開。你知道的，當初人類之所以移民這個世界，是因為地球的情況越來越糟，因而相較之下，蠻荒世界上的艱難險阻也就不算什麼了。等到五十個太空族世界一一建立起來——索拉利是最後一個——對外發展的動力和需要便消失了。至於地球，則退縮到地底鋼穴中。故事就此結束。」

「你並不真的這麼想吧。」

「難道我們要維持現狀嗎？難道要繼續過著平靜、舒適、不思進取的日子嗎？告訴你，我真的就是這麼想。人類若想繼續茁壯，一定要設法擴展活動範圍，而途徑之一就是開拓外太空，就是不斷發現新的世界。如果我們不這麼做，其他進行這種擴展的文明就會接觸到我們，而我們將無法抵擋對方的旺盛活力。」

「你預期會有一場太空大戰——像超波劇裡那種戰爭場面。」

「不，我不太相信有那種必要。一個在太空中不斷擴展的文明，根本看不上我們這幾十個世界，而且他們或許已經進化到某種智慧高度，根本不覺得需要用武力在此建立霸權。然而，如果被一個更有活力、更有生氣的文明所包圍，我們將感到相形見絀，無形的壓力就會毀掉我們；一旦瞭解到當前的處境，以及過去所浪費的潛能，我們必定會自暴自棄，從此一蹶不振。當然，我們或許能用其他的擴展來補償——例如擴充科學知識，或是文化內涵。但我擔心沒有任何擴展能夠獨立發展，它們的興衰總是彼此牽連。顯然，如今我們正處於全面衰退中——我們活得太久，過得太舒服了。」

貝萊說：「我們在地球上，總是認為太空族無所不能，而且自信心十足。所以我很難相信，從你這個太空族口中會說出這種話。」

「我的觀點和主流背道而馳，其他太空族都不會對你這麼說。既然別人無法忍受，我在奧羅拉上也就很少談這種事。我換個方式，直接鼓吹新一波的拓荒運動，至於我所擔心的事情，也就是不這麼做將會帶來災難，我則故意避而不提。這一點，至少我算是贏了。奧羅拉已經認真地──甚至狂熱地──考慮開啟一個新的探索與拓荒時代。」

「可是聽你的口氣，」貝萊說：「卻一點狂熱也沒有。出了什麼問題嗎？」

「因為馬上就要談到我想毀掉詹德．潘尼爾的動機了。」

法斯陀夫頓了頓，搖了搖頭，然後繼續說：「貝萊先生，我很希望自己對人類能有更深刻的瞭解。我已經花了六十年來研究正子腦的複雜結構，而且預計還要再花上十五到二十年的時間。但由於人腦要比正子腦複雜得多，關於人腦的問題，目前我才摸到一點邊而已。到底有沒有類似機器人學三大法則的人類法則呢？如果真有的話，總共有幾條，又該如何以數學表達呢？我完全沒概念。

「不過，或許總有一天，會有人研究出這組人類法則，然後就能預測人類未來的大方向──例如將來會發生些什麼事，以及要怎麼做才能趨吉避凶──而不是像我這樣，只能做些猜想和臆測。有時我會夢想建立一門數學分支，我將它稱為『心理史學』，但我明白自己做不到，甚至擔心永遠不會有人做到。」

他有點說不下去了。

貝萊等了一會兒，然後柔聲道：「你想毀掉詹德．潘尼爾的動機到底是什麼，法斯陀夫博士？」

法斯陀夫似乎沒有聽到這個問題，總之並未有所回應，當再度開口時，他只是說：「丹尼爾和吉斯卡再次回報一切正常。告訴我，貝萊先生，你想不想和我再走遠一點？」

「去哪裡？」貝萊謹慎地問。

「去隔壁的宅邸。在那個方向，穿過草坪就到了。你受得了這種開放感嗎？」貝萊抿著嘴，朝那個方向望去，彷彿試圖測量它對自己的影響。「我相信自己受得了，我認為沒問題。」

這時吉斯卡已經來到附近，聽到了這句話，他向貝萊更靠近些，看得出在陽光底下，他的雙眼不再閃閃發光。「先生，請容我提醒你，昨天太空船降落奧羅拉之際，你曾經極為不舒服。」就算他的聲音絲毫不帶人類情感，這句話仍明白顯示他的關切。

貝萊隨即轉頭面向吉斯卡。縱使他把丹尼爾當成好朋友，縱使移情作用早已改善了他對機器人的態度，此時此刻卻另當別論，這個造型原始的吉斯卡令他感到分外厭惡。他竭力壓抑心中的怒火，回應道：「我在太空船上會那麼大意，小子，是因為我太好奇了。面對一個從未經歷過的景象，我根本來不及調適。現在可不一樣。」

「先生，你現在是不是覺得不舒服？可否跟我確定一下？」

「是不是並不重要。」貝萊以堅定的口吻說，同時他還提醒自己，機器人是第一法則的奴隸，自己應該試著對這團金屬客氣一點，畢竟他的福祉是吉斯卡唯一的考量。「重要的是我身負重任，如果我龜縮起來，就無法執行任務。」

「身負重任？」聽吉斯卡的口氣，彷彿他的程式無法解讀這幾個字。

貝萊朝法斯陀夫的方向迅速望了一眼，但法斯陀夫默默站在原地，毫無介入的意思。而且，他似乎聽得出了神，彷彿正在衡量機器人對某種新情況的反應，以便拿來和只有他自己瞭解的變數、常數，以及微分方程等關係式互相比較。

至少，貝萊是這麼想的。他很不高興自己被當成觀察的對象，於是（他知道，口氣或許太嚴厲了）反問：「你明白什麼是『責任』嗎？」

「就是應該做的事情，先生。」吉斯卡答道。

「你的責任是服從機器人學三大法則，同理，人類也有他們必須遵守的法則——正如你的主人法斯陀夫博士剛剛說的。我必須執行上級交付的任務，這是很重要的事。」

「可是在開放空間中，硬撐著走下去……」

「雖然如此，我還是得這麼做。也許有一天，我的兒子會前往另一顆行星，那兒的環境一定比這裡糟得多，他下半輩子都得暴露在戶外。而如果我有辦法，一定會跟他一起去。」

「可是你為何要那樣做呢？」

「我告訴過你，我將它視為自己的責任。」

「先生，我不能違背三大法則，但你能否違反你的法則呢？因為我必須勸你——」

「我可以選擇逃避責任，但我不會那麼做——我偶爾就是會有這種難以抗拒的衝動，吉斯卡。」

沉默了一會兒之後，吉斯卡又說：「如果我成功說服你不再向前走了，會對你造成傷害嗎？」

「會的，至少我會覺得自己沒有盡到責任。」

「比起處於開放空間，這種傷害令你更不舒服嗎？」

「不舒服得多。」

「謝謝你對我解釋這些，先生。」吉斯卡說。這時，根據貝萊的想像，在這個機器人毫無表情的臉孔上，出現了一個滿意的神色（擬人化的傾向是人類壓抑不了的）。

等到吉斯卡退下，法斯陀夫博士才終於開口：「剛才這段很有趣，貝萊先生。吉斯卡需要適當的指引，才能充分瞭解該如何調整正子電位對三大法則的反應，或者說，才能讓這些電位根據實際情況自行調整。現在，他知道該怎麼做了。」

貝萊說：「我注意到丹尼爾什麼也沒問。」

法斯陀夫說：「丹尼爾瞭解你，他曾經在地球和索拉利上跟你合作過。好啦，可以走了吧？咱們走慢一點，四下多注意些。還有，無論什麼時候，如果你想停一停，休息一下，甚至向後轉，我都希望你立刻告訴我。」

「我答應你，但走這趟的用意為何呢？你已預見我可能不舒服，仍然建議我走一趟，不會是吃飽了沒事幹。」

「沒錯，」法斯陀夫說：「我認為你會想看看詹德的軀體。」

「形式上的確如此，但我認為不會有什麼實際作用。」

「我完全贊成，不過，你或許能藉著這個機會，問問詹德的那位臨時主人。除了我之外，你當然會希望和其他人談談這件案子。」

22

法斯陀夫緩步向前走，經過一株灌木時，他摘下一片樹葉，將它彎成兩截，一口口慢慢嚼著。

貝萊好奇地望著他，感到十分納悶：太空族一方面極怕受到感染，另一方面卻能將這種未經高溫處理，甚至未曾清洗的東西放進嘴裡。他隨即想起奧羅拉上並沒有（完全沒有嗎？）致病的微生物，但仍覺得那是令人反感的舉動。反感並不需要找一個理性的依據，他在心中如此自我辯護——就在這個時候，他突然覺得自己快要原諒太空族對地球人的態度了。

他立刻反悔！兩者不能相提並論！無論如何，人類不該厭惡人類！

這時，吉斯卡走在右前方帶路，丹尼爾則在左後方押陣。奧羅拉的橙色太陽（貝萊現在幾乎已經習慣這個顏色）暖烘烘地照在他背後，一點也不像地球的夏季陽光那般火熱。（不過，在奧羅拉這個角落，如今到底算是什麼季節、什麼氣候呢？）

和他記憶中的地球草坪相比，腳下這些植物（總之看起來像草）比較堅硬，也比較有彈性，而土地則相當扎實，彷彿已有一陣子沒下雨了。

他們一路朝著前方那棟房子走去，詹德的臨時主人想必就住在那裡。

不知不覺間，好些聲音同時鑽進貝萊耳中，包括右方草地裡某種動物發出的窸窣聲、背後一棵樹上猛然傳來的鳥叫，還有來自四面八方各個角落的蟲鳴。他在心中告訴自己，這些動物的祖先當初都來自地球，但牠們永遠不會知道，牠們所棲息的這塊土地在很久很久以前並非這個樣子。這裡的一草一木也毫無例外，同樣是某些地球植物的後代。

在這個世界上，只有人類知道自己並非土生土長，而是地球人的後裔——但太空族真的知道嗎？或是刻意拋在腦後？若干時日之後，他們會不會完全忘掉這段歷史，會不會記不得自己來自哪個世界，甚至不確定到底有沒有一個起源世界？

或許是為了掙脫這一連串越來越沉重的聯想，貝萊突然開口：「法斯陀夫博士，」他說：「你還沒告訴我毀掉詹德的動機。」

「對！我還沒說！這樣吧，貝萊先生，請你先想想看，我努力發展人形正子腦的理論基礎，到底是為了什麼？」

「我說不上來。」

「唉，動動腦筋。我的目標是要設計一個盡可能接近人類的正子腦，而這似乎牽涉到一點詩意的境界——」他頓了頓，然後從微笑突然變成了咧嘴大笑。「你可知道，每當我跟某些同行說，如果你的結論不像詩那般諧和，就不可能是科學上的真理，他們總是會大皺眉頭，直截了當地告訴我，聽不懂我在說些什麼。」

貝萊說：「只怕我也不懂。」

「可是我懂，雖然我無法用言語來解釋，但我感覺得到其中的真意。或許正因為如此，我的成就遠遠超過那些同行。然而，我似乎越說越玄了，顯然應該改用白話才對。這樣講吧，我對人腦的運作幾乎一無所知，因此若想模擬人腦，必須有個直覺上的躍進——在我的感覺中，這就像是作詩一樣。而這個直覺上的躍進，既然能幫助我發展人形機器人的正子腦，一定也能讓我對人腦本身有更新的認識。這就是我的信念——藉由研究人形機器人，我至少能朝剛才提到的心理史學邁開一小步。」

「我懂了。」

「而如果我成功發展出人形正子腦的理論結構，自然需要有個人形機器人來將它實現。你該瞭解，這樣的正子腦無法單獨存在，它必須和軀體隨時保持互動。因此，若將人形正子腦放進一個非人形的軀體，就某個程度而言，根本無法模擬人類。」

「你確定嗎？」

「相當確定。你只要比較丹尼爾和吉斯卡就知道了。」

「所以說，丹尼爾其實是個研究工具，好讓你對人腦有更進一步的瞭解。」

「你想通了。我和薩頓在這上頭花了二十年的光陰，淘汰了無數的失敗設計。丹尼爾是第一個真正成功的，而我之所以把他留下來，當然是為了做進一步的研究，但另一方面——」他誇張地咧嘴一笑，彷彿承認做了一件傻事。「也是因為我喜歡他。畢竟，丹尼爾能掌握責任這樣的概念，而吉斯卡雖然各方面都很強，在這件事情上卻無能為力。這是你親眼目睹的。」

「三年前，丹尼爾在地球上和我合作，就是他的第一項任務？」

「對，是他的第一項重要任務。為了調查薩頓之死，正需要像他這樣的機器人，一來他不怕地球上的傳染病，二來他外表又足夠像人，得以避免地球人的反機器人偏見。」

「真是驚人的巧合，我是指丹尼爾及時派上用場。」

「哦？你相信這是巧合？在我的想像中，像人形機器人這樣的革命性發明，無論何時問世，都會立刻出現非他莫屬的需求。在丹尼爾誕生之前，或許類似的需求就經常出現——但由於沒有丹尼爾，只好尋找其他的解決方案。」

「請問你的努力成功了嗎，法斯陀夫博士？你現在對人腦的瞭解，是否比以前更深入了？」

法斯陀夫這一路上越走越慢，貝萊因此一直在調整自己的速度。現在他們則是完全停下了腳步，差不多剛好停在兩座宅邸的正中央。對貝萊而言，這是最糟的地點，因為距離兩個庇護所剛好同樣遙遠，但他決心不讓吉斯卡起疑，盡力克制住了越來越不安的情緒。他可不希望由於某個動作，或是一聲叫喊——甚至一個表情——觸發了吉斯卡出手拯救他的衝動。否則自己馬上會被抱起來，強行送到屋內。

法斯陀夫似乎並未察覺貝萊的困境，他逕自說下去：「毫無疑問，心智學這方面因此有了一些進展。當然仍有許多未解的問題，它們或許永遠無解，但進展確實是有的。話說回來……」

「話說回來？」

「話說回來，奧羅拉學界不甘於只對人腦做純理論的研究。於是，有人開始將人形機器人用到了我不贊同的方向。」

「例如用在地球上。」

「不，我對那個簡易的實驗相當贊同，甚至很感興趣。丹尼爾能否瞞過地球人？結果證明他辦到了，不過，當然啦，地球人這方面的眼力並不敏銳。換成奧羅拉人，丹尼爾就過不了關，可是我敢說，人形機器人終將改良到過得了這一關的程度。然而，有人還提出了其他方面的用途。」

「比如說？」

法斯陀夫若有所思地凝視著遠方。「我剛才說過，這是個馴服的世界。當我開始倡導新一波的探索與拓荒之際，我心目中的領導者，並非生活超級安逸的奧羅拉人——或任何太空族。其實在我想來，我們應該鼓勵地球人領這個頭。既然他們的世界那麼糟——請見諒——壽命又那麼短，實在沒有什麼好眷戀的。我認為他們一定會歡迎這樣的機會，如果我們願意提供科技上的協助，那麼誘因就更大了。三年前我在地球上碰到你，就曾經跟你提過這件事，你還記得嗎？」說到這裡，他斜睨了貝萊一眼。

貝萊硬邦邦地說：「我記得相當清楚。事實上，你啟發了我一連串的想法，結果是地球上的確出現一個這方面的小型運動。」

「真的嗎？我猜這可不容易。你們地球人都有幽閉癖，不喜歡走出你們的圍牆。」

「我們正在努力克服，法斯陀夫博士，飛向太空是我們那個團體的目標。我兒子是這個運動的領導者之一，我希望有朝一日，他能率領一支遠征軍離開地球，移民到一個新的世界。如果我們真能獲得你提到的科技協助……」貝萊故意只說到一半。

「你的意思是，如果我們提供太空船？」

「對，法斯陀夫博士，當然還有其他裝備。」

「這件事有不少困難。很多奧羅拉人都不希望地球人離開母星，更遑論建立新世界。他們擔心地球文化會迅速蔓延，把蜂窩般的大城和其中的混亂帶到銀河各處。」他突然有點手足無措，趕緊說：「奇怪，咱們站在這裡幹什麼？繼續走吧。」

他慢慢向前走了幾步，又說：「我曾經辯稱，事情並不會那樣發展。我還特別指出，新一波的地球移民不會是傳統的地球人，不會將自己鎖在大城內。找到一個新世界之後，他們會表現得像奧羅拉人的祖先當初那樣。他們會發展出一個管得住的生態平衡，而且在心態上，他們也會比較接近奧羅拉人。」

「可是，法斯陀夫博士，你曾強調太空族的文化有許多缺點，難道他們不會重蹈覆轍嗎？」

「或許不會，他們會從我們的錯誤中學到教訓——但這些都是書生之見，有個最新的發展，使我的論據成了毫無意義的空談。」

「什麼發展？」

「嗯，就是人形機器人啊。你要知道，有些人認為最完美的拓荒者是人形機器人，應該由他們來建立新世界。」

貝萊說：「你的意思是，雖然你們早已擁有機器人，以前卻從來沒有人提出過這個想法？」

「喔，有的，但總是一眼就看得出行不通。那些不具人形的普通機器人，倘若沒有人類在旁監督，他們建立的世界只會適合非人形機器人，可別指望他們所馴服的世界會適合人類居住，因為人類的身心要比他們更纖細，而且更多變。」

「把他們建立的世界當作一階近似，我認為絕對合理。」

「絕對合理，貝萊先生。然而，從這裡就看得出奧羅拉開始沉淪了，因為我們絕大多數的同胞都有一種強烈的感覺，那就是一階近似雖然絕對合理，可惜絕對不夠。另一方面，如果換成了無論身心都盡量模擬人類的人形機器人，他們所建立的世界只要適合他們自己，就一定能適合奧羅拉人。你明白其中的邏輯吧？」

「完全明白。」

「所以說，他們會建立一個很理想的世界，等到他們大功告成，而奧羅拉人終於願意動身的時候，我們的同胞剛離開奧羅拉，便會踏上另一個奧羅拉。他們等於從未離開家園，只是換到一個較新卻一模一樣的家園，然後在那裡繼續沉淪下去。這其中的邏輯你也明白吧？」

「你的論點我懂了，但我想奧羅拉人並不懂。」

「或許吧。我想，如果我的對手沒有利用詹德之死來摧毀我的政治人格，那麼我的論點會更為強而有力。現在，你是否看出安在我身上的動機了？想必我暗中發起了一個毀滅人形機器人的計畫，以免他們被用來開拓新世界。至少我的政敵是這麼說的。」

現在輪到貝萊停下腳步，他若有深意地望著法斯陀夫，然後說：「你該瞭解，法斯陀夫博士，站在地球的立場，我們希望你的論點大獲全勝。」

「站在你自己的立場也一樣吧，貝萊先生。」

「好吧，我也一樣。但如果我把自己暫時擺到一邊，對我的世界地球而言，以下幾件事還是萬分重要。一是你們最好能夠允許、鼓勵並且協助我的同胞探索銀河；二是放手讓我們選擇自己喜歡的生活方式；三是不要讓我們永遠被禁錮在地球上，否則我們只有死路一條。」

法斯陀夫說：「我想，你們其中會有些人堅持繼續自我囚禁。」

「當然，也許我們絕大多數都這麼想。然而，起碼有幾個人──我希望盡量多──一旦得到許可，就會盡快逃離地球。因此之故，不論你是否真的無辜，我的職責都是要還你清白──我這麼做，並不算是反映一大半的人類所認同的法律，而是出於一個地球人的單純動機。話又說回來，若想要我全心全意投入這項工作，我必須先確定事實上你是被冤枉的。」

「當然！這點我瞭解。」

「那麼，你把那個『動機』告訴了我，等於再次向我保證你確實是無辜的。」

法斯陀夫說：「貝萊先生，我完全瞭解你在這件事情上毫無選擇餘地。而且我相當清楚，即使我告訴你其實我罪有應得，但基於你自己以及地球的需要，你還是不得不幫助我掩蓋真相。老實說，假使我真的犯了罪，我會覺得無論如何要對你說實話，讓你好歹心裡有數，而你在充分掌握狀況之後，所採取的營救行動也會更為有力——不只救我，也是救你自己。但我不能那麼做，因為事實上我是無辜的。不論我表面上涉嫌多麼重大，但我真的沒有毀掉詹德，連想也從未那麼想過。」

「從未想過？」

法斯陀夫擠出一抹苦笑。「喔，或許有那麼一兩次，我想到自己若是從未提出那些高明想法，導致人形正子腦的發展，奧羅拉的處境應該會更好——或者，如果能夠證明這樣的正子腦並不穩定，隨時可能心智凍結，結果也會一樣。但那只是胡思亂想罷了，我從未有一時一刻認真思考過要因此毀掉詹德。」

「那麼，我們必須摧毀他們安在你身上的這個動機。」

「很好，如何進行？」

「我們可以證明這麼做毫無用處。毀掉詹德又有什麼用？沒了詹德，還會有成千上萬的人形機器人陸續問世。」

「只怕事實並非如此，貝萊先生，今後再也不會有了。能夠設計人形機器人的人只有我一個，但只要機器人拓荒這個構想仍是選項之一，我就拒絕再製造任何人形機器人。詹德死了以後，就只剩下丹尼爾了。」

「別人也可能破解人形機器人的奧祕啊。」

法斯陀夫揚起下巴。「我倒很想看看有哪個機器人學家做得到。我的敵人成立了一個『機器人學研究院』，唯一的宗旨就是要發展出人形機器人背後的理論，但他們是不會成功的。至少他們目前沒有任何成果，而我確定他們永遠不會成功。」

貝萊皺起了眉頭。「如果只有你知曉人形機器人的奧祕，又如果你的敵人走投無路，難道他們不會打你的主意嗎？」

「當然會。他們正在拿我的政治前途來威脅我，或許還打算以懲戒的名義禁止我繼續從事這方面的研究，也就是還要埋葬我的學術前途，而目的是希望逼我就範，和他們分享這些機密。他們甚至會讓立法局命令我同意這麼做，否則就要查封我的財產，乃至將我下獄——天曉得還有些什麼招數？然而我已經打定主意，無論他們使出任何手段——任何手段——我都會咬牙吞下去，總之絕不屈服。但我並不希望走到這一步，這點你瞭解吧。」

「他們知道你誓死不從的決心嗎？」

「我希望他們知道，因為我已經明明白白告訴他們。我想他們認為我只是在唬人，只是說說罷了——但我是認真的。」

「可是如果他們真的相信你，也許就會採取更激烈的手段。」

「你這話什麼意思？」

「例如偷竊你的文件，或是綁架你，甚至對你刑求。」

法斯陀夫隨即縱聲大笑，貝萊漲紅了臉，趕緊解釋道：「我也討厭說得這麼像超波劇的對白，但你到底有沒有考慮過這種可能？」

法斯陀夫答道：「貝萊先生——一、我的機器人能夠保護我。想要把我抓走，或是奪取我的研究成果，勢必得發起一場正規的戰爭。二、那些和我敵對的機器人學家就算僥倖成功了，也絕不敢公開承認這是一窺人形正子腦奧祕的唯一途徑，否則他們的學術聲譽將瞬間化為烏有。三、這種事在奧羅拉是聞所未聞的。他們若想用這種下三濫的手段對付我，哪怕只要洩漏一點風聲，那麼立法局——以及所有的輿論——立刻會倒向我這邊。」

「是這樣的嗎？」貝萊一面喃喃問，一面在心中咒罵造化弄人，令他不得不在一個陌生的文化背景中辦案。

「是的，請相信我。我倒是希望他們會用這種聳動的手段，我真心希望他們愚蠢到了那種地步。事實上，貝萊先生，我希望自己能說服你投奔他們的陣營，取得他們的信任，誘騙他們對我的宅邸發動一場攻擊，或者在空巷中偷襲我——或是任何諸如此類的手段，我猜在地球上，這些事都很普遍吧。」

貝萊硬邦邦地說：「我想，這並非我的行事風格。」

「我也這麼想，所以我壓根兒沒打算實現這個願望。但請相信我，這其實很糟糕，因為如果無法說服他們考慮自殺式攻擊，他們便會繼續施展那個更高明的手段——我是指從他們的觀點——他們將用一堆謊言來毀掉我。」

「什麼謊言？」

「他們替我羅織的罪名，不只是說我毀掉一個機器人而已，雖然那已經夠糟，而且夠充分了。他們還在暗中造謠——目前仍處於耳語階段——說詹德之死只是我的實驗，而且是個很危險但很成功的實驗。他們放出風聲，誣陷我正在研究一套系統，能夠迅速有效地毀掉人形正子腦，這樣一來，一旦我的敵人製造出他們自己的人形機器人，我和我的同黨就有辦法一舉將他們摧毀，如此便能阻止奧羅拉開拓新的世界，把整個銀河留給我的地球盟友們。」

「這裡頭肯定沒半句實話。」

「當然沒有，我已經告訴你那是謊言，而且還是荒謬的謊言。即使在理論上，那樣的毀滅方法也不存在，而且，研究院的人也還根本造不出他們自己的人形機器人。就算我有心想要大開殺戒，我也辦不到，絕對辦不到。」

「那麼，這樣的謊言遲早不攻自破，不是嗎？」

「不幸的是，時間上恐怕來不及。這個謠言雖然荒誕無稽，但仍有可能流傳一陣子，足以左右輿論到一個臨界點，導致立法局的表決剛好能將我擊敗。最後，大家終究會認清那是胡說八道，可是已經太遲了。還有請注意，在這個事件中，地球被當成了代罪羔羊。指控我為地球效力的那套說詞強而有力，很多人會願意毫不懷疑地照單全收，因為他們不喜歡地球和地球人，以致理性遭到了蒙蔽。」

貝萊說：「你是在告訴我，此地仇恨地球的情緒正在升高。」

法斯陀夫說：「完全正確，貝萊先生。我的處境一天比一天糟──地球也一樣──我們的時間所剩無幾了。」

「然而，不是有個簡單的辦法，能夠把謠言一拳打倒嗎？」貝萊在絕望之餘，終於決定要回歸丹尼爾的觀點了。「如果你真的急於測試摧毀人形機器人的方法，為何要拿正在別人宅邸的機器人做實驗？為什麼要找這個麻煩呢？你身邊有丹尼爾，他就在你的宅邸，隨叫隨到方便得很。若說那個謠言有一絲真實性，難道你不該拿他做實驗嗎？」

「不，不。」法斯陀夫說，「我無法說服任何人相信這個說法。丹尼爾是我的第一個成果，是我的里程碑。無論在任何情況下，我都不會毀掉他。我自然而然會選擇詹德，這點大家都明白。除非我是傻瓜，才會希望別人相信犧牲丹尼爾是更合理的選擇。」

他們又走了一陣子，眼看就要抵達目的地了。貝萊緊抿著嘴，久久未發一語。

法斯陀夫問：「你覺得怎麼樣，貝萊先生？」

貝萊低聲說：「如果你是指置身戶外這件事，我簡直快忘了。但如果你是指我們所面臨的困境，我想不必有什麼人拿超聲波腦融爐來威脅我，我也眼看就要放棄了。」然後，他改用激烈的口吻質問：「法斯陀夫博士，你為何要把我找來？你為何要把這個工作交給我？我到底哪裡得罪你了？」

「實際上，」法斯陀夫說：「這主意並非我想到的，我只是死馬當活馬醫罷了。」

「好，那麼這是誰的主意？」

「最初提出這個建議的，是我們面前這座宅邸的主人——而我實在想不出更好的辦法。」

「這座宅邸的主人？他為什麼……」

「不，是她。」

「好吧，她為什麼要做這樣子的建議呢？」

「喔！我還沒說明其實她認識你，對不對，貝萊先生？她就在那裡，正在等我們呢。」

貝萊一頭霧水地抬眼望去。

「耶和華啊。」他暗嘆了一聲。

第六章 嘉蒂雅

23

眼前那位年輕女子帶著孱弱的笑容說：「我就知道，以利亞，再見到你的時候，這會是我聽到的第一句話。」

貝萊凝視著她好一陣子。她變了，她的頭髮剪短了，她的面容比兩年前更為憂鬱，而且看起來，她似乎不只老了兩歲而已。然而，毫無疑問她仍是嘉蒂雅，仍舊有著一張瓜子臉，配上高聳的顴骨和尖尖的下巴。還有她依然那麼矮小，依然那麼纖細，依然隱約有那麼點孩子氣。

當年回到地球之後，他經常會夢見她——不過並非那種赤裸裸的春夢。在夢中，她和他永遠若即若離。她總是在那裡，但距離有點遠，說話並不方便；無論他怎樣呼喚，她從未真正聽見；無論他如何向她靠近，卻從未真正拉近距離。

這些夢境背後的邏輯其實不難解釋。她是土生土長的索拉利人，因此很少有機會和其他人類面對面接觸。

想當年，以利亞原本毫無機會站在她面前，除了因為他是人類，（當然）更重要的是他來自地球。不過，由於他所偵辦的那件謀殺案遇到了瓶頸，逼得他們不得不碰面。等到他們真正面對面之際，為了避免實際接觸，她全身上下裹得密不透風。然而，他們最後一次碰面的時候，她竟然不顧一切，直接用手掌迅速拂過他的臉頰。她不會不明白，這樣做很可能令自己遭到感染。這太不可思議了，完全牴觸她從小到大的教養，他因而對這個小插曲更加珍惜。

隨著時光的流轉，這些夢也逐漸消逝。

想到這裡，貝萊有點支支吾吾地說：「原來你就是那機器人的……」

他住了口，嘉蒂雅替他接了下去：「臨時主人。而兩年前，我則是德拉瑪先生的妻子。凡是跟我在一起的，都不會有好下場。」

貝萊不知不覺伸出手，摸了摸自己的臉頰，他自己並未察覺這個動作，嘉蒂雅也似乎沒有注意到。

她說：「上回多虧你拯救我，很抱歉，這次我不得不再把你找來——請進，以利亞，請進，法斯陀夫博士。」

法斯陀夫退了一步，讓貝萊走在前面，自己才跟進去，丹尼爾和吉斯卡則走在最後面。進屋之後，兩名機器人基於內建的退避特性，隨即走向兩個遙遙相對的壁凹，然後各自背對著牆壁，靜靜站在其中。

一開始的時候，嘉蒂雅似乎對他們視而不見，這正是人類對機器人的慣常態度。然而，瞥了丹尼爾一眼之後，她轉過頭來，以略帶哽咽的聲音對法斯陀夫說：「那一個，拜託，請讓他離開。」

法斯陀夫顯得有點訝異，問道：「丹尼爾？」

「他太……太像詹德了！」

法斯陀夫轉頭望了望丹尼爾，臉上掠過一抹明顯的哀痛表情。「當然，親愛的嘉蒂雅，請原諒我的疏忽，我沒想到這一層——丹尼爾，你到隔壁房間去，一直待到我們離開為止。」

丹尼爾一言不發便走了。

嘉蒂雅瞪了吉斯卡一會兒，彷彿在判斷他是不是也像詹德，結果只是微微聳了聳肩。

她轉過頭來，問道：「你們兩位想不想喝點什麼？我這裡有絕佳的椰子汁，新鮮又冰涼。」

「不必了，嘉蒂雅。」法斯陀夫說，「我只是信守承諾，把貝萊先生帶來這裡，自己不會待太久。」

「我只要一杯水，」貝萊說：「這樣就可以了。」

嘉蒂雅舉起一隻手來。毫無疑問，她的一舉一動都有機器人看在眼裡，因為沒多久，就有一個機器人端著盤子悄悄走進來，盤子裡除了一杯水，還有一碟像是餅乾的點心，上頭撒著些粉紅色的碎屑。

雖然並不確定那是什麼，貝萊還是忍不住拿起一片。反正它的原料一定源自地球，因為他不相信在這個世界上，包括他自己在內，有誰會吃到任何人工合成食品，或是奧羅拉的任何一點原生物種。話又說回來，地球的作物來到這裡之後，還是會隨著時間而改變——或是由於刻意的改良，或是由於環境的因素。而且，午餐時法斯陀夫還提到，大多數的奧羅拉食物都不是一下就吃得慣的。

結果令他相當驚喜，那點心的味道有點辛辣，但他覺得很好吃，幾乎立刻拿起第二片。然後，貝萊對那個機器人（他並不介意永遠站在那裡）說了一聲「謝謝」，隨即一手接過碟子，一手舉起那杯水。

機器人便離開了。

此時已經接近傍晚時分，紅紅的陽光從面西的窗戶射進了屋內。在貝萊的感覺中，這棟房子雖然不像法斯陀夫的宅邸那麼大，但住起來應該更舒服，只不過現在有個悲傷的嘉蒂雅站在中間，難免令人覺得死氣沉沉。

當然，那可能只是貝萊的想像罷了。其實在他看來，如果一座建築物和戶外僅隔著一道牆，那麼即使它被稱為房子，即使它能遮風蔽雨，也絕不可能住得舒服。他認為每道牆的外面都找不到一絲人味，更遑論友誼或社區的溫暖；無論上下左右、四面八方，任何一道外牆的外面一律毫無生氣。除了寒冷！還是寒冷！

當貝萊再度想起如今所面臨的困境，類似的寒意重新襲上心頭。（剛才，嘉蒂雅所帶來的震撼令他暫時忘卻了這個煩惱。）

嘉蒂雅說：「請坐吧，以利亞。你一定要原諒我有點魂不守舍，因為我再次成了全球注目的焦點——這種事只要一次就夠受了。」

「我瞭解，嘉蒂雅，請別說抱歉。」貝萊答道。

「至於你，親愛的博士，請別急著走。」

「嗯——」法斯陀夫望了望牆上的計時帶，「我可以待一會兒，然後，親愛的嘉蒂雅，雖說天快塌下來了，該做的工作還是得做。其實是更應該做，因為我必須有心理準備，不久的將來，我很可能什麼工作都不能做了。」

嘉蒂雅猛眨眼睛，彷彿強忍住淚水。「我知道，法斯陀夫博士，由於這兒……這件事情，害你惹上了大麻煩，而我念念不忘的，卻似乎只有自己的……傷痛。」

法斯陀夫說：「我會盡力解決自己的問題，嘉蒂雅，對於這件事，你絲毫不必覺得內疚——或許，貝萊先生有辦法幫你我脫困。」

聽到這句話，貝萊用力抿了抿嘴，然後才以沉重的口吻說：「嘉蒂雅，我不明白你怎麼也捲進了這件案子。」

「否則還會有誰呢？」說完她還嘆了一聲。

「詹德．潘尼爾是……曾是你名下的財產？」

「不能算我的財產，他是我從法斯陀夫博士那兒借來的。」

「事發當時，你和他在一起嗎？我是指當他……」貝萊不禁猶豫該怎麼說才好。

「死的時候？難道這個字不能說嗎？不，我並不在他身邊。別急，我知道你要問什麼，當時除了我，這棟房子裡沒有別人。我經常獨處，幾乎毫無例外。這是拜索拉利文化之賜，你該沒忘吧。當然，我並不是非這樣不可。比方說，現在你們兩位來訪，我就還好——勉強還好。」

「詹德死的時候，你百分之百確定沒有旁人？不會搞錯嗎？」

「我已經對你說過了。」嘉蒂雅顯得有點不耐煩，「算了，以利亞，我知道你一定要再三重複每一個問題。聽好，沒有旁人，千真萬確。」

「不過，應該還有機器人吧。」

「當然，我所謂的『沒有旁人』，是指沒有其他人類在場。」

「你有多少機器人，嘉蒂雅？我是說除了詹德之外。」

嘉蒂雅頓了頓，彷彿在心中默默計算，最後她終於說：「二十個。五個在屋內，十五個在外面。但無論是我的或是法斯陀夫博士的機器人，都可以在我們的兩座宅邸間自由來去，所以如果某個機器人突然出現眼前，有時並非一眼就能看出他是誰的。」

「啊，」貝萊說：「既然法斯陀夫博士的宅邸有五十七個機器人，那就意味著，如果我們把兩邊加起來，總共有七十七個機器人可供差遣。除此之外，還有沒有哪座宅邸的機器人，會跟你們的機器人混淆不清？」

法斯陀夫說：「其他的宅邸都沒有近到這種程度，況且共用機器人並非值得鼓勵的一件事。我和嘉蒂雅的情況算是特例，一來她並非奧羅拉人，二來我對她——有照顧的責任。」

「即便如此，還是有七十七個機器人。」貝萊說。

「沒錯。」法斯陀夫說，「但你拿這點大做文章是什麼意思？」

貝萊答道：「因為這就表示，你們身邊有七十七個活動的物體，個個外形和人類相去不遠，你們每天看慣了，根本不會特別留意。你說有沒有可能，嘉蒂雅，萬一有個真人潛入屋內，不論目的為何，你幾乎會視而不見？他只是另一個活動的物體，外形和人類相去不遠，所以你並不會在意。」

法斯陀夫呵呵輕笑了幾聲，嘉蒂雅則一本正經地搖了搖頭。

「以利亞，」她說：「你果然是地球人。即使是法斯陀夫博士本人，如果接近這座宅邸，我的機器人也會立刻向我通報，你認為別人能夠溜進來嗎？我有可能對活動的物體視而不見，有可能假設他只是機器人，但機器人可不會這麼粗心。剛才我之所以出門迎接你們，正是因為我的機器人向我報告說你們快來了。不，不，詹德死的時候，這棟房子裡並沒有別人。」

「你自己除外？」

「對，除了我自己，整棟房子裡沒有第二個人，正如當年我丈夫遇害時那樣。」

法斯陀夫輕聲打岔道：「還是有些差別，嘉蒂雅。你先生是遭鈍器殺害，兇手必須親臨現場才辦得到，因此，如果當時只有你一人在場，問題就很嚴重。如今這個案子，詹德是被巧妙的口述指令弄停擺的，兇手完全不必現身，雖然現場同樣沒有第二個人，這卻沒什麼意義，更何況你並不懂得如何困阻人形機器人的心智。」

然後，兩人不約而同望向貝萊，法斯陀夫帶著嘲弄的表情，嘉蒂雅則一臉哀傷。（雖然法斯陀夫和貝萊一樣前途難料，他卻似乎甘之如飴，這點令貝萊有些惱火。如今這個情勢，到底有哪點讓人笑得出來，甚至笑得像個白癡？貝萊越想越鬱悶。）

「所謂的不懂，」貝萊緩緩說道，「或許也沒什麼意義。一個人即使閉著眼睛亂走，仍有可能不知不覺抵達目的地。說不定她只是在和詹德講話，在全然無意間，竟然觸發了心智凍結的關鍵。」

法斯陀夫說：「機會有多大呢？」

「這方面你是專家，法斯陀夫博士，我想你會告訴我機會非常小。」

「小到簡直難以想像。如果通往目的地的唯一途徑，是一條拚命拐彎抹角的羊腸小道，那麼一個人如果閉著眼睛亂走，他抵達目的地的機會有多少呢？」

嘉蒂雅的雙手劇烈地顫抖，她緊握著拳頭，彷彿力圖恢復鎮定，最後總算能將雙手擱在膝蓋上。「無論是不是意外，總之不是我做的。事發當時，我並不在他身邊，真的。當天早上我和他說過話，那時他還很好，可以說完全正常。但幾小時後，我再召喚他，他卻始終沒出現。等到我在他常待的地方找到他，他就站在那裡，看起來仍然相當正常。問題是，他沒有反應，絲毫沒有反應。從此以後，他就再也沒有任何反應了。」

貝萊說：「有沒有可能，你不經意對他說的一兩句話，過了一段時間，例如一個鐘頭之後才發揮作用，導致他心智凍結？」

法斯陀夫猛然插嘴道：「相當不可能，貝萊先生。如果會發生心智凍結，就一定會立刻發生。請別用這種方式纏著嘉蒂雅不放。她並沒有刻意引發心智凍結的能力，若要說她是無意間引發的，那就更不可思議了。」

「你一口咬定的隨機正子漂移，不是同樣不可思議嗎？」

「沒有那麼不可思議。」

「既然都是極其不可能，這兩個『不可思議』又有什麼差別呢？」

「差別大了。據我猜想，隨機正子漂移導致心智凍結的機率或許有十的十二次方分之一，而無意間引發的機率只有十的一百次方分之一。這只是個估計，但應該相當合理。兩者間的差別，超過了一個電子和整個宇宙的比例——隨機正子漂移的機會大得多。」

接下來，三人都沉默了一陣子。

然後貝萊開口道：「法斯陀夫博士，你曾說自己不能待太久。」

「我已經待得太久了。」

「很好，那麼可否請你先走一步？」

法斯陀夫正準備起身，突然問道：「為什麼？」

「因為我想和嘉蒂雅單獨談談。」

「以便繼續糾纏她？」

「我必須在沒有你干擾的情況下問她一些問題。我們的處境已經太危急，顧不得什麼禮貌了。」

嘉蒂雅說：「親愛的博士，我並不怕貝萊先生。」接著，她又刻意補了一句：「如果他無禮到太過分的程度，我的機器人一定會保護我。」

法斯陀夫笑了笑，然後說：「很好，嘉蒂雅。」他站了起來，對她伸出右手，她很快握了一下。

他又說：「我打算讓吉斯卡留在這裡，保護你們的安全——而如果你不介意，就讓丹尼爾繼續留在隔壁房間吧。你的機器人可否借我一個，由他護送我回自己的宅邸？」

「絕無問題。」嘉蒂雅一面說，一面舉起雙手。「我相信你認識潘迪昂。」

「當然認識！既強壯又可靠，最適合當保鏢。」他隨即離去，那個機器人緊跟在後。

貝萊並未立即開口，他只是望著嘉蒂雅，仔細打量著她。而她靜靜坐在那裡，雙手軟綿綿地交疊在膝頭，目光則停在那雙手上。

貝萊肯定她還有許多話沒說，至於怎樣才能勸她說出來，他自己也毫無把握。但有一件事，他萬分肯定：只要法斯陀夫留在這裡，她絕不會將真相和盤托出。

24

嘉蒂雅終於抬起頭來，表情變得和小女孩無異。她低聲說道：「你好嗎，以利亞？目前感覺如何？」

「相當好，嘉蒂雅。」

她解釋道：「法斯陀夫博士說，他會帶你走過這片露天空間，並會刻意在最糟的地點停留一陣子。」

「哦？為什麼呢？要捉弄我嗎？」

「不是的，以利亞。我曾經告訴他，你對露天空間有些什麼反應。當年你曾昏倒並掉進池塘，應該還記得吧？」

以利亞連忙搖了搖頭。他無法否認那件事，也無法否定自己的記憶，但這並不代表他願意舊事重提。他粗聲道：「我已經有進步，不再那麼沒用了。一切還順利吧？」

「可是法斯陀夫博士說過要測試你一番，一切還順利吧？」

「十分順利，我並沒有昏倒。」他想起了太空船著陸前發生的那段插曲，不禁偷偷咬了咬牙。那另當別論，現在沒必要討論那件事。

他故意改變話題，問道：「如今在奧羅拉，我該怎麼稱呼你？」

「你一直都叫我嘉蒂雅啊。」

「這或許並不妥當。我可以叫你德拉瑪太太，但你可能已經……」

她倒抽一口氣，猛然打岔道：「自從來到這裡，我就沒有用過那個名字，拜託你別再提醒我。」

「那麼，奧羅拉人怎麼稱呼你？」

「他們稱我索拉利的嘉蒂雅，但那只是為了強調我並非本地人，因此我也不喜歡。我就是嘉蒂雅，就這麼簡單。這並非奧羅拉人的名字，我想這顆行星上不會還有另一個嘉蒂雅，所以這就足夠了。而如果你不介意，我就繼續叫你以利亞。」

「我不介意。」

嘉蒂雅說：「我想請你喝杯茶。」這並非問句，貝萊直接點了點頭。

他說：「我不知道太空族也喝茶。」

「並非地球上那種茶。這是一種植物萃取物，口味很好，但一點害處也沒有，我們就管它叫茶。」

她隨即舉起手來，貝萊注意到她的袖子不但緊貼手腕，而且和超薄的肉色手套緊密連接。在貝萊面前，她仍盡可能避免暴露肌膚，仍盡可能減少感染的機會。

她讓手臂在半空中停了一會兒，不久之後，就有一個機器人端著盤子走進來。他顯然比吉斯卡更為原始，卻能有條不紊地將茶杯、三明治和小點心一一放好，而他倒茶的動作更是堪稱優雅。

貝萊好奇地問：「你是怎麼做到的，嘉蒂雅？」

「做到什麼，以利亞？」

「每當想要做一件事，你就會舉起手來，而機器人總是知道你的心意。比方說，這個機器人怎麼知道你要請我喝茶？」

「這沒什麼難的。屋裡始終存在著微弱的電磁波，我一舉手，它就會受到擾動。我的手掌和手指只要位置稍有不同，便會產生不同的擾動，而機器人能把這些擾動解讀成指令。但我只用這種方法下達簡單的命令：過來！奉茶！等等。」

「我在法斯陀夫博士的宅邸時，並未注意到他使用這種系統。」

「其實這是我們索拉利的系統，在奧羅拉並不流行，我是因為從小用慣了──況且，我總是在這個時候喝茶，波哥拉夫早就準備好了。」

「這就是波哥拉夫嗎？」貝萊饒富興味地端詳那個機器人，這才想到之前只瞥了他一眼而已。正所謂習慣成自然，熟悉感很容易造成忽視。只要再過一天，這些機器人便會完全從他眼底消失；他會對這些忙碌的機器人視而不見，彷彿所有的雜活都是自動完成的。

話說回來，他並不想僅僅眼不見為淨，他想要他們真正消失。於是他說：「嘉蒂雅，我希望能和你獨處一下，連機器人也別在場──吉斯卡，去丹尼爾那邊，你可以在那裡繼續警戒。」

「遵命。」聽到自己的名字，吉斯卡突然活了起來，並立刻有所回應。

嘉蒂雅好像有點被逗樂了。「你們地球人真奇怪，我知道你們地球上有機器人，可是你們似乎不懂得怎麼指揮。你把命令大聲吼出來，彷彿他們都是聾子。」

她轉向波哥拉夫，故意壓低聲音說：「波哥拉夫，沒有我的召喚，你們通通別再進來。除非有明顯且緊急的狀況，否則一律不准打擾我們。」

波哥拉夫說：「是的，夫人。」他退了一步，瞥了茶几一眼，彷彿在檢查是否有任何遺漏，然後才轉身走了出去。

這回輪到貝萊被逗樂了。沒錯，嘉蒂雅的確輕聲細語，可是她的語氣簡潔有力，彷彿把自己當成正在對新兵訓話的士官長。然而，他又有什麼好驚訝的呢？別人的缺點總是比自己的短處來得明顯，這是他早就知道的事。

嘉蒂雅說：「現在我們真正獨處了，以利亞，連機器人也走光了。」

貝萊說：「你不怕跟我獨處嗎？」

她緩緩搖了搖頭。「我有什麼好怕的？只要舉個手，做個動作，或是驚呼一聲，馬上會有好幾個機器人趕過來。這裡又不是地球，在太空族世界，任何人都沒有理由怕另一個人。可是，你為何這麼問呢？」

「因為除了有形的恐懼之外，還有無形的。我不會對你施展任何暴力，或用任何有形的方式虐待你。可是，難道你不怕我嚴詞逼問，不怕你的隱私不保嗎？別忘了，這裡也並非索拉利。當初在索拉利，我的確同情你，一心一意想要證明你的清白。」

她低聲問道：「現在你就不同情我了？」

「這回並非哪位配偶遇害，而你也並非殺人嫌犯。只不過是有個機器人被毀了，而且據我所知，你自己毫無嫌疑。另一方面，法斯陀夫博士才是我的燙手山芋。對我而言，最最重要的一件事──原因不必我細表──就是設法證明他是無辜的。如果辦案過程會對你造成傷害，我也愛莫能助。我可不打算想方設法避免讓你受苦，這個立場我必須先鄭重聲明。」

她揚起頭來，傲慢地直視他的雙眼。「有什麼事會對我造成傷害呢？」

「既然沒有法斯陀夫博士在這兒礙事了，」貝萊冷冷地說：「我們不妨現在就來找找看。」他用一根小叉子，將一個三明治從碟子撥到自己盤內（他不想用手抓，以免嘉蒂雅再也不敢碰那個碟子），隨即丟進嘴裡，然後呷了一口茶。

她有樣學樣，同樣吃了一個三明治，呷了一口茶。如果他故作鎮定，她顯然樂意奉陪。

「嘉蒂雅，」貝萊說：「我需要明確知道你和法斯陀夫博士的關係，這點非常重要。你和他住得很近，而且，你們兩人簡直就是共用一組家用機器人。他顯然很關心你──在此之前，他除了聲稱自己是無辜的，沒有花更大的力氣為自己辯解，可是一旦我開始逼問你，他立刻傾全力替你辯護。」

嘉蒂雅淡淡一笑。「你在懷疑什麼，以利亞？」

貝萊答道：「別閃避問題。我不想懷疑什麼，我想知道答案。」

「法斯陀夫博士有沒有提到過范雅？」

「有的。」

「你有沒有問過他，范雅是他的妻子呢，或者只是他的伴侶？還有，他有沒有子女呢？」

貝萊不禁打了一個冷顫，當然，這些問題都是他該問的。然而，在擁擠不堪的地球上，正因為隱私幾乎蕩然無存，大家反而分外珍視。在地球上，想不知道別人家的點點滴滴幾乎是不可能的事，所以大家一律裝傻，絕不互問這方面的問題。這可說是一種無處不在的集體自我欺騙。而在奧羅拉，當然不存在地球上的那種顧慮，但貝萊仍不知不覺自我設限，真是愚蠢！

他說：「我還沒問，告訴我吧。」

嘉蒂雅說：「范雅是他的妻子。他結過好幾次婚，當然是一段段的，雖說在奧羅拉上，一方或雙方處於重婚狀態並非什麼奇聞。」說這句話時，她帶著些許嫌惡的表情，而這也起著些許自我辯解的作用。「索拉利上從沒聽說有這種事。」她補充道。

「然而，法斯陀夫博士現在這段婚姻可能很快就要結束了。然後，雙方便能自由地追尋下一段感情，不過，經常會有一方甚至雙方都迫不及待，在離婚之前就另結新歡——我並不是說我瞭解這種隨便的態度，以利亞，但奧羅拉人的男女關係就是這麼建立的。就我所知，法斯陀夫博士在這方面律己甚嚴，他總是忠於每一段婚姻，從不發生婚外情。但是在奧羅拉，人們卻認為這是古板而且相當愚蠢的作風。」

貝萊點了點頭。「這方面，我從書中也讀到過一些。根據我的瞭解，當他們打算生兒育女的時候，就需要結婚了。」

「理論上的確如此，可是我聽說，如今幾乎沒什麼人遵守了。法斯陀夫博士已經有兩個孩子，不能再生了，但他還是繼續結婚，並提出三度生育的申請。當然，申請沒通過，他也早就預料到。甚至有些人根本就懶得申請了。」

「那為何不懶得結婚呢？」

「為了一些社會福利。不過內情相當複雜，我不是奧羅拉人，不敢說自己真正瞭解。」

「嗯，那就算了，跟我說說法斯陀夫博士的子女吧。」

「他沒有兒子，只有兩個同父異母的女兒，當然，她們的母親都不是范雅。根據奧羅拉的傳統，兩個女兒都是在母親子宮內孕育的。她們現在都成年了，擁有各自的宅邸。」

「他和這兩個女兒親近嗎？」

「我不知道，他從未談到過她們。其中一個是機器人學家，我想至少在工作上，他和這個女兒保持著聯絡。另一個應該正在某個城市競選議員，或是已經選上了，我並不太清楚。」

「他們家人之間可有什麼緊張關係，你知道嗎？」

「這我倒是沒聽說過，也許沒什麼大不了的吧，以利亞。就我所知，他和幾位前妻都好聚好散，沒有一次離婚鬧得不愉快。總歸一句話，法斯陀夫博士不是那種人。無論碰到任何不如意，他都會默默承受，最激烈的反應頂多是斯斯文文地嘆口氣。他是那種臨終還會開玩笑的人。」

貝萊心想，至少這點聽來絲毫不假。他又問：「那麼法斯陀夫博士和你的關係呢。拜託，請說實話。別為了避免尷尬而閃避問題，如今的情勢不容你這麼做。」

她揚著頭直視他的雙眼，然後說：「沒什麼尷尬不尷尬的，法斯陀夫博士是我的朋友，非常要好的朋友。」

「多麼要好，嘉蒂雅？」

「如我所說——非常要好。」

「你是否正在等他離婚，以便成為他的下一任妻子？」

「不是。」她非常冷靜地答道。

「那麼，你們是情人嗎？」

「不是。」

「曾經是嗎？」

「不是——這令你驚訝嗎？」

「我只是要知道實情。」貝萊說。

「那就讓我一口氣把答案通通告訴你，以利亞，別再那麼兇巴巴地發問，好像我堅不吐實，而你非用這種方式震懾我不可。」她雖然這麼說，但看不出真的生氣，彷彿只是在開玩笑罷了。

貝萊有點臉紅，原本想說自己完全沒有這個意思，無奈事實正是如此，否認也無濟於事。於是，他憤憤地輕聲道：「好吧，請開始。」

這時，他們早已用完茶點，有些殘渣掉落在茶几上。貝萊不禁納悶，若是在平時，她會不會舉起手來輕輕做個手勢，而那個機器人波哥拉夫會不會悄悄走進來，把桌面收拾乾淨。

那些殘渣是否害得嘉蒂雅心煩意亂——會不會令她回答問題時比較容易衝動？如果真是這樣，那麼最好能夠維持現狀——但貝萊並未抱多大希望，因為他看不出嘉蒂雅的情緒受到任何干擾，她可能根本沒注意到這件小事。

嘉蒂雅的目光再度垂到膝蓋上，而她的表情似乎變得更深沉，甚至有點嚴厲，彷彿她正在翻攪一段很想遺忘的往事。

她終於開口：「在索拉利的時候，你有機會一窺我當時的生活。那種日子談不上快樂，但我原本一無所覺。直到有一天，我真正體會到一絲快樂，才突然明白——無論就深度或廣度而言——自己以前的生活是多麼不快樂。而這個啟發來自於你，以利亞。」

「來自我？」貝萊吃了一驚。

「是的，以利亞。你離開索拉利之前，又和我見了一面——我希望你還記得，以利亞——那次見面教了我一件事。我碰觸到你！當時我戴著一副類似這樣的手套，我把它摘掉，然後碰了碰你的臉頰。時間並不長，我不知道你怎麼看待這件事——不，別告訴我，那並不重要——可是對我而言，意義極為重大。」

她抬起頭來，放膽迎向他的目光。「它對我的意義超過了一切，甚至改變了我的一生。記得嗎，以利亞，我在童年結束之後，除了我的丈夫，再也沒有真正碰觸過任何人——而我碰觸他的機會也少之又少。當然，我在三維顯像中見過不少男子，對於男性軀體的外觀十分熟悉。就那方面而言，沒有什麼是我不懂的。

「但我從來不曾想到，不同的男性會帶來多麼不同的觸感。我的丈夫，我熟悉他的肌膚摸起來是什麼感覺，我也熟悉他的手掌——當他願意觸摸我的時候——會帶給我什麼感覺，以及……關於他的一切。我沒理由想像換成別的男人會有什麼不同。沒錯，夫妻間的接觸未曾給我任何快感，可是這又有什麼不對嗎？當我用手指碰觸這張桌子，除了體會到它的滑潤，還會帶給我什麼特別的快感嗎？

「我們夫妻間的接觸只是生活中偶一為之的儀式，我的丈夫可以說是在履行義務，因此，身為一位優秀的索拉利公民，他完全根據日曆和時鐘照表操課，無論時間的長短或進行的方式，都做得非常有教養。只不過，換個角度來說，他這麼做和教養剛好背道而馳，因為這樣的定期接觸雖然正是為了性交，他卻從未提出生育申請，而且我相信，他對教養小孩毫無興趣。而我對他又太過敬畏，不敢自己主動提出申請，雖說我的確有這個權利。

「如今回顧，我發覺當年的性經驗不是公式化就是機械化。我從來沒有高潮，一次都沒有。性高潮這回事，我還是從書裡讀到的，可是我看得一頭霧水——因為那些都是進口書，索拉利書籍從不談論性愛——所以我簡直無法相信，還以為只是一種異色的譬喻。

「我也無法用自體性行為來做實驗——至少沒成功過。我想，自慰才是比較通俗的說法，至少我聽過奧羅拉人使用這個說法。至於在索拉利，當然誰也不會談論性的議題，而任何和性愛相關的詞彙也從來不會在文明社會中出現——只不過在索拉利，也就只有那麼一種社會而已。

「從某本書中，我學到了自慰是怎麼一回事，於是有好幾次，我根據書上的描述，姑且試試看，但沒有一次成功。肌膚不相觸的禁忌令我覺得自己的身體也碰不得，否則只會起反感。我可以用手搓揉腰部，可以交疊雙腿，感覺大腿之間的壓力，但這些都是不經意的碰觸。而把碰觸當作追求快感的手段，則又另當別論。我身上每根神經都知道不該這麼做，而正因為我這麼想，所以快感無從產生。

「我也從未想到其他情況下的碰觸會帶來快感，一次也沒有。我為什麼會想到呢？我又如何會想到呢？

「直到那次我摸到你，一切才改觀了。至於我為何那麼做，我自己也不知道。或許，因為你替我洗刷了謀殺犯的罪名，我打心底對你產生好感。此外，你也不完全算是禁忌。你並非索拉利人，你甚至——請原諒我這麼說——不完全算是人類，只是地球上的一種生物罷了。你具有人類的外表，可是壽命很短，而且易受感染，頂多只能算半個人類。

「所以說，由於你拯救了我，而你又並非真正的人類，我才會有那樣的舉動。更重要的是，你望著我的眼神，既不像我丈夫那般帶有敵意和反感，也不像某些人在三維顯像中刻意表現出的矯揉冷漠。你就在我面前，伸手就能碰到，而你眼中充滿了溫暖和關懷。當我的手掌碰到你的臉頰，你也顫抖了一下，那是我親眼見到的。

「為什麼會這樣，我也不知道。那次的接觸是如此短暫，照理說，它所帶給我的生理感受，應該和我碰觸自己的丈夫或其他男性——甚至其他女性——並沒有任何差別。但實際上，那不只是生理上的感受而已。你站在那裡，你欣然接受，而你所表現出來的一切，我都視之為——為愛意。當我們的肌膚——我的手，你的臉頰——碰觸之際，我彷彿摸到一股溫柔的火焰，它瞬間竄上我的手掌和手臂，令我全身開始燃燒。

「我不知道這種感覺持續了多久，頂多一眨眼的工夫吧，但對我而言，時間似乎靜止了。我經歷了一件過去從未經歷過的事，很久以後，當我不再懵懂，再回顧這件事，我瞭解到當時的我幾幾乎乎經歷了一次性高潮。

「但我不動聲色……」

（貝萊搖了搖頭，卻不敢接觸她的目光。）

「嗯，所以，當時我不動聲色，只是說：『謝謝你，以利亞。』我之所以這樣說，除了感謝你查明了我丈夫的死因，更重要的是，我要感謝你照亮了我的生命，而且在不知不覺間，讓我瞭解到了生命的價值；你等於替我開了一扇門，幫我找到了一條路，為我指出了一個新的方向。那次的接觸，本身算不上什麼，但它卻是一切的起點。」

她的聲音越來越小，有那麼一陣子，她還閉上了嘴巴，陷入回憶中。

然後，她忽然舉起食指。「不，什麼也別說，我還沒講完。

「在此之前，我也有過一些非常模糊的幻想。我想像自己和另一個男人，做著我們夫妻之間才會做的事，可是多少有點不同，雖然我根本不知道有什麼不同——而且有些不一樣的感受，但無論我怎麼想，也想像不出具體的感覺來。我很有可能一輩子都在試圖想像那些想不出來的事物，我也很可能會像許多索拉利女性——我想男性也一樣——即使活了三、四個世紀，死前仍然什麼也不懂。什麼也不懂！雖然曾經生兒育女，仍舊什麼也不懂。

「而我只是輕觸你的臉頰，以利亞，居然就開竅了。這是不是很神奇？你讓我學會了該想像些什麼，並非機械式的動作，也並非呆板的、勉強的身體接觸，而是一種我從未夢想能夠達到的境界。臉上的表情、眼中的火花、溫柔感和親切感，以及種種我甚至不知如何形容的感覺——或許是接納，是解除了人與人之間的藩籬。我想那就是愛，這麼簡單的一個字，就能包含這一切的一切。

「我覺得自己愛上了你，以利亞，因為在我想來，你有能力愛上我。我並不是說你愛我，而是我認為你能這麼做。我從未體會過愛情，雖然這個字眼在古典文學中經常出現，但我不明白那是什麼意思，就如同我常常讀到的『榮譽』一樣，雖然書中人物不惜為它犧牲性命，我卻完全無法理解。我學到了『愛情』這個字眼，但從來不明白它真正的意義，至今仍是如此。或許我碰觸你的舉動，就是心中有愛的表現。

「從此以後，我就能幻想那些事了。不久，我來到了奧羅拉，還一直想著你，一直懷念你，一直在心裡不斷和你說話，而且還幻想著，自己在奧羅拉能夠遇到一百萬個以利亞。」

她停了下來，陷入沉思一陣子，突然又繼續說：「結果事與願違。沒想到奧羅拉和索拉利殊途同歸，情況一樣糟。在索拉利，性愛是不對的事，大家痛恨它，避之唯恐不及。由於對性的憎恨，導致我們的男女無法相愛。

「而在奧羅拉，性則是無聊的事。大家輕易接受它——把它當作呼吸一樣稀鬆平常。如果某人性慾高漲，他會隨便找個看來合適的人，只要雙方並非忙得不可開交，兩人便有可能以任何方式發生性行為。就像呼吸一樣——但是呼吸能帶來至高無上的歡愉嗎？如果你窒息了，那麼在獲救之後，你猛吸的第一口空氣或許甜美無比。可是，如果你從來不曾窒息呢？

「還有，如果人人變得無時無刻不需要性，那會如何呢？如果讓性教育和閱讀、寫程式等課程平起平坐，那又會如何？如果大人認為孩子們從小就該親身實驗，還認為青少年可以從旁協助，那將是個什麼樣的社會？

「在奧羅拉，性就像清水一樣唾手可得，所以和愛毫無關係；正如同在索拉利，性是一種禁忌和羞恥，同樣和愛扯不上任何關係。這兩個世界兒童都很少，而且若想生育下一代，必須正式提出申請。如果申請獲准，就必須從事一段專為生育量身打造的性行為，那想必既無聊又難受。而若干時日之後，如果女方還沒有懷孕，雙方卻已經大起反感，則會訴諸人工受孕。

「總有一天，人工生殖會在奧羅拉流行起來，就像現在的索拉利一樣，於是受精和胚胎發育的過程都會在基因室裡完成，而性行為將會成為單純的社交活動和遊戲，如同太空馬球一樣和愛情毫無關係。

「我無法接受奧羅拉人這方面的態度，以利亞，這牴觸了我從小到大的教養。我曾帶著惶恐的心情，追求性的滿足，結果沒有人拒絕——但也沒有人重視。每當我主動獻身，無論事前事後，對方的眼神都相當空洞。他們一定想，只是又做了一次罷了，有什麼大不了的？他們願意做，但也只是願意而已。

「而且，碰觸他們的身體對我毫無意義，那和碰觸我的丈夫沒什麼兩樣。我學著慢慢適應，學著跟隨他們的動作，學著接受他們的指引——結果仍舊感到毫無意義。久而久之，我連自己解決的衝動都沒有了。你讓我體會到的感覺再也沒有出現過，終於有一天，我放棄了。

「在此期間，法斯陀夫博士一直是我的朋友。在所有的奧羅拉人當中，只有他對索拉利上發生的事一清二楚。至少，我是這麼想的。你也知道，完整的經過並未公諸於世，更沒有出現在那個可怕的超波劇裡面——我只聽說過那齣戲，始終拒絕觀看。

「此外，奧羅拉人非但不瞭解索拉利人，而且還蔑視我們，好在有法斯陀夫博士保護，我才未曾受到傷害。後來，我又陷入了絕望的深淵，也多虧他伸出援手。

「不，我們並不是情人。我可以對他獻身，但是當我想到可以這樣做的時候，我已經覺得，以利亞，你帶給我的那種感覺再也不會出現了。我甚至懷疑，那可能只是記憶跟我開的一個玩笑，所以我放棄了。我並沒有向他獻身，他也沒有向我求歡。我不知道他為何不那麼做，也許因為他看出來，我之所以絕望，正是由於無法從性愛中找到任何慰藉，而他不想讓我再經歷一次失敗，以免加深我的絕望。他在這方面對我設想如此周到，足以證明他是一個多麼好心的人——所以說，我們並非情人，他只是在我最需要友誼的時候，適時出現的一個朋友。

「好了，以利亞，針對你的問題，我已經把答案通通告訴你了。你想知道我和法斯陀夫博士的關係，並強調你需要瞭解實情。聽我說完後，你滿意了嗎？」

貝萊力圖掩飾內心的傷痛。「沒想到你的日子這麼難過，嘉蒂雅，我感到很遺憾。我需要知道的，你都告訴我了。你告訴我的實情，或許比你想像中還要多。」

嘉蒂雅皺起眉頭。「此話怎講？」

貝萊並未直接回答這個問題，他說：「嘉蒂雅，我真的很高興，自己在你心中竟然有那麼重要的地位。當年在索拉利，我從未想到自己帶給你那麼大的影響，而即使想到了，我也不會試著……你明白我的意思。」

「我明白，以利亞。」她輕柔地說，「即使你試了也是徒然，我根本做不到。」

「這點我也明白──今天，我也不會把你這番話視為暗示。短暫的一下接觸，令你一窺性的堂奧，這就足夠了。這種感覺極可能不會有第二次，我們應當珍惜，不該強求重溫，否則只會毀掉獨一無二的珍貴記憶。這就是為什麼我現在並不──不向你求歡。千萬別把這件事視為你的另一次失敗，何況──」

「請說。」

「正如我剛剛說的，你提供給我的資料，或許超過了你的想像。其實你等於已經告訴我，你的故事並未以絕望收場。」

「你這話什麼意思？」

「剛才，當你在敘述我們的接觸帶給你的感覺時，曾經說了類似這樣的話：『很久以後，當我不再懵懂，再回顧這件事，我瞭解到當時的我幾幾乎乎經歷了一次性高潮。』可是接下來，你就開始闡述你和奧羅拉人的性行為皆以失敗告終，我猜想，你並未從中體驗過性高潮。可是後來你一定有過，嘉蒂雅，否則你不會體認到當初在索拉利有過極其類似的經驗；除非你有過成功的性愛，否則根本無從回顧和比較。換句話說，後來你的確找到一個情人，有了一段真正的愛情。如果要我相信法斯陀夫博士始終不是你的情人，那麼可想而知，一定另有其人。」

「如果真有又如何？那又關你什麼事，以利亞？」

「我還不確定是否關我的事，嘉蒂雅。告訴我那人是誰，如果確實不關我的事，這個話題就到此為止。」

嘉蒂雅陷入沉默。

貝萊說：「如果你不告訴我，嘉蒂雅，那就必須由我告訴你。我已經有話在先，如今我身不由己，無法對你留情。」

嘉蒂雅仍舊一言不發，她緊抿著嘴，嘴角都開始泛白了。

「這個人一定存在，嘉蒂雅，而你對詹德之死的傷痛又太不尋常了——你把丹尼爾趕走，是因為你看到他的臉就會想起詹德，這令你無法承受。所以我幾乎肯定，那個詹德·潘尼爾……」他頓了頓，然後厲聲道：「那個機器人，詹德·潘尼爾，就是你的情人。如果我說錯了，請立刻指正。」

嘉蒂雅悄聲答道：「詹德·潘尼爾，那個機器人，並不是我的情人。」然後，她猛然提高音量，義正辭嚴地說：「他是我的丈夫！」

25

貝萊蠕動著嘴唇，雖然並未發出聲音，但顯然是在說他的口頭禪。

「沒錯，」嘉蒂雅說：「耶和華啊！你萬分驚訝，可是為什麼呢？因為你不認同嗎？」

貝萊硬邦邦地說：「我沒資格說什麼認不認同。」

「這就表示你不認同。」

「這就表示我只是在追查實情。在奧羅拉，情人和丈夫有什麼區別？」

「如果兩個人一起住在某座宅邸一段時間，就能互稱『丈夫』和『妻子』，而不必再用『情人』的稱呼。」

「一段時間是多久呢？」

「據我所知，這點因地而異，因為各地民情不盡相同。比如說在厄俄斯城，一段時間是指三個月。」

「在這段時間內，雙方是否還不得和其他人發生性關係？」

嘉蒂雅揚眉做驚訝狀。「為什麼？」

「我只是問問。」

「在奧羅拉，難以想像有誰會遵守這條遊戲規則，不論丈夫或情人都一樣。只要你高興，愛跟誰做都行。」

「那麼，跟詹德在一起的時候，你『高興』過嗎？」

「事實上並沒有，但那是我的選擇。」

「有人曾向你求歡嗎？」

「偶爾。」

「而你拒絕了？」

「我永遠有拒絕的權利，這也是遊戲規則的一部分。」

「但你有沒有拒絕過呢？」

「有的。」

「那些遭你拒絕的人，知道你拒絕他們的原因嗎？」

「你這話是什麼意思？」

「他們是否知道你有個機器人丈夫？」

「他就是我的丈夫，請別叫他機器人丈夫，根本沒有這種說法。」

「他們到底知不知道？」

她頓了頓。「我不知道他們知不知道。」

「你告訴過他們嗎？」

「我有什麼理由要告訴他們？」

「別拿問題來擋我的問題，你有沒有告訴過他們？」

「沒有。」

「你怎麼迴避得了呢？難道你不覺得，解釋一下才順理成章嗎？」

「沒人要求我解釋。拒絕就是拒絕，對方一定會接受。我真搞不懂你。」

為了整理思緒，貝萊暫停了一下。嘉蒂雅並非故意和他唱反調，而是兩人好像一對平行線，始終沒有交集。

他再度開口：「換成在索拉利，找個機器人當丈夫是否順理成章呢？」

「若是在索拉利，那會是不可思議的一件事，我絕對不會生出這種念頭。其實在索拉利，任何事都是不可思議的——地球上也一樣，以利亞，你的妻子可曾想過找個機器人當她的丈夫？」

「那是兩碼子事，嘉蒂雅。」

「也許吧，但你的表情已回答了我的問題。你我或許不是奧羅拉人，但我們目前置身於奧羅拉。我在這裡住了兩年，已經接受了它的道德觀。」

「你的意思是，在奧羅拉上，人類和機器人的性關係是相當普通的事？」

「這我倒不清楚。我只知道大家一定會接受這件事，因為性是百無禁忌的——只要出於自願，只要彼此滿意，只要不造成肉體上的傷害即可。想想看，一個人或一群人如何找樂子，和其他不相干的人有一絲一毫關係嗎？難道有人會擔心我讀什麼書、吃什麼食物、何時就寢何時起床、是否喜歡貓而討厭玫瑰？在奧羅拉，性這檔事也是同樣的情形。」

「是啊，在奧羅拉。」貝萊特別強調，「但你並非生於奧羅拉，也不是受奧羅拉教育長大的。不久前你還告訴我，這種對性漠不在乎的態度令你無法適應，雖然你現在又讚美起它了。而更早一點的時候，你還表示過對於重婚和濫交的厭惡。若說你對吃你閉門羹的人從來不做任何解釋，那或許是因為在你內心深處某個陰暗的角落，你不恥於承認詹德是你的丈夫。你也許知道——或是懷疑，甚至只是假設——自己的行為反常，即使在奧羅拉也不例外——而你引以為恥。」

「不，以利亞，不論你說什麼，我都不會感到羞恥。如果說，即使在奧羅拉把機器人當成丈夫也算反常，那是因為像詹德這樣的機器人非比尋常。我們索拉利上那些機器人，或是地球上那些——乃至於奧羅拉上除了詹德和丹尼爾之外的機器人——由於先天的限制，這些機器人頂多只能滿足人類最原始的性慾。他們或許能當作機械式震動器之類的自慰工具，但僅止於此。然而，一旦新型的人形機器人開始普及，人機性愛也會隨之普遍起來。」

貝萊又問：「嘉蒂雅，當初你是怎麼得到詹德的？法斯陀夫博士明明只有兩個而已，難道他那麼大方，把其中的一半就這麼給了你？」

「是的。」

「為什麼？」

「因為他好心吧，我這麼想。我是個寂寞、不幸而且幻想破滅的異鄉異客，他讓詹德來陪我作伴，我實在不知道怎麼感激他才好。雖然前後只有半年，但這半年要比我的一生更精彩。」

「法斯陀夫博士知不知道詹德是你的丈夫？」

「他從未提過這件事，所以我不清楚。」

「你自己提過嗎？」

「沒有。」

「為什麼？」

「我覺得沒必要——不，並非因為我感到羞恥。」

「這到底是怎麼回事？」

「我怎麼會覺得沒必要？」

「不，詹德怎麼會成了你的丈夫。」

嘉蒂雅態度轉趨強硬，用帶著敵意的聲音說：「我為什麼要對你說明？」

貝萊說：「嘉蒂雅，時候不早了，別再處處跟我為難。你是不是因為詹德——走了，才會那麼傷心？」

「這還需要問嗎？」

「你想不想查明事實的真相？」

「仍是那句話，這還需要問嗎？」

「那就幫助我。面對這個顯然無解的難題，如果想要開始——僅僅是開始——有一點點進展，我就需要盡可能問出一切的實情。詹德是怎麼變成你丈夫的？」

嘉蒂雅上身靠向椅背，雙眼突然盈滿淚水。她推開原本裝著小點心的盤子，然後用哽咽的聲音說：「普通的機器人並不穿衣服，但他們的外形看起來就像穿著衣服一樣。我在索拉利土生土長，非常瞭解機器人，而且我又有些藝術天分……」

「我對你的光雕記憶猶新。」貝萊輕聲說。

嘉蒂雅微微點頭答禮。「於是，我設計了一些新造型，在我看來，無論就風格或趣味性而言，它們都超越了奧羅拉目前流行的款式。我還根據這些設計畫了好些圖畫，其中幾幅就掛在這間屋子裡，其他的則掛在這座宅邸各個角落。」

貝萊遂將目光移到這幾幅畫上。其實他剛才就看到了，畫中的主體無疑都是機器人。他們的模樣不太自然，身體似乎拉長了，並且有些超現實的扭曲，但他現在改用另一個角度欣賞這些畫，才發現這些失真都是故意的，目的則相當明顯，當然是為了突顯這些機器人的衣著。他曾經讀過一本專門討論中古維多利亞時代的書籍，書上那些英國僕傭好像就穿著類似的服裝。嘉蒂雅也知道這段歷史嗎？或者兩者的相似純屬偶然？也許這並非什麼重要的問題，但是（也許）會令人留下深刻印象。

剛才，第一次注意到這些畫的時候，他曾告訴自己，嘉蒂雅是為了模擬索拉利上的生活，才用這種方式令自己感到身邊環繞著機器人。雖然她口口聲聲說痛恨那種生活，但這只能反映她的意識層面而已。索拉利是她唯一真正熟悉的地方，這可是不容易拋在腦後的——甚或她根本無法忘懷。說不定，這就是她作畫的原因之一——雖說她的新職業提供了一個更說得過去的動機。

她繼續說下去：「我做得很成功。有幾家機器人廠商出高價購買我的設計，此外，好些已經上市的機器人參考我的風格進行了換裝。我從中得到些許成就感，填補了我感情生活的空虛。

「當詹德剛來我這裡的時候，這個機器人當然穿著普通的衣服。法斯陀夫博士真是設想周到，還給了我好幾套衣服讓詹德換洗。

「那些衣服通通毫無創意，於是我心血來潮，打算替他買些更合適的服裝。這就需要替他精確地量身，因為後來我決定，要以自己設計的款式來訂做——而這就需要讓他將衣服一件件脫去。

「他遵命照做——直到脫去所有的衣物，我才瞭解到他有多麼酷似人類。該有的一樣都不缺，而那個照理能夠勃起的地方，居然真的會勃起。而且，借用人類的方式來說，它還能受意識的控制——詹德能夠聽我的命令，讓它脹大或縮小——起初我只是隨口問問，他的陰莖是否有這方面的功能，他就對我解說了一番。我覺得很好奇，他馬上示範給我看。

「有一點你必須瞭解，雖然他看起來非常像真人，但我心知肚明他是機器人。我對於觸摸男性身體總會有些遲疑——你應該很清楚了——這是我無法在奧羅拉上獲得性滿足的原因之一，這點我從不懷疑。但當時我面對的並非真正的男人，而且我從小就和機器人生活在一起，所以我能毫無顧忌地撫摸詹德。

「不久之後，我就發覺自己很喜歡撫摸他，與此同時，詹德也發覺到我喜歡那麼做。他是個經過精密微調的機器人，服從三大法則到了鉅細靡遺的程度。如果他有能力取悅我卻沒有做到，就等於是令我失望，而失望當然可以視為一種傷害，他卻無論如何不得傷害人類。於是，他以無比的細心和耐心來取悅我，而我，由於看到了他發自內心的誠意，這是我在奧羅拉男性身上從未見到的，我真心感到了喜悅。終於有一天，我總算瞭解了——應該說，完全瞭解了什麼是性高潮。」

貝萊問：「所以說，當時你感到十分快樂？」

「和詹德在一起的時候？當然，萬分快樂。」

「你們從未起過爭執？」

「和詹德吵架？怎麼可能？他唯一的目標，他活在世上唯一的意義，就是為了取悅我。」

「難道你不覺得彆扭嗎？他取悅你只是因為他必須這麼做。」

「任何人想要做任何事，不是都能解釋為他必須做嗎？」

「而你在體驗了高潮之後，從未冒出想要和真……想要和奧羅拉人試試的衝動嗎？」

「我只想要詹德，由他們取而代之，是無法令我滿足的——現在，你可瞭解我失去的是什麼了？」

不知不覺間，貝萊臉上的嚴肅表情變得倍加莊重了，他說：「現在我瞭解了，嘉蒂雅。如果我的問題刺痛了你，請務必原諒我，因為我原先並不完全瞭解實情。」

但她只是不停地啜泣。他無法再說下去了，也想不出什麼好辦法來安慰她，只好耐心地等待。

最後，她搖了搖頭，用手背擦了擦眼睛，悄聲道：「還有別的事嗎？」

貝萊帶著歉意答道：「還有另一方面的幾個問題，然後我就不會再打擾你了。」說完，他又謹慎地補上一句：「暫時不會了。」

「什麼問題？」她顯得非常疲倦。

「你可知道，有些人似乎認為法斯陀夫博士就是殺害詹德的兇手？」

「知道。」

「你可知道，法斯陀夫博士自己也承認，照詹德的死因來研判，只有他自己擁有殺害他的專業技能。」

「知道，親愛的博士自己告訴過我。」

「很好，嘉蒂雅，那麼你認為真是法斯陀夫博士殺害了詹德嗎？」

她猛然抬眼瞪著他，然後義憤填膺地說：「當然不是。他為何要那麼做？詹德是他一手打造的機器人，他關心還來不及呢。你不像我那麼瞭解親愛的博士，以利亞。他是一位溫文儒雅的紳士，不會傷害任何人，也絕不會傷害任何機器人。你若假設他是兇手，就如同假設岩石有可能向上墜落。」

「我沒有其他問題了，嘉蒂雅，目前我只剩下最後一項工作，那就是去看看詹德——詹德的遺體——希望能獲得你的允許。」

她又變得多疑且充滿敵意了。「為什麼？為什麼？」

「嘉蒂雅！拜託！我並不指望看看他能起什麼作用，但我必須親眼見到詹德，才能確定真的沒用。為了避免害你傷心，我會盡量約束自己的行為。」

嘉蒂雅站了起來。她今天所穿的這套簡便禮服和緊身衣幾乎無異，但貝萊注意到，這套衣服即使並非（地球上傳統的）黑色，顏色仍然很素，上面沒有任何亮點或光澤。雖說貝萊並非服飾專家，也瞭解這代表一種哀悼。

「跟我來吧。」她悄聲道。

26

貝萊跟著嘉蒂雅走過幾個房間，沿途一面面的牆壁都會微微發光。有那麼一兩次，他瞥見一些可疑的動靜，但隨即想到那是機器人在及時閃避，因為他們都接獲了不得打擾主人的命令。

兩人穿過一條走廊，爬上一道矮梯，最後來到一個小房間。在這間斗室裡，某一面牆的一角射出強烈的光芒，好像聚光燈一樣。

室內有一張便床和一把椅子——除此之外沒有其他的家具。

「這就是他的房間。」說完之後，嘉蒂雅彷彿又猜到了貝萊心中的疑問，繼續說道：「他所需要的就是這些了。我盡可能不來找他——甚至整天都不來，因為我不想很快便厭倦了他。」她搖了搖頭，「如今，我卻希望當初一分一秒都在他身邊，我真的不知道美好時光只有那麼短暫——這就是他了。」

詹德躺在那張便床上，貝萊神情嚴肅地向他望去，只見那機器人身上蓋著一張柔軟光亮的織品，那道源自牆上的光正好投射到他的頭部——在一片安詳中，它顯得很平靜，卻有一點虛假。詹德的雙眼睜得很大，但相當混濁且毫無光彩。他的確酷似丹尼爾，這充分說明了嘉蒂雅為何不願和丹尼爾同處一室。他的頸部和肩膀則裸露在那床被單之外。

貝萊問：「法斯陀夫博士檢查過他嗎？」

「徹底檢查過。當時，我六神無主地去找他，他立刻衝了過來，如果你也在場，看到他那種關心，那種傷痛，還有那種慌亂，就絕不會認為他是兇手。沒想到，他自己竟然也束手無策。」

「他現在沒穿衣服吧？」

「對，為了進行徹底檢查，法斯陀夫博士必須把他的衣服脫掉，後來就沒有穿回去的必要了。」

「你能否允許我揭去被單，嘉蒂雅？」

「一定要嗎？」

「我可不想遺漏任何明顯的疑點，令我的調查遭到批評。」

「你又能找到什麼法斯陀夫博士找不到的疑點呢？」

「的確不能，嘉蒂雅，但我必須確定自己什麼也找不到，請和我合作。」

「好吧，就依你，但你檢查完了，請把被單完全依照現在的方式蓋好。」

她轉過身去，將左手手臂貼在牆上，再將額頭湊上去。雖然她並未發出聲音——也沒有任何動作——但貝萊卻知道她又哭了。

這副軀體並不算足以亂真，例如肌肉的線條就有點簡化和制式，但該有的都不缺，包括乳頭、肚臍、陰莖、睪丸、陰毛等等。甚至，他還有著細微稀疏的胸毛。

詹德遇害至今已有多少日子了？貝萊忽然驚覺自己並不知道，但可以肯定，絕對是在他啟程前往奧羅拉之前。時間至少已經過了一個星期，可是不論看起來或聞起來，都絲毫沒有腐敗的跡象，這正是機器人有別於人類之處。

貝萊猶豫了一下，隨即將一隻手伸到詹德肩膀下面，並用另一隻手捧起他的臀部，試著將他翻一個身。他從未考慮請嘉蒂雅幫忙——那是不可能的事。他用力一抬，費了一點工夫，總算平安地將詹德翻過去，並未失手將他推落床下。

便床嘎吱作響，嘉蒂雅一定曉得他在做什麼，但是沒有轉過頭來。雖然她並未出手幫忙，卻也未曾出言阻止。

貝萊抽回了雙手，手掌仍留存著詹德身上的餘溫。即使在正子腦停擺的情況下，想必電源仍會做些諸如維持體溫這類簡單的工作。此外，這副軀體依然結實而有彈性，想必永遠不會經歷類似屍體僵硬的過程。

現在，詹德一隻手臂垂在床邊，很像人類睡著時的模樣。貝萊輕輕一拉那隻手，它隨即來回輕微搖擺，不久便又恢復靜止。然後，貝萊彎起詹德的左小腿，檢查他的腳掌，緊接著再換右小腿。他還注意到，這機器人臀部線條十分完美，甚至還有肛門。

貝萊一直無法揮去心頭那種不安的感覺，他就是覺得自己好像侵犯了另一個人的隱私。假使這是一具人類的屍體，冰冷和僵硬反倒會令它不那麼像人類。

機器人的屍體竟然比人類屍體更像人類，這個想法令他很不自在。

最後，他再把詹德推起來，翻回最初的姿勢。

他盡可能把那床被單拉直，才按照原來的方式蓋上去，並仔細撫平皺摺。他還退了幾步，以便確定它的確恢復原狀——或說確定自己已經盡力而為。

「我完工了，嘉蒂雅。」他說。

她轉過身來，淚汪汪地望向詹德，然後說：「那麼，我們可以走了？」

「當然可以，可是嘉蒂雅……」

「什麼？」

「你要一直這樣保存他嗎？我想他是不會腐爛的。」

「如果我真這麼做，又有什麼關係？」

「可以說有點關係。你必須給自己一個恢復正常的機會，往者已矣，你不能花上三個世紀來哀悼他。」（這番規勸在他自己聽來都顯得空洞，在她聽來又如何呢？）

她答道：「我知道你是好意，以利亞。在調查結束之前，我有義務暫時保存詹德。事後，我會要求將他炬化。」

「炬化？」

「利用電漿火炬將他還原成化學元素，就像火化人類屍體那樣。而我將保有他的全相像，以及我對他的回憶。這樣你滿意了嗎？」

「當然。現在，我得回法斯陀夫博士的宅邸去了。」

「好的。你從詹德身上發現了任何線索嗎？」

「我壓根兒沒抱希望，嘉蒂雅。」

她與他正面相對。「以利亞，我要你查出這事是誰幹的，以及到底為了什麼。我一定要弄清楚。」

「可是，嘉蒂雅……」

她猛力搖了搖頭，彷彿要將她不想聽到的話通通甩開。「我知道你做得到。」

第七章　法斯陀夫之二

27

貝萊走出嘉蒂雅的宅邸，投入落日餘暉當中。他轉身面向心目中的西方，很快便在地平線上找到了奧羅拉的太陽，在蘋果綠的天空背景襯托之下，它是個深紅色的圓盤，正上方還點綴著幾片稀疏的紅色雲朵。

「耶和華啊。」他喃喃道。顯然在這日落時分，相較於那顆孕育地球的恆星，奧羅拉的太陽顯得溫度更低、顏色更為橙黃，這都是因為陽光斜射而奧羅拉的大氣層較厚的緣故。

丹尼爾跟在他身後，吉斯卡則照常走在很前面。

他耳畔忽然響起丹尼爾的聲音：「你還好嗎，以利亞夥伴？」

「相當好。」貝萊得意洋洋地說，「我把戶外的挑戰應付得很好，丹尼爾，我甚至能欣賞落日了。是不是每天都像這樣呢？」

丹尼爾無動於衷地看了看西沉的太陽，然後說：「沒錯。但我們還是盡快回到法斯陀夫博士的宅邸吧。如今這個季節，黃昏並不會持續太久，以利亞夥伴，我希望你趁著還看得清楚的時候趕回去。」

「我隨時可以出發，咱們走吧。」不過，貝萊口是心非地想，等到天黑再走會不會更好呢。沒錯，伸手不見五指絕非什麼愉快的事，卻能為他帶來一種受到保護的幻象——雖然欣賞落日（請注意，是戶外的落日）的確帶給他難以形容的愉悅，但在內心深處，他還真不確定這種心情能持續多久。然而，這是一種懦弱的想法，他可不願公開承認。

吉斯卡悄無聲息地退到了他面前，問道：「你想等一等嗎，先生？天黑了你會比較適應嗎？我們兩個都無所謂。」

這時，貝萊注意到遠處有些機器人的蹤跡，前後方都有。是不是嘉蒂雅派出她的戶外機器人擔任警戒工作？法斯陀夫也如法炮製嗎？

吉斯卡這番話突顯了他們多麼關心他，可是，他竟倔強地不肯承認自己這方面的弱點。他只說了一句：「不，我們現在就走。」隨即邁開輕鬆的步伐，朝法斯陀夫的宅邸走去——它仍隱藏在遠方的樹林之後，僅僅隱約可見。

他放膽告訴自己，隨便他們要不要跟過來，讓這兩個機器人自己決定吧。他心知肚明，如果放任自己思考這個問題，心中會出現一個怯懦的聲音，提醒自己正置身於一顆行星的表皮上，只有空氣替他隔絕巨大無邊的虛空，可是，他絕對不會去想這件事。

遠離恐懼不但令他心情愉快，甚至令他下巴不聽使喚，牙齒拚命打顫。或者，這是傍晚的涼風所引起的——而這也能解釋他的手背為何起了雞皮疙瘩。

並不是置身戶外的關係。

並不是。

他試著鬆開牙關，開口道：「你對詹德多麼瞭解，丹尼爾？」

丹尼爾說：「我們曾在一起一陣子。打從詹德好友出廠，到他前往嘉蒂雅小姐的宅邸為止，這段時間我們一直在一起。」

「詹德和你外形這麼相似，丹尼爾，會帶給你困擾嗎？」

「不會的，以利亞夥伴。我和他都知道自己是誰，而法斯陀夫博士也不會把我們弄錯。因此，我們是兩個獨立的個體。」

「你也能分辨他們兩人嗎，吉斯卡？」現在，或許因為有別的機器人接手遠距離警戒，丹尼爾和吉斯卡都靠他比較近了。

吉斯卡說：「就我記憶所及，從來沒有真正需要這麼做的時候。」

「假使真有呢，吉斯卡？」

「那麼我一定能分辨。」

「你對詹德有什麼看法，丹尼爾？」

丹尼爾說：「我的看法嗎，以利亞夥伴？你希望我說說對詹德哪方面的看法呢？」

「比方說，他在工作上的表現好嗎？」

「當然好。」

「他在各方面都令人滿意嗎？」

「據我所知，的確如此。」

「你呢，吉斯卡？你的看法呢？」

吉斯卡說：「我未曾像丹尼爾好友那樣和詹德好友朝夕相處過，所以並不適合提出自己的看法。但我可以這麼說，據我所知，法斯陀夫博士對詹德好友一向很滿意，他對詹德好友和丹尼爾好友的滿意程度似乎不相上下。然而，我認為我的程式並不足以讓我對這種問題下定論。」

貝萊又問：「詹德去了嘉蒂雅小姐家之後呢？你對他的表現還清楚嗎，丹尼爾？」

「不清楚了，以利亞夥伴，嘉蒂雅小姐一直讓他待在她的宅邸。在我的印象中，當她拜訪法斯陀夫博士的時候，他沒有一次跟來過。而當我陪法斯陀夫博士前往嘉蒂雅小姐的宅邸時，我也從未見過詹德好友。」

這個答案令貝萊有點驚訝。他隨即轉向吉斯卡，想對他重複同樣的問題，但始終沒有開口，最後聳了聳肩，打消了這個念頭。他根本問不出什麼來，正如法斯陀夫博士先前所說，盤問機器人其實並沒有什麼用。他們絕不會主動提供任何可能傷害人類的答案，而你也休想用任何威脅利誘的手段令他們就範。他們不會擺明了說謊，可是他們會一直頑固地——但還算禮貌地——重複著毫無用處的答案。

不過——或許——已經沒什麼關係了。

現在，他們終於走到法斯陀夫家門口，貝萊覺得自己的呼吸急促了起來。但他堅決相信，自己的雙臂和下唇之所以發抖，只是因為涼風習習的關係。

太陽已經下山，星星開始逐漸露臉，天空則轉成一種詭異的紫青色，好似瘀血一般。他跨出一步，走進了這棟會發光發熱的建築物。

他安全了。

法斯陀夫迎了上來。「你回來得正是時候，貝萊先生。你和嘉蒂雅的晤談有收穫嗎？」

貝萊答道：「相當有收穫，法斯陀夫博士。甚至很有可能，我已經掌握了揭開謎底的鑰匙。」

28

法斯陀夫只是禮貌地微微一笑，看不出他有任何驚訝、欣喜或是懷疑的意思。然後，他領頭走向一間顯然也是餐廳的房間，但和中午相較之下，現在這間比較小，也比較有親切感。

「你和我，親愛的貝萊先生，」法斯陀夫笑容可掬地說：「要單獨吃一頓家常晚餐，就我們兩個人而已。如果你喜歡的話，甚至可以叫機器人通通走開。而且，我們也不要談什麼正事，除非你真的很想談。」

貝萊並未說什麼，他只是站在那裡，望著四周的牆壁，露出難以置信的表情。映入他眼中的是一片片搖曳生姿、閃閃發亮的綠色圖案，由下往上，無論亮度或色調都逐漸遞增，其中顏色較深且閃爍不定的部分，看起來有幾分像海藻。一言以蔽之，這個房間活脫一座位於淺海海底的明亮洞穴。整體而言，這種效果令人頭昏眼花——至少貝萊有這種感覺。

法斯陀夫一眼便看出貝萊的表情代表什麼意思，他說：「我承認，貝萊先生，這並不是一下子就能習慣的——吉斯卡，把牆壁的亮度調暗一點——謝謝你。」

貝萊這才鬆了一口氣。「謝謝你，法斯陀夫博士，我可否先去一趟衛生間？」

「當然可以。」

貝萊卻有些遲疑。「能否請你……」

法斯陀夫呵呵笑了幾聲。「你別擔心，它完全正常了，貝萊先生，不會帶給你任何不便的。」

貝萊點頭示意。「非常感謝你。」

一旦關掉令人難以忍受的幻象，這衛生間——他相信正是自己之前用過的那間——就是個單純的衛生間，只不過即使在夢裡，他也從未見過這麼豪華、這麼舒適的格局。它和地球上的衛生間——裡面是一排又一排一望無際的小隔間，每間都標示著僅限一人使用——簡直有天壤之別。

它的潔淨幾乎達到光可鑑人的程度，彷彿你每次用過之後，都能撕下最外層的分子薄膜，重新貼上一層新膜。貝萊隱隱然覺得，如果自己在奧羅拉待得太久，回到地球後勢必無法重新適應，因為地球人早已被迫將清潔和衛生之類的觀念束之高閣——只能在心中頂禮膜拜，永遠無法達到這樣的理想。

此時，貝萊站在由象牙和黃金打造的衛浴設備之間（當然並非真的象牙，也並非真正的黃金，但觸感和視覺效果足以亂真），突然間心頭一凜，發覺自己已經開始畏懼那個細菌氾濫和感染頻仍的地球了。難道太空族不是這麼想嗎？自己還能怪他們嗎？

他一面若有所思地洗著手，一面在長條形控制帶的小按鍵上按來按去，試圖改變水溫。說也奇怪，奧羅拉人為何要對室內裝潢下那麼多無謂的工夫；他們既然已經馴服並改造了大自然，為何還硬要假裝自己仍舊生活在自然環境中——或者，法斯陀夫只是一個特例？

畢竟，嘉蒂雅的宅邸就樸素得多——或者，只因為她原本是索拉利人？

接下來這頓晚餐，確實是個不折不扣的驚喜。正如午餐一樣，令貝萊明顯感到和自然界拉近了距離。菜色非常豐富——每盤都不同，而且份量都不多——其中有好幾道菜，不難看出取材自動物或植物的一部分。貝萊開始學著將一些小小的不便——偶爾出現的軟骨、小硬骨或纖維，這些原本會令他反胃的東西——視為一種挑戰。

第一道菜是一條小魚——因為太小了，必須連同內臟一起吞下去——起初，他覺得這是另一種逼人接受「大自然」的愚蠢方式。但他還是學著法斯陀夫，將那條小魚丟進嘴裡，下一瞬間，那種美味便改變了他的想法。他從未有過這樣的經驗，彷彿造物者前一秒鐘才發明了味蕾，隨即安裝在他的舌頭上。

每道菜的口味都不一樣，有些極其古怪，不能算可口，但他已經不在乎了。真正值得品嚐的並非食物本身，而是種種特殊口味所帶來的刺激（他遵照法斯陀夫的指導，每吃完一道菜，就呷一小口帶著淡淡香氣的白開水）。

他盡量不狼吞虎嚥，也避免把注意力完全放在食物上，更提醒自己不要舔盤子。問題是，他不得不一直觀察並模仿法斯陀夫的動作，至於對方那顯然被逗樂的友善眼神，他則裝作完全沒看到。

「我相信，」法斯陀夫說：「你發覺這一餐很對胃口。」

「相當好。」貝萊勉強開口答道。

「請別強迫自己遵守那些什麼禮節，凡是你覺得古怪或難吃的東西，都不必硬著頭皮吃。至於你真正喜歡吃的，我一定會多叫幾份來。」

「沒這個必要，法斯陀夫博士，每樣東西都很好吃。」

「那就好。」

雖然法斯陀夫曾說這頓飯不必有機器人在場，服侍他們的仍是一個機器人（或許法斯陀夫根本沒注意到這件事，因為早就習以為常——貝萊心裡這麼想，但是並未提出來）。

不出所料，這個機器人的動作既輕巧又安靜，毫無任何瑕疵。他身上穿著一件帥氣的制服，彷彿是從貝萊常看的歷史超波劇中借出來的。除非你貼近觀察，否則絕對看不出這件制服只是一種光學幻象，而這個機器人的外殼是百分之百的金屬，並沒有任何其他成分。

貝萊問：「這位『侍者』的外觀是嘉蒂雅設計的嗎？」

「是的。」法斯陀夫顯然很高興，「要是知道你一眼就認出她的風格，她會覺得這是最大的讚美。她很優秀，對不對？她的作品越來越受歡迎，為她自己在奧羅拉社會爭得了一席之地。」

席間的交談始終很愉快，可是都沒有重點。貝萊非但不急著「談正事」，而且在享受這頓美食之際，他其實寧願盡可能保持沉默，至於他現在認定最核心的那個問題，則留給自己的潛意識——或任何取代正式思考的機制——來決定該如何切入。

最後卻是由法斯陀夫打破這個僵局，他是這麼說的：「既然你提到了嘉蒂雅，貝萊先生，我能否請問一件事：你前往她的宅邸時一副絕望透頂的模樣，為何回來的時候簡直就是神采飛揚，而且還告訴我，或許已經掌握了解決整件事的鑰匙？你在嘉蒂雅家中，是不是發現了什麼新的——或許還是意想不到的線索？」

「的確如此。」貝萊心不在焉地說——他正將全副心思放在甜點上，雖然根本不知道那是什麼東西，但這時（他渴望的眼神驅動了那位機器人侍者）第二盤剛剛端到他面前。其實他覺得很飽了。他這輩子從來沒有如此享受過進食的過程，而且有生以來第一次，他竟然因為不能再吃下去而憎恨人類的肉體極限。但不久之後，他就對自己的這種感覺羞愧不已。

「這個新的，而且意想不到的發現是什麼呢？」法斯陀夫耐著性子委婉地問，「想必是一件連我自己都不知道的事？」

「或許吧。嘉蒂雅告訴我，你在大約半年以前，把詹德送給了她。」

法斯陀夫點了點頭。「這我知道，的確是這樣。」

貝萊厲聲問道：「為什麼呢？」

法斯陀夫的和顏悅色慢慢消失了，然後他才說：「有何不可呢？」

貝萊說：「我並不知道有何不可，法斯陀夫博士，而我也不在乎。但我的問題是：為什麼？」

法斯陀夫輕輕搖了搖頭，並沒有開口。

貝萊又說：「法斯陀夫博士，我來到奧羅拉，是為了釐清這個看似亂成一團的情況。而你的所作所為並沒有——完全沒有——幫上任何忙。你似乎反倒喜歡向我炫耀目前的情況到底有多糟，而且每當我提出任何推測或假設，你都樂於把它推翻。聽著，我並不指望別人回答我的問題。在這個世界上，我不具有官方身份，也沒有權利發問，更別說強迫對方回答。

「然而，你卻不同。我是你找來的，我要拯救的是你我兩人的前途，而且，根據你自己的說法，我這麼做同時還能拯救奧羅拉和地球。因此，我指望你能完完整整、老老實實地回答我的問題。請別再玩這種幼稚的對峙遊戲，例如我問你為什麼，你就反問有何不可。聽好，我再問一次

——而且是最後一次：為什麼？」

法斯陀夫努著嘴，面色相當凝重。「我向你鄭重道歉，貝萊先生。如果我回答得不夠乾脆，那是因為在回顧一番之後，我竟然看不出什麼非常顯而易見的理由。嘉蒂雅．德拉瑪——不，她不喜歡再用這個姓氏——嘉蒂雅在此地是個異鄉人。你也知道，她在自己的世界上，曾有過一連串痛苦的經歷；但你或許不知道，在這個世界上，她的痛苦經歷同樣不少……」

「我都知道，請回到正題。」

「嗯，好吧，我為她感到難過。她是那麼孤單，於是我想，詹德應該能幫助她排遣寂寞。」

「為她感到難過？就因為這點？你們是情人嗎？當時是嗎？」

「不，絕對不是。我並沒有向她求歡，她也沒有向我獻身——你為何這麼問呢？她告訴你說我們是情人嗎？」

「不，她沒這麼說，但無論如何，我需要從你口中證實這件事。你只管說就對了，如果出現任何矛盾，我會立刻告訴你。既然你是那麼同情她——而根據嘉蒂雅的說法，她又是那麼感激你——你們彼此竟然沒有求歡求愛？據我所知，在奧羅拉這個社會，發生性關係就和聊天氣一樣稀鬆平常。」

法斯陀夫皺起眉頭。「你對這方面一無所知，貝萊先生，所以請不要用你們地球的標準來評斷我們。對我們而言，性這回事不是什麼大不了的，但我們仍舊謹慎行事。沒有任何人會輕易向人求歡或獻身，雖然你很可能不這麼想。嘉蒂雅或許是個例外，她或許會輕易——或者應該說，不顧一切這麼做——那是因為她還不熟悉我們的習俗，而且她在索拉利曾經受過這方面的挫折。因此，她對結果十分不滿意，也就沒什麼好奇怪的了。」

「你沒有設法改善這種情況嗎？」

「要我主動向她求歡？我並不適合她，而反過來說，她也不適合我。我為她感到難過，我喜歡她，我欽佩她的藝術才華，而且我希望她快樂——畢竟，貝萊先生，有件事你一定會同意：一個人同情另一個人，可以並不涉及性慾或其他因素，而純粹出於人類的高貴情操。難道你從來沒有同情過別人嗎？從來沒有想要對誰伸出援手，卻不求快樂之外的任何回報嗎？你到底是從哪個星球來的？」

貝萊說：「你講的這些都有道理，法斯陀夫博士，我並不質疑你具有高貴情操這件事。話說回來，還是得請你容忍我一下。當我第一次問你為何把詹德送給嘉蒂雅，你並非用剛才那番話來回答我——而且可以說，你還相當情緒化。你第一時間的反應是閃躲，是遲疑，是利用反問來爭取時間。

「就算你最後的確說了真話，為何這個問題一開始令你那麼尷尬？在你找到願意承認的原因之前，有什麼原因是你不願承認的呢？請原諒我追根究柢，但我必須知道——我可以向你保證，這並非為了滿足我個人的好奇心。如果你告訴我的事情，和這件棘手的案件無關，大可當作你說的話都被丟進黑洞去了。」

法斯陀夫壓低了聲音說：「天地良心，我也不明白自己為何迴避你的問題。你冷不防這麼問我，令我面對一件或許根本不想面對的事，我才會這麼不知所措。讓我想想，貝萊先生。」

於是，兩人靜靜地坐在那裡。機器人侍者這時已將桌面收拾乾淨，離開了這個房間；丹尼爾和吉斯卡則待在別處（想必是在守護這棟房子）。貝萊和法斯陀夫總算處於一個沒有機器人的環境。

最後法斯陀夫終於開口：「我不知道該告訴你些什麼，但讓我從幾十年前說起吧。或許你已經知道，我有兩個女兒，她們的母親不是同一個人……」

「你比較希望生兒子嗎，法斯陀夫博士？」

法斯陀夫顯得十分驚訝。「不，絕無此事。我二女兒的母親應該是想要個兒子，但我不同意用篩選過的精蟲進行人工受孕——即使我自己的也不行——我堅持要用自然的方法來碰運氣。我知道你要問為什麼，答案很簡單，因為我希望生命中有些隨機性，也是因為整體而言，我應該是希望有生女兒的機會。如果是兒子我也能接受，你瞭解吧，但我不想放棄生一個女兒的機會。可以說，我就是比較喜歡女兒。好啦，結果第二胎果真又是個女兒，有可能正是這個緣故，導致她母親在產後不久便結束了這段婚姻。但另一方面，其實產後離婚的比例相當高，所以我或許不必特別這麼聯想。」

「我猜，她把那女嬰帶走了。」

法斯陀夫滿臉疑惑地瞥了貝萊一眼。「她為何要那麼做？——我忘了，你是地球人——沒有，當然沒有。那女嬰會在育幼院長大，在那裡，她當然會受到良好的照料。不過事實上——」他皺了皺鼻子，彷彿想起一件令他難堪的往事。「她並沒有被我送走，我決定自己把她養大。這麼做完全合法，只是極不尋常。當然那時我仍很年輕，還沒有過一世紀的生日，但在機器人學界已經嶄露頭角了。」

「你做到了嗎？」

「你是指把她養大嗎？那還用說，而且我越來越喜歡她。我替她取名瓦西莉婭，要知道，那是我母親的名字。」他呵呵笑了笑，彷彿陷入美好的回憶。「我有些感情用事的怪癖——我那麼鍾愛我的機器人也是這個緣故。當然，我從來沒見過我母親，但我的記錄裡有她的名字。據我所知，她目前仍在人世，所以我大可去找她——可是我想，如果見到一個你曾在她肚子裡待過的人，一定萬分不自在——我剛才說到哪裡了？」

「你把女兒取名為瓦西莉婭。」

「對——我的確把她養大了，而且真的越來越喜歡她，非常非常喜歡。我因此瞭解到了養兒育女的迷人之處，不過，當然，我也因此成了朋友之間的麻煩人物，每當我要和別人碰面，無論公事或私事，都得先把她藏起來。記得有一次……」他打住了。

「怎樣？」

「我已經有好幾十年沒想起這件事了。當時，薩頓博士在我家，我們正在討論人形機器人最早期的設計方案，她突然跑出來，一把鼻涕一把眼淚地撲到我懷裡。我想，她當時應該只有七歲，為了安撫她，我當然是又抱又親，完全忘了手頭上的工作，這種失禮是很不可原諒的。薩頓乾咳兩聲，拔腿就走——總之他氣壞了。整整過了一個星期，我才重新和他取得聯絡，繼續我們的學術討論。我想，大人的確不該被小孩牽著鼻子走，但我們這兒小孩實在太少了，而且沒什麼機會碰得到。」

「而你的女兒——瓦西莉婭——也喜歡你嗎？」

「那還用說，至少在……對，她非常喜歡我。我十分重視她的教育，一定要讓她的心智有機會擴展到極限。」

「你說她喜歡你的時候，那句『至少在』顯然沒講完。所以說，後來她就不再喜歡你了。那是什麼時候的事？」

「她長大之後，希望能擁有自己的宅邸，這是很自然的。」

「而你不想讓她獨立？」

「你這話是什麼意思？我當然希望她獨立。你一直在假設我是個怪物，貝萊先生。」

「那麼我可否假設，一旦到了能夠自立門戶的年齡，她對你的感情自然比不上當初依偎在你身邊、吃你喝你的時候那麼深厚了？」

「並沒有那麼簡單，事實上還相當複雜。你可知道……」他似乎難以啟口，「她曾向我獻身，而我拒絕了她。」

「她曾向你獻身？」貝萊驚訝不已。

「這點倒是順理成章。」法斯陀夫隨口說道，「我是她最熟悉的人，我教導她性知識，鼓勵她嘗試，還帶她參加『厄俄斯愛神祭』，總之這方面我不遺餘力。其實這是意料中的事情，是我自己太笨才沒料到，以致一時之間不知所措。」

「但這不是亂倫嗎？」

法斯陀夫說：「亂倫？喔，我懂了，那是地球上的觀念。在奧羅拉根本沒這回事，貝萊先生，沒有幾個奧羅拉人知道自己的近親是誰。當你打算結婚並申請生育時，自然要做親緣調查，可是這跟日常性行為又有什麼關係呢？不，剛好相反，我拒絕了我女兒才是有違常理的事。」他臉紅了──那雙大耳朵紅得尤其厲害。

「幸好你拒絕了。」貝萊喃喃道。

「但我這麼做，並沒有什麼好的理由──至少沒有任何能向瓦西莉婭解釋的理由。我竟然不能防患於未然，真是罪無可赦；她是那麼年輕、那麼沒經驗，如果我能預先想到這件事，就能設法找個合理的藉口來婉拒她，以免傷害她的心靈，令她受到可怕的羞辱。所以我實在是羞愧不已，我自告奮勇養大了一個小女孩，結果一不小心，就害她有了一段這麼不愉快的經驗。我本來還以為，我們可以繼續維持父女關係，或者朋友的關係，可是她並未就此放棄。而我每拒絕她一回──不論我做得如何委婉──兩人的關係便惡化幾分。」

「終於──」

「終於，她提出要有自己宅邸的要求。起初我持反對立場，並非因為我不想支持她，而是我希望在她離開之前，設法將我們的關係恢復到原本那般親密。但無論我做什麼，一律徒勞無功。或許，這是我一生中最辛苦的一段時間。最後，她表明了要離開這個家，而且態度相當決絕，我就再也留不住她了。當時，她已經是學有專精的機器人學家——我很高興她並未因為討厭我而放棄這個志業——因此她有能力建造自己的宅邸，完全不需要我的協助。事實上，她真的這麼做了，打從那時候起，我們父女就幾乎沒有再聯絡過。」

貝萊說：「法斯陀夫博士，她既然並未放棄機器人學，就有可能並不覺得真正和你疏遠了。」

「和我毫無關係。那是她最得心應手，也是最有興趣的工作。這點我很清楚，因為起初我的想法和你一樣，我提出好些合作的提議，可是都石沉大海。」

「你想念她嗎，法斯陀夫博士？」

「貝萊先生，我當然想念她——這就是萬萬不該自己撫養小孩的教訓。你會注入一種非理性的衝動，一種重生的渴望，而那個幼小心靈便會因此對你產生最強烈的愛意，最後導致你自食惡果——這孩子很可能想把她的第一次獻給你，你卻不得不拒絕，於是在她心中永遠留下一道傷疤。此外還有另一個惡果，就是當她離去後，你將感到一種全然非理性的遺憾。在此之前，我從未有過這種感覺，在此之後也沒有了。總之，我和她都經歷了不必要的痛苦，而這完全是我的錯。」

法斯陀夫隨即陷入了沉思，貝萊輕聲問道：「這一切又和嘉蒂雅有什麼關係呢？」

法斯陀夫猛然驚醒。「喔！我都忘了。嗯，接下來就相當簡單了。關於嘉蒂雅的事，我所說的句句屬實。我喜歡她，我同情她，我欽佩她的才華。可是，除此之外還有一點，她長得很像瓦西莉婭。當我在超波報導中，第一次看到她從索拉利抵達此地的消息時，便發現了這個巧合。這令我相當驚訝，也令我開始注意她。」他嘆了一口氣，「後來，當我瞭解到她和瓦西莉婭一樣，也有過性方面的創傷，我就再也忍不住了。如你所見，我安排她住在我的附近，和她成了好朋友，並盡全力幫助她適應這個陌生的世界。」

「所以說，她是你女兒的替代品。」

「對，或多或少，我想你可以這麼說，貝萊先生——但是你絕對想不到，最令我高興的事，是她腦袋裡從未冒出向我獻身的念頭。否則，如果拒絕了她，在我的感覺中，等於再拒絕了瓦西莉婭一次。另一方面，如果由於無法重演那一幕，我便接受了她，那我下半生都會受到良心煎熬——我會覺得，只因為她是我女兒的幻影，我就把一樣不肯給自己親生女兒的東西，輕易給了這個陌生人。無論哪種情況……不過，算了，現在你總該明白，一開始的時候，我為何對你的問題百般閃躲。每次回想起這件事，我就被迫重溫一遍生命中的悲劇。」

「你的另一個女兒呢？」

「露曼？」法斯陀夫隨口說道，「我從未和她有過任何接觸，不過我時不時會聽到她的消息。」

「據我瞭解，她正在競選公職。」

「地方性選舉，她是母星黨的候選人。」

「那是什麼？」

「母星黨嗎？他們心目中只有奧羅拉——只有我們這顆星球，你知道吧。他們主張由奧羅拉人領頭開拓全銀河，其他人盡可能排除在外，尤其是地球人。『喚醒自身權益』是他們的口號。」

「當然，你不抱持這種觀點。」

「當然不，我領導的是人道黨，我們相信所有的人類都有共享銀河的權利。每當我提到『我的敵人』，我指的就是母星黨。」

「所以說，露曼也是你的敵人之一。」

「其實瓦西莉婭也是。她是『奧羅拉機器人學研究院』的一員，這個機構是幾年前成立的，裡面的機器人學家個個把我視為惡魔，不惜一切代價要打倒我。然而，據我所知，我的幾位前妻都不關心政治，或許還支持人道黨。」他擠出一抹苦笑，「好啦，貝萊先生，你想要問的問題，是不是都問完了？」

自從在太空船上換了奧羅拉服裝之後，貝萊就養成一個習慣，雙手經常在那條寬鬆柔滑的奧羅拉式長褲上摸來摸去，試圖伸進並不存在的口袋裡。這時，他又不知不覺做著這個徒勞的動作，最後照例採取折衷之道，將雙手交握在胸前。

他說：「事實上，法斯陀夫博士，我根本不確定你是否回答了我的第一個問題，在我的感覺中，你似乎一直不斷在迴避。你到底為什麼把詹德送給嘉蒂雅？讓我們開誠布公，把一切攤開來，也許就能在一團黑暗中瞥見一線光明。」

29

法斯陀夫再度漲紅了臉，這回可能是因為生氣了，但他的語氣柔和依舊。

他說：「別威嚇我，貝萊先生，我已經回答了你的問題。我為嘉蒂雅感到難過，而我認為詹德可以陪伴她。要是換另一個人問我，我絕不會這麼坦白，一來是因為我目前處境特殊，二來則是因為你並非奧羅拉人。將心比心，請你也給我適度的尊重。」

貝萊咬了咬下唇。這裡不是地球，並沒有官方當他的後盾，而此時此刻，他最需要維護的並非自己的職業尊嚴。

於是他說：「如果害你心裡不舒服，法斯陀夫博士，我正式向你致歉。我不是故意要暗指你不誠實或不合作，話說回來，除非掌握全盤真相，否則我無法展開行動。這樣吧，我提出一個自認為可能的答案，然後你來告訴我，到底我是猜對了、猜錯了，還是只猜對八成。實情有沒有可能是這樣：你把詹德送給嘉蒂雅，是為了讓她的性衝動能找到一個出口，如此她就沒有機會向你獻身了？或許這個動機並不在你的意識層面，但請你趕緊想一想，這份禮物裡有沒有可能暗藏這樣的情緒？」

法斯陀夫從餐桌上拿起一個透明的小巧擺飾，抓在手中轉來轉去，轉來轉去。除了這個動作之外，他整個人似乎都僵住了。最後，他終於開口：「是有這個可能，貝萊先生。確實如此，我把詹德借給她之後——順便強調一下，我從未明說那是送她的禮物——就比較不那麼擔心她會向我獻身了。」

「你是否確定嘉蒂雅拿詹德來滿足自己的性慾？」

「你這麼問過嘉蒂雅嗎，貝萊先生？」

「這和我目前的問題無關，我是問你確不確定？你可曾目睹他們之間有明顯的性行為？你的機器人有沒有哪個向你打過這種報告？她自己有沒有告訴過你？」

「這一連串的問題，貝萊先生，答案通通是否定的。如果真要我好好想一想，結論會是利用機器人滿足自己的性慾沒什麼大不了的，無論男女皆然。一般的機器人並不特別適合做這種事，但人類在這方面充滿了創意。至於詹德，他倒是很合適，因為我們盡可能讓他酷似人類……」

「所以他能夠從事性行為。」

「不，我們從未想過這一點。我和已故的薩頓博士絞盡腦汁所探討的學術問題，只是如何製造一個百分之百亂真的人形機器人。」

「可是你們設計這種人形機器人，骨子裡還是為了性，對不對？」

「我想是吧。現在，既然我願意朝這方面想了——我承認，或許打從一開始，我就把這個想法藏在心底——嘉蒂雅很可能把詹德拿來這麼用。如果真是這樣，我希望她能從中得到快樂，而如果她真的快樂，我就會認為自己做了一件好事。」

「你做的好事有沒有可能不止一件而已？」

「此話怎講？」

「如果我告訴你，嘉蒂雅和詹德是一對夫妻，你會有什麼反應？」

法斯陀夫的手突然痙攣起來，那小擺飾仍被他緊緊握在手中好一會兒，然後才掉到桌上。

「什麼？這簡直荒唐，法律上根本行不通。他們不可能生小孩，所以想必不會提出什麼申請。而不提出申請，就不會有婚姻關係。」

「這並不是法律問題，法斯陀夫博士。記得嗎，嘉蒂雅是索拉利人，她的看法和奧羅拉人並不一樣。這其實是情感問題，因為嘉蒂雅親口告訴我，她把詹德視為自己的丈夫。我想，如今她則將自己視為他的遺孀，也就是說，她又經歷了一次性方面的創傷——而且傷得非常深。如果，無論什麼原因，這件事竟是你故意的……」

「眾星在上，」法斯陀夫情緒異常激動，「絕無此事。就算我打破腦袋，也想不到嘉蒂雅居然會幻想和一個機器人結婚，不管他多麼像真人。任何奧羅拉人都不會想到居然有這種事。」

貝萊點了點頭，然後舉起右手。「我相信你這番話。如果你是在演戲，你裝出來的真誠也把我騙倒了，但我認為你絕非那麼好的演員。可是我必須弄清楚真相，畢竟，還是有可能……」

「不，不可能。你是指我可能預見這種情況？我可能基於某些原因，故意害她成為寡婦？絕無可能。這種事根本難以想像，所以我從來沒想過。貝萊先生，無論我是為了什麼把詹德送到她的宅邸，總之是出於一番好意，並沒有打這個歪主意。『出於好意』是個拙劣的說詞，這我知道，但我也只能這麼自我辯護了。」

「法斯陀夫博士，我們把這件事擱下吧。」貝萊說，「我現在要針對這個謎團，提出一個可能的解答。」

法斯陀夫靠向椅背，並深深吸了一口氣。「你從嘉蒂雅那兒回來後，就曾經這麼暗示。」他望著貝萊，目光帶著一絲蠻橫。「難道你不能一開始就告訴我那個『鑰匙』是什麼嗎？我們真有必要繞這麼一大圈嗎？」

「很抱歉，法斯陀夫博士，想要讓鑰匙發揮作用，就必須先繞這麼一大圈。」

「好啦，宣布答案吧。」

「我會的。你自己已經承認，即使你這位全銀河最偉大的理論機器人學家，也未能預見詹德所扮演的角色。他讓嘉蒂雅快樂無比，使她深深愛上他，還把他視為自己的丈夫。萬一真正的情況是，他在帶給她快樂的同時，也給她帶來痛苦呢？」

「我不太瞭解你的意思。」

「嗯，聽好了，法斯陀夫博士。她對這件事相當保密，但在奧羅拉上，我猜應該沒必要不惜代價遮掩這種性事吧。」

「我們不會在超波上宣傳這種事。」法斯陀夫冷冷地說，「但我們也不覺得它比其他隱私更為機密。我們一般都曉得誰最近和誰在一起，而且朋友們聊天時，大家也都會知道朋友的另一半或彼此有多麼好、多麼熱情，或者恰恰相反的情形。這些都是茶餘飯後的話題。」

「好的，但你對嘉蒂雅和詹德的關係卻一無所知。」

「我曾懷疑……」

「那是兩回事。她什麼都沒告訴你，你也什麼都沒見到，甚至沒有任何機器人向你做過報告。你是她在奧羅拉最好的朋友，但她居然連你也瞞著。顯然，她的機器人都接到了嚴格的指令，不准他們談論有關詹德的事，而詹德自己一定也被嚴格要求不得洩漏半個字。」

「我想這是個合理的結論。」

「她為什麼要這樣做呢，法斯陀夫博士？」

「基於索拉利人對性的保守態度？」

「這不等於就是說，她對這件事感到羞愧嗎？」

「她沒道理感到羞愧，不過倘若硬要把詹德當成丈夫，她倒是會成為眾人的笑柄。」

「如果她只想隱藏這一部分，而不在意其他事實公諸於世，那實在太容易了。或許，她是以索拉利的角度看待這件事，因而感到羞愧。」

「嗯，所以呢？」

「誰也不喜歡感到羞愧，所以她可能會怪罪詹德——這是很常見的情形，一個人明明自己犯了錯，卻毫不講理地找個代罪羔羊，把氣出在別人頭上。」

「然後呢？」

「嘉蒂雅有可能因此情緒不穩定，比方說，可能常常一面流淚，一面責罵詹德，還強調她的羞愧和痛苦都是他帶來的。這種情緒也許來得疾去得快，她也許很快就向他道歉，恢復親密的關係，可是，難道詹德不會牢記在心，自己正是帶給她羞愧和痛苦的罪魁禍首嗎？」

「或許吧。」

「那麼詹德是否會覺得，如果繼續維持這種關係，將令她痛苦不堪，反之如果終止這種關係，同樣會令她痛苦不堪。不論他怎麼做，都會違背第一法則，既然根本找不到任何出路，他唯一的解脫之道就是什麼也不做——於是他進入了心智凍結的狀態——你記不記得，今天中午曾經給我講過一個故事，一個擁有讀心術的機器人，被機器人學先鋒逼得走投無路，最後終於停擺了。」

「對，那是蘇珊．凱文的故事。我懂了！你這番推理是以那個古老傳說當藍本。非常高明，貝萊先生，可是你白忙一場。」

「為什麼？當你說只有你能導致詹德心智凍結的時候，你對他的遭遇一點也不清楚，不知道他已深陷完全意想不到的僵局中，這和蘇珊．凱文的那場僵局剛好有著平行關係。」

「我們姑且假設，有關蘇珊．凱文和那個讀心機器人的故事並非純屬虛構，而是一個真實嚴肅的個案。可是我們仍不難發現，那個故事和詹德的情況並沒有平行關係。在蘇珊．凱文的故事裡，我們面對的是個原始到難以形容的機器人，以今天的眼光來看，連個玩具都不如。它只能定性地處理那種問題：A會導致痛苦，非A也會導致痛苦，因此只好心智凍結。」

貝萊問：「那麼詹德呢？」

「現代機器人——過去這一世紀出廠的任何一個機器人——都會定量地衡量這類的問題。A和非A這兩種情況，何者會造成較多的痛苦？機器人會很快做出判斷，並選擇痛苦較少的作法。當然，他也有可能斷定這兩種互斥的方案會產生完全等量的痛苦，但機會實在太小了，即使真的出現這種情形，要知道現代機器人還擁有隨機化的功能。如果根據他的判斷，A和非A會導致恰好相等的痛苦，他將以完全無法預測的方式，選擇其中一個方案，然後毫不猶豫地執行。總之，他不會進入心智凍結的狀態。」

「你是說詹德絕不可能進入心智凍結的狀態？你曾口口聲聲說你做得到。」

「就人形正子腦而言，的確有辦法避開那個隨機化功能，具體作法則完全取決於正子腦的實際構造。但即使你瞭解基本理論，想要藉著一連串高明的問題和指令，把機器人一步步引誘到心智凍結的邊緣，也是一個非常困難而且冗長的過程。若說這是意外造成的，簡直就是難以想像；除非是在最不尋常的情況下，借助於最精密的定量調節，否則光是愛恨交織所產生的那些膚淺矛盾，絕不可能具有這種神奇功效。於是只剩下一種可能了，那就是我一再強調的，毫無規律的機率是唯一可能的元兇。」

「但你的敵人會堅稱你才是最有可能的元兇——我們能不能反守為攻，堅稱是由於嘉蒂雅的愛恨交織造成了邏輯衝突，才導致詹德心智凍結的？難道這個說法不是更可信嗎？難道它不會把輿論導向你這邊嗎？」

法斯陀夫皺了皺眉頭。「貝萊先生，你太心急了。請你認真地想一想，如果我們用這種不光彩的方法替自己解圍，將會招來怎樣的後果？姑且不論會給嘉蒂雅帶來多少羞辱和痛苦——如果她真的感到過並在詹德面前流露過羞愧之情，她將不只承受失去詹德的悲痛，還會覺得一切都是她自己一手造成的。我絕不希望那麼做，但讓我們姑且把這個問題放在一邊。我要請你換個角度思考，我的敵人是否會指控說，我之所以把詹德借給她，目的正是要引發這件事。他們會說這是我精心策劃的陰謀，一方面能發展出令人形機器人心智凍結的方法，另一方面自己又能完全置身事外。到那個時候，我們的處境會比現在更糟，非但我原來這個幕後首謀的罪名摘不下來，還會再被追加一條罪名，那就是我虛情假意地和一個無辜女子作朋友，骨子裡卻懷有邪惡無比的企圖。」

貝萊大吃一驚。他覺得自己的下巴不聽使喚了，只能結結巴巴地說：「他們絕不會……」

「不，他們會的。不久之前，你自己也至少有一半這樣的傾向。」

「只不過是虛無縹緲……」

「我的敵人不會覺得虛無縹緲，當他們公諸於世時，更不會宣稱它只是虛無縹緲。」

貝萊知道自己臉紅了。他明顯地感到兩頰發燙，簡直無法再和法斯陀夫正面相對。他清了清喉嚨，然後說：「你說得對。我沒好好想想就胡亂出主意，內心深感羞愧，現在我只能請求你的原諒。我想，只有找出真相，才是唯一的解決之道——但願我們找得出來。」

法斯陀夫說：「千萬別沮喪。你已經挖掘出關於詹德的大祕密，這是我做夢也想不到的。我相信你還能挖掘出更多的內幕，總有一天，我們會把如今令人費解的謎團一一解開，讓真相大白。接下來你打算怎麼做？」

但貝萊這時羞愧難當，腦袋簡直一片空白。他答道：「老實講，我不知道。」

「好吧，我不應該這麼追問。你經歷了既漫長又辛苦的一天，現在腦筋有點遲鈍是理所當然的。何不休息一下，看看書，睡個覺？明天早上便會感到好多了。」

貝萊點了點頭，咕噥道：「也許你說得對。」

可是此時此刻，他一點也不相信明天早上情況會有任何改善。

30

無論就溫度或氣氛而言，這間臥室都冷得很，難怪貝萊有些發抖。這麼低的室溫，令人不禁感到彷彿置身戶外，感覺上很不舒服。四周牆壁泛著淡淡的灰白色，上面沒有任何裝飾（這在法斯陀夫的宅邸是很不尋常的事）。地板看起來似乎是光滑的象牙，但赤腳踩上去又覺得像地毯。床鋪是純白色，而被單的觸感則是又柔又冷。

他坐在床邊，但他的重量只壓得床墊微微下陷。

他對陪他一起進來的丹尼爾說：「丹尼爾，人類說謊的時候，會帶給你困擾嗎？」

「我瞭解人類偶爾會說謊，以利亞夥伴。有些時候，說謊或許相當有用，甚至是必要的。至於謊言帶給我的感受，則不能一概而論，要看這謊是誰說的、為何要說，以及是在什麼情況下說的。」

「當人類說謊時，你一定聽得出來嗎？」

「不一定，以利亞夥伴。」

「你覺得法斯陀夫博士常常說謊嗎？」

「我從來不覺得法斯陀夫博士說過半句謊話。」

「即使是和詹德之死有關的事？」

「根據我的觀察和判斷，關於這件事，他各方面都說了實話。」

「或許是他命令你這麼說的——萬一我問起的話？」

「他沒命令我，以利亞夥伴。」

「這句話，或許也是他命令你說的……」

他打住了。又來了，盤問一個機器人有什麼用呢？而且現在這種情形，無異於正在製造一個無限遞迴。

他突然察覺到床墊正在慢慢凹陷，險些把自己的臀部吞進去。他猛然起身，問道：「有沒有辦法讓房間暖和一點，丹尼爾？」

「以利亞夥伴，你關上燈蓋上被子，便會感到暖和些。」

「啊。」他狐疑地環顧四周，「可否請你把燈關上，丹尼爾，然後繼續留在屋內？」

燈光幾乎立刻熄滅，貝萊這才明白，自己假設這個房間毫無裝飾，原來是完全搞錯了。一旦陷入黑暗，他便感到有如置身戶外。耳畔響起了樹梢間的柔和風聲，以及遠方好些動物的慵懶嗚叫。此外，頭頂上有著滿天星斗的幻象，偶爾還會飄過一片勉強可見的雲朵。

「燈再打開，丹尼爾！」

室內重新大放光明。

「丹尼爾，」貝萊說：「這些我通通不想要。我不要星星，不要雲朵，不要樹，不要風——也不要有任何聲音或氣味。我只要一片黑暗——無質無形的黑暗。你能替我辦到嗎？」

「當然可以，以利亞夥伴。」

「那就做吧。還有，請問當我準備睡覺的時候，該怎麼把燈關掉。」

「我會留在這裡保護你，以利亞夥伴。」

貝萊沒好氣地說：「我確定你站在門外也能執行這項任務。而吉斯卡，我猜他應該會站在窗外，我是說，如果窗簾後面真有窗戶的話。」

「的確有——而如果你跨過那道門檻，以利亞夥伴，就會發現後面是個供你專用的衛生間。那堵牆有一部分是無形的，你輕而易舉便能穿過去。燈光會在你進去時自動開啟，離開時自動關上——而且裡面沒有裝飾。只要你喜歡，隨時可以淋浴，或是做任何睡覺前或起床後的梳洗。」

貝萊朝那個方向轉過身去，看不出牆上有任何裂縫，不過，該處的地板確實有個類似門檻的突起。

「我在黑暗中怎麼摸過去，丹尼爾？」他問。

「那部分牆壁——其實不能算牆壁——本身會微微發亮。至於室內的照明，你的床頭板上有個凹槽，你只要把一根指頭放進去，亮著的燈就會關上——關著的燈則會打開。」

「謝謝你，現在你可以走了。」

半小時後，他用完了衛生間，整個人在被單下縮成一團。燈光早已熄滅，整個房間籠罩在一片溫暖舒適的黑暗中。

正如法斯陀夫所說，這可真是漫長的一天。他幾乎難以相信，今天早上自己才剛抵達奧羅拉。一天之中，他已經獲悉許許多多的事實，可惜對他通通沒用。

他躺在黑暗中，依據時間順序，將今天發生的事默想了一遍，希望能把某個沒意識到的環節想起來——但是白忙了一場。

真是愧對超波劇裡那位心思細膩、目光敏銳、頭腦靈光的以利亞·貝萊。

他再度陷入床墊裡，好像投入一個溫暖的懷抱。他稍微動了一下，床墊隨即恢復原狀，然後又開始慢慢變形，以配合他目前的姿勢。

現在的他又累又睏，不適宜再回想一整天的經過，但他還是忍不住又試了一次——從太空航站到法斯陀夫的宅邸，然後到嘉蒂雅家，然後再回到法斯陀夫的宅邸；他順著自己的腳步，重溫了他在奧羅拉的第一天。

嘉蒂雅——比他記憶中更美麗，但就是有點冷——說不上來哪裡冷——或是她生出了一層保護膜——可憐的女人。他想起了她碰觸自己臉頰後的反應，心中泛起一股暖流——若能留在她身邊，他就可以教導她——愚蠢的奧羅拉人——對性的態度隨便到令人作嘔——百無禁忌——其實等於百無一用——毫無價值——愚蠢——去法斯陀夫家，去嘉蒂雅家，回到法斯陀夫家——回到法斯陀夫的宅邸。

他又輕輕動了動，隨即隱約覺得床墊又開始變形。回到法斯陀夫家——回到法斯陀夫家的路上發生了什麼事？我說了什麼話？我沒說什麼話？而在抵達奧羅拉之前，在那艘太空船上——另一件事正好吻合——

貝萊進入了半睡半醒的迷離境界，他的心靈完全解放，只遵循它自己的法則。就好像肉身掙脫了萬有引力，騰空飛起，遨翔在半空之中。

它開始自行整理那些記憶——包括許多他未曾注意的細節——把它們放在一起——一個個加起來——像是拼圖一樣——形成一個網——一個脈絡——

然後，他似乎聽到一個聲音，於是趕緊喚醒自己。他豎起耳朵，不過什麼也沒聽見，只好再回到半睡半醒的狀態，試圖重拾剛才的思緒——可是它卻溜走了。

就像是一件陷入泥沼的藝術品，仍看得到它的輪廓和色彩，雖然越來越模糊，但他依舊知道它就在那裡。然而，即使他拚了命想抓住，最後它還是完全消失了——他什麼也不記得，一點也想不起來了。

他真的想到什麼重要的線索嗎？或者只是個毫無意義的夢中雜念，造成了這樣一個虛假的記憶？實際上他根本沒醒過來。

剛才，他曾在心中告訴自己：我有了一個想法，一個重要的想法。

可是現在，除了記得好像有那麼回事，他什麼也不記得了。

他凝視著無邊的黑暗，維持了一陣子清醒。如果事實上，剛才他真的想到了什麼，以後一定會再想起來。

但也可能不會！（耶和華啊！）

——他再度進入夢鄉。

第八章　法斯陀夫與瓦西莉婭

31

貝萊猛然驚醒，機警地用力吸了一口氣。空氣中有一絲不明的氣味，但很快就再也聞不到了。

丹尼爾一本正經地站在床邊，說道：「以利亞夥伴，我相信你睡了一個好覺。」

貝萊四下望了望。窗簾並沒有拉開，但戶外顯然已是白晝。吉斯卡已經換了一套完全不一樣的服裝，從鞋子到外套，都是貝萊從未見過的。

他說：「睡得相當好，丹尼爾，但我好像是被叫醒的？」

「我們在室內空調中加入了抗睡劑，以利亞夥伴，它能活化人類的醒覺系統。由於不確定你的反應會有多強，我們用的劑量刻意低於正常值。或許，應該把劑量調得更低一點。」

貝萊說：「的確像是在我屁股上打了一板。現在幾點了？」

丹尼爾說：「根據奧羅拉的算法，現在是〇七〇五時。就生理時鐘而言，再過半小時就該吃早餐了。」他毫無語帶詼諧的樣子，如果換成人類說這句話，應該會伴著一抹微笑。

吉斯卡接著說：「先生，如果你要使用衛生間，我和丹尼爾好友不能進去，所以請告訴我們你需要些什麼，我們會立刻提供。」他的聲音比丹尼爾生硬些，而且少了一點點抑揚頓挫。

「對，有道理。」貝萊坐起來，一轉身便下了床。

吉斯卡立刻動手摘下床單。「請把你的睡衣給我好嗎，先生？」

貝萊僅僅猶豫了一下子。這只是機器人盡忠職守的表現，沒有別的意思。他脫下整套睡衣遞給他，吉斯卡接過去，並鄭重其事地點頭示意。

望著自己赤裸的身體，貝萊不禁起了一陣反感。他突然意識到自己已經步入中年，但相較於年齡幾乎是自己三倍的法斯陀夫，很可能自己的身體狀況還不如他。

然後，他下意識地開始尋找拖鞋，卻怎麼也找不到。想必他根本不需要，地板既溫暖又柔軟，大可光著腳踩在上面。

走進衛生間之後，他隨即提高音量，詢問使用的方法。從幻影牆壁的另一側，吉斯卡鄭而重之地開始解釋如何使用刮鬍器和牙膏供應器，以及如何把沖水裝置設定成自動模式、如何控制淋浴的水溫等等。

相較於地球的衛生間，這裡面的一切都顯得更豪華、更精巧，而且隔壁並非另一個衛生間，所以不會聽到他人的動靜或不經意發出的聲音——在地球上，人們必須堅決地忽略這一切，才能維持一個隱私的假象。

貝萊一面進行著這個奢華的儀式，一面悶悶不樂地想到：這意味著退化，但卻是（他已經知道）自己能夠習慣的一種退化。如果他在奧羅拉待久一點，一旦回到地球，將會受到極強烈的文化震撼，尤其是使用衛生間這回事。他希望調適期不會太長，但是他更衷心希望，當地球人建立新世界的時候，不會死守著公共衛生間這個傳統。

貝萊想到，「退化」或許就該這麼定義：讓人很容易適應的事物。

貝萊走出了衛生間，該做的事都做完了；下巴刮得乾淨、牙齒潔白光亮、身體也已經洗淨烘乾。他隨口問道：「吉斯卡，體香劑在哪裡？」

吉斯卡說：「我不明白你的意思，先生。」

丹尼爾趕緊接口：「當你啟動泡沫控制器的時候，以利亞夥伴，體香劑便釋放出來了。請原諒吉斯卡好友不明白你的問題，他不像我，他從未去過地球。」

貝萊半信半疑地揚了揚眉，隨即在吉斯卡的幫助下開始著裝。

他說：「我注意到你和吉斯卡仍前腳後腳地跟著我。難道有任何跡象顯示，有人想讓我消失嗎？」

丹尼爾說：「目前還沒有，以利亞夥伴。話說回來，只要不算太勉強，還是讓我和吉斯卡好友隨時陪著你，那才是明智之舉。」

「為什麼呢，丹尼爾？」

「有兩個原因，以利亞夥伴。第一，如果你對奧羅拉的風俗文化有任何不熟悉的地方，我們能夠適時提供協助。第二，吉斯卡好友能夠記錄你所說的每一句話，事後可以原音重現，這對你可能會很有幫助。你應該記得，當你和法斯陀夫博士或嘉蒂雅小姐談話時，我和吉斯卡好友有時距離你們很遠，或在另一個房間……」

「所以那些對話沒有被吉斯卡記錄下來？」

「其實是有的，以利亞夥伴，只是逼真度較低——而且某些部分可能不如我們預期中那麼清楚。所以，在不打擾你的前提下，最好讓我們盡可能貼近你。」

貝萊說：「丹尼爾，你是不是認為，如果把你們視為導遊手冊和錄音裝置，而並非貼身保鏢，我會覺得比較自在？那麼何不乾脆下個結論，說你們兩人完全沒必要擔任保鏢？既然目前為止，沒有人對我有任何圖謀，為何不能就此斷言，類似的圖謀將來也不會出現？」

「不，以利亞夥伴，不能妄下結論。法斯陀夫博士覺得，你在他的敵人眼中是個大麻煩。他們曾經試圖說服主席，希望他別允許法斯陀夫博士把你找來，今後他們一定會繼續試圖說服他，希望他盡快命令你回地球去。」

「這種和平的手段，不必動用保鏢來防範吧？」

「這話沒錯，但是，如果對方開始擔心你能夠還法斯陀夫博士清白，便有可能覺得非常手段勢在必行了。畢竟你不是奧羅拉人，這個世界雖有反暴力的法令，用在你身上卻會打折扣。」

貝萊沉著臉說：「我已經來了一整天，可是一事無成，這個事實應該能讓他們大大鬆一口氣，也大大降低了我自己的危險。」

「的確，這似乎有道理。」看來丹尼爾完全沒察覺到貝萊話中的諷刺。

「另一方面，」貝萊說：「如果我似乎有些進展，那麼我的危險便立刻增加了。」

丹尼爾默想了一下，然後說：「這似乎是個合乎邏輯的結論。」

「因此，不論我去哪裡，你和吉斯卡都要跟著我，以防我突然有了什麼進展。」

丹尼爾又默想了一下，然後說：「你這種說法把我搞糊塗了，以利亞夥伴，但你仍舊似乎沒錯。」

「既然如此，」貝萊說：「我準備要吃早餐了——雖然我的胃口難免打了折扣，因為我剛剛聽說，我如果不失敗，就有可能遭到暗殺。」

32

法斯陀夫隔著餐桌對貝萊展現笑容。「你睡得好嗎，貝萊先生？」

貝萊正入迷似地研究著面前那片火腿。它有著顆粒狀的紋理，其中一側還夾著一條油花；要吃這種食物，必須刀叉齊用才行。總之，這是未經處理的天然食物，因此吃起來更像火腿——或許可以這麼說吧。

餐桌上還有幾個煎蛋，其中的蛋黃個個像是扁平的半球，周圍則是一圈白色，令他聯想到地球田野間（班指給他看的）那些雛菊。理論上來說，他知道生雞蛋是什麼樣子，而且知道裡面有蛋黃和蛋清兩部分，但他從未在餐盤裡見過兩者仍舊分離的模樣。即使是在前來此地的太空船上，乃至當初在索拉利，他所吃的也一律是炒蛋。

他猛然抬起頭，望著法斯陀夫。「不好意思，你說什麼？」

法斯陀夫又耐心地說了一遍：「你睡得好嗎？」

「睡得相當好。如果不是那個什麼抗睡劑，我現在可能還在睡呢。」

「是啊，那的確不是什麼待客之道，但我覺得你也許想早些開工。」

「你說得完全正確，而且嚴格說來，我也不算是客人。」

法斯陀夫默默吃了一兩分鐘，然後呷了一口熱飲，這才重新開口：「這一覺是否睡出任何靈感？你醒來之後，有沒有什麼新的看法，新的想法？」

貝萊狐疑地望著法斯陀夫，並未從對方表情中看到任何挖苦之意。於是，他一面將飲料舉到嘴邊，一面說：「只怕沒有，我還是和昨晚一樣束手無策。」他呷了一口飲料，不由自主做了一個鬼臉。

法斯陀夫說：「真抱歉，你覺得不好喝嗎？」

貝萊咕噥了一聲，然後小心翼翼地又嚐了一口。

法斯陀夫說：「這就是咖啡啊，你知道吧，而且是無咖啡因的。」

貝萊皺了皺眉。「口感並不像咖啡啊——不好意思，法斯陀夫博士，我並不想表現得疑神疑鬼，可是，剛剛我和丹尼爾才半開玩笑地討論我遭到攻擊的可能性——當然，半開玩笑的人是我，不是丹尼爾——我因而想到，他們對付我的方法之一，就是……」

他的聲音越來越小。

法斯陀夫雙眉一揚，咕噥了一聲抱歉，便拿起貝萊的咖啡聞了聞。然後，他又用湯匙舀了一點點，嚐了嚐味道。「完全正常，貝萊先生，沒有人想要毒害你。」

貝萊說：「請原諒我有這種愚蠢的反應，我知道這些都是你的機器人所準備的——可是你確定嗎？」

法斯陀夫笑了笑。「以前是有機器人給動了手腳的例子——然而，這回絕對沒有。雖然咖啡在每個世界都一樣受歡迎，可是品種各有不同。眾所皆知，所有的人類都只喜歡母星世界的咖啡。很抱歉，貝萊先生，我沒有地球咖啡可招待你。你想不想喝牛奶？這種飲料倒是每個世界都差不多。果汁如何？舉世公認，奧羅拉的葡萄汁是太空族世界中的極品。有人還故意造謠，說我們設法讓葡萄汁發酵，可是，那當然不是真的。或者喝水？」

「我來試試葡萄汁吧。」貝萊又猶豫不決地望著那杯咖啡，「我想自己應該試著習慣這種口味。」

「沒那回事。」法斯陀夫說，「如果沒必要，何必跟自己過不去呢？對了，所以說，」隨著他言歸正傳，他的笑容也收斂了幾分。「一夜好眠並未帶給你什麼有用的啟示？」

「很抱歉。」然後，一個模糊的記憶令貝萊皺起了眉頭。「不過——」

「怎樣？」

「我記得昨晚快要入睡之際，在半睡半醒的浮想聯翩中，我似乎想到了一件事。」

「真的？什麼事？」

「我也不知道。那個想法把我驚醒了，卻沒有跟著我醒過來。也可能是我腦海中的聲音令我分了神，總之我不記得了。我試著把那個想法抓回來，可是並未成功，它就那麼消失了。我想，這種情況不算多麼罕見吧。」

法斯陀夫顯得若有所思。「這事你確定嗎？」

「不算真的確定。那個想法很快就變得虛無縹緲，我甚至無法確定它是否真正存在過。即使它確實曾經浮現我的腦海，也有可能只是因為我處於半睡狀態，才覺得它很有道理。如果它在大白天再來找我，我可能會覺得它毫無意義。」

「可是，不論那是什麼想法，也不論多麼虛無縹緲，它還是留下了一點痕跡。」

「我想是吧，法斯陀夫博士。這麼說的話，它就會再來找我，這點我有信心。」

「我們應該等嗎？」

「除了等，我們還能做什麼呢？」

「有一種東西，叫做心靈探測器。」

貝萊仰身靠向椅背，凝視了法斯陀夫一會兒，然後說：「我聽說過這種裝置，可是在地球上，它並未用於警方辦案。」

「這裡不是地球，貝萊先生。」法斯陀夫柔聲說。

「它會造成腦部傷害，我說得對不對？」

「由專家操作，就不大可能。」

「即使由專家操作，也並非絕不可能。」貝萊說，「據我瞭解，除非是在嚴格規範的情況下，它在奧羅拉也禁止使用。接受心靈探測的人，必須是罪大惡極，或是……」

「沒錯，貝萊先生，但那是針對奧羅拉人的規定，而你並不是。」

「你的意思是，因為我是地球人，所以不把我當人？」

法斯陀夫微微一笑，同時攤開了雙手。「別這樣，貝萊先生，這只是個提議罷了。昨天晚上，你在情急之下，也曾建議犧牲嘉蒂雅——把她置於既可怕又悲慘的境地——來幫助我們脫困。既然你那麼焦急，我很好奇你是否同樣願意犧牲自己？」

貝萊揉了揉眼睛，維持了約莫一分鐘的沉默。然後，他換了一種口吻說：「我承認，昨晚是我錯了。至於現在這個爭議，首先，我在半睡狀態中想到的事到底有沒有用，都還根本無法確定。那有可能純粹只是我的幻想——完全不合邏輯。也有可能，我壓根兒沒冒出什麼想法，壓根兒沒有。既然你說要仰賴我的頭腦解決這個難題，現在為了這麼小的贏率，就要拿它來冒險，你認為這是明智的作法嗎？」

法斯陀夫點了點頭。「你這番話誰也無法反駁，別擔心，我只是隨口說說罷了。」

「謝謝你，法斯陀夫博士。」

「可是接下來要怎麼做呢？」

「首先，我希望和嘉蒂雅再談一次，還有幾個疑點需要釐清。」

「你昨天就應該問清楚。」

「的確如此，但昨天我腦子裡裝進太多東西，來不及消化吸收，所以有些事疏忽了。我只是個探員，並非永不犯錯的電腦。」

法斯陀夫說：「我並不是在責怪你，只是不願見到嘉蒂雅受到不必要的騷擾。根據你昨晚告訴我的一切，我只能假設她正處於深沉的悲痛中。」

「毫無疑問。可是她也萬分渴望找出真相——如果她心目中的『丈夫』真是遭人殺害的，那麼兇手到底是誰？那種心情同樣是可以理解的。我確信她會願意幫助我——此外，我還希望能和另一個人談談。」

「誰？」

「你的女兒瓦西莉婭。」

「瓦西莉婭？為什麼？那樣做有什麼用？」

「她是機器人學家。除你之外，我希望能再請教一位機器人學家。」

「我不希望你那麼做，貝萊先生。」

他們已經吃完早餐，貝萊索性站了起來。「法斯陀夫博士，我必須再次提醒你，我是應你之邀而來的。我並沒有從事警務工作的官方身份，而且我和任何奧羅拉官方都沒有正式關係。對於這件不幸的悲劇，想要我有機會查個水落石出，就必須指望人人都能自願和我合作，誠懇回答我的問題。

「如果你阻止我做這樣的努力，那麼我顯然只能原地踏步，不會有任何進展。這對你也會是極為不利的——而地球也會因此遭殃——所以我勸你千萬別妨礙我。如果你讓我想見誰就見誰——哪怕只是試著替我穿針引線——奧羅拉民眾一定會認為這意味著你心中光明磊落。另一方面，如果你阻礙我的調查工作，那麼他們除了認定你有罪和心虛，還會有第二個結論嗎？」

法斯陀夫勉強壓抑住不滿的情緒，說道：「這我瞭解，貝萊先生。但為什麼是瓦西莉婭呢？還有其他的機器人學家啊。」

「瓦西莉婭是你的女兒。她不但認識你，而且或許堅決相信你極有可能毀掉了一個機器人。既然她是機器人學研究院的一員，同時又是你的政敵之一，不管她提供任何有利證據，都會極具說服力。」

「萬一她的證詞對我不利呢？」

「那時我們再另做打算。麻煩你聯絡她，請她接見我好嗎？」

法斯陀夫無可奈何地說：「我姑且答應你，但如果你認為我能輕易說服她，那就大錯特錯了。她也許很忙，或自認很忙；她也許不在奧羅拉，或者，她也許就是不想捲入這件事。昨天晚上我試著向你解釋，她對我抱持敵意是有原因的——至少她自己這麼認為。如果由我出面，很可能適得其反，她光是為了表示對我的不滿，就會一口回絕。」

「你願意試試嗎，法斯陀夫博士？」

法斯陀夫嘆了一口氣。「稍後你去找嘉蒂雅的時候，我會試試看——我猜你希望直接和她面對面是嗎？請容我提醒你，三維顯像能夠達到同樣的效果。影像的逼真度很高，你會覺得和親臨現場沒有任何差別。」

「這點我瞭解，法斯陀夫博士，但嘉蒂雅是索拉利人，三維顯像會勾起她不愉快的回憶。此外不管怎麼說，我就是認為近在咫尺時會多一點無形的效率。目前的情勢萬分棘手，而且困難重重，既然有辦法多一點效率，我就一定要把握。」

「好吧，我會通知嘉蒂雅。」他轉過身去，猶豫了一下，隨即又轉回來。「可是，貝萊先生……」

「什麼事，法斯陀夫博士？」

「昨晚你告訴我，由於情勢太過危急，你無法顧及嘉蒂雅的感受。你特別指出，相較之下那根本不算什麼。」

「的確如此，但請相信我，除非真有必要，我不會去打擾她。」

「我現在說的並不是嘉蒂雅。我只是提醒你，你這個態度基本上很正確，記得要一視同仁地用到我身上。如果你有機會見到瓦西莉婭，我絕不希望你擔心我的感受或尊嚴。雖然我並不期盼你有什麼收穫，但如果你真的見到她，我就甘心忍受隨之而來的任何難堪，而你一定不能對我留情。瞭解了嗎？」

「老老實實告訴你，法斯陀夫博士，我壓根兒沒打算對你留情。如果我必須把你的難堪或羞辱放在天平一端，把你的政策以及地球的興衰放在另一端，兩相比較之下，我會毫不猶豫地羞辱你。」

「很好！還有，貝萊先生，這個態度也必須一視同仁用到你自己身上。你自己的感受同樣不能對我們造成妨礙。」

「你問也沒問我一聲，便私自決定把我找來，我的感受還能礙著什麼事？」

「我指的是另一件事。如果，過了一段時間——不是很長的時間，而是一段合理的時間——你仍然毫無進展，我們終究要考慮使用心靈探測器的可能性。我們的最後一線希望，或許就是在你心靈中找出連你自己都不知道的想法。」

「它也許一文不值，法斯陀夫博士。」

法斯陀夫感慨萬千地望著貝萊。「同意。可是，正如你剛才討論到瓦西莉婭可能成為敵意證人時所說的——那時我們再另做打算吧。」

他再度轉身，走出了這個房間。

貝萊心事重重地望著他的背影。接下來的發展，看來只有兩個可能：如果他有任何斬獲，迎接他的將是某種不明的——但可能很危險的——實質報復；而如果他毫無進展，等著伺候他的則是心靈探測器，那同樣好不了多少。

「耶和華啊！」他暗自嘀咕了一聲。

33

前往嘉蒂雅住處的路程似乎比昨天短了些。陽光再度普照大地，感覺上很舒服，但景色和昨天不太一樣。原因之一，此時陽光當然來自另一個方向，而且顏色似乎有點不同。

可能正是這個緣故，植物在清晨和傍晚看起來——或說聞起來——就是有那麼點差異。貝萊記得自己偶爾也會想到地球的植物同樣如此。

丹尼爾和吉斯卡照例陪在他身邊，但今天他們靠得比較近，而且似乎不再那麼嚴陣以待。

貝萊隨口問道：「這裡是不是天天有大太陽？」

「不是的，以利亞夥伴。」丹尼爾說，「萬一真是這樣，植物就要遭殃了，而人類也將無法倖免。事實上，根據氣象預報，今天一整天都是多雲的天氣。」

「那是什麼？」貝萊突然問。原來有個棕灰色的小動物蹲在草地裡，嚇了他一跳。看到他們後，小動物便從容不迫地跳走了。

「先生，是一隻兔子。」吉斯卡說。

貝萊鬆了一口氣。他在地球的原野間，也曾看過這種動物。

嘉蒂雅這回並未在門口相迎，不過她顯然正在等他們。而當他們被機器人引進屋內，她並沒有起身，便直接以介於蠻橫和厭倦之間的口氣說：「法斯陀夫博士告訴我，你一定要和我再碰一次面，這是怎麼回事？」

她穿著一件緊身的長袍，袍下顯然沒有任何衣物。她的臉色蒼白，頭髮隨隨便便束到腦後。看起來她要比昨天更憔悴，顯然她昨夜沒睡多久。

丹尼爾牢記著昨天的情況，因此並未進屋去。然而，吉斯卡逕自跟了進來，他敏銳地察看一番之後，便退到一個壁凹裡。而另一個壁凹中，則站著嘉蒂雅家的一個機器人。

貝萊說：「真的很抱歉，嘉蒂雅，我不得不再打擾你一次。」

嘉蒂雅說：「昨天我忘了告訴你，等到詹德炬化之後，當然會被機器人工廠回收再利用。我想，知道這點也不錯，這樣一來，以後每當我看到一個新出廠的機器人，就會忍不住聯想到他身上有好些詹德的原子。」

貝萊說：「我們自己死去後，同樣會被大自然回收——誰知道現在你我身上有些什麼人的原子，而我們的原子將來又會到誰身上。」

「你說得非常正確，以利亞。你提醒了我一件事：別人的哀痛總是容易被講成人生哲理。」

「你這話也很正確，但我並不是來談人生哲理的。」

「那麼，該做什麼你就做吧。」

「我必須再問你一些問題。」

「昨天還問得不夠嗎？你回去之後，是不是就一直在想新的問題？」

「這麼說也可以，嘉蒂雅——昨天你曾經說，即便你和詹德在一起之後——我是指做了夫妻——還是有些男士向你求歡，而你一一拒絕了。關於這一點，我一定要問個清楚。」

「為什麼？」

貝萊並未理會她的問題。「告訴我，」他說：「在你和詹德成為夫妻之後，曾有多少男士向你求歡？」

「我並未刻意記下來，以利亞，應該有三、四個吧。」

「其中有沒有人特別堅持？有沒有人向你求歡不只一次？」

嘉蒂雅原本一直在迴避貝萊的目光，這時突然正視著他，問道：「你和別人談論過這件事嗎？」

貝萊搖了搖頭。「除了你，我沒有和任何人談論過。然而，既然你這麼問，我猜至少有一個人特別堅持。」

「是有一個，他叫山提瑞克斯．格里邁尼斯。」她嘆了一口氣，「奧羅拉人有許多古怪的名字，他的名字卻連奧羅拉人都覺得古怪。在這種事情上，我從未碰過像他這麼越挫越勇的人。他總是彬彬有禮，總是帶著微笑接受我的婉拒，還會鄭重其事向我鞠個躬。然後，他很可能下週甚至隔天就會再試一次。這種越挫越勇的行為有點失禮，有教養的奧羅拉人都知道婉拒是無限期的，除非對方明白表示自己改變了心意，否則你就不該捲土重來。」

「請再告訴我一次——那些向你求歡的男士，是否知道你和詹德的關係？」

「我在聊天的時候，不會刻意提這件事。」

「好吧，那麼，我們專門討論一下這個格里邁尼斯。他知不知道詹德是你的丈夫？」

「我從來沒告訴他。」

「別想這麼敷衍過去，嘉蒂雅，這不是你有沒有告訴他的問題。他和別人不同，他曾一試再試。對了，你印象中有幾次？三次？四次？到底多少次？」

「我沒算過。」嘉蒂雅不耐煩地說，「應該有十來次，也許更多。要不是他還算可愛，我會叫機器人將他拒於宅邸之外。」

「啊，但你並未這樣做。而他求歡過那麼多次，前前後後總有一段時間。他常常上門，常常和你見面，就有不少機會注意到詹德，以及你和這個機器人的互動。難道他不會猜到這層關係嗎？」

嘉蒂雅搖了搖頭。「我認為不會。當我接待客人的時候，詹德絕不會闖進來。」

「是你下的指令嗎？根據我的推測，一定是這樣的。」

「沒錯。但你別急著說是因為我羞於承認這層關係，我這麼做，只是為了避免麻煩罷了。我並非奧羅拉人，對於性仍舊保有一些含蓄的本性。」

「你再想想，他會不會多少猜到些？他是個墜入愛河……」

「愛！」她幾乎像是嗤之以鼻，「奧羅拉人懂得什麼是愛？」

「好吧，他是個自認墜入愛河的人，而你卻對他相應不理。害單相思的人總是最敏感也是最多疑的，他怎麼可能不猜呢？想想看！他有沒有旁敲側擊提到過詹德？有沒有任何蛛絲馬跡令你起疑……」

「沒有！沒有！沒聽說過有哪個奧羅拉人會惡意批評別人的性癖好或性習慣。」

「不一定是惡意的，或許只是半開玩笑。總之，可有任何跡象顯示他開始懷疑你們的關係？」

「沒有！如果小格里邁尼斯曾經說過這種話，哪怕只有一個字，他便休想再進我的宅邸，而且我絕不會讓他再接近我──但他不會做這種事的，在我心目中，他是那種最禮貌的典型。」

「你稱他『小格里邁尼斯』，這人到底多大年紀？」

「跟我差不多。我三十五歲，而他或許還要小一兩歲。」

「還是個孩子嘛。」貝萊傷感地說，「甚至比我還小。但在這種年紀……假設他猜到你和詹德的關係，但嘴上不說，什麼也不說。然而，他會不會吃醋呢？」

「吃醋？」

貝萊突然想到這種說法在奧羅拉或索拉利可能都毫無意義。「因為你選擇了別人，而令他感到氣憤。」

嘉蒂雅疾言厲色地說：「我知道『吃醋』是什麼意思，我之所以反問，只是因為難以相信你竟然認為奧羅拉人會吃醋。在奧羅拉，沒有任何人會為了性而吃醋。其他原因當然有可能，但絕不會為了性。」她臉上掛著明顯的冷笑，「即使他吃醋，又有什麼關係？他又能做什麼呢？」

「他有沒有可能告訴詹德，說你和一個機器人產生那種關係，會危及你在奧羅拉的地位……」

「這是不可能發生的！」

「如果詹德聽到這種說法，他很可能會相信——相信他自己正給你帶來危機，帶來傷害。這難道不可能是他心智凍結的原因嗎？」

「詹德絕對不會相信這種說法。我常常告訴他，有他做我的丈夫，我每天都快樂無比。」貝萊竭力保持冷靜。她還沒弄清楚重點，不過沒關係，自己再講明白些就行了。「我絕不懷疑他相信你，但如果有人告訴他完全相反的事，他也有可能覺得自己不得不相信。萬一他陷入了無法承受的第一法則矛盾……」

嘉蒂雅面容扭曲，尖聲叫道：「這太瘋狂了。你剛剛說的簡直是神話，是蘇珊．凱文和那個讀心機器人的翻版。只有不到十歲的小孩，才會相信這種事情。」

「難道不可能……」

「不，就是不可能。我是索拉利人，我對機器人有足夠的瞭解，所以我知道絕無可能。除非是超凡入聖的專家，才有辦法用第一法則困住機器人。法斯陀夫博士或許有這個本事，可是山提瑞克斯．格里邁尼斯絕對沒有。格里邁尼斯是個造型師，他替人修剪頭髮，設計服裝。我的工作和他類似，但我的設計對象是機器人。格里邁尼斯從來不碰機器人，他對機器人一無所知，頂多只會命令他們做些關窗戶之類的工作。你是否想要告訴我，是詹德和我——和我——」她用一根手指使勁戳著自己的胸口，但那嬌小的胸部仍舊並不明顯。「——之間的關係，導致他的死亡？」

「即使如此，也不是你故意的。」貝萊想要到此為止，又忍不住想要繼續刺探。「萬一格里邁尼斯從法斯陀夫博士那兒學到些……」

「格里邁尼斯並不認識法斯陀夫博士，而且，就算法斯陀夫博士傾囊相授，他也完全聽不懂。」

「你無法斷言格里邁尼斯聽得懂或聽不懂什麼，也不能一口咬定他不認識法斯陀夫博士——既然追你追得那麼勤，格里邁尼斯一定常來你這裡……」

「但法斯陀夫博士幾乎不曾來過我的宅邸。昨天他陪你來，僅僅是他第二次跨過我的門檻。他擔心走得太近會把我嚇跑，這點他曾經承認過。他認為，他的女兒就是這麼失去的——雖然這是個愚蠢的想法。你瞧，以利亞，如果你有幾個世紀好活，就會有太多的時間失去太多的事物。對於壽命短這回事，你要心存……心存感激，以利亞。」她再也控制不住自己的淚水。

貝萊顯得（也覺得）愛莫能助。「今天實在很抱歉，嘉蒂雅，我沒有別的問題了。要不要我叫個機器人來？你需要任何協助嗎？」

她搖了搖頭，並對他揮了揮手。「你走吧——走吧。」她以哽咽的聲音說，「走吧。」

貝萊猶豫了一下，隨即大步走出那個房間。當他跨出房門之際，還對她投以最後的、遲疑的一瞥。吉斯卡一直緊跟在他後面，等到他們來到戶外，丹尼爾也湊了上來，而他幾乎都未曾注意。不過，他倒是隱約浮現一個念頭：自己逐漸接受他們的隨侍，把他們當成和影子或衣服一樣，甚至快到了沒有他們就覺得赤身裸體的地步。

他快步走回法斯陀夫的宅邸，一路上腦筋轉個不停。他之所以想見瓦西莉婭，起初只是因為想不出什麼調查對象，甚至可以說走投無路，可是現在情況不一樣了。很有可能，他已在無意間撞見了一個重大線索。

34

貝萊進門時，法斯陀夫繃起了那張其貌不揚的臉孔。

「有任何進展嗎？」他問。

「我把一個可能性排除了一半——或說也許吧。」

「排除了一半？另一半你又要怎麼排除呢？還有，你是怎麼認定有這個可能性的？」

貝萊答道：「我發覺到不可能排除某個可能性，然後就一步步認定了它。」

「這個被你故弄玄虛的可能性，萬一你發現它的另一半同樣無法排除，那該怎麼辦？」

貝萊聳了聳肩。「我們先別把時間浪費在這上面，聽好，我一定要見你的女兒。」

法斯陀夫顯得有些沮喪。「這個嘛，貝萊先生，我照你的要求試著聯絡她，結果我不得不把她叫醒。」

「你的意思是她住在這個世界的另一個角落，而那裡正是黑夜？這點我並未想到。」貝萊覺得相當懊惱，「只怕是我太傻了，以為自己仍在地球上。在那些地底大城裡面，晝夜已經失去意義，大家都使用統一的時間。」

「並沒有那麼糟。厄俄斯城是奧羅拉的機器人學中心，幾乎所有的機器人學家都住在這裡。她只是正在睡覺而已，但既然是被叫醒的，她不可能有什麼好脾氣。總之，她不肯跟我說話。」

「再試一次。」貝萊急切地催促。

「我透過她的祕書機器人溝通過，那種傳話方式令我很不舒服。她擺明了不會以任何方式和我說話，但是願意對你稍加通融。那機器人宣稱，她可以在她的私人顯像頻道上，給你五分鐘的時間，不過你得——」法斯陀夫看了看牆上的計時帶，「半小時內打過去。無論在任何情況下，她都不會和你面對面交談。」

「那種交談方式沒用，時間也太短了。我必須和她面對面，而且要給我充分的時間。你可曾對她解釋過其中的重要性，法斯陀夫博士？」

「我試過，她根本不在乎。」

「你是她的父親，不用說……」

「我對她的影響力還比不上街頭任何一個陌生人，她不太可能會為我改變任何決定。這點我很清楚，所以我用上了吉斯卡。」

「吉斯卡？」

「是啊，吉斯卡是她最寵愛的機器人。當年她在大學攻讀機器人學的時候，曾經自作主張，對他的程式做了輕微的調整——人類和機器人的關係，再也沒有比這更親密的了——當然，嘉蒂雅的方式又另當別論。幾乎可以說，吉斯卡就像是安德魯．馬丁。」

「安德魯．馬丁是誰？」

「他是個歷史人物。」法斯陀夫說，「你從來沒有聽說過他嗎？」

「沒有！」

「多奇怪啊！我們這些古老傳說一律以地球為場景，你們地球人卻通通沒聽過——安德魯．馬丁是個機器人，據說，他一步步逐漸擁有了足以亂真的人形。事實上，在丹尼爾之前，早就出現過人形機器人，但他們全都是簡單的玩具，比發條機器人強不了多少。雖然如此，關於安德魯．馬丁的本事卻被描述得相當驚人——充分顯示這只是傳說而已。在這個傳說中有個女性角色，通常稱為小小姐。他們之間的關係太複雜了，一時之間講不清楚，但我想可以這麼說，奧羅拉每個小女孩都曾夢想自己是小小姐，擁有一個像安德魯．馬丁那樣的機器人。瓦西莉婭也不例外——而吉斯卡就是她的安德魯．馬丁。」

「好，所以呢？」

「我要她的機器人告訴她，吉斯卡會陪你一起去。她已經有很多年沒見到他，因此我想這可能會誘使她答應見你。」

「但我猜並未奏效。」

「沒錯。」

「那麼我們必須想想別的辦法，一定有其他方法能讓她願意見我。」

法斯陀夫說：「或許你能想到。不久之後，你便會透過三維顯像見到她，然後你有五分鐘的時間，說服她相信自己應該跟你碰面。」

「五分鐘！五分鐘能做什麼？」

「我也不知道。無論如何，總比沒有的好。」

35

十五分鐘後，貝萊站在三維顯像螢幕前，準備好和瓦西莉婭．法斯陀夫相見。

法斯陀夫博士早已離去，他走開的時候曾帶著苦笑說，如果自己在場，一定會讓他的女兒態度更加強硬。丹尼爾也不在了，只有吉斯卡留下來陪伴貝萊。

吉斯卡說：「瓦西莉婭博士的顯像頻道已經開通，你準備好了嗎，先生？」

「完全準備好了。」貝萊繃著臉說。他堅持不肯坐下，因為他覺得站著會顯得更有氣勢。

（但一個地球人又能有多少氣勢呢？）

這時室內逐漸變暗，螢幕則顯得越來越亮，一名女子隨即出現其中——一開始的時候，畫面相當不穩定。只見她站在那裡面對著他，右手放在一個擺滿圖表的實驗桌上（毫無疑問，她也打算要有氣勢）。

隨著畫面越來越清晰，螢幕邊緣似乎逐漸融化了，而瓦西莉婭的影像（假設那就是她）慢慢加深，最後變成一個立體圖像。她置身的那個房間在各方面皆真實無比，只不過它的裝潢和貝萊這個房間並不相同，兩者相交之處顯得很不協調。

她穿著一件深褐色褲裙，寬大的褲腳是半透明的材質，膝蓋以下和半個大腿皆隱約可見。她的上身穿著一件無袖的緊身罩衫，整條手臂裸露在外。此外，她的領口開得很低，一頭美麗的金髮則燙得很捲。

她絲毫沒有遺傳到父親的平庸長相，更沒有一對招風耳。因此貝萊只能假設她的母親很漂亮，而她幸運地完全繼承了母系的基因。

她個子不高，而貝萊很快看出她的容貌和嘉蒂雅確實極其相似。只不過相較之下，她的神情冷酷許多，並隱隱透出一股支配慾。

她猛然開口，劈頭就說：「你就是那個來幫我父親消災解難的地球人？」

「是的，法斯陀夫博士。」貝萊以同樣乾脆的方式回答。

「你可以叫我瓦西莉婭博士，我不希望和我父親混淆不清。」

「瓦西莉婭博士，我必須和你面對面談一談，而且要有足夠的時間。」

「顯然你很希望這麼做。但你當然是地球人，所以肯定是個感染源。」

「我已經接受過消毒殺菌處理，現在的我相當安全，你父親和我在一起已經超過一天了。」

「我父親喜歡假扮理想主義者，有時必須做些蠢事來佐證這個假象，我可不要學他。」

「我想你並不希望他受到傷害，如果你拒絕見我，就一定會傷害到他。」

「你是在浪費時間。除了顯像，我不會以任何方式見你，而我給你的時間已經過了一半。如果你覺得不滿意，我們不妨現在就提早結束。」

「吉斯卡也在這裡，瓦西莉婭博士，他想勸你當面見我。」

吉斯卡走進了顯像範圍。「早安，小小姐。」他低聲道。

一時之間，瓦西莉婭顯得有些尷尬，等到終於開口時，她的語氣變得輕柔了些。「我很高興見到你，吉斯卡，也歡迎你隨時來找我。可是我不會接見這個地球人，即使你勸也沒用。」

「既然如此，」貝萊決定要孤注一擲了，「我不得不在未曾和你商議的情況下，便將山提瑞克斯．格里邁尼斯的事公諸於世。」

瓦西莉婭張大了眼睛，她舉起放在桌上的手並緊握成拳。「格里邁尼斯的什麼事情？」

「沒什麼大不了的，只不過他是個英俊的年輕人，而且和你很熟罷了。我是否不必聽你說什麼，就可以自行處理了？」

「我現在就可以告訴你……」

「不。」貝萊大聲說，「除非讓我和你面對面，否則什麼也不必說。」她的嘴角微微抽動。「那麼我答應見你，但我說完就會走人，不會多陪你一秒鐘，這點我有言在先——還有，帶著吉斯卡。」

三維顯像聯線毫無預警地猛然中斷。面對著突變的背景，貝萊覺得一陣天旋地轉，他慢慢走到椅子前面，然後坐了下來。

吉斯卡一直扶著他的手肘，確保他一路平安無事。「我能幫你什麼嗎，先生？」他問。

「我很好，」貝萊說：「我只是需要喘口氣。」

這時，法斯陀夫博士來到他面前。「身為主人的我再次失職了，為此我鄭重向你道歉。你們剛才的對話，我在一個只收不發的分機上全程監聽了。即使她不想見我，我還是想看看我女兒。」

「我瞭解。」貝萊一面說，一面微微喘息。「如果基於禮貌，你必須為這件事道歉，那麼我願意接受。」

「可是那個山提瑞克斯．格里邁尼斯到底是怎麼回事？這名字聽來很陌生。」

貝萊抬起頭，望著法斯陀夫說：「法斯陀夫博士，我也是今天早上，才從嘉蒂雅口中聽到這個名字的。我對他知道得非常少，但我還是放手一搏，跟你女兒說了那番話。我的勝算小得可憐，雖然如此，結果卻正好如我所願。你都看到了，就算掌握的訊息少之又少，我還是可以做出有用的推論，所以你最好放手讓我繼續這麼做。從今以後，拜託了，請百分之百和我合作，再也別提什麼心靈探測器了。」

法斯陀夫陷入了沉默，貝萊則感到一種冷酷的成就感，短短幾分鐘，他已一前一後將自己的意志加諸一對父女身上。

至於這種情勢能持續多久，他並不知道。

第九章　瓦西莉婭

36

貝萊在氣翼車的門邊停下腳步，語氣堅定地說：「吉斯卡，我不希望把車窗調成不透明，也不希望坐到後面。我想要坐在前座，觀看戶外的風景。既然我一定會坐在你和丹尼爾之間，除非整部車遭到摧毀，我的安全應該不成問題。而如果真發生那種事，我們通通無法倖免，我坐哪裡並沒有任何差別。」

面對如此強而有力的聲明，吉斯卡採取更恭敬的態度來回應。「先生，萬一你覺得不舒服……」

「那麼你就把車停下來，讓我爬到後座，你還可以把後車窗調成不透明。或者你根本不必停車，即使車子仍在前進，我還是能從前座爬到後面去。我要強調的是，吉斯卡，我非常需要盡可能熟悉奧羅拉，而且無論如何，我也非常需要熟悉戶外的環境。我把這句話當成命令來說，吉斯卡。」

丹尼爾輕聲說：「吉斯卡好友，以利亞夥伴的要求相當合理，他會很安全的。」

吉斯卡讓步了（或許有點勉強，但由於他的臉孔似人非人，貝萊無法準確解讀他的表情），逕自坐到駕駛座上。貝萊跟著進去，隨即從透明的擋風玻璃向外望，不禁感到有些心虛，自己似乎把話說得太滿了。然而，左右兩側各坐一個機器人，的確讓他心安不少。

藉著壓縮空氣形成的噴流，氣翼車微微騰空，然後稍稍搖晃了一下，彷彿正在尋找立足點。貝萊覺得腹部有一種翻騰的感覺，忍不住對剛才的豪情壯志有點後悔。雖說丹尼爾和吉斯卡絲毫沒有懼色，他卻無法藉此鼓勵自己；他們是機器人，根本不懂得什麼叫恐懼。

然後，車子突然向前衝，貝萊便覺得自己緊緊黏在椅背上。不到一分鐘，他們就加速到了大城捷運的速度，只見一條寬廣且長滿青草的路徑不斷向前迅速延伸。

由於兩側全是綠油油的不規則地形，並沒有任何熟悉的燈光或建築物，因此在感覺上，目前的速度甚至超過大城的捷運。

貝萊努力維持呼吸的均勻，說話時也盡量像是在閒話家常。

他說：「我們似乎並未經過任何農地，丹尼爾，這些好像都是原野。」

丹尼爾答道：「這裡仍是這座大城市的一部分，以利亞夥伴，這些都是私人的屬地。」

「大城？」貝萊無法接受這個說法，他知道大城是什麼樣子。

「厄俄斯城是奧羅拉上最大且最重要的城市，也是歷史最悠久的。奧羅拉世界立法局就設在此地，立法局主席的屬地也在這裡，不久我們就會經過。」

它居然不只是城市，還是最大的一個。貝萊左顧右盼了一番，又說：「我有個印象，法斯陀夫和嘉蒂雅的宅邸都在厄俄斯城的郊區，所以我想，現在我們已經離開厄俄斯城的範圍了。」

「還早得很，以利亞夥伴，我們剛通過城中心而已。城市的界線在七公里之外，從那裡再往前走將近四十公里，才是我們的目的地。」

「城中心？我沒看見任何建築啊。」

「在路上當然看不見，這是故意的。不過你從這些樹叢望出去，還是勉強看得到一棟，那是名作家弗德．拉博的宅邸。」

「這些宅邸你通通一眼就能認出來嗎？」

「它們都在我的記憶庫裡。」丹尼爾嚴肅地說。

「一路上都沒有其他車輛，又是什麼原因呢？」

「長途交通工具主要是飛車和地下磁車，而三維視訊……」

「索拉利人稱為顯像。」貝萊說。

「我們口語也這麼說，但三維視訊聯線是比較正式的說法，大多數的通訊靠它就行了。久而久之，奧羅拉人都變得喜歡散步，只要不趕時間，無論訪友或洽談公事，經常會有人一走就是幾公里。」

「而我們要去的地方，徒步太遠，飛車又太近，可是我又不想用三維顯像——所以我們開這輛地面車。」

「嚴格來說是氣翼車，以利亞夥伴，不過我想，它可以算是一種地面車。」

「開到瓦西莉婭的宅邸要多少時間？」

「要不了多久，以利亞夥伴。或許你知道，她住在機器人學研究院。」

沉默了一陣子之後，貝萊又說：「那邊的地平線看來烏雲密布。」

這時吉斯卡正以高速開過一個彎道，氣翼車傾斜了大約三十度。貝萊險些發出一聲呻吟，身體則緊貼著丹尼爾。丹尼爾先伸出左手抱住貝萊的肩頭，隨即雙手像老虎鉗般將他的雙肩緊緊抓牢。直到氣翼車恢復正常姿勢，貝萊才慢慢吁了一口氣。

丹尼爾說：「是的，根據氣象預報，那些雲稍後就會化為雨水。」

貝萊皺起了眉頭。他曾經淋過一次雨——一次而已——那是他們在地球戶外的田野實習的時候。那種感覺很像穿著衣服站在蓮蓬頭下面，可是當他突然想到，根本沒有任何辦法關掉這個冷水浴，一時之間不禁驚慌失措——這場雨可能永遠下不停！然後，眾人紛紛拔腿飛奔，而他也不落人後，大家一起衝向既乾爽又受掌控的大城。

但這裡是奧羅拉，他不曉得一旦下雨該怎麼應變，至少沒有大城可以躲進去。跑到最近的一座宅邸嗎？主人一定歡迎這些落湯雞嗎？

等到又轉了一個小彎之後，吉斯卡開口道：「先生，我們已經抵達機器人學研究院的停車場。下車後，我們就能走去瓦西莉婭博士建在研究院裡的宅邸。」

貝萊點了點頭。這趟旅程大約花了十五到二十分鐘（這是他的判斷，並且是用地球時間），而他很高興總算結束了。他有點氣喘吁吁地說：「在我和法斯陀夫博士的女兒見面之前，我想對她多做點瞭解。你不認識她吧，丹尼爾？」

丹尼爾說：「當我出廠的時候，法斯陀夫博士和他女兒已經分開好一陣子了。我從來沒有見過她。」

「不過，吉斯卡，你倒是和她彼此很熟吧，對不對？」

「是的，先生。」吉斯卡硬邦邦地說。

「而且你們彼此很有好感？」

「先生，我相信，」吉斯卡說：「只要和我在一起，法斯陀夫博士的女兒就會感到快樂。」

「你和她在一起的時候也快樂嗎？」

「我和任何人類在一起都會有這樣的感覺，而我認為那就是人類所謂的『快樂』。」吉斯卡似乎是在字斟句酌。

「但是和瓦西莉婭在一起的時候特別有感覺，我猜得對嗎？」

「她和我在一起所感受到的快樂，」吉斯卡說：「似乎的確刺激了我的正子電位，使我產生等同於人類的快樂反應。至少，法斯陀夫博士是這麼告訴我的。」

貝萊突如其來地問道：「瓦西莉婭為何離開她的父親？」

吉斯卡卻沒有回答。

貝萊忽然以地球人教訓機器人的蠻橫口吻說：「我在問你問題，小子。」

吉斯卡轉過頭來凝視著他，貝萊一時之間不禁擔心，自己說話這麼不客氣，搞不好會讓這個機器人雙眼噴出憤恨的火光。

然而，當吉斯卡終於開口的時候，不但口氣很溫和，也並未流露出任何眼神。「我很想回答，先生，可是關於她搬出去這件事，瓦西莉婭小姐當時便命令我什麼也不能說。」

「可是現在我命令你照實回答，如果覺得有必要，我還可以用萬分堅決的方式命令你。」

吉斯卡說：「很抱歉，早在那個時候，瓦西莉婭小姐已經精通機器人學了，所以不管你現在說什麼，先生，她給我的命令仍舊屹立不搖。」

貝萊又說：「對，想必她精通機器人學，因為法斯陀夫博士告訴過我，她偶爾會改寫你的程式。」

「這樣做並沒有危險，先生。若有任何差錯，法斯陀夫博士自己總是可以修正過來。」

「他有必要這麼做嗎？」

「從來沒有，先生。」

「那些改寫屬於什麼性質？」

「都是無關緊要的，先生。」

「或許吧，但請你幫個忙，她到底對你做了些什麼？」

吉斯卡遲疑了一下，貝萊立刻知道那代表什麼意思。然後這機器人便說：「關於這些改寫的問題，只怕我一律無法回答。」

「你有什麼禁令嗎？」

「沒有，先生，可是在改寫過程中，以前的種種都被自動消除了。因此，如果真有什麼改變，我就不再保有改變之前的記憶，於是在我自己看來，就好像我始終都是如此。」

「那麼你又如何知道那些改寫無關緊要呢？」

「因為，法斯陀夫博士從不認為瓦西莉婭小姐的改寫需要做任何修正——至少他是這麼告訴我的——所以我只能假設那些改寫通通無關緊要。你可以當面問問瓦西莉婭小姐，先生。」

「我會的。」貝萊說。

「然而，先生，只怕她是不會回答的。」

貝萊心一沉。目前為止，他只偵訊過法斯陀夫博士、嘉蒂雅，以及兩名機器人，他們全都有百分之兩百的理由和他合作。而現在，他將首次面對一個並不友善的偵訊對象。

37

貝萊走出停在一塊草坪上的氣翼車，腳底重新有了踏實的感覺，這點令他頗為高興。

他四下張望一番，不禁有些驚訝，因為周遭的建築竟然相當擁擠。其中，要數他右手邊那座特別高大，但它看起來很樸實，幾乎就像一個由金屬和玻璃組成的巨大方塊。

「那就是機器人學研究院？」

丹尼爾答道：「整個建築群都是這所研究院，以利亞夥伴，你現在只看到一部分而已。由於是個自給自足的行政區，所以房舍的密度遠超過奧羅拉的一般標準。它們包括了宅邸、實驗室、圖書館、社區體育館等等，最大的那一棟則是行政中心。」

「一眼就能看到這麼多建築，真不像奧羅拉——根據我對厄俄斯城的瞭解，我至少敢這麼說——我相信應該有不少反對聲浪吧。」

「我也相信確實如此，以利亞夥伴，但研究院的首長和主席很熟，而主席又很有影響力，因此據我所知，他們以研究需要的理由獲得了特許。」丹尼爾若有所思地環顧四周，「的確比我想像中還要擁擠。」

「比你想像中？你以前從來沒有到過這裡嗎，丹尼爾？」

「沒有，以利亞夥伴。」

「你呢，吉斯卡？」

「也沒有，先生。」吉斯卡答道。

貝萊說：「但你們毫無困難就找到這裡來——而且對此地似乎相當熟悉。」

「既然我們必須陪你來，以利亞夥伴，」丹尼爾說：「我們事先掌握了充分的資料。」

貝萊若有所悟地點了點頭，然後說：「法斯陀夫博士為何不跟我們一起來呢？」但他隨即再一次說服自己，這種冷不防的伎倆用在機器人身上毫無意義。無論多麼迅速——或多麼出其不意——對機器人發問，他們仍會等到將問題消化吸收之後才做出回答。他們永遠沒有冷不防的時候。

丹尼爾答道：「正如法斯陀夫博士所說，他自己並不是研究院的一員，所以覺得並不適合不請自來。」

「但他為什麼不是呢？」

「他從來沒有告訴我箇中原因，以利亞夥伴。」

貝萊將目光轉向吉斯卡，後者立刻回答：「我也不知道，先生。」

真的不知道？還是奉命這麼說？貝萊聳了聳肩——真相如何並不重要。正如人類能夠說謊，機器人也能奉命不說實話。

當然，如果偵訊的手段足夠高明或足夠兇殘，人類就可能由於疏忽或恐懼而吐露實情；同理，如果偵訊的手段足夠高明或不擇手段，同樣有可能騙得機器人不再謹守命令——可是，這兩種偵訊方式並不相同，而貝萊對後者一竅不通。

他問：「我們要到哪裡去找瓦西莉婭．法斯陀夫博士？」

丹尼爾答道：「她的宅邸就在正前方。」

「所以說，你們已經獲悉它的位置？」

「早就印記在我們的記憶庫中，以利亞夥伴。」

「好吧，那就由你帶路。」

這時橙色的太陽正高掛天空，顯然已經快到正午時分了。他們在接近瓦西莉婭的宅邸之際，不知不覺走進了廠房的陰影中，貝萊立刻感到溫度下降，不由自主打了一個冷顫。

不久的將來，地球人也得去佔領並開拓那些沒有大城的世界——非但溫度完全不受控制，還會出現種種難以逆料的愚蠢變化，想到這裡，他不禁緊緊抿起嘴來。與此同時，他還惴惴不安地注意到，地平線那端的烏雲有迫近的趨勢。說不定什麼時候就會開始下雨，而且雨水會像瀑布般傾瀉而下。

地球啊！他多麼懷念那些大城。

吉斯卡率先走進那座宅邸，丹尼爾則伸出手臂，不讓貝萊跟上去。

當然啦！吉斯卡得先偵察一番。

其實，丹尼爾也沒閒著。他正以人類望塵莫及的注意力，仔細掃瞄周遭的環境。貝萊確信，他們的機器眼必定萬無一失。（但他也不禁納悶，為何不能在機器人的腦袋上前後左右各裝一隻眼睛——或者索性安裝一整圈的感光環。當然，丹尼爾不能那麼做，因為他的外表必須人模人樣，可是吉斯卡有何不可呢？莫非那樣便會增加視覺的複雜度，使得正子徑路無法負荷？有那麼片刻，貝萊隱約體會到了機器人學家終日所面對的複雜難題。）

吉斯卡走了出來，在門口點了點頭。丹尼爾恭謹地用手臂輕觸貝萊一下，兩人隨即邁開腳步。

房門半開著。瓦西莉婭的宅邸並沒有裝設門鎖，不過（貝萊突然憶起）嘉蒂雅和法斯陀夫博士的宅邸同樣沒有。稀疏的人口以及分散的居住方式皆有助於保障隱私，而在這方面，奧羅拉人彼此互不干擾的風俗無疑也有幫助。此外仔細想想，無所不在的機器僕傭要比任何門鎖更加有效。

丹尼爾在貝萊的上臂輕輕施壓，示意貝萊停下腳步。這時，走在前面的吉斯卡正和兩個外形很像他的機器人低聲交談。

貝萊突然覺得腹部竄出一股寒意。萬一有人偷偷將吉斯卡換成另一個機器人，那會怎麼樣？自己能夠看出他遭到掉包嗎？能夠分辨兩者的差異嗎？還是會任由一個並未接受特別命令的機器人保護自己，一旦出現狀況，他勢必無法迅速回應，致使自己置身險境？

貝萊努力控制自己的口氣，冷靜地問丹尼爾說：「這些機器人看起來還真像，丹尼爾，你分得出來嗎？」

「當然分得出來，以利亞夥伴。他們的服飾不太一樣，他們的編號也各不相同。」

「在我眼中沒什麼兩樣。」

「你還不習慣留意那些細節。」

貝萊再度凝視一番。「哪有什麼編號？」

「其實顯而易見，以利亞夥伴，不過一來你要知道該往哪裡看，二來你的眼睛對紅外線的敏感度必須超過人眼。」

「好吧，所以說，當我必須分辨的時候，其實根本辨不到，對不對？」

「沒那回事，以利亞夥伴。任何機器人，只要你詢問他的全名和序號，他都會告訴你。」

「即使他奉命提供我假資料？」

「怎麼會有機器人奉命做這種事？」

這點，貝萊決定不予解釋。

吉斯卡總算溝通完畢，回身對貝萊說：「先生，她準備接見你了，請走這邊。」

於是，原先那兩個機器人開始帶路。貝萊和丹尼爾尾隨在後，為了保險起見，丹尼爾的手一直沒有離開貝萊。

吉斯卡則走在最後面。

在一道雙扇門之前，那兩個機器人停了下來，那道門隨即左右開啟，顯然是自動操作的。門後的空間瀰漫著一種灰暗的光線——那是穿透了厚重窗簾的陽光。

雖然不算非常清楚，貝萊仍看得出屋內有個嬌小的人形，此人半坐在一個高腳凳上面，一隻手肘放在一張橫跨整個房間的長桌上。

貝萊和丹尼爾走了進去，吉斯卡緊跟在他倆後面。房門自動關了起來，使得室內更加昏暗。

一個女性聲音猛然響起：「別再靠近！就待在那裡！」

下一瞬間，室內注滿了明亮的陽光。

38

貝萊眨了眨眼，抬頭向上望去。透過玻璃材質的天花板，他可以直接看到太陽。然而奇怪的是，雖然射入室內的陽光好像沒有任何異樣，太陽卻似乎暗得出奇，而且還可以直視。想必是那些玻璃（總之是某種透明材質）雖然不吸收陽光，卻會令光線充分漫射。

他收回視線，轉而望向那位仍端坐在高凳上的女子，問道：「瓦西莉婭．法斯陀夫博士嗎？」

「我不借用別人的姓氏，如果你想稱呼我的全名，那麼我是瓦西莉婭．茉露博士。但你可以叫我瓦西莉婭博士，這是我在研究院裡通常使用的名字。」然後，她一改先前的嚴厲口吻，柔聲說道：「我的老友吉斯卡，你好嗎？」

吉斯卡答道：「我向你……」他頓了頓，然後又說：「我向你問好，小小姐。」他的語氣聽起來跟平常很不一樣。

瓦西莉婭微微一笑。「而這位，我猜，就是我久仰大名的人形機器人——丹尼爾．奧利瓦？」

「是的，瓦西莉婭博士。」丹尼爾答得很乾脆。

「最後，還有這個——地球人。」

「以利亞．貝萊，博士。」貝萊硬邦邦地說。

「對，我曉得地球人個個也有名字，例如你叫以利亞．貝萊。」她冷冷地說，「你一根汗毛也不像超波劇裡扮演你的那名演員。」

「這點我曉得，博士。」

「然而，扮演丹尼爾的人倒是十分像，不過我想，你們並不是來討論那齣戲的。」

「沒錯。」

「我猜，地球人，你們來找我的目的，是要談談你所謂的那個關於山提瑞克斯．格里邁尼斯的問題，而且要當下做個了結，對嗎？」

「並不盡然，」貝萊說：「雖然我想我們會談到這件事，但它並非我登門造訪的主要原因。」

「是嗎？難道你認為無論你選擇什麼話題，我都願意和你進行繁複而冗長的討論？」

「我想，瓦西莉婭博士，你的上上之策，應該是允許我照自己的意思主導這場晤談。」

「這是威脅嗎？」

「不是。」

「好吧，我從未遇見過任何地球人，有興趣見識一下你和那個演員到底有多像——我的意思是，除了長相之外。你本人當真和戲裡一樣出色嗎？」

「那齣戲，」貝萊的語氣帶著明顯的嫌惡，「實在太過戲劇化，而且把我的個性在各方面都誇大扭曲了。我寧願你接受我的本來面目，並且完全根據你現在對我的觀感來評斷我這個人。」

瓦西莉婭笑了幾聲。「至少你似乎並不怎麼怕我，這點對你有利。或者你認為，你心中那件關於格里邁尼斯的事，足以讓你對我頤指氣使？」

「我來此地只有一個目的，就是調查那個人形機器人詹德·潘尼爾死亡的真相。」

「死亡？這麼說，他曾經是活的？」

「我用『死亡』代替『被動終止運作』之類的說法，這兩個字會造成你的困擾嗎？」

瓦西莉婭說：「你很會辯解——德伯瑞，幫這個地球人拿張椅子。如果這段對話沒完沒了，他會越站越累的。然後就回到你的壁凹去，而你，丹尼爾，自己也選一個待著——吉斯卡，過來我身邊。」

貝萊坐了下來。「謝謝你，德伯瑞——瓦西莉婭博士，我不具備偵訊你的官方身份，我也沒有什麼合法的方式能強迫你回答我的問題。然而，詹德·潘尼爾之死已經令你的父親陷入某種困境……」

「令誰陷入某種困境？」

「你的父親。」

「地球人，有時我會將某人稱為我的父親，但別人可不能這麼做，請改用適當的稱呼。」

「漢．法斯陀夫博士，他是你的父親，難道這並非事實嗎？沒有記錄可查嗎？」

瓦西莉婭說：「你這是生物學的說法。我和他確實擁有共同的基因，在你們地球上，就會把這種關係稱為父女。可是在奧羅拉，除非涉及醫療和遺傳上的問題，我們一點也不重視這種關係。我可以想像如果我的新陳代謝不正常，那麼我大可聲稱，就生理學和生物化學而言，和我擁有共同基因的人——父母、手足、子女等人同樣不能倖免。除此之外，在文明的奧羅拉社會，一般是不會談論這種關係的。因為你是地球人，我才對你解釋這一點。」

「如果我觸犯了什麼禁忌，」貝萊說：「那純屬無心之失，我願鄭重道歉。剛才提到的那位男士，我可以用名字稱呼他嗎？」

「當然可以。」

「那麼，就是詹德之死已經令漢．法斯陀夫博士陷入某種困境，而我假設你仍然很關心他，願意對他伸出援手。」

「你這麼假設嗎？為什麼？」

「他是你的……他把你養大，他照顧你多年，你們彼此曾有很深的感情。直到今天，他對你仍有很深的感情。」

「這是他告訴你的？」

「我們交談之際，很多小地方都讓我明顯有這種感覺——甚至那個索拉利女子嘉蒂雅．德拉瑪也是跡象之一，他之所以對她關懷備至，只是因為她長得很像你。」

「這是他告訴你的？」

「是的，但即便他沒說，誰也看得出你倆長得很像。」

「雖然如此，地球人，我對法斯陀夫博士卻毫無虧欠。你可以取消這個假設了。」

貝萊清了清喉嚨。「姑且不論你對他有沒有什麼私人感情，這件事還牽涉到了銀河的未來。法斯陀夫博士一直希望由人類來探索和開拓新世界，萬一詹德之死所引發的政治效應導致這項任務由機器人取而代之，法斯陀夫博士相信那將帶給奧羅拉和全人類萬劫不復的災難。這件事，你絕不會想成為幫兇吧。」

瓦西莉婭緊盯著對方，以漠不關心的口吻說：「如果我同意法斯陀夫博士的看法，那麼我當然不會。但事實並非如此，我看不出讓人形機器人開拓銀河有什麼害處。事實上，我加入這所研究院，就是為了實現這個理想。我是一名母星黨員，而法斯陀夫博士屬於人道黨，所以他是我的政敵。」

她的回答既簡潔又直接，半個字也沒多講。每說完一句話，她總會明確地閉上嘴巴，彷彿是在興味盎然地等著下一個問題。而貝萊則覺得，自己一來令她感到好奇，二來也勾起了她的興趣——下一個問題會是什麼呢？她似乎在心中和自己打賭。因此她打定主意不多透露半點口風，以迫使他必須繼續發問。

他接著問的是：「你加入這所研究院已經很久了嗎？」

「我是創始成員之一。」

「你有很多同事嗎？」

「我敢說，奧羅拉的機器人學家約有三分之一都是我的同事，不過，其中大約只有一半真正在院內工作和居住。」

「關於利用機器人探索新世界這回事，研究院其他成員也都認同你的觀點嗎？他們是否一致反對法斯陀夫博士的觀點？」

「我猜他們大多數都是母星黨員，但關於這件事，據我所知我們並未做過表決，甚至未曾正式討論過。你最好逐一詢問他們的意見。」

「法斯陀夫博士也是研究院的成員嗎？」

「不是。」

貝萊等了一下，但除了「不是」兩字，她並未進一步加以說明。

他說：「這難道不奇怪嗎？我會認為他比任何人都更有資格成為你們的一員。」

「偏偏我們不想要他，而他也不想要我們，後者或許是比較次要的原因。」

「這不就更奇怪了嗎？」

「我可不這麼想。」然後，彷彿心中有股怒火令她不吐不快，她又說：「他住在厄俄斯城，我想你應該知道這個地名的典故吧，地球人？」

貝萊點了點頭，答道：「厄俄斯是古希臘的曙光女神，正如奧羅拉是古羅馬的曙光女神。」

「完全正確。漢．法斯陀夫博士住在曙光世界中的曙光之城，但他自己卻對曙光欠缺信仰。例如，我們得用什麼方式才能擴展到全銀河，將太空族的曙光提升為整個銀河的白晝，他就完全不瞭解。要完成這項壯舉，唯一實際可行的辦法就是利用機器人來探索銀河，他不接受這個理念，就等於不接受我們。」

貝萊慢條斯理地說：「它為什麼是唯一實際可行的辦法呢？比方說，探索和開拓奧羅拉以及其他太空族世界的都是人類，而並非機器人。」

「不，不是人類，而是地球人。但那是個既沒效率又浪費資源的過程，所以我們絕不會再讓地球人擔任拓荒者。我們已經蛻變成太空族，不但自己健康長壽，我們的機器人也極為先進，相較於當年參與開拓太空族世界的機器人，無論就功能或靈活度各方面而言，我們的機器人都不知優秀了多少倍。物換星移，時代完全不同了——如今唯有以機器人探索新世界，才是可行之道。」

「我們姑且假設真理站在你這邊，而不在法斯陀夫博士那兒，但即便如此，他的觀點仍相當理性。他和研究院為何就不能彼此接納呢？僅僅因為這一點點的歧見嗎？」

「不，相較之下，這點歧見不算什麼。雙方的觀點，其實還有更基本的衝突。」

貝萊照例等了一下，而她照例未做任何補充。他覺得此時不宜表現出任何不滿，因此心平氣和、近乎試探般地問：「更基本的衝突又是什麼呢？」

「我想，除非有人對你說明，否則你是猜不出來的。」瓦西莉婭的聲音忠實反映出她所感受到的樂趣，就連她的表情都變得柔和不少，而且有那麼片刻，她看起來更像嘉蒂雅了。

「我之所以發問，正是這個緣故，瓦西莉婭博士。」

「好吧，地球人，我聽說你們的同胞都相當短命。這件事，我應該沒搞錯吧？」

貝萊聳了聳肩。「我們有些人能活到一百歲，我是指地球時間。」他稍微想了想，「大概是一百三十個公制年吧。」

「你今年幾歲？」

「標準年四十五歲，公制年六十歲。」

「我今年六十六公制歲，我預期至少還能再活三個公制世紀——只要我足夠小心。」

貝萊雙手一攤。「恭喜你。」

「這樣也有缺點。」

「今天早上有人告訴我，在這三、四個世紀當中，你有機會失去很多很多東西。」

「只怕正是如此，」瓦西莉婭說：「可是，也有機會獲得很多很多東西。整體而言，算是扯平了。」

「那麼，所謂的缺點又是什麼呢？」

「你一定不是科學家吧。」

「我是一名便衣刑警——其實也就是警察。」

「但你或許認識一些地球上的科學家。」

「我遇見過幾個。」貝萊謹慎地回答。

「你知道他們的工作模式嗎？據說基於需要，地球科學家總是互相合作。在他們短暫的生命中，頂多只有半個世紀能全力投入工作。算起來還不到七十個公制年，這麼一點時間，做不了太多事情。」

「我們有些科學家，根本沒花多少時間，就得到了相當豐碩的收穫。」

「那是因為他們不但受惠於前人的成果，還懂得利用同輩的成果助自己一臂之力，你說對不對？」

「當然對。我們有個超越時間和空間的科學社群，大家各盡所能，各取所需。」

「完全正確，這是唯一的辦法了。每個科學家都明白，僅憑一己之力不太可能有太大的收穫，於是不得不加入那個社群，不得不和他人交換情報。唯有這樣做，科學才能突飛猛進。」

「奧羅拉和其他太空族世界難道不也是這樣嗎？」貝萊問。

「理論上如此，實際上卻幾乎沒有。在一個長壽的社會中，壓力相對小得多。我們的科學家能用三到三個半世紀的時間，專心研究一個問題，因此逐漸有人認為，自己即使單打獨鬥，也有機會得到重大的進展。久而久之，就滋生出一種學術性的貪婪——想要自己獨力完成某項研究，將科學進展的某個面向視為私產；寧願眼睜睜看著整體發展慢下來，也不願捨棄自己心目中的禁臠。結果，太空族世界的整體科學發展就真的變慢了，甚至到了難以超越地球的地步，雖說我們掌握了極大的優勢。」

「我想，若非你覺得漢．法斯陀夫博士就是這樣的人，絕不會對我說這些。」

「他當然是這樣的人。人形機器人之所以誕生，主要歸功於他對正子腦所做的理論分析。他就是利用這個理論，在已故的薩頓博士協助下，造出了你的機器人朋友丹尼爾。可是其中的重要細節，他非但沒有正式發表，甚至不肯和任何人分享。就這樣，他——他一個人——箝制住了人形機器人的發展命運。」

貝萊皺起眉頭。「而機器人學研究院則致力推動科學家之間的合作？」

「完全正確。這所研究院由上百位背景各異的一流機器人學家組成，而且我們希望將來能在其他世界設立分院，讓它成為一個星際組織。我們每一位成員都樂於將各自的發現或發明貢獻出來，累積成共同的資產——為了大我的福祉，我們自願這麼做，不像你們地球人，是因為短命而不得不然。

「然而，漢．法斯陀夫博士卻不願這麼做。我很清楚，你認為漢．法斯陀夫博士是個懷有崇高理想主義的忠貞人士，可是他不願將那些被他視為己有的智慧財，貢獻到共同資產中，因此我才說，他不想要我們。而正因為他把科學發現視為個人的財產，我們也不想要他。我想，你該不會再覺得我們的互相排斥有什麼神祕的了。」

貝萊點了點頭，然後說：「這種自願放棄個人榮耀的作法，你認為會成功嗎？」

「非成功不可。」瓦西莉婭繃著臉說。

「而藉著群策群力，貴院是否已經趕上法斯陀夫博士的個人成就，自行發現了人形正子腦的理論？」

「假以時日，我們一定做得到。」

「你們從未試圖說服法斯陀夫博士別再保密，以縮短這個時程？」

「我想我們正準備這麼做。」

「利用詹德一案的醜聞嗎？」

「我認為你實在沒必要提出這個問題——好啦，你想知道的事，我是不是通通告訴你了，地球人？」

貝萊說：「你還告訴我好些我不知道的事。」

「那麼現在，輪到你跟我講講格里邁尼斯的事了，你為何要把這個理髮匠的名字跟我扯在一起？」

「理髮匠？」

「他自認是藝術家，什麼髮型設計師之類的，但講來講去他就是理髮匠。跟我說說他這個人，否則我們就結束這場晤談吧。」

貝萊覺得疲憊不堪。他明顯感到瓦西莉婭喜歡這種言詞交鋒——她三言兩語便吊足他的胃口，而現在，他不得不拿自己的情報來換取更多的訊息。問題是他並沒有什麼情報，頂多只有一些猜測罷了。只要他猜錯一件事，而且大錯特錯，那他就完了。

因此他決定主動出擊。「你應該瞭解，瓦西莉婭博士，關於你自己和格里邁尼斯之間的糾葛，並非你假裝那只是笑話就能躲過的。」

「有何不可？明明就是笑話。」

「喔，絕對不是。如果真是笑話，你當場就會嘲笑我一番，然後切斷三維顯像。光是你願意放棄原先的堅持，同意我拜訪你——光是你跟我談了那麼久，還主動告訴我那麼多——就代表你明白承認，你覺得我可能已經拿刀架到你的咽喉上了。」

瓦西莉婭緊繃著下巴，用低沉而憤怒的聲音說：「聽好了，小小地球人，我在此的地位並不穩固，這點或許你也知道。我是法斯陀夫博士的女兒，因而研究院裡有些極為愚蠢——或極為狡詐的人——便對我懷有疑慮。我並不清楚你聽到了——或編造了什麼樣的故事，反正我確定它多少是個笑話。可是話說回來，不管多麼可笑，有心人士還是能用它來對付我，所以我願意跟你做這筆交易。我已經告訴你一些事，甚至可以說得更多，但你必須先告訴我到底你掌握了什麼資料，並說服我相信你所說的句句屬實。所以趕緊開始吧。

「如果你想跟我玩什麼花樣，我會立刻把你踢出去——我的處境不會因此變得更糟，但至少可以開心一下。此外，我會動用一切關係對主席下功夫，讓他取消對你的邀請，盡快把你送回地球。目前已有許多壓力要求他這麼做，你絕不會希望我再加把勁。

「說吧！趕快！」

39

貝萊有個衝動，想要直接切入問題的核心，看看自己到底猜得對不對。可是，他覺得那樣行不通。她絕不笨，馬上會看出他在做什麼，然後出言制止。他知道，自己已經摸對了方向，可不想因此前功盡棄。她剛才說由於那一重父女關係，她的地位並不穩固，這或許是實情，可是，她竟然怕到了願意接見他的程度，就表示她擔心他心中所想的並非純然只是笑話。

他必須透露一點口風，而且份量要足夠，這樣才能一舉奪回主導權。因此——這是一場豪賭。

他開口便說：「山提瑞克斯．格里邁尼斯曾經對你求歡。」然後，他趕在瓦西莉婭做出回應之前，又用更嚴厲的口吻加碼，「不止一次，而是很多次。」

瓦西莉婭先是雙手緊扣放在膝頭，然後，彷彿想要坐得舒服些，她向後挪了挪身子，整個人坐上了高凳。她還看了吉斯卡一眼，只見他仍一動不動、面無表情地站在她身邊。

然後她望著貝萊說：「好吧，那個白癡見到任何人都會求歡，年齡性別通通不拘。如果他沒注意到我，那我可就異於常人了。」

貝萊揮揮手，做了一個不予置評的手勢。（她並沒有發笑，也沒有打算結束這場晤談，甚至沒有表現出一絲惱怒。她等著看這句話能讓他如何借題發揮，由此可知，他的確在某方面制住了她。）

他說：「這麼講也太誇張了，瓦西莉婭博士。一個人無論多不挑剔，也不會完全沒有選擇，而就這個格里邁尼斯而言，他的選擇就是你。雖然你拒絕接受，他卻置奧羅拉習俗於不顧，繼續不斷向你求歡。」

瓦西莉婭說：「我很高興你知道我拒絕了他。有些人覺得基於禮貌，無論任何人向你求歡，你都應該一律──或盡可能接納，但我並不這麼想。對於那些只會浪費時間的無聊行為，我看不出為何必須委曲自己。我的話有沒有引起你任何反感，地球人？」

「關於奧羅拉的習俗，我沒有任何正面或負面的意見。」（她仍在等待，所以聽得很專心。到底她在等什麼呢？難道就是他想說卻不確定自己敢不敢說的那句話？）

她故作輕鬆地說：「你到底還有沒有什麼想說的──或是我們講完了？」

「還沒完。」貝萊現在不得不再賭一把，「你看出格里邁尼斯具有那種越挫越勇的反奧羅拉作風，於是你想到可以好好利用一番。」

「真的嗎？多瘋狂啊！我又能怎樣好好利用呢？」

「既然他對你的迷戀顯然非常強烈，只要略施小計，不難讓他迷戀上另一個非常像你的人。你在背後慫恿他，或許還對他做出承諾：如果他又遭到拒絕，你就會接納他。」

「那個非常像我的倒楣女子是誰呢？」

「你不知道嗎？得了吧，別故作天真狀，瓦西莉婭博士。我指的當然就是那個索拉利女子嘉蒂雅，我已經說過，她之所以受到法斯陀夫博士的照顧和保護，正是因為她長得像你。剛才我提到這點的時候，你並未表現出任何驚訝，現在再想裝糊塗，恐怕太遲了吧。」

瓦西莉婭狠狠地瞪著他。「就因為你知道他喜歡她，於是推論出他一定先喜歡我？你是根據這個瞎猜的結果找上我的嗎？」

「不全然是瞎猜，另外還有好些佐證。你完全否認這件事嗎？」

她忽然若有所思地在身邊那張長桌上畫來畫去，貝萊不禁好奇桌上那些文件都是些什麼內容。從他所在的位置，他只看得出上面全是複雜的圖樣，而他心知肚明，不論自己多麼仔細、多麼努力地研讀，也不可能看懂一絲一毫。

瓦西莉婭說：「我有點煩了。你告訴我說，那個格里邁尼斯先喜歡上我，然後才喜歡上那個像我的索拉利人，而現在你又要我否認這件事。我為何要花那個力氣否認呢？這又有什麼大不了的呢？即使這是實情，對我又能有什麼殺傷力？你只是在說我曾經巧妙地擺脫一個無謂的困擾。所以呢？」

貝萊說：「問題不在於你怎麼做，而是為何那麼做。你知道格里邁尼斯是那種越挫越勇的人，他曾經一而再、再而三向你求歡，因此也會對嘉蒂雅一而再、再而三那麼做。」

「前提是她會拒絕他。」

「她是索拉利人，在性這方面有過挫折，所以不會接納任何人。我敢說這些你都知道，因為我可以想像，儘管你和你的父……和法斯陀夫博士早已疏遠，但血濃於水，對於替代你的人，你仍會忍不住多加留意。」

「好吧，算她做得對。如果她拒絕了格里邁尼斯，代表她的品味不錯。」

「你早就知道這件事沒有什麼『如果』，你早就知道她會拒絕。」

「再問一遍——所以呢？」

「既然格里邁尼斯會一再向她求歡，就意味著他會經常出入嘉蒂雅的宅邸，意味著他會黏著她。」

「最後一次——所以呢？」

「嘉蒂雅的宅邸裡有個非比尋常的物件，那就是詹德．潘尼爾，當世僅有的兩個人形機器人之一。」

瓦西莉婭遲疑了一下，然後問道：「你這話是什麼意思？」

「我認為你曾經靈機一動，想到那個人形機器人如果遇害，令法斯陀夫博士受到牽連，就能把這件事當成武器，用來迫使他吐露人形正子腦的祕密。至於格里邁尼斯，他一來有機會持續出入嘉蒂雅的宅邸，二來卻又不斷遭到嘉蒂雅的拒絕，所謂由愛生恨，他很容易聽人教唆，殺掉那個機器人作為報復。」

瓦西莉婭拚命眨眼。「那個可憐的理髮匠，他或許有二十個動機，再加上二十個機會犯下這個案子，但這麼說毫無意義。他甚至幾乎不懂如何命令一個機器人握手，怎麼可能有一丁點機會讓一個機器人心智凍結呢？」

「藉著這個問題，」貝萊輕聲說道，「我們終於能夠講到重點了，我想你等的也正是這一刻；你一直按捺住轟我出去的衝動，就是因為你必須確定我到底有沒有想到這一點。我要說的是，格里邁尼斯背後有機器人學研究院的協助，而你就是那個穿針引線的人。」

第十章　瓦西莉婭之二

40

轉瞬間，彷彿一場超波劇來到一個全像靜止時刻。

在場的機器人當然個個一動不動，但貝萊和瓦西莉婭．茱露博士竟然也跟他們一樣。幾秒鐘之後——每一秒都漫長到難以想像——瓦西莉婭才吁了一口氣，並以非常緩慢的動作站了起來。她緊繃的臉孔上掛著一個皮笑肉不笑的表情，她的聲音則相當低沉。「你的意思是，地球人，我是毀壞那個人形機器人的共犯？」

貝萊說：「我的確有過這方面的想法，博士。」

「謝謝你的想法。現在晤談結束，你可以回去了。」她指了指門口。

貝萊說：「只怕我還不想走。」

「我可沒問你想不想，地球人。」

「那你就錯了，如果我不想走，你又能奈我何？」

「我有許多機器人，只要我一聲令下，他們就會禮貌地但堅決地把你趕走，唯一可能遭到傷害的只有你的自尊——如果你還有的話。」

「但眼前你只有一個機器人，而我卻有兩個，他們絕不會坐視這種事。」

「我隨時能召來二十個。」

貝萊說：「瓦西莉婭博士，請務必聽清楚！剛才你乍見丹尼爾的時候相當驚訝，所以我猜，雖然你任職於這個機器人學研究院，而貴院的首要任務就是研發人形機器人，你卻從未真正見過像他這樣運作自如的成品。因此，你的機器人同樣沒見過。瞧瞧這個丹尼爾，他多麼像真人；除了已經死去的詹德，再也沒有其他機器人像他這麼酷似人類。在你的機器人眼中，丹尼爾當然就是人。而且他懂得怎樣讓機器人優先接受他的命令，或許能把你都給比下去。」

瓦西莉婭說：「有必要的話，我也能在研究院內召喚二十個真人，請他們把你趕走，或許還會讓你掛點彩，而你帶來的機器人很難干預他們的作為，就連丹尼爾也不能。」

「我的機器人具有極其迅速的反應能力，如果他們不讓你有所行動，你又要怎樣找來幫手？」

瓦西莉婭咧開嘴，做了一個算不上笑容的表情。「雖然我不能替丹尼爾發言，但我從小就認識了吉斯卡。我認為他絕不會阻止我的行動，而且我猜，他也不會容許丹尼爾干涉我。」

貝萊心知肚明，此時的處境如履薄冰，但他竭力避免聲音打顫。「在你採取任何行動之前，或許該問問吉斯卡，如果你我的命令彼此衝突，他會怎麼做。」

「吉斯卡？」瓦西莉婭帶著無比的信心問道。

吉斯卡正視著瓦西莉婭，答道：「小小姐，我不得不保護貝萊先生，他有優先權。」他的聲音透著一種莫名的古怪。

「真的嗎？誰下的命令？這個地球人嗎？這個陌生人嗎？」

吉斯卡說：「是漢．法斯陀夫博士下的命令。」

瓦西莉婭的雙眼幾乎噴出火來，她慢慢坐回高凳上，雙手擺在膝頭。「他連你也搶走了。」

當她低聲說出這句話的時候，雙手兀自顫抖不已。

「如果這還不足以說服你，瓦西莉婭博士，」丹尼爾突然自行發言，「那麼請注意，我同樣會把以利亞夥伴的權益放在你前面。」

瓦西莉婭帶著一臉苦澀的疑惑凝望著丹尼爾。「以利亞夥伴？你是這麼叫他的嗎？」

「是的，瓦西莉婭博士。我之所以這樣選擇——將這個地球人置於你之上——除了因為這是法斯陀夫博士的命令，也是因為在這次的調查中，我和這個地球人的確是搭檔，而且——」丹尼爾頓了頓，彷彿對即將脫口而出的那句話有些疑惑，但還是不管三七二十一說了出來。「我們還是好朋友。」

瓦西莉婭說：「好朋友？一個地球人和一個人形機器人？嗯，果然相配，都是半吊子的人類。」

貝萊厲聲道：「無論如何，我們的友誼十分牢固。為了你自己著想，千萬不要測試我們——」這時輪到他頓了一頓，「這種友情的力量。」他能順利說完這句話，連他自己都萬分驚訝。

瓦西莉婭轉向貝萊。「你到底想要什麼？」

「實情。我被請到奧羅拉——這個曙光世界——是來釐清一個似乎不易解開的謎團，那就是法斯陀夫博士蒙受了不白之冤，而你我的世界也有可能受到可怕的牽連。丹尼爾和吉斯卡對這個情勢有充分的瞭解，在他們心目中，除非有迫在眉睫而且百分之百違背第一法則的情況，否則我的辦案行動永遠是第一優先。既然他們已經聽到我剛才那番話，知道了你可能是這件案子的共犯，所以他們很清楚，絕不能讓這場晤談就此結束。因此之故，我再說一遍，如果你拒絕回答我的問題，他們將被迫採取行動，所以千萬別冒這個險。我在指控你是謀殺詹德．潘尼爾的共犯，你否認這項指控嗎？這個問題你非答不可。」

瓦西莉婭氣急敗壞地說：「我會回答的，我才不怕呢！謀殺？一個機器人被解除了功能，這叫做謀殺嗎？好，不管是謀殺還是其他罪名，反正我通通否認，不遺餘力地否認到底。我並沒有為了要讓格里邁尼斯去終結詹德，而教導他任何機器人學的知識。就這件事而言，我自己的學識根本不夠，而且我猜這所研究院裡誰也沒有這個學識。」

貝萊道：「我不敢說你到底有沒有這方面的足夠知識，或是這所研究院裡哪位成員有沒有。然而，我們還是可以討論你的動機。我首先想到的是，或許你對這個格里邁尼斯感到心軟。不管你如何堅拒他的求歡——不管你覺得他多麼不配成為你的情人——可是，若說你被他的堅持所打動，這又有什麼奇怪的嗎？所以，如果他誠心誠意向你求助，而事情又和性愛無關，難道你不會對他伸出援手嗎？」

「你的意思是，也許他曾經對我說：『親愛的瓦西莉婭，我想把一個機器人解除功能，請告訴我該怎麼做，我會對你感激涕零。』於是我說：『啊，親愛的，當然沒問題，我萬分樂意協助你犯這個罪。』荒謬之極！唯有對奧羅拉一無所知的地球人，才有可能相信真會發生這種事。而且，還必須是個特別愚蠢的地球人。」

「或許吧，可是各種可能性我都必須考慮。比方說，底下是第二種可能，你看有沒有道理：格里邁尼斯移情別戀這件事令你醋勁大發，你之所以幫助他，可能並非心軟這麼抽象的原因，而是基於一個非常具體的渴望，就是想把他贏回來？」

「醋勁大發？那是地球人才有的反應。如果我自己不想要格里邁尼斯，又怎麼會在乎他是否向其他女子求歡，以及是否成功，或者倒過來，是否有其他女子成功地對他獻身？」

「之前我就聽說過，奧羅拉上沒有吃醋這回事，我也願意相信理論上的確如此。可是，這樣的理論很難通過現實的考驗，總會有若干例外的情形。此外，吃醋幾乎都是非理性的反應，光靠邏輯是不能排除的。不過，我們暫且擱下這個問題，先來討論第三個可能性：即使你毫不在乎格里邁尼斯這個人，你仍有可能吃嘉蒂雅的醋，因而想要傷害她。」

「吃嘉蒂雅的醋？我幾乎從未見過她，只有她剛到奧羅拉之際，在超波電視上看過她一眼。雖然每隔好一陣子，偶爾會有人提到她和我長得很像，但這並未造成我的困擾。」

「可是，她和法斯陀夫博士關係非比尋常，不只受到他的照顧和寵愛，甚至取代了你的地位，幾乎成了他的女兒，這點有沒有造成你的困擾呢？」

「那是她的自由，我一點也不在乎。」

「即使他倆是情人？」

瓦西莉婭瞪著貝萊，看得出她越來越氣憤，髮際冒出了許多細小的汗珠。她說：「我們沒必要討論這一點。你聲稱我是你所謂的那個謀殺案的共犯，然後又要我否認，我已經這麼做了。我已明白表示，自己一來沒有能力，二來欠缺動機。你大可把這個指控公諸於世，就算給我安上一個愚蠢的動機，並堅稱我有那個能力，你也得不到任何支持，絕對得不到。」

雖然這時她氣得發抖，貝萊卻聽得出她的聲音充滿自信。

她並不怕這個指控。

既然她同意見他，代表他確實猜對了一點——她在害怕什麼事，或許還怕得要死。

可是她並不怕這件事。

所以說，到底哪裡搞錯了呢？

41

貝萊（心慌意亂地急著尋找出路）說道：「假設我接受你的說法，瓦西莉婭博士；假設我同意根本不該懷疑你是這樁——機殺案——的共犯。即便如此，並不代表你就不可能幫我。」

「我為什麼要幫你？」

貝萊答道：「因為人類的高貴情操。漢．法斯陀夫博士向我們保證，他並沒有做那件事，他並不是機器人殺手，他並未將那個十分特別的機器人詹德弄得停擺。而大家都會認為，你對法斯陀夫博士的瞭解超過任何人。曾有許多年的時間，你是他最寵愛的孩子，在他的照顧下逐漸長大，這種關係極其親密。從來沒有人像你那樣，幾乎在任何時間、任何情況下都見過他。無論你現在對他有什麼感覺，都改變不了過去那些事實。既然你這麼瞭解他，一定能夠替他的人格作證——他不可能傷害一個機器人，更何況那機器人是他登峰造極的成就。你是否願意公開作證？對所有的世界？那會有極大的幫助。」

瓦西莉婭的表情似乎更嚴峻了。「給我聽清楚，」她一字一頓地說：「我不想給牽扯進去。」

「你不想也不行。」

「為什麼？」

「難道你不覺得你的父親對你有恩嗎？他是你的父親啊。不論這個稱謂對你有沒有意義，你們兩人總有血緣上的關聯。除此之外——不管父親不父親——他花了許多年的時間把你養大，盡心盡力照顧你、教育你。光是這一點，他就對你有恩。」

瓦西莉婭開始發抖。這回她抖得很明顯，連牙齒都格格作響。她試著開口，可是辦不到，只好接連做了兩個深呼吸，然後再試一次。「吉斯卡，這些對話你都聽到了嗎？」

吉斯卡頷首答道：「聽到了，小小姐。」

「你呢，那個人形機器人——丹尼爾？」

「請說，瓦西莉婭博士。」

「你也都聽到了？」

「是的，瓦西莉婭博士。」

「所以你們都瞭解了，這個地球人堅持要我為法斯陀夫博士的人格作證？」

兩個機器人點了點頭。

「那我就說了——雖然這有違我的意願，而且令我氣憤。在此之前，我之所以沒有出來作證，正是因為我覺得我的這個父親——他給了我一半的基因，而且勉強可以說把我養大——對我至少有那麼點恩情。可是現在我改變主意了。地球人，你給我聽好，這個和我有血緣關係的漢．法斯陀夫博士，並沒有把我——我！我！——當作一個獨立的人類來養育。對他而言，我只不過是個實驗品，是個觀察對象。」

貝萊搖了搖頭。「我不是要你說這個。」

她卻得理不饒人地步步進逼。「既然你堅持要我說，我就照辦，而且會給你一個答案。漢．法斯陀夫博士只對一件事感興趣，只有一件事，一件事而已，那就是人腦的運作。他希望能將它化約成方程式，並且畫出圖解，以便破解這個迷宮，進而建立一套研究人類行為的數理科學，好讓他得以預測人類的未來。他將這門科學稱為『心理史學』。我相信你只要跟他談上一個鐘頭，他就一定會提到這件事，這股狂熱正是他的原動力。」

瓦西莉婭仔細端詳貝萊的表情，然後興高采烈地叫道：「我看得出來！他跟你提過了。那麼他必定告訴過你，他之所以對機器人感興趣，只是想要通過他們來研究人類的大腦。而他之所以對人形機器人感興趣，只是想要通過他們更進一步研究人類的大腦——沒錯，這點他也跟你說了。

「我相當確定，正是由於他試圖瞭解人類的大腦，才會發展出人形機器人的基本理論，而他將這套理論視為禁臠，不讓任何人看一眼，因為他想在長達約兩世紀的餘生中，完全獨力地解開人腦之謎。其他的一切都是次要的，我當然也絕對包括在內。」

貝萊一面勇敢迎向對方的怒火，一面低聲道：「請問你是如何包括在內，瓦西莉婭博士？」

「我出生後，原本應當和其他嬰兒生活在一起，由專業人士負責照顧；不該讓我獨自成長，更不該讓一個外行來照顧我——無論他是不是我的父親，是不是科學家。法斯陀夫博士不該獲准把一個小孩置於那樣的環境下，他如果不是漢．法斯陀夫，就絕對做不到。為了實現這件事，他祭出所有的名望，兌現了所有的人情，盡可能說服每一個關鍵人士，最後終於得到了我。」

「那是因為他愛你。」貝萊喃喃道。

「愛我？任何一個嬰兒都能取代我，偏偏他一個也找不到。他想要有個小孩在他身邊成長，有個大腦在他的觀察下發育。他想要仔細研究人腦的生長模式和發展方式，所以希望先有個簡單的大腦，隨著它越長越複雜，他就有機會研究其中的細節。為了這個目的，他強迫我接受一個不正常的環境，以及稀奇古怪的實驗，完全不把我當人看。」

「這點我無法相信。即使他拿你當實驗對象，仍然能把你當成人類來關心和照顧。」

「不，你這是地球人的說法。或許在地球上，血緣的關聯還受到某種重視，此地則完全不會。對他而言，我只是個實驗對象，如此而已。」

「即使起初是這樣安排的，可是一旦成了你的監護人，法斯陀夫博士便忍不住開始愛你——你這無助的小東西。即使完全沒有血緣的關聯，即使我們姑且假設你只是小動物，他還是會開始愛你。」

「喔，他現在會了嗎？」她以苦澀的口吻說，「像法斯陀夫博士這種人，你不會知道他的心腸有多硬。如果殺了我能令他知識增長，他會毫不猶豫地這麼做。」

「這太荒謬了，瓦西莉婭博士。他對你那麼親切、那麼體貼，甚至令你對他產生愛意。這事我知道，你……你曾對他獻身。」

「他告訴你的，是嗎？對，他會這麼做。直到今天，他都未曾靜下心來想想，公開這種事會不會令我難堪。沒錯，我曾對他獻身，但這又有何不對？當時，他是我唯一真正認識的人類。表面上他一直對我很溫柔，而我那時還不瞭解他的真正意圖，所以，他是我最自然的選擇。此外，他還刻意要我在受控的情況下接觸到性刺激——而且是由他一手安排的。於是，我無可避免地終將投向他的懷抱。我不得不這麼做，因為根本沒有其他選擇——而他竟然拒絕我。」

「所以你開始恨他？」

「不，起初並沒有，最初幾年都沒有。雖說我在性這方面的發展受到了阻礙和扭曲，直到今天心中還有陰影，但我並未立刻怪罪到他頭上，因為我知道得太少了。我替他找了不少藉口，例如他太忙、他有別的對象、他需要比較成熟的女人。我竟然有本事替他想到那麼多理由，你也不得不佩服吧。直到好些年後，我察覺到事情有點不對勁，才設法把問題當面攤開來。『你為什麼拒絕我？』我問，『如果你答應我，也許就能幫助我回到正軌，一舉解決所有的問題。』」

她頓了頓，嚥了一下口水，還把雙眼遮住一陣子。貝萊覺得很尷尬，只好一動不動地耐心等待，而那些機器人仍舊個個面無表情（據貝萊瞭解，正子徑路中各式各樣的電位平衡或不平衡，一律無法產生類似尷尬這樣的情緒）。

她比較平靜了，又說：「他盡可能拖延這個問題，但我一而再、再而三當面追問他。『你為什麼拒絕我？』『你為什麼拒絕我？』他對性愛活動毫不排斥，我見識過好幾次——我記得自己還懷疑過他是否只喜歡男性。只要不牽涉到生兒育女，性傾向如何一點也不重要，而且有些男性的確不喜歡女性，反之亦然。然而，你稱之為我父親的這個人，卻不屬於這一類。他喜歡女性——有時還是年輕的女性——她們和我當年向他獻身時一樣年輕。『你為什麼拒絕我？』最後他終於回答了——你不妨猜猜他給我的答案是什麼。」

她帶著嘲諷的意味暫且打住，等待對方開口。

貝萊感到坐立不安，含含糊糊地說：「他不想和自己的女兒做愛？」

「喔，別傻了。這又有什麼差別呢——別忘了奧羅拉男性幾乎都不知道誰是自己的女兒，而且他們和比自己小好幾十歲的女性做愛是家常便飯。不過別管了，這種事不言而喻。他的回答是——唉，我記得一清二楚，他竟然說：『你這大傻瓜！如果我和你有了那種關係，今後怎能再保持客觀——我繼續研究你還有什麼用呢？』

「要知道，在那個時候，我已經明白他對人腦十分著迷。我甚至追隨他的腳步，自己也成了一位機器人學家。我拿吉斯卡當實驗品，嘗試修改他的程式。我做得非常好，對不對，吉斯卡？」

吉斯卡說：「的確非常好，小小姐。」

「但我終究看出來，這個你稱之為我父親的人，其實並不把我當人看。為了避免影響自己的客觀性，他寧願眼睜睜看著我的人生遭到扭曲。對他而言，他的觀察要比我的正常人生更為重要。從那時候起，我總算認清了自己的身份以及他的真面目——於是我離開了他。」

沉重的寂靜開始凝結在空氣中。

貝萊感覺到腦部血管在微微悸動。他很想問些問題：一個偉大的科學家，免不了有自我中心的傾向，更何況他研究的問題是那麼重要，難道你完全不能體諒嗎？你再三逼迫他討論那件他不想討論的事，或許他因此說了些氣話，難道你完全無法容忍嗎？瓦西莉婭，你剛才火冒三丈的時候，情況不也很類似嗎？你為了徹底堅持自己的「正常」（姑且不論你如何定義），忽視了或許是人類所面對的最重要的兩個課題——人腦的本質和銀河系的開拓——這難道不是同樣嚴重的自我中心，而且更站不住腳嗎？

可是，這些問題他通通說不出口。他不知道該怎麼說，才能讓這個女人真正聽進去，而如果她願意回答，他也不確定自己是否聽得懂。

他在這個世界上到底是在做什麼？不論這些奧羅拉人如何解釋，他也無法瞭解他們的行事作風，反之，他們也不瞭解他。

他以疲憊的口吻說：「很抱歉，瓦西莉婭博士，我知道你在氣頭上，但如果你能暫時消消氣，心平氣和地想想法斯陀夫博士和那個遇害的機器人，你能否看出這兩件事其實並沒有關係？法斯陀夫博士或許是想以超然和客觀的方式觀察你，甚至不惜為此犧牲你的幸福，可是這和他會忍心毀掉一個先進的人形機器人，兩者相差了無數光年。」

瓦西莉婭漲紅了臉，咆哮道：「你真的聽不懂我說的話嗎，地球人？難道你認為我剛才對你說那些話，是由於我認為你——或任何人——會對我的悲慘遭遇感興趣嗎？另一方面，你真的認為我喜歡用這種方式暴露自己的隱私嗎？

「我告訴你這些，只是為了要向你說明，漢．法斯陀夫博士——如你不厭其煩一再強調的，也就是我的親生父親——確確實實毀掉了詹德。這事當然是他幹的。我一直沒這麼說，是因為在你之前，沒有任何人愚蠢到了問我這個問題，此外也是因為我自己太傻，對那個人多少還有些牽掛。但你既然問了我，那我可就不客氣了，我向奧羅拉發誓，從今以後，我會對每個人都這麼說。若有必要，我還會做公開說明。

「毀掉詹德．潘尼爾的就是漢．法斯陀夫博士，這點我萬分確定，你滿意了嗎？」

42

貝萊駭然地瞪著這個發了狂的女人。

他結巴了一陣子，然後再度開口：「這些我全都不瞭解，瓦西莉婭博士。請你冷靜下來，好好考量一番。法斯陀夫博士為何要毀掉那個機器人？這和他對待你的方式又有什麼關係？莫非在你的想像中，這是他對你進行的一種報復？」

瓦西莉婭呼吸急促（貝萊竟在不知不覺間注意到，瓦西莉婭雖然和嘉蒂雅一樣身材嬌小，她的胸部卻比較大），她似乎要花很大的力氣，才能控制住自己的聲音。

她說：「地球人，我是不是已經告訴你，漢．法斯陀夫對於觀察人腦十分著迷？他會毫不猶豫地對人腦施壓，以便觀察它的反應。而且，他特別喜歡不尋常的人腦——比方說嬰兒的——因為可以觀察它的發育過程。反之，他對普通人的大腦則興趣缺缺。」

「可是這又和……」

「先問問你自己，他對那個外星女子為何那麼感興趣。」

「嘉蒂雅？我問過他，他也回答了。她令他想起了你，這點毫無疑問，你們兩人長得還真像。」

「剛才，當你告訴我這件事的時候，我覺得很好笑，還反問你是否相信他。現在我再問一遍，你真相信他嗎？」

「我為何不該相信他？」

「因為那並非事實。她長得像我，頂多只會引起他的注意，可是他對她感興趣的真正原因，則是由於那個外星女子——來自外星。她是在索拉利長大的，那個世界的習俗和社會規範都有異於奧羅拉。她的大腦就像是用另一個模子鑄出來的，因此能提供他不同的觀點和啟發。現在你還不明白嗎？——另一方面，他為什麼對你感興趣呢，地球人？難道他那麼笨，認為對奧羅拉一無所知的你真有辦法解開奧羅拉上的謎？」

這時丹尼爾突然加入討論，他的聲音令貝萊嚇了一跳。丹尼爾這麼說：「瓦西莉婭博士，以利亞夥伴當初對索拉利也一無所知，卻偵破了索拉利上的一件奇案。」

「是啊，」瓦西莉婭酸酸地說：「那齣超波劇紅遍了每個世界。閃電總有可能打到人，但我並不覺得漢．法斯陀夫會堅信連續兩個閃電能打到同一個地方。不，地球人，他之所以對你感興趣，首要原因正是你的地球人身份。你能提供另一個非比尋常的大腦，供他研究和操弄。」

「但你絕不會真心相信，瓦西莉婭博士，他僅僅為了研究一個不尋常的人腦，就會不顧奧羅拉所面臨的重大難題，找來一個他明明知道沒用的人。」

「他當然會。我跟你講這麼多，不就是在強調這一點嗎？無論奧羅拉面對什麼樣的危機，在他看來，都遠遠比不上解決人腦之謎來得重要。如果你問他，我能百分之百猜到他會如何回答：奧羅拉或許有興有衰、有榮有枯，但相較於人腦之謎，通通顯得微不足道，因為人類如果真正瞭解大腦，他心目中的『心理史學』就會夢想成真，而在這個學說指導之下，只要短短十年的努力，便能修正和彌補過去一千年之間所有的錯誤和遺憾。他會用這樣的論述把一切合理化——包括謊言、殘酷的手段、一切的一切——只要說他的所作所為，都是為了增進有關人腦的知識即可。」

「我難以想像法斯陀夫博士會有殘酷的一面，他這個人再溫和不過了。」

「是嗎？你和他相處過多久？」

貝萊答道：「三年前在地球上，和他談過幾小時。如今在奧羅拉，和他處了一整天。」

「一整天，一整天。我曾經和他在一起三十年，可以說是朝夕相處，然後，我雖然離開了他，仍不時注意他的學術動態。而你僅僅和他處了一整天，地球人？好吧，在那一天當中，他有沒有做過任何嚇唬你或羞辱你的事？」

貝萊陷入沉默。他想起了自己差點被調味瓶打破腦袋，好在有丹尼爾及時相救；想起了昨天在衛生間，曾經因為自然界的假象而寸步難行；還想起了他在戶外多待了好些時間，目的只是為了測試他對開放空間的適應力。

瓦西莉婭說：「我看出來了。你的這張臉，地球人，並不如你所想像的那麼會掩飾。他有沒有想用心靈探測器伺候你？」

貝萊答道：「曾經提到過。」

「只不過一天——就已經提到了。我猜這令你感到很不安？」

「沒錯。」

「而且，他這個提議根本沒來由？」

「喔，那倒是有的。」貝萊迅速回應，「我曾告訴他，自己有過一個一閃即逝的想法，所以他建議用心靈探測器幫我找回來，這當然是合情合理的。」

瓦西莉婭說：「不，不對。心靈探測器在這方面的精巧度還不夠，如果輕易嘗試，很有可能對大腦造成永久性傷害。」

「由專家操作就一定不會——比方說，由法斯陀夫博士親自動手。」

「他？他連心靈探測器的前後都分不清。他是理論家，不是技術員。」

「那麼一定能找到適當的人。事實上，他並沒有說要親自動手。」

「不，地球人，找不到的。想想！想想！如果心靈探測器能夠安全地用在人類身上，又如果漢．法斯陀夫如此看重機器人無故停擺這件事，那麼他何不自告奮勇，自願接受心靈探測器的檢查呢？」

「自告奮勇？」

「別說你沒有想到這一點。只要不是白癡，誰都會得出法斯陀夫有罪的結論。唯一對他有利的事，就是他堅持自己是無辜的。所以說，為了證明自己的清白，他何不乾脆接受心靈探測器的檢查，示範一下在他的大腦深處挖不出一丁點罪惡的痕跡。他提過這種建議嗎，地球人？」

「沒有，至少沒對我提過。」

「因為他非常瞭解，那樣做有致命的危險。然而，他卻毫不猶豫地對你做這種建議，只因為他想觀察你對恐懼的反應，以及你的大腦在壓力下如何運作。也或許是他想到，無論心靈探測器會帶給你多大的風險，但你的大腦既然是在地球上塑造的，還是有可能提供他一些有趣的數據。所以請告訴我，這算不算殘酷？」

貝萊硬生生揮了揮右臂，將這個問題掃到一邊。「這和真正的案情——那個機殺案——又有什麼關係？」

「那個索拉利女子，嘉蒂雅，吸引了曾是我父親那個人的注意。對他而言，她擁有一個有趣的大腦。因此他給了她一個機器人，也就是詹德，想要看看一個並非在奧羅拉長大的女子，面對在各方面都酷似真人的機器人，到底會做出什麼事。他知道，換成了奧羅拉女性，極有可能立刻把機器人當性伴侶，絲毫沒有心理障礙。我承認，我自己會有些這方面的障礙，因為我並非以正常方式養大的，但奧羅拉女性一般都不會。另一方面，那個索拉利女子則會出現極大的心理障礙，因為她是在一個極度機器人化的世界長大的，對機器人懷著非常僵硬的心態。你瞧，對我父親而言，這個差異可能極具啟發性，而從這些個別差異中，他就能試著建立人腦運作的理論。漢．法斯陀夫耐心等了半年，時機終於成熟了，那個索拉利女子或許已經能嘗試跨出第一步……」

貝萊突然插嘴：「關於嘉蒂雅和詹德的特殊關係，你父親完全不知情。」

「這是誰告訴你的，地球人？我父親？嘉蒂雅？如果是前者，他自然是在說謊；如果是後者，那只是因為她很可能不知道。你大可相信法斯陀夫確實清楚內情；他非清楚不可，因為在他的研究中，一定包括了索拉利人的大腦怎樣扭曲這樣的問題。

「然後他又想到——這件事，我像是能看穿他的心思那般確定——現在這個女人剛開始依戀詹德，如果這時候，在毫無來由的情況下，她突然又失去他，會導致什麼情況呢？他知道換成奧羅拉女性會怎麼做，她們會覺得有些失望，然後就開始尋找替代品，可是索拉利女子又會如何呢？於是他下手解除了詹德的功能……」

「只為了滿足一時的好奇，竟然毀掉一個極具價值的機器人？」

「駭人聽聞，對不對？但漢．法斯陀夫就是會做這種事的人。所以請你回去告訴他，地球人，就說他的小把戲玩不下去了。如果目前為止，這個世界普遍還不相信他是兇手，那麼在我和盤托出之後，大家肯定就會相信了。」

43

接下來有好長一段時間，貝萊目瞪口呆地坐在那裡，瓦西莉婭則帶著幸災樂禍的表情望著他。這時，她看起來一臉的冷酷，和嘉蒂雅沒有半分相似之處。

似乎再也無能為力了……

貝萊站起來，覺得自己突然老了——雖然他只有四十五標準歲（對奧羅拉人而言，這只是小孩子的年齡），感覺上卻老得多。目前為止，他所做的每一件事都毫無收穫。不，其實更糟，因為他每走一步，拴在法斯陀夫身上的繩索就收得更緊一點。

他抬頭望向透明的天花板，看見太陽仍高掛天際，不時有一兩排稀疏的雲朵遮住它的光芒。但它不如之前那麼明亮，或許是已經通過天頂了。

他的這個舉動似乎令瓦西莉婭想到了什麼，她的手臂在面前的長桌上滑了一下，天花板立刻轉為不透明。與此同時，一道明亮的光線迅速擴散至整個房間，其中還帶著陽光裡特有的淡橙色。

她說：「這次晤談我想該結束了。我不會再有任何理由想見你，地球人，反之你也一樣。或許你最好盡快離開奧羅拉，你已經——」她冷冷一笑，然後近乎兇殘地說：「對我父親造成不少傷害，雖然他應得的報應要比這還多得多。」

貝萊朝門口走出一步，兩個機器人隨即來到他身邊。吉斯卡低聲說：「你還好嗎，先生？」

貝萊聳了聳肩，這該怎麼回答是好呢？只聽瓦西莉婭叫道：「吉斯卡！等到法斯陀夫博士不再需要你的時候，來我這邊好嗎？」

吉斯卡平靜地望著她。「只要法斯陀夫博士允許，小小姐，我就會來。」

她笑得更親切了。「一定要來，吉斯卡，我一直都很想念你。」

「我也經常想到你，小小姐。」

貝萊在門口轉過頭來。「瓦西莉婭博士，我可否借用一下你的衛生間？」

瓦西莉婭雙眼圓睜。「當然不行，地球人。研究院裡各處都有公共衛生間，你的機器人應該知道怎麼帶你去。」

他一面瞪著她，一面搖了搖頭。顯然她不希望地球人污染她的房間，這並沒有什麼好意外的，但他仍舊氣憤難平。

他說：「瓦西莉婭博士，如果我是你，絕不會宣稱法斯陀夫博士有罪。」這句話純粹出於義憤，並非任何理智的決定。

「有什麼能阻止我呢？」

「如果你和格里邁尼斯之間的勾當被全盤揭露，會給你帶來危險。」

「別胡扯了。你已經承認，我和格里邁尼斯之間沒有什麼同謀關係。」

「不完全正確。我同意表面上看來，應該能斷定你和格里邁尼斯並未直接同謀要毀掉詹德。不過，間接的同謀還是有可能的。」

「你瘋了，什麼是間接的同謀？」

「如今我還不想在法斯陀夫博士的機器人面前討論這件事——除非你堅持。但你又何必這麼做呢？我這番話的意思，你自己心知肚明。」至於她會不會被唬到，貝萊自己毫無把握。這般虛張聲勢的結果，可能只會令情勢更加惡化。

可是它奏效了！瓦西莉婭似乎全身縮了起來，而且雙眉緊鎖。

貝萊心想：所以說，不管內情如何，這個間接的同謀還真的存在，因此在被她看穿虛張聲勢之前，我至少還能制住她一陣子。

貝萊精神振奮了些，說道：「我再次強調，關於法斯陀夫博士的事，請你保持沉默。」

可是，當然啦，他並不知道自己爭取到了多少時間——或許只有很少很少。

第十一章　格里邁尼斯

44

他們再次坐進氣翼車——三人都坐在前面，貝萊照例坐在中間，左右兩側都感到被緊緊夾著。雖然他倆只是不能違背命令的機器，但對於他們無微不至的照顧，貝萊心中仍充滿感激。但他隨即想到：為什麼要拿「機器」兩字來貶損他們呢？在這個好壞無常的宇宙裡，他們即使是機器，也是兩台好機器。我並沒有權利把「機器和人類的區分」置於「好與壞的區分」之上。而且，至少就丹尼爾而言，我無法將他想成機器。

只聽吉斯卡說：「我必須再問一遍，先生，你覺得還好嗎？」

貝萊點了點頭。「相當好，吉斯卡，我很高興有你倆陪著我。」

此時天空幾乎全是一片白色——更正確地說是灰白色。微風陣陣吹拂，帶來相當的涼意，直到上了車才暖和起來。

丹尼爾說：「以利亞夥伴，剛才我一直在仔細聆聽你和瓦西莉婭博士的對話。我並不希望駁斥瓦西莉婭博士的言論，但我必須告訴你，根據我自己的觀察，法斯陀夫博士是個既親切又有禮貌的人。據我所知，他從未有過任何殘酷的作為，而且無論我怎麼想，也想不到他曾經犧牲別人來滿足自己的好奇心。」

貝萊彷彿在丹尼爾臉上看到了無比的真誠，他忍不住問道：「即使法斯陀夫博士其實既殘酷又自私，你能對他做出負面評價嗎？」

「我至少能保持沉默。」

「但你會這麼做嗎？」

「在瓦西莉婭博士完全誠實的前提下，我如果說謊，就是對她提出不當的質疑，因而會對她造成傷害；而如果我保持沉默，則會傷害到法斯陀夫博士，因為他所受到的正確指控將更加坐實。上述這兩種傷害，如果在我看來強度大致相等，我就必須保持沉默。一般而言，在所有的條件大致相等的情況下，主動作為所導致的傷害，總是超過了被動的不作為。」

貝萊說：「所以，即便第一法則宣稱：『機器人不得傷害人類，或因不作為而使人類受到傷害。』它前後兩部分其實地位並不相等？根據你的說法，採取或不採取行動，導致的錯誤總是前者比較大？」

「這些字句只是大概的描述而已，以利亞夥伴，真正的三大法則其實是正子徑路中那些『正子電動勢』的恆常變化。我沒有足夠的知識用數學來描述這件事，但我很清楚自己會怎麼選擇。」

「如果幾乎會造成相等的傷害，那麼在採取與不採取行動之間，你總是會選擇後者？」

「一般而言是這樣的。此外，如果幾乎會造成相等的傷害，那麼在說實話和說謊之間，我總是會選擇說實話。同樣的，這也是一般而言。」

「而現在這個情況，既然你已開口駁斥瓦西莉婭博士，造成了她的傷害，唯一的解釋就是你在說實話，所以第一法則沒有足夠的力量阻止你？」

「正是這樣，以利亞夥伴。」

「然而事實上，即使剛才那番話是不折不扣的謊言，你還是可能一字不漏地說出來——只要法斯陀夫博士事先對你下了一道足夠強的命令，要求你在必要時那麼說，而且拒絕承認你曾接到這樣的命令。」

丹尼爾頓了頓，然後才說：「正是這樣，以利亞夥伴。」

「情況可真是複雜，丹尼爾——但你還是相信法斯陀夫博士並沒有謀殺詹德．潘尼爾？」

「根據我和他相處的經驗，以利亞夥伴，我判斷他是個誠實的人，絕對不會傷害詹德好友。」

「然而，針對他是兇手的指控，法斯陀夫博士自己竟然提出一個強而有力的動機，另一方面，瓦西莉婭博士則提出一個完全不同的動機，不但同樣強而有力，而且甚至比前者更可恥。」貝萊沉思了一下，「這兩個動機，無論哪個公諸於世，普天下都會相信法斯陀夫博士確實有罪。」

貝萊突然轉向吉斯卡。「你怎麼說呢，吉斯卡？你認識法斯陀夫博士的時間要比丹尼爾來得長，根據你對博士人格的瞭解，你是否也同意法斯陀夫博士不可能犯下這個案子，不可能毀掉詹德？」

「我同意，先生。」

貝萊凝視著這個機器人，心中難免有幾分懷疑。他不如丹尼爾那麼先進，所以他的證詞能有多麼可信呢？他會不會身不由己，被迫對丹尼爾所做的選擇照單全收呢？

他又問：「你也認識瓦西莉婭博士，對不對？」

「我和她非常熟。」吉斯卡答道。

「我猜，你還很喜歡她。」

「我照顧了她許多年，她從來沒有帶給我任何麻煩。」

「即使她曾任意修改你的程式。」

「她的技術很高明。」

「她會不會說謊誣陷她的父親——我是指法斯陀夫博士？」

吉斯卡遲疑了一下。「不會的，先生，她不會這樣做。」

「那麼你是說，她所講的都是實話。」

「也不盡然，先生，我只是說她相信自己是在說實話。」

「可是，如果事實上，她父親的為人真是丹尼爾所說的那樣，她又為何要相信他做過那些邪惡的事呢？」

吉斯卡慢條斯理地說：「她年輕的時候受過不少委屈，而她將問題通通歸咎於法斯陀夫博士，況且，在某種程度上，這些不幸確實是他的無心之失。在我看來，會有那樣的結果根本不是他的本意。然而，人類不像機器人，並非幾個直截了當的法則就能規範。因此大多數的時候，人類各種動機的複雜性都是很難判斷的。」

「有道理。」貝萊喃喃道。

吉斯卡問：「你是否認為，想證明法斯陀夫博士是無辜的，已經沒希望了？」

貝萊雙眉緊鎖。「有可能。目前為止，我看不到任何希望——如果瓦西莉婭博士照原訂計畫，公開說出那些話……」

「但你已經命令她別說。你已經對她說明，那會給她帶來危險。」

貝萊搖了搖頭。「我是在嚇唬她，當時我也只能那麼講。」

「所以說，你打算放棄了？」

貝萊慷慨激昂地說：「不！此事若只牽涉到法斯陀夫，我也許會放棄。畢竟，他會受到什麼實質傷害呢？殺害機器人頂多只是民事案件，顯然不算什麼重罪。最壞的結果，也只不過是令他失去政治影響力，此外，他也許會有一段時間無法從事科學研究。我很不願意見到這種事，但如果我無能為力，那就真的無能為力了。

「另一方面，此事若只牽涉到我自己，我也可能會放棄。無功而返雖說有損我的聲譽，但我碰到的情況，正應了巧婦難為無米之炊這句話。我將會灰頭土臉地回到地球，會開始過著遭到解雇的悲慘日子，但每個地球人都有可能遇到這種壞運氣。許多比我優秀的人，同樣碰到過這麼不公平的事。

「問題是，這件事還關係到了地球。如果我失敗，除了會讓我自己和法斯陀夫博士遭到難以承受的打擊，還會把地球人離開地球、走向銀河的希望徹底葬送掉。基於這個原因，我一定不能失敗；只要我沒有被逐出這個世界，就一定要繼續努力下去。」

他以近乎耳語的音量，講完最後幾句話之後，突然抬起頭來，用發牢騷的口吻說：「我們幹嘛停在這裡，吉斯卡？你讓發動機空轉著好玩嗎？」

「恕我直言，先生，」吉斯卡說：「你還沒告訴我要去哪裡。」

「對！——很抱歉，吉斯卡。首先，瓦西莉婭博士提到此地有不少公共衛生間，帶我去最近的一處。你們兩人或許沒這個問題，但我的膀胱可得清一清了。然後，在附近找個吃飯的地方，我的肚子也得填一填了。再然後……」

「怎樣，以利亞夥伴？」丹尼爾問。

「實話告訴你，丹尼爾，我也不知道。然而，等照顧完這些生理需求，我一定能想到下一步。」

貝萊衷心希望自己也能相信這句話。

45

這回，氣翼車並未貼地飛行太久。它很快就停止前進，開始輕微搖晃，而貝萊又照常出現腹部抽緊的感覺。他原本覺得車身好像牆壁，自己則安全地夾在兩個機器人之間，可是由於這種輕微的搖晃，他記起自己正置身於一輛交通工具之內。透過前方和兩側的玻璃窗（以及後方的，但他看不到），他能望見白色的天空和綠色的景致——這些加在一起就等於戶外，也就是無邊的空曠。他不安地嚥了一下口水。

他們停在一棟小型建築旁邊。

貝萊說：「這就是公共衛生間嗎？」

丹尼爾說：「在研究院範圍內，這是最近的一間了，以利亞夥伴。」

「你們效率真高。灌入你們記憶庫中的地圖，也包括這些建築嗎？」

「是的，以利亞夥伴。」

「這間現在有人用嗎？」

「有可能，以利亞夥伴，但它可供三、四個人同時使用。」

「還有我的空位嗎？」

「機會非常大，以利亞夥伴。」

「很好，那就讓我出去，我要去碰碰……」

兩個機器人並未有所行動。吉斯卡說：「先生，我們不能陪你進去。」

「對，這點我很清楚，吉斯卡。」

「所以我們無法好好保護你，先生。」

貝萊皺起了眉頭。構造越簡單的機器人，心智自然越僵硬。貝萊驚覺大事不妙，他們勢必會禁止自己離開他們的視線，換句話說，不准自己進衛生間去。於是，他改用急迫的口吻說：「我忍不住了，吉斯卡——丹尼爾，這種事由不得我，讓我下車。」他對丹尼爾比較抱希望，因為他想必較為瞭解人類的需要。

吉斯卡只是望著貝萊，並未採取任何行動。一時之間，貝萊冒出一個可怕的想法：這機器人該不會要自己像動物一樣，在附近找個地方，公然解決吧。

好在丹尼爾及時道：「在這件事情上，我想我們必須遵從以利亞夥伴的意思。」

於是吉斯卡對貝萊說：「那麼請你稍等一會兒，先生，讓我先過去看看。」

貝萊做了一個鬼臉。吉斯卡隨即下車，慢慢走向那棟建築，然後刻意繞著它走一圈。貝萊早已有預感，一旦吉斯卡在眼前消失，自己的急迫感便會升高。

為了分散注意力，他開始瞭望四周的景物。經過一番審視，他察覺到半空中零星散布著許多細線——像是白色的天幕上掛著好些黑色髮絲。起初，他根本沒看見什麼線；最先進入他眼中的，是一個滑行在雲層下方的卵形物體。他很快就明白那是個交通工具，並且想通了它並非飄浮在半空中，而是掛在一條很長的水平線上。他用目光來來回回追蹤那條長線，不久便發現了更多類似的線條。然後，在較遠的地方，他看到另一個同類型的交通工具——隨即在更遠處又看到一個。最遠的那個看起來只是個小黑點，他是根據其他兩個，才推斷出它是什麼東西。

毫無疑問，這是穿梭於機器人學研究院內的交通纜車。

貝萊忍不住想到：這所研究院範圍有多大，浪費了多少空間啊。

然而，正因為如此，它並未吞噬這片土地。建築物彼此都相隔甚遠，因此這裡似乎依舊是綠油油的一片，而動植物（根據貝萊的想像）繼續照常生長。

貝萊一直記得索拉利十分空曠，現在則確定太空族世界一律如此。原因很簡單，奧羅拉是人口最稠密的太空族世界，既然奧羅拉上最密集的區域都那麼空曠，其他世界可想而知。事實上，就連地球也算是個空曠的世界，只有大城裡面例外。

可是地球上好歹有那些大城，想到這裡，貝萊感到一陣錐心之痛，趕緊設法將這股鄉愁抛在腦後。

丹尼爾說：「啊，吉斯卡好友偵察完畢了。」

吉斯卡剛走回來，貝萊便尖酸刻薄地說：「怎樣？可否請你恩准我……」他突然打住了。機器人在這方面百邪不侵，又有什麼好挖苦的呢？

吉斯卡說：「幾乎可以確定這個衛生間是空的。」

「太好了！那就快給我讓開。」貝萊用力推開車門，一腳踏到了碎石小徑上。他隨即快步向前走去，丹尼爾則緊跟在後。

他們來到了那棟建築的門口，丹尼爾默默地指著門上的開關，並未貿然伸手按下去。貝萊推測，想必是在沒有明確指令的情況下，如果主動那麼做，會顯得他有打算進去的意圖——機器人連這種意圖都不能有。

貝萊按下開關，走了進去，讓兩個機器人留在外面。

直到他置身這個衛生間，才想到吉斯卡絕不可能進來巡視過——那機器人說裡面沒有人，一定只是從外面觀察所得的結論，而這種結論並不算可靠。

然後，貝萊又有點不自在地想到，這是自己頭一回身邊沒有任何保鏢——如果突然出現狀況，門外那兩名保鏢並不容易進來。所以說，萬一此時此刻，這裡面還有別人，那該怎麼辦？萬一敵人透過瓦西莉婭獲悉了他的行蹤，知道他正在找衛生間；萬一敵人此時正躲在這棟建築內？

突然間，貝萊又驚覺自己竟手無寸鐵（這是在地球上不可能發生的事）。

46

事實上，這棟建築並不算大。裡面共有六個小便斗，以及六個小洗臉台，兩者皆是一字排開。但是並沒有淋浴間，也沒有衣物清洗機或刮臉裝置。

不過倒是還有六個隔間，每間都附有一扇小門。會不會某間裡面正藏著一個人呢——由於隔間門和地板之間有些空隙，他輕輕彎下腰來，從那些空隙望進去，看看會不會瞥見一雙腳。然後他又走近每扇門，如臨大敵般一一打開，而且心中早有準備，只要發現一絲不對勁，立刻用力把門關上，拔腿衝向通往戶外那扇門。

結果，每個隔間都是空的。

他又四下望了望，以確定並沒有其他可供藏身之處。

結果是根本找不到。

最後，他檢查了一下那扇外門，發覺竟然無法將它鎖上。這時他才想到，那是理所當然的事。這個衛生間顯然是供多人同時使用，必須讓其他人隨時能夠進來。

但他不能輕易離開這裡，去找另一個衛生間，因為任何一間都有同樣的危險——此外，他也不能再憋了。

不料一時之間，他無法決定該用哪個小便斗。他可以任選一個，問題是別人也能這麼做。

他終於強迫自己做出選擇，但由於四周毫無遮攔，他羞得連膀胱都使不出力氣。雖說他尿急，可是在那股擔心有人闖進來的情緒慢慢消退之前，他卻什麼也做不了。

他不再害怕敵人闖進來，他現在擔心任何人闖進來。

然後他想到：如果有人走近，兩個機器人至少會擋一陣子。

有了這個想法之後，他勉強寬心了——

他總算解完小便，感到無比輕鬆，正準備要轉向洗臉台，忽然聽到有人以音調頗高、帶點緊張的聲音說：「你是以利亞．貝萊嗎？」

貝萊僵住了。他擔了那麼多心，做了那麼多預防，結果還是未曾察覺有人進來。想必剛才在最後關頭，他完全專注於清空膀胱這個簡單的動作。可是這種事，不該令他有一絲一毫分神才對。（他是不是老了？）

其實，他聽到的那個聲音似乎並未帶有任何威脅，更沒有一絲敵意。貝萊之所以錯愕，只是因為他很有把握——甚至內心萬分肯定——就算吉斯卡辦不到，丹尼爾也一定會替他擋住所有的威脅。

令貝萊難以接受的，是憑空冒出一個人這回事。他活到這麼大，從未碰過有人在衛生間裡靠他那麼近——更遑論和他說話。在地球上，那是最嚴重的禁忌；而在索拉利（以及在此之前在奧羅拉），他一律使用單人衛生間。

那聲音又出現了，而且聽起來很不耐煩。「好了啦！你一定就是以利亞．貝萊。」

貝萊慢慢轉過頭去，見到一個中等身高的男子，穿著一件剪裁合宜的服裝，整套衣服都是深淺不同的藍色。他的膚色和髮色都很淡，兩小撇八字鬍的顏色則比較深。貝萊不禁望著對方的小鬍子出了神，這還是他頭一回見到蓄八字鬍的太空族。

貝萊（聲音中充滿在衛生間說話的羞愧）答道：「我就是以利亞．貝萊。」即使在他自己聽來，這句話也細聲細氣到毫無說服力的程度。

當然，那名太空族也覺得這個回答沒什麼說服力。他瞇起眼瞧了瞧，說道：「外面的機器人說以利亞．貝萊就在這裡，可是你和超波劇裡面的你根本不像，一點都不像。」

貝萊咬牙切齒地想，又是那個愚蠢的超波劇，真是沒完沒了！他所碰到的陌生人，個個都因為劇中那個絕不忠於本尊的角色，對他有個先入為主的錯誤印象。因而一開始的時候，誰也無法接受他是個普普通通的人類，是個也會犯錯的凡人——等到發現他竟然會犯錯，他們失望之餘，便會開始把他當成笨蛋。

想到這裡，他憤憤地來到洗臉台，把水龍頭開到最強，然後一面在半空中微微甩手，一面尋找熱風機的所在。那太空族按下一個開關，手中便憑空出現一小團能吸水的鬆軟物質。

「謝謝你。」貝萊伸手接了過來，「超波劇中那個人不是我，是個演員。」

「我知道，但他們應該找個更像你的人來演，對不對？」他對這件事似乎頗為不滿，「我想跟你談談。」

「我的機器人怎麼會讓你進來？」

他對這件事顯然同樣不滿。「我差點進不來了。」那太空族說，「他們試圖阻攔我，而我身邊只帶了一個機器人。我必須裝作急得不得了、非進來不可的樣子，沒想到他們竟然對我搜身。他們真的把雙手放到我身上，確認我是否帶有危險物品。如果你不是地球人，我一定會告你。你不能對機器人下那種羞辱他人的命令。」

「我很抱歉。」貝萊硬邦邦地說，「不過這個命令並不是我下的。我能幫你什麼嗎？」

「我想跟你談談。」

「你已經在這麼做了——請問你是誰？」

對方似乎遲疑了一下，然後說：「格里邁尼斯。」

「山提瑞克斯．格里邁尼斯？」

「沒錯。」

「你為什麼想要跟我談談呢？」

格里邁尼斯顯得有點尷尬，他瞪了貝萊片刻，然後含糊地說：「嗯，既然我進來了……希望你別介意……我不妨也……」說著，他便朝那排小便斗走去。

貝萊立刻瞭解格里邁尼斯要做什麼，忍不住感到一陣噁心。他連忙轉身，說道：「我在外面等你。」

「不不，別走。」格里邁尼斯急得幾乎像在尖叫，「一下就好，拜託！」

正巧貝萊現在也急著要跟格里邁尼斯談談，不想因為任何小事得罪對方，惹得對方不願開口，否則他可不願答應這個請求。

他一直背對著小便斗，由於驚嚇引發的反射動作，他的眼睛幾乎瞇成了一條線。直到格里邁尼斯轉到他面前，手上同樣揑著一團蓬鬆的紙巾，貝萊才再次有了寬心的感覺。

「你為什麼想要跟我談談？」他又問了一次。

「嘉蒂雅──那個索拉利女子──」格里邁尼斯顯得有些猶豫，沒有再說下去。

「我認識嘉蒂雅。」貝萊淡淡地說。

「嘉蒂雅用顯像和我聯絡──你知道，就是三維視訊──告訴我說你在打聽我。而且，他還問我有沒有用任何方式欺負她的機器人──那是個外表酷似人類的機器人，和外面那個很像……」

「究竟有沒有呢，格里邁尼斯先生？」

「沒有！我甚至不知道她有個那樣的機器人，直到──難道你告訴她是我做的嗎？」

「我只是問了她一些問題，格里邁尼斯先生。」

格里邁尼斯右手握拳，按在左手手掌上不停地磨蹭。「我可不想遭到任何不實指控──尤其是那種會影響到我和嘉蒂雅關係的誣陷。」他緊張兮兮地說。

貝萊問：「你是怎麼找到我的？」

格里邁尼斯說：「她先問我有沒有欺負她的機器人，然後又說你在打聽我。我本來就知道你是被法斯陀夫博士找來奧羅拉，來幫忙解開關於那個機器人的——謎團。這些事超波新聞都報導過，而……」他一句句說得很辛苦，彷彿對他而言，說出這些實情有著天大的困難。

「請繼續。」貝萊說。

「我覺得必須向你解釋清楚，我和那個機器人沒有任何瓜葛，絕對沒有！嘉蒂雅並不知道你在哪裡，但我猜法斯陀夫博士應該知道。」

「所以你聯絡了他？」

「喔，不，我——我自己並沒有這個膽子——他是那麼偉大的科學家。但嘉蒂雅替我問了他，她這個人——就是那麼熱心。他告訴她，你去找他的女兒瓦西莉婭．茉露博士去了，這對我是好消息，因為我也認識她。」

「對，這我知道。」貝萊說。

格里邁尼斯顯得侷促不安。「你是怎麼——你也跟她打聽了我？」他的不安似乎很快轉化成悲哀，「等到我終於和瓦西莉婭博士取得聯絡，她說你剛離開，但我或許能在某個公共衛生間找到你——而這間離她的宅邸最近。我確定你沒有理由捨近求遠，耽擱更多的時間。我的意思是，你何必那麼做呢？」

「你的推理相當正確，但你怎麼會來得這麼快？」

「我在機器人學研究院工作，我的宅邸就在研究院裡面。騎機板車幾分鐘就到這兒了。」

「你一個人來的嗎？」

「對！只帶了一個機器人。要知道，機板車是雙座的。」

「而你的機器人等在外面？」

「是的。」

「請再講一遍，你為什麼想要見我。」

「我必須說服你相信我和那個機器人毫無瓜葛，在這件事爆成大新聞之前，我甚至從未聽說過他。所以我能跟你談談了嗎？」

「可以，但不是在這裡。」貝萊堅決地說，「我們先出去。」

貝萊心想，說來也真奇怪，自己竟然那麼渴望走出這幾堵牆，投向戶外的懷抱。在這個衛生間裡，他遇到一件完全陌生的事物，可以說是他在奧羅拉或索拉利都從未見識過的。在這種場所，竟然有人公然地、若無其事地跟他說話——將這個特殊場所和其他場所一視同仁——這要比公開談論衛生間更加令他驚訝。

關於這件事，他所讀過的膠捲書都隻字未提。顯然，正如法斯陀夫所強調的，那些書並非為了地球人而寫；作者心目中的讀者主要是奧羅拉人，其次則是來自其他四十九個太空族世界的觀光客。畢竟，地球人幾乎永遠不可能來到太空族世界，其中又以奧羅拉最不可能。這裡根本不歡迎地球人，所以說，又何必替他們寫什麼書呢？

更何況，對於眾所周知的事，那些膠捲書又何必詳加說明？難道書中還要不厭其煩地強調奧羅拉世界是球形的，或者水是濕的，或者男性在衛生間可以自由交談？

但這樣一來，豈不是褻瀆了「衛生間」這三個字嗎？然而，貝萊又不免想到地球上的女用衛生間，正如潔西經常提到的，女性在裡面總是喋喋不休，從來不覺得有什麼不妥。為何女性可以，男性卻不行？在此之前，貝萊只是將它當作習俗——牢不可破的習俗——從未認真思考過這個問題。但既然女性可以，男性為何不行？

當然可以。不過，這個想法只停留在他的理智層面，並未影響他的內心，因此他對這種事還是有著根深柢固的強烈反感。於是他再度強調：「我們先出去。」

格里邁尼斯表示反對。「但你的機器人就在外面。」

「完全正確，那又怎樣？」

「可是這件事，我想跟你私下談，所謂僅限人類和人……人類之間。」最後那半句話，他說得有點結巴。

「我想你的意思是，太空族和地球人之間。」

「這麼說也行。」

「我的機器人一定要在場，他們是我查案的工作夥伴。」

「但我要說的話和你的查案毫無關係，我試圖說服你的正是這一點。」

「有沒有關係，由我來決定。」貝萊說得十分堅決，隨即走出了衛生間。

格里邁尼斯遲疑片刻，然後才跟上去。

47

丹尼爾和吉斯卡仍舊耐心地等在外面——他們面無表情，彷彿漠不關心。不過貝萊覺得，至少能在丹尼爾臉上看到一絲掛念，但另一方面，他也有可能只是把情緒投射到了這個足以亂真的機器臉孔上。至於比較不像人的吉斯卡，即使再有想像力的人，也無法對他做出擬人化的聯想。

此外還有另一個機器人等在門外——想必就是格里邁尼斯帶來的。他的外觀甚至比吉斯卡更簡單，而且看起來有點破舊感，顯然格里邁尼斯並不怎麼富裕。

丹尼爾說：「很高興看到你安然無事，以利亞夥伴。」貝萊自然而然把這句話解釋成丹尼爾大大鬆了一口氣。

「完全沒事。然而，有件事令我感到好奇：如果聽見我在裡面大聲呼救，你們會闖進去嗎？」

「會立刻行動，先生。」吉斯卡說。

「即使你們的程式禁止你們進衛生間？」

「保護人類──尤其是你──是至高無上的要求，先生。」

「的確沒錯，以利亞夥伴。」丹尼爾說。

「我很高興聽到這句話。」貝萊說，「這個人就是山提瑞克斯．格里邁尼斯。格里邁尼斯先生，這是丹尼爾，這是吉斯卡。」

兩個機器人都莊重地點頭行禮。格里邁尼斯只是瞥了他們一眼，然後隨便揮了揮手。他也根本懶得介紹他自己的機器人。

貝萊四下望了望。太陽已經完全躲進雲層裡面，天色明顯地暗了下來，涼風則吹得更起勁，把空氣吹得更冷了。不過，這種陰暗的天氣似乎並未影響貝萊的心情，他仍在暗自慶幸總算逃出了衛生間。當他察覺自己對戶外真的有了好感，精神不禁大為振奮。他知道這只能算是特例，但這一小步得來不易，他還是忍不住視之為豐功偉蹟。

貝萊正準備轉向格里邁尼斯，和他繼續談下去，卻無意間望見一些動靜──一名女子正帶著一個隨行的機器人跨過那片草地，一路朝他們走來，可是似乎對他們完全視而不見。顯然，她的目的地是這個衛生間。

雖然女子距離他們還有三十公尺，貝萊仍朝她舉起手來，彷彿要阻止她繼續前進。與此同時，他還低聲抱怨：「難道她不知道這是男用衛生間？」

「什麼？」格里邁尼斯說。

那女子繼續前進，貝萊越看越覺得一頭霧水。最後，她的機器人在門口站定，女子則走進了那棟建築。

貝萊莫可奈何地說：「可是她不能進去啊。」

格里邁尼斯回應道：「有何不可？這是公用的。」

「但卻是男用的。」

「不，大家都可以用。」格里邁尼斯似乎完全摸不著頭腦了。

「男女通用嗎？你不可能是那個意思吧。」

「凡是人類皆可使用，我就是這個意思！不然你希望怎麼樣？我真搞不懂。」

貝萊轉過身去。幾分鐘之前，他還認為在衛生間公開交談是最糟的一件事，再也沒有什麼比它更糟的了。

就算要他盡力設想更糟的情況，他也無論如何想不到有可能在衛生間遇到女性。根據地球上的慣例，只要進入大型的公共衛生間，他就必須裝作其他人都不存在，但即使所有的慣例加在一起，也不能禁止他察覺迎面而來的人是男是女。

萬一，當他還在衛生間的時候，有個女子若無其事地走了進來——就像剛才那位一樣——那該怎麼辦？或者更糟的情況，萬一他走進衛生間，發現已經有個異性在裡面，那又該怎麼辦？他無法推估自己會有什麼反應。他從未估量過這種可能性，更遑論遇到過這種情形，但即使想一想，他也覺得完全難以忍受。

而膠捲書中，對這件事同樣隻字未提。

當初他之所以閱覽那些書，是為了避免在進行調查之際，對奧羅拉人的生活習慣一無所知——結果讀完之後，他對所有的重要環節仍舊一無所知。

這種一無所知的情形，幾乎令他寸步難行，所以說，對於詹德之死這個謎中謎，他又要如何破解呢？

不久前，他還因為稍微克服了戶外恐懼而沾沾自喜，可是現在，他卻發現自己對身邊的事物全都不夠明白，甚至不明白自己為何這麼不明白。

他竭力避免想像有個女子正走在自己剛剛站立的位置，但他發覺自己眼看就要完全絕望了。

48

吉斯卡又說（從他的遣詞用字，不難察覺出關懷之意──雖說從口吻中聽不出來）：「你不舒服嗎，先生？需要協助嗎？」

貝萊喃喃道：「不，不，我很好──但我們趕緊走吧，我們擋住了通往衛生間的路。」

他迅速朝氣翼車的方向走去。剛才他們將氣翼車停在碎石小徑旁的空地，現在空地的另一側還停了一輛小型雙輪車──共有一前一後兩個座位。貝萊假設那就是格里邁尼斯的機板車。

貝萊心裡很清楚，由於饑腸轆轆，他心中的沮喪和難過更加嚴重了。現在顯然已經過了午餐時間，而他尚未填飽肚子。

他轉向格里邁尼斯。「我們繼續談吧──但如果你不介意，讓我們邊吃邊談。我是說，如果你還沒吃午飯，而且不介意和我一起用餐的話。」

「你要去哪裡吃？」

「我不知道。研究院哪裡有賣吃的？」

格里邁尼斯說：「不能去公共餐廳，那裡不方便說話。」

「還有別的選擇嗎？」

「去我的宅邸吧。」格里邁尼斯立刻答道，「它並非那種高級住宅，我可不是這裡的高階主管。話說回來，我還是有幾個僕傭機器人，可以弄一頓像樣的午餐──我看這麼做吧，我仍騎車載著布朗迪吉──你知道，就是我的機器人──而你們跟在我後面。你們得開慢點，不過只有一公里多的路程，兩三分鐘就到了。」

他小跑步離去，一副迫不及待的樣子。貝萊望著他瘦長的背影，覺得他似乎散發著一種青春氣息。當然，想要準確判斷他的年齡並不簡單；太空族的外表不會顯露年齡，所以格里邁尼斯很可能已經五十歲了。但他的言行令他看起來很年輕，幾乎可以說就是地球人心目中的青少年。至於他怎麼會給人這種印象，貝萊自己也說不準。

貝萊突然轉向丹尼爾。「你認識格里邁尼斯嗎，丹尼爾？」

「我以前從未見過他，以利亞夥伴。」

「你呢，吉斯卡？」

「我見過他一次，先生，但只是擦肩而過。」

「你對他有任何瞭解嗎，吉斯卡？」

「全都是很浮面的，先生。」

「他的年齡？他的個性？」

「都不知道，先生。」

只聽格里邁尼斯喊道：「準備好了？」他的機板車隨即發出刺耳的噪音。顯然這輛車並不具備噴射輔助動力，因為它的輪子一直未曾離開地表。這時，布朗迪吉已端坐在格里邁尼斯後面。吉斯卡、丹尼爾和貝萊迅速鑽進氣翼車。

格里邁尼斯沿著一條弧線騎出去，只見他的頭髮飛揚在半空中。貝萊忍不住想像，騎著像這樣的開放式交通工具，風吹在身上是什麼感覺？他很慶幸自己坐在完全封閉的氣翼車內——而且他突然覺得，這是一種文明得多的旅行方式。

機板車開始走直線了，並在一聲悶響之後猛然向前衝。格里邁尼斯揮了揮手，做了一個跟我來的手勢。坐在他後面的機器人並未摟著他的腰，卻能輕輕鬆鬆地保持平衡，貝萊確定換成人類絕對做不到。

氣翼車跟了上去。雖然機板車一路暢行無阻，似乎在高速前進，但那顯然是它的大小所造成的假象。氣翼車必須盡可能放慢速度，才不至於把它撞倒。

「還有一件事，」貝萊若有所思地說：「令我百思不解。」

「什麼事，以利亞夥伴？」丹尼爾問。

「瓦西莉婭提到格里邁尼斯的時候，曾不屑地說他只是個『理髮匠』。顯然，他的工作不外是替人設計髮型、服裝，以及各種隨身飾品。所以說，他的宅邸怎麼會在機器人學研究院裡面呢？」

第十二章 格里邁尼斯之二

49

只不過短短幾分鐘，貝萊已經置身格里邁尼斯的住處，這是自從他一天半前抵達奧羅拉之後，所造訪的第四個宅邸，前三個分別屬於法斯陀夫、嘉蒂雅，以及瓦西莉婭。

雖然貝萊不算熟悉奧羅拉的事物，也看得出格里邁尼斯的宅邸是個新房子，只是相較之下，它顯得比較小，也比較簡單樸素。然而，奧羅拉宅邸的一大特色——機器人棲身的壁凹——當然少不了。大夥兒剛進去，吉斯卡和丹尼爾便迅速走進兩個空置的壁凹，面向牆壁一動不動地靜靜待著。格里邁尼斯的機器人布朗迪吉也幾乎同樣迅速地進了另一個壁凹。

儘管動作那麼快，卻看不出他們在選擇壁凹之際出現任何困難，更看不出有兩個機器人想要走進同一個壁凹。貝萊十分好奇他們是如何避免衝突的，最後他斷定，他們彼此之間一定在互通訊息，其中的過程類似人類的潛意識運作。諸如此類的問題，他或許會找個機會請教丹尼爾（只要他沒忘記）。

貝萊還注意到，格里邁尼斯也在端詳那些壁凹。

格里邁尼斯將手舉到上唇，伸出食指摸了一下他的小八字鬍。然後，他以不太確定的口吻說：「你的那個機器人，外表像人類那個，似乎不該待在壁凹裡。他就是丹尼爾．奧利瓦吧？法斯陀夫博士的機器人，對不對？」

「沒錯。」貝萊說，「他在那齣超波劇中也有戲分。不，並不是他自己演的，但扮演他的演員還算稱職。」

「對，我記得。」

貝萊注意到格里邁尼斯就像瓦西莉婭——甚至嘉蒂雅以及法斯陀夫一樣，和自己保持著一定的距離。在貝萊周圍，似乎有一個看不見、摸不著，而且無論如何感知不到的「排斥場」，令這些太空族無法靠他太近，甚至每當他們經過他身邊，也會受到排斥而改走有弧度的路徑。

貝萊有點納悶，格里邁尼斯是刻意這麼做呢，或者這純屬下意識的行為。既然這樣，那麼他在這些宅邸所坐過的椅子，用過的碗盤，擦過的毛巾，他們又會怎麼處理呢？普通的清洗就足夠了嗎？還是要經過特殊的殺菌程序？他們會不會把那些東西通通丟棄，一一換新？一旦他離開這個世界，那些宅邸會不會被整個消毒一遍？或是每晚已經在這麼做？而他用過的那個公共衛生間呢？他們會不會把它拆了，重新建造一個？剛才在他之後使用衛生間的那個不知情女子，她是多麼無辜呢？或者有沒有可能，她就是前來消毒的工作人員？

他發覺自己冒出的疑問越來越蠢了。

把這些問號丟到外太空吧。奧羅拉人到底會怎麼做，以及他們如何處理自己的問題，都是他們自己的事，他再也懶得動這個腦筋了。耶和華啊！他早已自顧不暇了，而現在，他手頭上的問題是這個格里邁尼斯——而他打算午餐後再來處理。

這頓午餐相當簡單，主要都是素食，但他遇到一個前所未見的小問題。每道菜的口味都太有自己的特色了，比方說，胡蘿蔔吃起來太像胡蘿蔔，豌豆太有豌豆味等等。

或許，有點過了頭了。

他硬著頭皮一口口吃下去，盡量不讓逐漸泛起的噁心感顯露出來。

而在這個過程中，他發覺自己慢慢習慣了這種吃法——彷彿他的味蕾成熟了，能夠輕易處理更多的味覺。貝萊突然（相當無可奈何地）頓悟一件事：如果讓他繼續接觸奧羅拉的食物，那麼一旦回到地球，他將十分懷念這些各具特色的菜餚，再也吃不慣地球上的大雜燴口味。

甚至那些分外酥脆的食物——起初令他嚇一大跳，因為每嚼一下，似乎就會出現一聲（他認為必定會）干擾到談話的噪音——現在也搖身一變，成了幫他確定自己正在據案大嚼的明證。這也會是一件令他懷念的事，因為相較之下，地球的食物顯得太安靜了。

他開始把心思放在食物上，仔細品嚐這些美味。或許，當地球人移民到其他世界時，這類太空族食物會是一種新的飲食標準，尤其是在沒有機器人、全靠人類自己下廚和上菜的情況下。

然後，他又不安地想到，並不是「當地球人移民到其他世界」，而是「如果地球人移民到其他世界」。至於這個「如果」能否實現，將完全取決於他——便衣刑警以利亞・貝萊的表現。這個重擔令他感到不勝負荷。

這一餐終於吃完了。兩個機器人送來熱呼呼的濕毛巾，想必是擦手用的。不過，那並不是普通的毛巾，因為當貝萊用畢、放回盤子之後，它似乎微微動了動，而且逐漸消融，變得像一團蜘蛛網。然後，它在毫無預警的情況下飄了起來，被吸進天花板的一個通風口。貝萊嚇得輕跳了一下，目光隨之上揚，張大嘴巴望著它在眼前消失。

格里邁尼斯說：「這是我剛開始試用的新東西。你瞧，即用即丟，但我還不確定自己會不會喜歡。有些人說它用久了會阻塞廢氣管，還有人擔心污染問題，因為他們認為它的分解物多少還是會進入你的肺部。製造商說不會，但……」

貝萊突然想起來，剛才吃飯時對方一個字也沒說，而且，他們在飯前談了幾句丹尼爾的事情之後，兩人就誰也沒有再開口——可是拿餐巾當話題一點用也沒有。

貝萊相當突兀地說：「你是理髮師嗎，格里邁尼斯先生？」

格里邁尼斯立刻漲紅了臉，一路紅到他的髮際。他用像是快要窒息的聲音說：「誰告訴你的？」

貝萊說：「如果用這三個字稱呼你的職業並不禮貌，我向你鄭重道歉。我們在地球上一般都這麼講，沒有任何侮辱之意。」

格里邁尼斯說：「我是髮型設計師兼服裝設計師，這是一門公認的藝術。事實上，我可以說是一位人體藝術家。」他再次摸了摸自己的八字鬍。

貝萊嚴肅地說：「我注意到你的八字鬍了，它在奧羅拉普遍嗎？」

「不，並不普遍，但我希望能流行起來。你的臉型足夠陽剛——不過，許多男士的臉孔能藉由鬍鬚藝術設計來增強或改善。任何事物都可以設計一番——這就是我的專業。當然，有時可能會過了頭。比方說在帕勒斯這個世界，蓄鬚是相當普遍的，但他們耽溺於分色染法，每根鬍子染上不同顏色，營造出混色的效果——唉，那樣做很愚蠢，不可能持久，一段時間後就會變色，看起來便很可怕。但即便如此，總比臉上光溜溜來得好。『臉部沙漠』可以說是最沒有吸引力的了——這是我自己的用語，我在開發新顧客時常會這麼說，效果非常好。女性則沒有這個需要，因為她們用別的方法來裝飾臉部。在史密瑟司——」

他在說這番話的時候，無論是輕聲而迅疾的言詞，或是熱切的表情，都帶來一種近乎催眠的效果，更遑論他還瞪大眼睛，極其誠懇地緊盯著貝萊不放。貝萊需要用力搖搖頭，才能夠保持清醒。

他問：「你是機器人學家嗎，格里邁尼斯先生？」

被硬生生打斷發言的格里邁尼斯不但顯得驚訝，而且有點困惑。「機器人學家？」

「對，機器人學家。」

「不，完全不是。我和大家一樣天天使用機器人，但我可不知道他們肚子裡有些什麼——老實說一點也不關心。」

「可是你住在機器人學研究院裡面，這是怎麼回事？」

「有何不可呢？」格里邁尼斯的聲音透出了更明顯的敵意。

「如果你不是機器人學家……」

格里邁尼斯做了個鬼臉。「多蠢的問題啊！當年這所研究院在設計之初，就被規劃成一個自給自足的社區。我們有自己的交通工具修理廠，有自己的個人機器人維修廠，還有我們自己的醫生和自己的建築師。我們的員工通通住在這裡，如果有誰需要人體藝術家，他們就會找山提瑞克斯．格里邁尼斯，而我當然也住在此地——你說我不該住這兒，是指我的專業有什麼問題嗎？」

「我可沒這麼說。」

雖然貝萊趕緊撇清，但於事無補，格里邁尼斯仍餘怒未消地別過頭去。他按下一個鈕，接著又花些時間，審視一條五顏六色的長方形帶子，最後做了一連串很像是用手指打鼓的動作。一個圓球從天花板輕輕落下，停在他們頭頂上方大約一公尺之處。然後，圓球像橘子般一瓣瓣剝開來，裡面隨即出現色彩的變化，同時伴隨著一連串輕柔的聲音。兩者結合得十分巧妙，貝萊不但看得目瞪口呆，不久後還發現，由於融合得天衣無縫，聲光竟然彼此難以分辨。

這時窗戶已變作不透明，一瓣瓣的「橘子皮」更加明亮了。

「太亮了嗎？」格里邁尼斯問。

「不會。」貝萊遲疑了一下才說。

「這是用來當作聲光背景的，我挑了一個能緩和情緒的組合，要知道，這樣我們比較能夠以文明的方式交談。」然後他很乾脆地說：「我們進入正題好嗎？」

貝萊費了些力氣，總算將注意力從那個不知道是什麼的東西上移開（格里邁尼斯並未介紹它的名稱），然後說：「請便，我很樂意。」

「你是否指控我涉嫌把那個名叫詹德的機器人弄壞了？」

「我只是在調查這個案子的相關背景。」

「但是你曾提到我和那個案子有些牽連——事實上，幾分鐘前，你還問我是不是機器人學家。我知道你心裡打什麼主意，你試圖讓我自己承認懂得一點機器人學，這樣你就可以正式指控我——指控我是——那個機器人的終結者。」

「你可以用『兇手』兩字。」

「兇手？誰也不可能殺害機器人——總之，我並沒有終結它，殺害它，或是對它做任何事。我告訴你，我並不是機器人學家。我對機器人學一竅不通，你究竟怎麼會想到……」

「我必須調查所有可能的關聯，格里邁尼斯先生。詹德隸屬於嘉蒂雅——那個索拉利女子——而她是你的朋友，這就是關聯。」

「她的朋友可能不計其數，這算不上什麼關聯。」

「你可願意聲明，當你在嘉蒂雅家的時候，從來沒有見過詹德？」

「從來沒有！一次也沒有！」

「你從不知道她有個人形機器人？」

「對！」

「她也從未提過他？」

「她那兒到處都是機器人，通通是普通貨色，她從沒說過擁有其他類型的機器人。」

貝萊聳了聳肩。「很好。我沒理由懷疑你並未吐實——至少目前為止。」

「那你就對嘉蒂雅這麼說吧。這正是我想要見你的原因，我要請你那麼做，不，我堅持。」

「嘉蒂雅有任何理由不相信你嗎？」

「當然，她受了你的蠱惑。你朝那個方向跟她打聽我，於是她假設——總之她起疑了——事實上，她今天早上聯絡我，就是要問我和那件事有沒有任何瓜葛。這點我已經對你說了。」

「你否認了嗎？」

「我當然否認，而且堅決否認，因為我和那件事真的毫無瓜葛。但如果由我自己來否認，不會有什麼說服力。我要你幫我出頭；我要你告訴她，在你看來，我和整件事情沒有任何關係。你剛剛已經這麼說了，而且在完全沒有證據的情況下，你不能詆毀我的名譽，否則我可以告發你。」

「向誰告發？」

「人身保障委員會，或是立法局。這所研究院的院長和主席本人有很好的私交，而我已經針對這件事，送了一份完整的報告給他。我並非消極等待，你瞭解吧，我已經在採取行動了。」

格里邁尼斯使勁搖了搖頭，像是打算表現出一副兇狠的模樣，可惜他的長相實在太溫和了，以致完全欠缺說服力。「聽好，」他說：「這裡可不是地球，在這兒我們受到了完善的保護。你們的世界人口過剩，所以你們地球人必須住在一個又一個蜂窩和蟻穴裡頭。你們彼此推擠，彼此逼到窒息——這都沒什麼關係。一條命或一百萬條命，都沒什麼差別。」

貝萊竭力避免聲音中出現輕蔑之意：「你愛看歷史小說吧。」

「我當然愛看——那些內容都是有所本的。你讓幾十億人擠在一個世界裡，一定會發生那種情形——而在奧羅拉，每個人的生命都很珍貴。我們的機器人把每一個人都保護得很好，所以在奧羅拉，絕不會出現暴力事件，更遑論謀殺案了。」

「唯獨詹德一案例外。」

「那並不算謀殺，他只是個機器人。至於不像暴力攻擊那麼具體的傷害，則由立法局負責保護我們。凡是有危害公民的名譽或社會地位之類的行為，人身保障委員會都會採取廣義解釋——非常廣義的解釋。若有奧羅拉人像你剛才那樣，就會惹上大麻煩。至於地球人嘛——嗯——」

貝萊說：「我想，我是受到立法局的邀請，前來進行這項調查的。如果沒有立法局的許可，我不信法斯陀夫博士能把我弄到這裡來。」

「也許吧，但即使這樣，你也無權超越正當調查的底線。」

「所以說，你打算把這件事提到立法局？」

「我打算請研究院院長……」

「對了，他叫什麼名字？」

「凱頓・阿瑪狄洛。我打算請他替我做這件事——要知道，他也是立法局的一員，而且還是母星黨的領袖之一。所以我說你最好向嘉蒂雅解釋清楚，我是百分之百無辜的。」

「我很願意這麼做，格里邁尼斯先生，因為我也猜你是無辜的。可是，除非你允許我問些問題，否則我如何把猜測變成肯定呢？」

格里邁尼斯猶豫了一陣子。然後，他帶著不以為然的神情，將上身靠向椅背，雙手放到脖子後面，想表現得輕鬆自在卻適得其反。他開口道：「問吧，我沒什麼好隱瞞的。問完後，你得立刻聯絡嘉蒂雅，就直接用你背後那個三維發射器，然後把話說明白——否則，你會惹上難以想像的麻煩。」

「我瞭解了。但首先——格里邁尼斯先生，你認識瓦西莉婭・法斯陀夫博士有多久了？或是你一向稱呼她瓦西莉婭・茉露博士？」

格里邁尼斯又猶豫了一下，才以緊繃的聲音說：「你問這個做什麼？這和那件案子有何干係？」

貝萊嘆了一口氣，那張苦瓜臉顯得更苦了。「我要提醒你，格里邁尼斯先生，一來你沒有什麼好隱瞞的，二來你希望說服我相信你的清白，這樣我才能替你說服嘉蒂雅。乾乾脆脆告訴我，你到底認識她多久了。如果你並不認識她，不妨就說一聲——但如果你想那麼做，基於職責我得先告訴你，瓦西莉婭博士已經聲明你和她很熟——至少，熟到了會向她求歡的程度。」

格里邁尼斯顯得很苦惱，他用顫抖的聲音說：「我不懂為什麼會有人拿這種事大做文章。求歡是完全自然的社交行為，不干他人任何事——當然，你是地球人，所以才會大驚小怪。」

「據我瞭解，她並未接受你的求歡。」

格里邁尼斯把雙手移到膝蓋上，並握起了拳頭。「接受或婉拒，完全是她的自由。我也婉拒過一些異性，這沒什麼大不了的。」

「好吧。你到底認識她多久了？」

「好些年了，大約十五年吧。」

「你是否在她和法斯陀夫博士仍住一起的時候，就認識她了？」

「那時我還小。」他紅著臉答道。

「你是怎麼認識她的？」

「完成人體藝術家的訓練之後，我被找去替她設計一套服裝。她很喜歡我的作品，從此以後，凡是這方面的工作，她一律找我替她服務。」

「所以，你是否藉由她的推薦，才獲得如今這個職位——或許可以稱為——機器人學研究院員工專屬的人體藝術家？」

「她只是認為我夠資格。我憑自己的實力，和其他人一起參加考試，最後贏得了這個職位。」

「但她到底有沒有推薦你？」

格里邁尼斯沒好氣地簡短回答：「有。」

「而你覺得，唯有向她求歡，才算是對她做出夠體面的回報？」

格里邁尼斯做了一個鬼臉，還吐出了舌頭，彷彿嚐到什麼難吃的東西。「那麼講——實在——噁心！我想只有地球人會做這種假設。我之所以向她求歡，只是因為我喜歡這麼做。」

「因為她長相迷人，而且生性熱情？」

格里邁尼斯再次顯得猶豫。「嗯，我並不會說她生性熱情，」他說得很謹慎，「但她的確十分迷人。」

「我還聽說你會向任何人求歡——不做任何篩選。」

「那是天大的謊言。」

「哪部分是謊言？是你會向任何人求歡，還是我聽說？」

「是我會向任何人求歡這件事。究竟是誰告訴你的？」

「我想不通你為何要我回答這個問題。如果你提供我一些令人難堪的情報，會不會希望我暴露你的身份？如果你認為我會那麼做，還會不會對我知無不言？」

「好吧，不管是誰說的，反正他在說謊。」

「或許只是過分誇大吧。在你向瓦西莉婭博士求歡之前，有過向別人求歡的經驗嗎？」

格里邁尼斯別過頭去。「有過一兩次，並不認真。」

「可是你對瓦西莉婭博士很認真？」

「這……」

「據我瞭解，你曾一再向她求歡，這相當有違奧羅拉習俗。」

「喔，奧羅拉習俗……」格里邁尼斯氣得講不下去了，他緊緊抿起嘴，額頭也皺成一團。「聽好了，貝萊先生，你能否替我保密？」

「可以。我提出這些問題，全都是為了讓我相信你和詹德之死毫無牽連。一旦我說服了自己，你大可放心，我一定會替你保密。」

「那就好。這沒什麼不對——請你瞭解，我沒什麼好羞愧的。這只能代表我有很強的隱私感，而這是我的權利，對不對？」

「一點也沒錯。」貝萊以撫慰的口吻說。

「你要知道，我覺得雙方之間必須存在深厚的情感，性愛活動才會完美。」

「我想這點也非常正確。」

「所以不關其他人任何事，你說對不對？」

「這聽來——也有道理。」

「我一直夢想找到那個完美的伴侶，從此不必再找其他任何人了。聽說這叫單偶制，雖然在奧羅拉見不到，但在某些世界還有——地球就採用這種制度對不對，貝萊先生？」

「理論上如此，格里邁尼斯先生。」

「這正是我要的，我已尋覓了許多年。當我偶爾嘗試性愛活動，我能感覺到確實少了些什麼。然後我遇到了瓦西莉婭博士，而她告訴我——嗯，人們常會對自己的人體藝術家吐露心中的祕密，因為工作的關係，我們和客戶非常親近——這就是絕對要保密的部分——」

「好，請繼續。」

格里邁尼斯舔了舔嘴唇。「如果我說的這些話給洩漏出去，那我就完了。她會想盡辦法讓我再也接不到客戶。你確定這件事和你的調查有關嗎？」

「我全力向你保證，格里邁尼斯先生，此事很可能重要無比。」

「嗯，好吧。」看來格里邁尼斯並未完全被說服，「我根據瓦西莉婭博士告訴我的事，一點一點拼湊，最後得到一個結論，她事實上——」他的聲音壓低到有如耳語，「還是處女。」

「我懂了。」貝萊輕聲答道（與此同時，他想到瓦西莉婭曾一口咬定她父親毀了她一生，因而更加瞭解她為何那麼痛恨她父親）。

「這令我很興奮。我覺得自己能夠完全擁有她，而她一生中也將只有我一個人。我難以解釋這對我而言意義多麼重大。總之，這使得她在我眼中美麗無比，我實在太想得到她了。」

「於是你向她求歡？」

「是的。」

「而且接二連三。她的拒絕並未令你氣餒？」

「或許可以說，那反倒更加突顯她是處女，令我更想要得到她。越困難的事物越會令人心癢，但我不太會解釋，也不指望你能瞭解。」

「其實，格里邁尼斯先生，我還真的瞭解——可是後來，你忽然不再向瓦西莉婭博士求歡了？」

「嗯，沒錯。」

「轉而開始向嘉蒂雅求歡？」

「嗯，沒錯。」

「同樣接二連三？」

「嗯，沒錯。」

「為什麼？為什麼轉換目標？」

格里邁尼斯答道：「瓦西莉婭博士後來明白告訴我，她絕不會給我任何機會，不久之後，嘉蒂雅就出現了，她長得很像瓦西莉婭博士，而……而……一切就這麼開始了。」

貝萊說：「可是嘉蒂雅並非處女。她在索拉利結過婚，而且我聽說，她來到奧羅拉之後，變得相當狂放。」

「這些我都曉得，可是她——後來不了。要知道，她並非奧羅拉人，而是土生土長的索拉利人，況且她不太瞭解奧羅拉的風俗。可是她後來不那麼做了，因為她不喜歡她所謂的『濫交』這回事。」

「這是她告訴你的嗎？」

「對，索拉利的風俗習慣是單偶制。她的婚姻並不美滿，但她還是習慣這種制度，所以她從未真正喜歡過奧羅拉的開放作風——而單偶制也是我想要的。你懂了嗎？」

「我懂了。但你最初是怎麼遇到她的？」

「就是那麼遇到的。她剛從索拉利來到奧羅拉時，超波新聞曾報導過，把她塑造成一個充滿傳奇性的難民。而且，那齣超波劇裡面也有她這個人。」

「對對，但應該還有其他原因，是不是？」

「我不明白你還要打聽些什麼。」

「好吧，我來猜猜。是不是曾有那麼一天，瓦西莉婭博士聲明她永遠不會接受你——並且建議你換個目標？」

格里邁尼斯突然火冒三丈，嘶吼道：「這是瓦西莉婭博士告訴你的？」

「她沒說那麼多，但即便如此，我想我還是猜得出來。她是不是告訴你，最好去找一個來自索拉利的年輕女子，她剛抵達這個世界，而目前負責照護她的人是法斯陀夫博士——也就是瓦西莉婭博士的父親？瓦西莉婭博士或許還告訴你，大家都覺得這個名叫嘉蒂雅的女子長得跟她自己很像，但比她更年輕，而且生性更熱情？總而言之，瓦西莉婭博士有沒有鼓勵你把注意力從她自己轉移到嘉蒂雅身上？」

格里邁尼斯顯得痛苦不堪。他的目光和貝萊的雙眼做了短暫接觸，隨即便轉開了。貝萊還是頭一回在一個太空族眼中看到恐懼——或說是敬畏？（貝萊輕輕搖了搖頭。雖然他終於嚇倒一個太空族，但他提醒自己不可沾沾自喜，否則會影響到他的客觀性。）

他說：「怎樣？我到底說對了，還是說錯了？」

格里邁尼斯壓低聲音說：「所以，那齣超波劇一點也不誇張——你真有讀心術嗎？」

50

貝萊以平靜的口吻說：「我只是在問問題——你還沒直截了當回答我，我到底說對了，還是說錯了？」

格里邁尼斯說：「事情的經過不盡然是這樣，不僅僅是這樣。她的確提到過嘉蒂雅，可是——」他咬了咬下唇，然後繼續說：「好吧，事情的結果確實如你所說，這點你的描述八九不離十。」

「但你並不失望？你發覺嘉蒂雅的確很像瓦西莉婭博士？」

「可以說很像。」格里邁尼斯的眼睛亮了起來，「但其實不然。如果她們站在一起，一眼就能看出差異。相較之下，嘉蒂雅要靈巧和優雅得多，而且更……更活潑開朗。」

「你認識嘉蒂雅之後，還有沒有再向瓦西莉婭求歡？」

「你瘋了嗎？當然沒有。」

「但你曾經向嘉蒂雅求歡？」

「沒錯。」

「而她拒絕了你？」

「這也沒錯，但你必須瞭解，她得先仔細確認過，正如我也得先確認過一樣。想想看，如果當初我真的打動了瓦西莉婭博士，那會是多大的錯誤啊。嘉蒂雅不想犯那樣的錯誤，而我一點也不怪她。」

「不過你卻認為，她若接受你，絕不會是什麼錯誤，所以你就一而再、再而三向她求歡，求個沒完沒了。」

格里邁尼斯茫然地望著貝萊一會兒，然後似乎打了個冷顫。他還故意努出下唇，好像一個不服管教的小孩。「你這種說法太侮辱人了……」

「很抱歉，我並沒有侮辱你的意思。請回答我的問題。」

「好吧，有這回事。」

「你總共向她求歡過多少次？」

「我沒細算。四次吧，不，五次，也許更多。」

「而她每次都拒絕你。」

「是的，否則我就不必繼續求了，對不對？」

「她兇巴巴地拒絕你嗎？」

「喔不，嘉蒂雅不是那種人，她每次都非常客氣。」

「你是否因此轉向其他人求歡？」

「什麼？」

「很簡單，嘉蒂雅拒絕了你，面對這個結果，你很可能轉向其他人求歡。有何不可呢？既然嘉蒂雅不想要你……」

「不，我不想要別人。」

「你可明白自己是怎麼想的？」

格里邁尼斯激動地說：「我怎麼知道自己是怎麼想的？我想要嘉蒂雅，那是——那是一種瘋狂，不過我認為那是最甜美的瘋狂。如果不能體會那種瘋狂，我才真的發瘋了——但我並不指望你會瞭解。」

「你有沒有試著向嘉蒂雅說明？她或許會瞭解。」

「從來沒有。我怕令她苦惱，我怕令她尷尬。這種事是不能說出口的，我應該去看心靈治療師。」

「你去了嗎？」

「沒有。」

「為什麼？」

格里邁尼斯皺起眉頭。「地球人，你總有辦法提出最無禮的問題。」

「或許正因為我是地球人，所以不知道還有更好的辦法。但我同時也是本案的調查員，我必須把答案找出來。你為什麼沒去看心靈治療師？」

萬萬沒想到，格里邁尼斯竟然哈哈大笑起來。「我告訴你吧，他們治病的方法要比瘋病本身更瘋狂。我寧願在嘉蒂雅身邊一直被她拒絕，也不要和另一個接受我的女人在一起——想想看，我明明可以解脫卻偏偏不想解脫，任何心靈治療師都會把我關起來，徹底治療一番。」

貝萊想了一下，然後說：「請問你知不知道，瓦西莉婭博士是否也能算心靈治療師？」

「她是機器人學家，有人說這兩種工作最接近了。如果你知道機器人如何運作，你對人腦的運作也會多少有些瞭解，至少他們是這麼說的。」

「你可曾想到過，你對嘉蒂雅的奇特情感，瓦西莉婭通通知道？」

格里邁尼斯態度轉趨強硬。「我從未告訴過她——我的意思是，沒說那麼多。」

「她有沒有可能根本不必問，就能瞭解你的情感？她曉不曉得你一再向嘉蒂雅求歡？」

「這——她會問我最近好不好。你知道的，就是那種老朋友之間的問候。我會說說自己的近況，但絕非向她交心。」

「你確定從未向她交心嗎？她一定鼓勵過你繼續求歡。」

「你知道嗎——經你這麼一提，我對這件事似乎有了全新的看法。我不太清楚你是怎麼把這個想法裝進我腦子裡的，我想，應該是你問的那些問題。但我現在真的覺得，她的確一直鼓勵我和嘉蒂雅交往。這件事，她可說是積極地支持。」他顯得非常不安，「以前我從未有過這種想法，我根本沒有真正想過這件事。」

「那你怎麼會認為她曾經鼓勵你向嘉蒂雅求歡呢？」

格里邁尼斯顯得有些難過，他的眉毛不停地抽動，而且食指又放到了八字鬍上。「我想，有人會猜那是因為她想擺脫我，想要確保我不會再騷擾她。」他輕聲笑了笑，「這算不上對我的恭維，對不對？」

「瓦西莉婭博士是否開始疏遠你了？」

「完全沒有。若說她對我有何改變，就是變得更友善了。」

「她有沒有試著告訴你，怎樣才能贏得嘉蒂雅的好感？比方說，對嘉蒂雅的工作表現得更感興趣？」

「這不必她來說。我和嘉蒂雅的工作性質非常類似，雖然我的對象是人類，而她的對象是機器人，但我們都是設計師──都是藝術家──這的確拉近了我們的距離，你知道吧。我們有時還會互相幫忙。一旦忘掉求歡這回事，我們就是好朋友──每當想到這一點，我就覺得很有意義。」

「瓦西莉婭博士可曾建議你對法斯陀夫博士的工作也表現出興趣？」

「她為何要做那種建議？我對法斯陀夫博士的工作一無所知。」

「對於自己恩人的工作，嘉蒂雅也許會感興趣，而你或許能藉此贏得她的好感。」

瞇著眼睛的格里邁尼斯猛然跳了起來，他快步走到房間另一頭，然後立刻折返，在貝萊面前站定，說道：「你──給我──聽好！我並非這個世界上智商最高的人，當然也排不上第二名，但我絕對不是什麼白癡。你要知道，我已經看出你在打什麼主意了。」

「哦？」

「你問這些問題，目的不外是引誘我承認瓦西莉婭博士令我墜入情網──對啊──」他很突兀地停了一下，「我墜入了情網，就像歷史小說寫的那樣。」他帶著幽然神往的眼神想了一會兒，然後火氣又回來了。「她令我墜入情網，不能自拔，這樣一來，我就會替她打探法斯陀夫博士的研究，學到怎樣弄壞那個名叫詹德的機器人。」

「你認為並不是這樣嗎？」

「不，絕對不是！」格里邁尼斯咆哮道，「我對機器人學一點也不瞭解，一點也不。凡是有關機器人學的問題，無論你多麼仔細地對我解釋，我還是完全聽不懂，而我認為嘉蒂雅同樣不懂。況且，我從未向任何人請教過機器人學的問題。從來沒有人──包括法斯陀夫博士在內──教過我任何關於機器人學的知識。另一方面，也未曾有人建議我接觸機器人學，包括瓦西莉婭博士在內。你這套爛理論根本說不通。」他將雙臂向兩旁一伸，「說不通的，趁早放棄吧。」

他坐了回去，將雙臂僵硬地抱在胸前。他的嘴唇緊緊抿成一條線，八字鬍因而翹了起來。貝萊抬頭望了望那個「剝開的橘子」，它仍在一面微幅擺動，一面發出變幻不定的低沉音調和輕柔光彩。

就算自己的攻擊策略真被格里邁尼斯的激烈反應打亂了，貝萊也絲毫不形於色。他說：「我瞭解你在說些什麼，但事實上，你的確經常見到嘉蒂雅，對不對？」

「對。」

「雖然你一再求歡，她並不覺得討厭——雖然她一再拒絕，你也並不生氣？」

格里邁尼斯聳了聳肩。「我求得很禮貌，她拒絕得很客氣。有什麼好討厭和生氣的？」

「但你們在一起的時候，都做些什麼呢？性愛顯然不是選項，你們又不討論機器人學，那你們到底做些什麼？」

「性和機器人——友誼只能建立在這些上面嗎？我們在一起有許多事可做。比方說，我們常常聊天。她對奧羅拉非常好奇，所以我會花很多時間介紹這個世界。要知道，她和這個世界的接觸非常少。而她會花很多時間為我介紹索拉利，強調那是個多麼可怕的地方。相較之下，我寧願住到地球上——請原諒我這麼比喻。她還會談到逝去的丈夫，他真是個悲劇人物。嘉蒂雅是個可憐的女人，她當年的日子很不好過。

「我們會去聽音樂會，我還帶她去過幾次藝術學院，此外我們還會一起工作，這點我剛才提到過。我們會一起研究我的設計——或是她的設計。老老實實告訴你，我並不覺得機器人藝術有什麼價值，但你也知道，每個人有每個人的理念。另一方面，她卻很有興趣聽我解釋髮型的重要性——你知道嗎，她自己的頭髮就剪得不怎麼樣。但絕大多數的時候，我們都在散步。」

「散步？在哪裡散步？」

「沒有什麼固定地點，只是隨便走走罷了。那是她的習慣——因為她是土生土長的索拉利人。你去過索拉利嗎？——抱歉，你當然去過——在索拉利，有好些廣大的屬地，裡面只有一兩個人類，其他通通是機器人。你可以走上好幾里路，完全碰不到其他人，嘉蒂雅常說，那會令你覺得整個世界彷彿都是你一個人的。當然，機器人總是在附近，以便隨時留意你，照顧你，不過，當然都待在看不見的地方。來到奧羅拉後，嘉蒂雅經常懷念那種擁有整個世界的感覺。」

「你的意思是她想擁有全世界？」

「你是指某種權力慾？嘉蒂雅嗎？你簡直瘋了。她只不過是指很懷念那種和大自然獨處的感覺。我自己沒什麼體會，你瞭解吧，但我樂意遷就她。當然，索拉利那種特有的感覺不太可能在奧羅拉感受得到。你一定會碰到其他人，尤其是在厄俄斯這個都會區，而且機器人也不懂得迴避人類。事實上，奧羅拉人散步的時候，通常都會有機器人陪伴——話說回來，我知道幾條路，不但風景優美，而且不太擁擠，嘉蒂雅果然喜歡。」

「你自己也喜歡嗎？」

「嗯，我之所以喜歡，只是因為能和嘉蒂雅在一起。一般來說，奧羅拉人都愛散步，但我必須承認自己是例外。剛開始的時候，我的肌肉叫苦連天，瓦西莉婭還因此嘲笑我。」

「她知道你去散步了，是嗎？」

「嗯，有一次我跛著腳去找她，膝蓋還吱吱作響，不得不解釋一番。她大笑幾聲，然後告訴我，這是個好主意，想要向愛散步的人求歡，最好的辦法就是陪她散步。『繼續努力，』她說，『保證你還來不及再向她求歡，她就已經不再拒絕你，而且主動向你獻身。』事實上，嘉蒂雅並沒有那麼做，但我最後還是愛上了散步，非常喜愛。」

現在他似乎已將憤怒拋到腦後，變得非常自在了。貝萊心想，他或許正在回憶散步的光景，臉上才會掛著似有若無的笑容。當他的心思飄回到不知哪次散步的不知哪段對話之際，他看起來相當可愛——而且相當脆弱——貝萊差點回報他一個微笑。

「所以說，瓦西莉婭知道你在持續這個活動。」

「我想是吧。我開始改休週三和週六，以便配合嘉蒂雅的時間表。後來，當我將草圖交給瓦西莉婭的時候，她還偶爾會拿我的『三六散步日』開些玩笑。」

「瓦西莉婭博士參加過這個活動嗎？」

「當然沒有。」

貝萊換了一下坐姿，然後一面凝視著自己的指尖，一面說：「我想你們散步的時候，都有機器人陪著。」

「絕無例外。一個我的，一個她的，不過，他們都離得相當遠，並沒有用嘉蒂雅所謂的奧羅拉方式緊跟著我們。她說，她希望享受索拉利式的遺世獨立，於是我只好配合，雖然一開始的時候，我總是轉頭尋找布朗迪吉的蹤跡，把脖子都扭傷了。」

「陪伴嘉蒂雅的又是哪個機器人？」

「並非總是同一個。但不論是哪個，他都不會靠近，我沒機會和他說話。」

「詹德呢？」

「他怎樣？」他反問。

格里邁尼斯的表情立刻陰沉了幾分。

「他有沒有陪過你們？如果有，你就會知道，對不對？」

「那個人形機器人詹德？我當然會知道。但他從未陪過我們散步——一次也沒有。」

「你確定嗎？」

「百分之百確定。」格里邁尼斯面露不悅，「我猜是因為她覺得他太珍貴了，不該浪費在這種任何機器人都能執行的任務上。」

「你似乎不太高興。你自己也這麼想嗎？」

「他是她的機器人，不必我來操心。」

「而你去嘉蒂雅家的時候，也從未見過他？」

「從來沒有。」

「她有沒有提過他？和你討論過他？」

「我記得是沒有。」

「你不覺得這有點奇怪嗎？」

格里邁尼斯搖了搖頭。「不覺得。我們為何要討論機器人？」

貝萊用嚴峻的目光盯著對方的臉孔。「關於嘉蒂雅和詹德的關係，在此之前你有任何概念嗎？」

格里邁尼斯說：「你要告訴我，他們之間有性關係？」

貝萊問：「我若這麼說，你會驚訝嗎？」

格里邁尼斯木然道：「是有這種事，並不算罕見。只要你喜歡，偶爾用用機器人無妨。至於人形機器人——我相信他應該維妙維肖——」

「百分之百維妙維肖。」貝萊比了一個誇張的手勢。

格里邁尼斯的嘴角垮了下來。「那麼，女主人將難以拒絕。」

「但她拒絕了你。嘉蒂雅寧可喜歡機器人，這會不會令你惱怒？」

「嗯，如果真是這樣──我還不確定自己是否相信這件事──但若是真的，我也覺得沒什麼好擔心的。機器人就是機器人，無論是女人和機器人，或者男人和機器人，都只不過是自慰罷了。」

「你當真從不知道這層關係，格里邁尼斯先生？你從未懷疑過？」

「我從沒那麼想過。」格里邁尼斯強調。

「你真不知道？或是你知道，但沒往心裡去？」

格里邁尼斯滿臉怒意。「你又在逼我了。你到底想要我說什麼？你把這個想法塞到我腦子裡，然後又這麼逼我，如今我再回想這件事，還真覺得自己或許起過疑心。話說回來，在你問我這些問題之前，我從來不覺得有什麼不對。」

「你確定嗎？」

「是的，我確定，別再糾纏我了。」

「我並不是在糾纏你，我只是好奇有沒有下面這種可能：一來你的確知道嘉蒂雅和詹德有固定的性關係，二來你也知道，只要這種關係繼續存在，你永遠不會成為她的情人，可是你實在太想得到她，所以你不擇手段地毀掉了詹德。總而言之，由於你醋勁大發……」

就在這個時候，格里邁尼斯──彷彿一個強力彈簧，在綳緊好一陣子之後，突然掙脫了束縛──一面語無倫次地大喊大叫，一面猛然衝向貝萊。由於猝不及防，貝萊本能地向後一仰，椅子立刻倒了下去。

51

一雙強壯的臂膀立刻向他伸過去。貝萊覺得自己被抬起來，椅子也給扶正了，便明白一定是有機器人及時出手。當他們靜靜地站在壁凹裡的時候，是多麼容易被人類遺忘啊。

然而，前來救他的既不是丹尼爾，也不是吉斯卡，而是格里邁尼斯的機器人布朗迪吉。

「先生，」布朗迪吉的聲音只有一點點不自然，「希望你沒有受傷。」

丹尼爾和吉斯卡到哪裡去了？

他的問題很快有了答案。這三個機器人的分工可說是既迅速又明快——事發瞬間，丹尼爾和吉斯卡已做出評估，認為對貝萊而言，發狂的格里邁尼斯要比翻倒的椅子更加危險，因此兩人盡快向這位主人衝過去。布朗迪吉立刻看出那頭不需要自己幫忙，於是趕緊出手拯救客人。

在貝萊的兩個機器人制伏之下，格里邁尼斯絲毫動彈不得，只能站在原地大口喘氣。

他用接近耳語的音量說：「放開我，我已經恢復理智了。」

「是的，先生。」吉斯卡說。

「當然沒問題，格里邁尼斯先生。」丹尼爾以近乎平和的口吻說。

不過，他們雖然鬆開手，仍在原地待了一陣子。格里邁尼斯望了望站在自己兩側的機器人，整理了一下衣衫，然後刻意坐了下來。他的呼吸依舊很快，他的頭髮也或多或少有些凌亂。

貝萊則站在那裡，一隻手搭在自己那張椅子的椅背上。

格里邁尼斯說：「貝萊先生，很抱歉我剛才失控了。自從我長大後，從來沒有出現過這種情形。你指責我醋……醋勁大發，有教養的奧羅拉人絕不會用這幾個字批評別人，但我不該忘了你是地球人。我們只有在歷史小說中才會讀到這個成語，而且即使在書裡，通常也會寫成醋×××。當然，你們的世界沒有這個禁忌，這點我瞭解。」

「我也很抱歉，格里邁尼斯先生，」貝萊神情嚴肅地說：「我對奧羅拉的習俗記得不夠熟，以致表現得這麼荒腔走板。我向你保證，今後再也不會出現這種疏失。」他坐了下來，又說：「我想大概沒有什麼需要討論的了……」

格里邁尼斯似乎沒聽到那句話。「我小的時候，」他自顧自地說：「有時會跟其他小孩推來推去。機器人總是先等一陣子，然後才會試著把我們分開，當然……」

丹尼爾說：「請讓我來解釋一下，以利亞夥伴。眾所皆知，如果幼童的侵略性完全遭到抑制，將會導致不良的後果。只要不會造成實質傷害，是可以允許小孩玩些體能競爭的遊戲——甚至應該鼓勵。那些負責照顧小孩的機器人擁有特殊的程式，能夠分辨傷害發生的機率以及可能的程度。拿我自己來說，我就未曾接受過這方面的設定，所以沒有資格擔任保母——吉斯卡跟我一樣——緊急狀況下暫代則不在此限。」

貝萊說：「我想，一旦邁入青少年階段，這樣的攻擊行為就會被制止了。」

「隨著傷害的嚴重程度逐漸升高，以及自制能力越來越強，」丹尼爾說：「就會逐漸制止了。」

格里邁尼斯說：「當我準備接受中等教育時，我就像所有的奧羅拉人一樣，已經相當明白，一切的競爭本質上都是智力和天資的較量……」

「沒有體能的較量了？」貝萊問。

「當然有，可是在過程中，絕不能出現蓄意傷人的碰觸。」

「而你在成為青少年之後……」

「我就沒有再攻擊過任何人，當然沒有了。老實說，我曾有過幾次這樣的衝動。我想，這反而代表我是正常人，可是在此之前，我總是能夠控制住自己。話說回來，以前從來沒有人拿那幾個字罵我。」

貝萊說：「反正機器人一定會阻止你，你發動攻擊又有什麼用呢，對不對？在我想來，雙方至少都會有一個機器人在附近吧。」

「當然——所以對於剛才的失控，我覺得格外羞愧。我相信這件事不必寫進你的報告吧。」
「我向你保證，我不會洩漏此事給任何人，它和這件案子毫無關係。」
「謝謝你。你剛才是不是說，我們的晤談已經結束了？」
「我想是吧。」
「這樣的話，是否代表你答應了我的請求？」
「什麼請求？」
「告訴嘉蒂雅，詹德的停擺和我一點關係也沒有。」
貝萊猶豫了一下。「我會告訴她，這是我的看法。」
格里邁尼斯說：「請你說得更肯定些。我要她絕對相信我和這件事沒有關係；如果那個機器人對她真有性愛吸引力，這點就更重要了。我絕不能讓她以為我醋……醋×××。她既然是索拉利人，就有可能那麼想。」
「對，是有可能。」貝萊若有所思地說。
「你聽好了，」格里邁尼斯說得又快又急切，「我對機器人一竅不通，而且誰也沒有——不論瓦西莉婭博士或其他任何人——跟我講過任何關於機器人的事——我是指他們的運作原理。所以，我根本就不可能毀掉詹德。」
一時之間，貝萊似乎陷入了沉思，然後，他顯然有幾分勉強地說：「我不得不相信你。老實說，我可不是無所不知。有可能——我只是就事論事，沒別的意思——你和瓦西莉婭博士其中一人——甚至兩人都在說謊。對於奧羅拉社會骨子裡的本質，我知道得少之又少，所以或許很容易受騙。但是，我仍然不得不相信你。話又說回來，我還是頂多只能告訴嘉蒂雅，在我看來，你是完全清白的。總之，我必須說『在我看來』，我相信她會覺得這已足夠肯定了。」

格里邁尼斯愁眉不展地說：「那我只好接受了──不過，我還是想再強調一遍，我以奧羅拉公民的身份向你保證，我是清白的。」

貝萊輕輕一笑。「我做夢也不會懷疑你這句話，但我所受的訓練，要求我只能信賴客觀的證據。」

他站了起來，嚴肅地凝視著格里邁尼斯好一會兒，然後說：「我還有幾句話要講，但你千萬別誤會了，格里邁尼斯先生。我認為，你這麼想要我向嘉蒂雅做出保證，是因為你希望繼續和她交往。」

「我非常希望，貝萊先生。」

「而且你打算，在某個適當時機，再試著向她求歡？」

格里邁尼斯漲紅了臉，大動作吞了一下口水，然後說：「是的，沒錯。」

「那麼，老兄，我可否給你一個忠告？別那麼做。」

「如果這就是你要對我講的話，那就省省吧，我絕不會放棄的。」

「我的意思是，別再用正規方式進行。你不妨考慮──」貝萊別過臉去，覺得尷尬到難以形容的程度。「直接摟住她，然後親吻她。」

「不行。」格里邁尼斯一本正經地說，「拜託，奧羅拉女性不會容許那種事，就連奧羅拉男性也無法容忍。」

「格里邁尼斯先生，難道你忘了嘉蒂雅並不是奧羅拉人嗎？她是索拉利人，他們擁有不同的習俗，不同的傳統。如果我是你，就會試試看。」

貝萊直勾勾的目光掩蓋了內心竄起的怒火。格里邁尼斯是他的什麼人，他為何提供這樣的忠告？這明明是他自己渴望已久的事，為什麼要建議別人去做呢？

第十三章　阿瑪狄洛

52

貝萊回到了正題：「格里邁尼斯先生，你先前提到過機器人學研究院院長的名字，可否請你再說一次？」他的聲音比平常低沉若干。

「凱頓·阿瑪狄洛。」

「從你這裡有沒有辦法聯絡到他？」

格里邁尼斯答道：「嗯，這麼說好了，你可以聯絡到他的接待員或助理。但我相信你聯絡不到他本人。我聽說，他這個人相當冷漠。當然，我並不認識他本人。我偶爾會見到他，但從未跟他說過話。」

「那麼，我想，他並未請你替他設計衣服或造型？」

「我不知道他有沒有請設計師，然而根據我僅有的幾次觀察，我可以告訴你，他有這個需要。不過，我希望你別轉述這句話。」

「我相信你說得對，但我會保密的。」貝萊鄭重其事地說，「雖然你說他是出了名的冷漠，我還是要試著聯絡他。如果你這兒有顯像機座，可否借我一用？」

「布朗迪吉可以幫你聯絡。」

「不，我想應該讓我的夥伴丹尼爾來做——我是說，如果你不介意的話。」

「我完全不介意。」格里邁尼斯說，「機座在那裡，你們跟我來吧，丹尼爾，你要使用的組合碼是七五——三〇——上——二〇。」

丹尼爾頷首致意。「謝謝你，先生。」

安置顯像機座的房間幾乎空無一物，只在一側有一根高度齊腰的細柱子，頂端擺放著一個相當複雜的操作台。淡綠色的地板上畫有兩個灰色的圓圈，那根柱子就豎立在其中一個圓圈的圓心。旁邊那個圓圈雖然大小和顏色完全一樣，但裡面並沒有任何東西。

丹尼爾朝那根柱子走去，與此同時，圍著柱子的圓圈開始發出淡淡的白光。他將一隻手放到操作台上，五根手指飛快地運作，貝萊根本看不清楚他在做些什麼。一會兒之後，另外那個圓圈發出同樣的光芒，一個機器人隨即出現其中──看起來相當立體，但是身上有著非常細微的閃爍，透露出那只是全像影像的事實。他旁邊也有個操作台，和丹尼爾身旁那台幾乎一樣，但它也在微微閃爍，因此當然也是影像而已。

丹尼爾說：「我是機．丹尼爾．奧利瓦，」他稍微強調了「機」這個字，以免那個機器人將他誤認為人類。「我代表我的夥伴，來自地球的便衣刑警以利亞．貝萊發言。我的夥伴想要和首席機器人學家凱頓．阿瑪狄洛通話。」

那機器人答道：「首席機器人學家阿瑪狄洛正在開會，可否由機器人學家西希斯代為答話？」

丹尼爾迅速望向貝萊，貝萊點了點頭，於是丹尼爾說：「我們願意這麼做。」

那機器人說：「請你讓便衣刑警貝萊站到你的位置，我這就開始尋找機器人學家西希斯。」

丹尼爾毫不考慮地說：「或許最好請你先找……」

貝萊卻喊道：「沒關係，丹尼爾，我不介意等一會兒。」

丹尼爾說：「以利亞夥伴，身為機器人學大師漢．法斯陀夫的私人代表，你擁有他的社會地位，至少暫時如此，所以不該由你來等……」

「沒關係的，丹尼爾。」為了終止這個討論，貝萊特別加重了語氣。「我不希望為了這些虛禮而造成任何延誤。」

丹尼爾走出那個圓圈，貝萊隨即走了進去。剛進去的時候，他感到一陣輕微的刺痛（或許純粹是他的想像），但那種感覺一閃即逝。

站在另一個圓圈中的機器人在他眼前慢慢消失。貝萊耐著性子等待，終於等到另一個影像出現──由淺而深，最後成了明顯的三維影像。

「我是機器人學家馬龍．西希斯。」那人以尖銳且清晰的聲音說。他有一頭銅色的短髮，光是這點就讓貝萊覺得他是個典型的太空族，不過他也有不像太空族的地方，因為他的鼻子有點不對稱。

貝萊輕聲細語道：「我是來自地球的便衣刑警以利亞．貝萊，希望能和首席機器人學家凱頓．阿瑪狄洛通話。」

「你有沒有預約，便衣刑警？」

「抱歉，沒有。」

「如果你想見他，就必須先預約──但這兩週他都沒有空檔了。」

「我是來自地球的便衣刑警以利亞．貝萊……」

「這點我已經瞭解，可是於事無補。」

貝萊說：「我是應漢．法斯陀夫博士之邀，在奧羅拉世界立法局的許可下，前來調查機器人詹德．潘尼爾的謀殺案……」

「機器人詹德．潘尼爾的謀殺案？」西希斯故意問得分外客氣，以透出輕蔑之意。

「你想稱之為機殺案也行。在地球上，毀掉一個機器人沒什麼大不了的，但在奧羅拉，機器人或多或少被視為另一種人類，因此我覺得可以用『謀殺』這兩個字。」

西希斯說：「話雖如此，但無論是謀殺、機殺還是什麼殺，都不可能讓你見到首席機器人學家阿瑪狄洛。」

「我可否留個口信給他？」

「可以。」

「你會盡快轉給他嗎？立刻？」

「我可以試試，但顯然無法保證。」

「夠好了。我將分成幾點，依照順序來說，或許你要大致寫下來。」

西希斯淡淡一笑。「我想我應該記得住。」

「第一點，只要有謀殺，一定有兇手，因此我想給阿瑪狄洛博士一個自清的機會……」

「什麼！」西希斯叫道。

（站在房間另一角的格里邁尼斯，這時猛然張大嘴巴，再也闔不攏了。）

掛在對方嘴角的淡淡微笑瞬間消失，隨即轉移到了貝萊臉上。「我是否說得太快了，閣下？你是不是打算寫下來了？」

「你是在指控首席機器人學家和這個詹德．潘尼爾的案子有什麼牽連？」

「恰好相反，閣下。正是因為我不想做那種指控，所以我必須見他。我可不希望根據不完整的情資，隨便推斷那個機器人的停擺和他這位首席有任何關係，只要他說一句話，就能澄清這一切。」

「你瘋了！」

「很好，那就請你告訴首席機器人學家，有個瘋子想要他說句話，好讓他不至於被指控為兇手，這就是我要說的第一點。我這兒還有第二點，可否請你告訴他，這個瘋子剛剛完成對人體藝術家山提瑞克斯．格里邁尼斯的詳盡偵訊，此時正從格里邁尼斯的宅邸和你們聯絡。然後第三點——你是否覺得我說得太快了？」

「沒有！趕快說完吧！」

「第三點如下，想必首席機器人學家日理萬機，或許不記得人體藝術家山提瑞克斯．格里邁尼斯到底是誰。這樣的話，請指出他這個人就住在研究院裡面，而過去一年間，他和目前住在奧羅拉的索拉利女子嘉蒂雅經常散步出遊。」

「地球人，我不能傳達這麼荒謬、這麼唐突的口信。」

「這樣的話，可否請你轉告他，我會直接到立法局，當眾宣稱我的調查無法繼續下去，因為有個叫馬龍．西希斯的人自作主張向我保證：首席機器人學家凱頓．阿瑪狄洛絕對不會協助我調查詹德．潘尼爾被毀的案子，而且即使遭到指控，他也絕對不會挺身而出替自己辯解。」

西希斯漲紅了臉。「我諒你不敢說這種話。」

「是嗎？我又會有什麼損失？另一方面，公眾聽到這些話又會做何感想呢？畢竟，奧羅拉人都萬分清楚，在機器人學這個領域，阿瑪狄洛博士的功力僅次於法斯陀夫博士，所以，如果法斯陀夫和這樁機殺案無關——我有必要繼續說下去嗎？」

「地球人，你也許還不知道，奧羅拉法律對誹謗罪是絕不寬貸的。」

「這點我毫不懷疑，但如果阿瑪狄洛博士為誹謗所苦，他的下場很可能比我更慘。你何不乾脆替我傳個口信呢？只要他對這幾點做出解釋，那些什麼誹謗啦、指控啦之類的問題都能避免了。」

西希斯沉下臉，硬邦邦地說：「我會把口信傳給阿瑪狄洛博士，但我會極力建議他拒絕見你。」說完他立刻消失了。

貝萊又開始耐心等待，就在這個時候，格里邁尼斯做了一個激烈的手勢，並壓低聲音說：「你不能這麼做，貝萊，你不能這麼做。」貝萊並未回答，只是揮手要他閉嘴。

大約過了五分鐘（在貝萊的感覺中卻要長得多），西希斯怒氣沖天地再度出現，說道：「幾分鐘後，阿瑪狄洛博士會站在我這個位置和你說話，好好等著！」

貝萊立刻答道：「這樣空等毫無意義。我會直接去阿瑪狄洛博士的辦公室，在那裡和他碰面。」

他走出灰色圓圈，對丹尼爾做了一個切割的手勢，丹尼爾隨即中斷了聯線。

格里邁尼斯像是奄奄一息地說：「地球人，你不能對阿瑪狄洛博士的手下那麼說話。」

「來不及了。」貝萊說。

「他能在十二小時內把你趕出這個世界。」

「如果我在釐清案情上無法取得任何進展，同樣會在十二小時內被趕出這個世界。」

丹尼爾說：「以利亞夥伴，只怕格里邁尼斯先生的警告自有道理。由於你並非奧羅拉公民，奧羅拉世界立法局頂多只能把你驅逐出境。話說回來，他們卻能堅決要求地球當局對你施以嚴懲，而他們會如願以償的。在這件事情上，地球當局無法拒絕奧羅拉的要求。我可不希望你因此遭到懲處，以利亞夥伴。」

貝萊以沉重的口吻說：「我也不希望遭到懲處，丹尼爾，但我必須冒這個險——格里邁尼斯先生，很抱歉，我不得不說我是從你家跟他們聯絡的。我必須設法說服他見我，而我覺得這項事實或許會有影響力。況且，我說的畢竟都是實情。」

格里邁尼斯搖了搖頭。「如果早知道你打算怎麼做，貝萊先生，我絕不會允許你在我家通話。我覺得自己在這裡的職位勢必難保了，而——」他的聲音充滿悲痛，「你又能做些什麼來補償我呢？」

「我會盡力設法幫你保住這份工作，格里邁尼斯先生，不會給你惹麻煩的，這點我有信心。然而，如果我失敗了，你大可把我形容成一個瘋子，說我胡亂指控你，而且還威脅要污衊你，所以你只好讓我使用你的顯像機。我確信阿瑪狄洛博士會相信你的，畢竟，你已經向他提交一份報告，投訴我對你進行污衊，對不對？」

說到這裡，貝萊揮了揮手。「告辭了，格里邁尼斯先生，讓我再謝你一次。你不用擔心，還有——那個關於嘉蒂雅的建議，你可別忘了。」

在丹尼爾和吉斯卡一前一後的護送下，貝萊走出了格里邁尼斯的宅邸，幾乎未曾意識到自己再度走進了開放空間。

53

一旦來到戶外的開放空間，情況就完全不同了。貝萊停下了腳步，抬頭向上望去。

「怪了，」他說：「我並不覺得已經那麼晚了，雖然我也知道奧羅拉的一天要比標準日短一點。」

「怎麼回事，以利亞夥伴？」丹尼爾的關切溢於言表。

「我完全沒想到，太陽已經下山了。」

「太陽還沒有下山，先生，」吉斯卡插嘴道，「距離日落還有兩小時。」

丹尼爾說：「是因為暴風雨快來了，以利亞夥伴。雲層越來越厚了，但還要一陣子，暴風雨才會真正出現。」

貝萊打了個哆嗦。黑暗本身並不會對他造成困擾。事實上，置身戶外之際，夜晚要比白天更令人心安，因為黑夜會造成暗室的假象，白晝則會任由地平線和開放空間向四面八方延伸。糟的是，此時既非白天也並非黑夜。

他再度試著回憶那次在戶外淋雨的情景。

但他忽然想起來，自己從未在下雪的時候待在戶外，甚至不確定從天而降的「固態水結晶」是什麼模樣，而光看文字的描述是絕對不夠的。年輕人有時會出去滑雪或玩雪橇——或諸如此類的活動——回來後經常興奮得尖叫——但總是很高興能再度回到大城裡。有一次，班根據某本古書上的說明，自己試著做了一對滑雪板，結果差點被白茫茫的積雪活埋了。不過，就連自己兒子親口所做的描述，無論是雪的外觀或觸感，在他聽來也是模模糊糊，完全無法令人滿意。

而且，誰也不會在真正下雪時到戶外去，天上的雪花和地下的積雪可是很不同的。這時，貝萊在心中告訴自己，至少大家都同意一件事，那就是只有在非常冷的時候才會下雪。現在並不算非常冷，只是很涼而已。那些雲層並不代表即將下雪——不過，這樣的自我安慰成效不彰。

根據他的親身經驗，地球的陰天並不是這個樣子。在地球上，雲層的顏色比較淡，這點他很肯定——即使已經達到鋪天蓋地的程度，看起來也只是灰白色而已。而在這裡，天色（姑且用這個說法）令人很不舒服，是一種死氣沉沉的黃灰色。

是不是因為和地球的太陽相較之下，奧羅拉太陽的顏色偏橙一點？

他問：「這種顏色的天空——算是異常嗎？」

丹尼爾抬頭望了望。「不算異常，以利亞夥伴，是暴風雨快來了。」

「你們這兒常有這種暴風雨嗎？」

「每年這個時候，答案都是肯定的，有時還是雷雨呢。這沒什麼好驚訝的，昨天氣象預報就已經提到，今天早上又報了一次。明早破曉前它就會結束了，最近我們的降雨有點不足，這些雨水剛好能夠滋潤田野。」

「氣溫也總是這麼低嗎？這也算正常嗎？」

「是啊，沒錯——我們趕緊進氣翼車去吧，以利亞夥伴，裡面可以調高溫度。」

貝萊點了點頭，走向午餐期間一直停在草地上的氣翼車。

他忽然半途停下來。「慢著，我忘了問格里邁尼斯該怎麼去阿瑪狄洛的宅邸——或他的辦公室。」

「沒這必要，以利亞夥伴。」丹尼爾隨口答道，與此同時，他將一隻手按在貝萊的手肘，輕柔但堅決地向前推。「在吉斯卡好友的記憶庫中，存有研究院的詳盡地圖，他會直接把我們帶到行政大樓，阿瑪狄洛博士的辦公室很可能就在那裡。」

吉斯卡說：「我掌握的資料只說阿瑪狄洛博士的辦公室在行政大樓裡面。萬一他不在辦公室，而在自己的宅邸，也一定不會太遠。」

於是，貝萊再度坐上前座，擠在兩個機器人之間。由於快要凍僵了，貝萊特別喜歡貼近具有真人體溫的丹尼爾。至於吉斯卡，他的外殼雖然並非冷冰冰的金屬，而是不會導熱的類織品，但此時對貝萊的吸引力卻略遜一籌。

為了想跟丹尼爾靠得更近，貝萊差點伸手摟向他的肩膀。但他及時收回了手臂，有點不知所措地放到膝蓋上。

他說：「我不喜歡外面現在的樣子。」

丹尼爾或許是想轉移貝萊對戶外景觀的注意力，故意問道：「以利亞夥伴，你怎麼知道瓦西莉婭博士曾經鼓勵格里邁尼斯先生把目標轉移到嘉蒂雅小姐身上？我沒見到你獲得了這方面的任何證據。」

「的確沒有。」貝萊說，「我當時幾乎走投無路了，只好孤注一擲——也就是說，搏一把贏面很小的賭局。嘉蒂雅告訴我，格里邁尼斯對她很感興趣，曾經一再向她求歡。因此我想到，他有可能由於吃醋而殺害詹德。問題是，我認為他的機器人學知識不足以讓他做到這件事，但我隨即又聽說法斯陀夫的女兒瓦西莉婭是個機器人學家，而且長得很像嘉蒂雅。我開始懷疑，格里邁尼斯之所對嘉蒂雅那麼著迷，會不會是因為他原本迷戀的對象是瓦西莉婭——而這個兇案有沒有可能是他們兩人共同策劃的陰謀。於是我迂迴地暗示這個共謀的可能性，這才說服了瓦西莉婭接見我。」

丹尼爾說：「但至少就詹德被毀這件事而言，並不存在所謂的陰謀，以利亞夥伴。即使瓦西莉婭和格里邁尼斯有同事關係，也不可能策劃出這樣的行動。」

「同意——但我稍加暗示她和格里邁尼斯的關係，沒想到瓦西莉婭就緊張起來，這是為什麼呢？等到格里邁尼斯告訴我們他受瓦西莉婭吸引在先，我又開始懷疑，是否這兩件事的關聯其實比較間接，是否瓦西莉婭勸他轉移目標的原因和詹德之死的關聯並非那麼大——但仍多少有一點。畢竟，這兩件事一定有些關聯；瓦西莉婭當初的緊張反應就是明證。

「我的懷疑果然正確，瓦西莉婭確實一手策劃了格里邁尼斯轉移目標這件事。我對此事的瞭解曾令格里邁尼斯十分驚訝，而這點也很有幫助，因為如果這件事情完全正當，就沒有理由把它當成祕密——事實上它顯然是個祕密。你該記得，瓦西莉婭從未提到她力勸格里邁尼斯轉移目標。當我告訴她格里邁尼斯曾向嘉蒂雅求歡，她表現得彷彿頭一回聽到一樣。」

「可是，以利亞夥伴，這又有什麼重要性呢？」

「或許我們能找出來。我現在覺得，無論對格里邁尼斯或瓦西莉婭而言，這都沒什麼大不了的。因此之故，如果真有什麼重要性，很可能和另一個人有關。又如果這件事和詹德之死有著任何牽連，那人理應是個比瓦西莉婭更高明的機器人學家——而他很可能就是阿瑪狄洛。所以我故意指出，我已經訊問過格里邁尼斯，而且現在就在他家，正是要暗示我認為有樁陰謀——而這招奏效了。」

「但我還是不明白這一切有什麼意義，以利亞夥伴。」

「我也一樣——目前只有些臆測而已，但我們或許能在阿瑪狄洛那兒找到答案。要知道，我們的處境奇差無比，猜一猜或賭兩把，對我們都沒什麼損失。」

在這段對話進行之際，氣翼車已藉著噴射氣流飄了起來，並且升到適當的高度。它掠過一排矮樹叢，再度奔馳在草地和碎石路的正上方。貝萊注意到，每當經過比較高的草坪，那些草都被吹得倒向一側——彷彿有個無形的（而且大得多的）氣翼一路掃過去。

貝萊問：「吉斯卡，只要你在場，所有的對話你都錄了音，是嗎？」

「是的，先生。」

「若有需要，隨時能夠播放？」

「是的，先生。」

「而且，任何人說的任何一段話，都很容易找到——然後播出來？」

「是的，先生，你不必把錄音從頭到尾聽一遍。」

「而若有需要，你能上法庭作證嗎？」

「我嗎，先生？不行的。」吉斯卡的雙眼緊盯著路面，「只要下達足夠高明的指令，你就可以命令機器人說謊，不論法官如何規勸、如何威脅都無濟於事，因此法律明智地規定機器人不得作證。」

「可是，這樣的話，你的錄音又有什麼用呢？」

「先生，這是兩碼子事。一段錄音完成之後，要刪除固然容易，卻不是普通指令能隨便竄改的。因此，這樣的錄音確實可以當作證據。然而，由於沒有扎實的前例，不同的法官和不同的案件會有不同的考量。」

貝萊說不上來，究竟是這番話本身令他感到沮喪，或是外面那種慘白的天色帶來了不良的影響。他問：「視線清楚嗎，吉斯卡？」

「當然清楚，先生，但其實沒必要。氣翼車配備了電腦化雷達，就算我毫無來由地失職了，它也能自行閃避障礙物。正是因為有這個裝置，昨天上午雖然我們把車窗調成不透明，車子仍舊安然行駛。」

「以利亞夥伴，」丹尼爾再次轉移話題，以免貝萊一直在擔心即將來臨的暴風雨。「你是否希望阿瑪狄洛博士真能幫上忙？」

吉斯卡正在將氣翼車停在一大片草坪上。草坪後方是一座寬闊但並不很高的建築物，正面刻著好些繁複的圖樣——雖然明明是一座很新的建築，卻給人一種刻意仿古的感覺。

貝萊無須別人告知，便能確定這正是行政大樓。他說：「不，丹尼爾，只怕這個阿瑪狄洛精明得很，不會讓我們抓到什麼把柄。」

「如果真是這樣，下一步你打算怎麼做？」

「我不知道。」貝萊忽然有一種似曾相識的不祥感覺，「但我會試著想出辦法的。」

54

走進行政大樓之後，總算擺脫了戶外那種不自然的天色，貝萊首先感到的是心頭一陣輕鬆。而緊接著，他又體驗到了一種荒謬的趣味。

在奧羅拉這個世界，所有的宅邸——亦即私人住宅——都是百分之百的奧羅拉風格。當初不論是在嘉蒂雅家的起居室端坐，在法斯陀夫家的餐廳進餐，在瓦西莉婭的工作室談話，或是在使用格里邁尼斯家的三維顯像儀，他未曾有任何一刻覺得自己身在地球。這四座宅邸彼此雖然大異其趣，仍屬於同一種類型，和地球上的地底公寓非常不一樣。

然而，這座行政大樓處處散發著官僚氣息，顯然超越了普通人的品味。它和那些奧羅拉宅邸並不屬於同一類，其差異有如地球上的官方建築之於住宅區的公寓——雖然這兩個世界有著天壤之別，兩者的官方建築竟然出奇地相似。

自從抵達奧羅拉之後，貝萊頭一回有機會假想自己回到了地球。在這座建築內，同樣有著空曠冷清的長廊，同樣有著能讓最多人接受的裝潢和室內設計——例如每個光源都是根據所打擾和所取悅的人皆越少越好這個原則所設計的。

不過，這裡仍然有些地球上見不到的特色——比方說，不時會出現懸吊的盆栽，旁邊不但有著充足的照明，還裝設有（貝萊猜測）自動控制的澆水裝置。這樣的自然風是地球上所沒有的，可是貝萊不怎麼喜歡。他擔心這些盆栽會不會掉下來？會不會招引昆蟲？還有會不會滴水？

除此之外，這裡還欠缺了一些東西。在地球上，只要身處大城之內，總是能聽到來自人群和機械的嗡嗡聲——音量很大，卻令人感到溫暖——即使是在最冷峻的公家建築裡面也不例外。借用地球上政治人物和新聞記者的說法，這就是所謂的「同胞忙碌的聲息」。

反之，這裡就太安靜了。在此之前，貝萊並未特別注意他所造訪的幾個宅邸有多麼安靜，那是因為這兩天幾乎件件事都新奇，他根本來不及一一留意。事實上，相較於聽不見持續不斷的「人籟」（另一個地球慣用語），他反倒比較注意戶外的昆蟲低語，以及微風吹過樹梢的聲音。

所以，這裡雖然有些類似地球之處，可是欠缺「人籟」這件事，就像人工照明中摻有明顯的橙色一樣令人不舒服——相較於奧羅拉宅邸的繽紛裝飾，此地單調的灰白色牆壁令橙色特別顯眼。

貝萊的神遊並未持續多久。他們剛剛跨過大門，丹尼爾便舉起手臂擋住其他兩人。直到過了三十秒左右，貝萊才忍不住問道：「我們等在這兒做什麼？」由於四周一片靜寂，他自然而然把聲音壓得很低。

「因為這樣做才不會後悔，以利亞夥伴。」丹尼爾說，「前面有個刺痛場。」

「有個什麼？」

「刺痛場，以利亞夥伴。其實，這是個很委婉的說法。它會刺激神經末梢，導致相當劇烈的痛感。機器人可以通過，但人類不行。當然，不論人類或機器人，只要強行通過，一律會觸發警報器。」

貝萊問：「你怎能斷定這裡有刺痛場？」

「如果你知道訣竅，以利亞夥伴，其實就不難看見。一來空氣會因而有點閃爍，二來相較之下，刺痛場後方的牆壁會稍稍發綠。」

「我並不確定自己看不看得到。」貝萊忿忿不平地說，「有沒有什麼機制，能夠防止我——或任何無辜的外人——不小心闖進去，因而痛不欲生。」

丹尼爾答道：「研究院的成員會隨身帶著一個中和裝置；至於訪客，幾乎都會由一兩個機器人陪同，那些機器人當然能偵測刺痛場。」

這時，有個機器人從刺痛場對面的長廊慢慢走過來（在他的光滑金屬表面襯托下，空氣中的閃爍變得更明顯了）。他似乎對吉斯卡視而不見，但有那麼片刻，他輪流望向貝萊和丹尼爾，顯得猶豫不決。然後，他終於做出了決定，以貝萊作為詢問對象（貝萊心想，或許丹尼爾太像人類，看起來反倒不真實）。

那機器人問：「尊姓大名，先生？」

貝萊說：「我是來自地球的便衣刑警以利亞・貝萊，陪同我的是漢・法斯陀夫博士宅邸的兩個機器人——丹尼爾・奧利瓦和吉斯卡・瑞文特洛夫。」

「有身份證件嗎，先生？」

吉斯卡的左胸突然發出柔和的燐光，顯現了他的序號。「機友，我替他們兩位擔保。」他說。

機器人花了點時間審視那個序號，彷彿是在核對他記憶庫中的某個檔案。然後他點了點頭，說道：「序號無誤，你們可以通行了。」

丹尼爾和吉斯卡立刻邁開腳步，但貝萊只敢慢慢向前移動。他還伸出一隻手，以便測試會不會產生劇痛。

丹尼爾說：「刺痛場解除了，以利亞夥伴，等我們通過後才會恢復。」

小心點絕對錯不了，貝萊這麼想。於是，在刺痛場可能存在的範圍內，他始終步步為營慢慢前進。

三個機器人站在遠方等著貝萊，絲毫沒有不耐煩或怪罪的意思。

然後，他們走上一個僅有兩人寬的螺旋斜坡。那機器人在前方帶路，貝萊和丹尼爾並肩站在他後面（丹尼爾的手輕輕地但近乎攫住獵物般放在貝萊手肘上），吉斯卡則負責殿後。

貝萊覺得這個斜坡未免太陡，爬上去只怕不輕鬆，比方說，此時鞋子的角度就讓他覺得不太舒服，而且為了避免滑跤，身體還得刻意向前傾。真要爬這種坡的話，他的鞋底或斜坡的表面應該具備防滑紋路——最好兩者都有，而事實剛好相反。

只聽帶路的機器人叫了一聲：「貝萊先生。」彷彿在提醒什麼事，而他原本放在欄杆上的手則突然用力一抓。

下一刻，整條斜坡彷彿柔腸寸斷，隨即重組成一級級的台階。緊接著，整個斜坡便開始向上升。轉了整整一圈之後，它已穿過裂開一條縫的天花板，而在達到靜止之際，他們已經（想必）升到了二樓。階梯隨即消失無蹤，一行四人踏上了地板。

貝萊好奇地回頭望了望。「我想它也能用來下樓吧，可是萬一有段時間想上樓的人超過想下樓的呢？那樣的話，它勢必要向天空延伸半公里，反之則是往地下鑽五百公尺。」

「這是上螺旋。」丹尼爾壓低聲音說，「還有另一個下螺旋。」

「可是，它終究要下去的，不是嗎？」

「以利亞夥伴，它會在最高處——而下螺旋則會在最低處——折疊起來，等到沒人使用的時候，它又會展開來。現在，這個上螺旋正在降下去。」

貝萊回頭一看。它的平滑表面或許正在向下溜，但由於上面沒有任何突起或標誌，根本看不出是否正在滑動。

「萬一有人想要用的時候，它卻正在最高處呢？」

「那就必須等它展開來，前後要不了一分鐘——此外，當然還有普通的樓梯，以利亞夥伴，大多數的奧羅拉人都不排斥，機器人則幾乎一律走那些樓梯。由於你是訪客，才特別以螺旋梯禮遇你。」

他們正沿著一條長廊向前走，盡頭處是一扇裝飾得特別華麗的房門。「所以說，他們刻意對我禮遇。」貝萊道，「是個好兆頭。」

就在這個時候，華麗的房門剛好打開，一名奧羅拉人出現在門口——這或許是另一個好兆頭。他個子很高，至少比丹尼爾高八公分，而丹尼爾又比貝萊高了五公分。而且他還相當壯，幾乎稱得上魁梧。走近一看，此人有著一張圓臉，一個蒜頭鼻，一頭鬈曲的黑髮，一身黝黑的皮膚，而且臉上帶著笑容。

其中最顯眼的莫過他的笑容了，他笑得很開懷，絲毫不顯得勉強，自然而然地露出兩排整齊潔白的牙齒。

他開口道：「啊，這位就是來自地球的神探貝萊先生，你來到我們這個小小的星球，就是為了證明我是個可怕的壞蛋。請進，請進，歡迎之至。真抱歉，我那位能幹的助理——機器人學家馬龍．西希斯——可能讓你誤以為我沒空見你。請包涵他是個謹慎的傢伙，比我自己還要加倍珍惜我的時間。」

當貝萊走進去的時候，他站到了一旁，用手掌在貝萊的肩膀輕輕拍了一下。這似乎是個友善的表示，不過在此之前，從來沒有奧羅拉人對貝萊做過這個動作。

貝萊謹慎地說（他或許太多慮了？）：「我想你就是首席機器人學家凱頓．阿瑪狄洛吧？」

「完全正確，完全正確，我正是那個打算摧毀漢．法斯陀夫博士政治勢力的人——但我希望能說服你，別因為這件事就把我和壞蛋畫上等號。畢竟，我不會僅僅因為法斯陀夫做了那件傻事——毀了他自己的心血結晶，那個可憐的詹德——就試圖證明他才是壞蛋。讓我們這麼說吧，我只是想證明法斯陀夫——犯了一個錯誤。」

他輕輕做個手勢，那個帶路的機器人立刻走進一個壁凹。

房門關上之後，阿瑪狄洛很客氣地招呼貝萊坐到一張精緻的扶手椅上，與此同時，他絲毫不浪費時間，用另一隻手告訴丹尼爾和吉斯卡該去哪兩個壁凹。

貝萊注意到，阿瑪狄洛曾對丹尼爾露出饑渴的眼神，有那麼片刻，他臉上的笑容消失殆盡，取而代之的是近乎垂涎的表情。可是轉瞬之間，他又恢復了原本的笑容。貝萊甚至懷疑，那個倏來條去的詭異表情會不會只是自己的幻想。

阿瑪狄洛說：「看來馬上要變天了，我們索性把陰暗的天色遮起來吧。」

一扇扇窗戶隨即變成不透明（貝萊沒看清楚阿瑪狄洛究竟是如何操作書桌上的控制盤），而牆壁則開始發出柔和的日光。

阿瑪狄洛似乎笑得更燦爛了。「你我兩人，貝萊先生，其實沒有太多話要說。在你趕來這裡的時候，我為了有所準備，先和格里邁尼斯先生通了一次話。而他所轉述的事實，讓我決定也和瓦西莉婭博士先溝通一下。顯然，貝萊先生，你針對詹德被毀這件事，或多或少指控他倆有共謀的關係，而如果我沒誤會的話，你同時也指控了我。」

「我只是問了他們一些問題，阿瑪狄洛博士，而我現在也正打算這麼做。」

「這點毫無疑問，但你是地球人，才會不知道自己有多麼罪大惡極。我真的很遺憾，但你必須為自己的所作所為付出代價──或許你已經知道，格里邁尼斯針對你污衊他這件事，送了一個報告給我。」

「他告訴過我，可是他誤解了，我並非在污衊他。」

阿瑪狄洛努著嘴，彷彿正在考量這個說法。「我敢說，貝萊先生，根據你自己的觀點，你做得很正確，但你並不瞭解奧羅拉人對『污衊』的定義。我不得不將格里邁尼斯的報告轉呈給主席，因此，你很可能明天一早就會被逐出這個世界。當然我萬分遺憾，但我必須告訴你，只怕你的調查工作眼看就要結束了。」

第十四章　阿瑪狄洛之二

55

貝萊大吃一驚，不知該如何評斷阿瑪狄洛才好。在此之前，他從未料到自己會陷入這種困境。格里邁尼斯曾用「冷漠」兩字來形容他，而根據西希斯的描述，貝萊以為阿瑪狄洛這個人相當專橫。然而，他本人卻顯得相當開朗、直率，甚至可說友善。但若阿瑪狄洛所言句句屬實，他就是正在不動聲色地封殺這項調查。他的手段冷酷──偏偏臉上還帶著同情般的笑容。

他究竟是什麼樣的人？

貝萊下意識地望向吉斯卡和丹尼爾棲身的壁凹，造型原始的吉斯卡當然面無表情，較為先進的丹尼爾則是一臉平靜。丹尼爾剛問世不久，由此可知，他不可能見過阿瑪狄洛。另一方面，吉斯卡已有好幾十年的壽命（到底多少年呢？），在此之前很可能遇見過他。

想著想著，貝萊不禁抿起嘴來，他覺得在此之前，自己應該先問問吉斯卡對這個阿瑪狄洛的看法。這樣的話，他現在就比較容易判斷這位機器人學家的表現到底有多少是真實的，又有多少是精密算計的結果。

貝萊不禁納悶，這些儲存在機器人腦中的資料，自己究竟為什麼不懂得善加利用？或者說，吉斯卡為什麼不主動提供這些資料──不，這麼想並不公平。貝萊想到，吉斯卡顯然缺乏這種獨立運作的能力；他會奉命提供資料，但並不會採取主動。

阿瑪狄洛注意到貝萊的視線飄忽了一下，於是說：「我想，我是以一敵三。你看得出來，我的機器人都不在這間辦公室裡──但我得承認，只要一聲召喚，要多少有多少──而你卻只帶了法斯陀夫的兩個機器人：忠實可靠的老吉斯卡，以及新奇的丹尼爾。」

「原來兩個你都認識。」貝萊說。

「只是久仰大名。這是我第一次親眼見到——我，一個機器人學家，居然差點要說『他們本人』了——這是我第一次親眼見到他們兩位。不過，我倒是在超波劇裡，看過由演員扮演的丹尼爾。」

「顯然太空族世界每一個人都看過那齣超波劇，」貝萊埋怨道，「讓我的日子很不好過，其實我只是個很平凡的人。」

「不能一概而論。」阿瑪狄洛的笑意更濃了，「我向你保證，我可從未認真看待故事中的那個你。我早就想到，真實的你應該相當平凡。結果的確沒錯——否則你也不會在奧羅拉肆無忌憚地進行不實指控。」

「阿瑪狄洛博士，」貝萊說：「我向你保證，我尚未提出任何正式指控。我只是在進行調查，只是在考慮各種可能而已。」

「可別誤會我，」阿瑪狄洛突然極其認真地說：「我並沒有責怪你。我相信倘若根據地球的標準，你的作法完美無缺。問題是，奧羅拉的標準卻不容許你這麼做。我們對名譽的重視程度，恐怕令你難以置信。」

「果真如此的話，阿瑪狄洛博士，那麼你和其他母星黨人對法斯陀夫博士的懷疑，豈不也是誹謗了他——而且嚴重程度遠超過我所做的這些芝麻小事？」

「相當正確，」阿瑪狄洛表示同意，「但我是奧羅拉上的名人，具有一定的影響力，而你是個地球人，影響力又等於零。我承認這是極不公平的事，連我自己也深惡痛絕，但現實世界就是這個樣子，我們又能怎麼辦呢？何況，我們對法斯陀夫的指控是站得住腳的——一定站得住——

而一旦得到證實，誹謗也就不再是誹謗了。你所犯的錯誤，在於你的指控根本站不住腳。我相信你必須承認，不論是格里邁尼斯先生或瓦西莉婭．茉露博士——甚至兩人聯手——都不可能害得了可憐的詹德。」

「我並沒有正式指控他們。」

「或許吧，但在奧羅拉，你可不能躲在『正式』這兩個字後面。法斯陀夫邀請你來進行調查的時候，萬萬不該忘了警告你這件事，如今，只怕你的調查工作已經凶多吉少。」

貝萊的嘴角不禁微微抽動，他想到法斯陀夫的確不該忘記警告自己。

他說：「我能爭取到聽證嗎？還是一切都定案了？」

「奧羅拉又不是野蠻國度，當然要先召開聽證會，然後才能定你的罪。主席會好好研究我轉給他的報告，以及我自己對這件事的看法。他也許還會把法斯陀夫視為重要關係人來徵詢意見，然後或許就在明天，他將安排和我們三人碰個面。那時——也可能晚些——應該就會達成一個結論，再交由立法局正式通過。我向你保證，一切都會遵循法定程序。」

「毫無疑問，一切都會依法行事。可是，萬一主席已經有所決定，萬一無論我說什麼都沒用，萬一立法局只是橡皮圖章？有此可能嗎？」

聽到這句話，阿瑪狄洛並未真正展露笑容，但似乎還是被逗樂了。「你是個現實主義者，貝萊先生，這點讓我很高興。那些對於正義充滿夢想的人，是很容易失望的——他們通常都是優秀人物，令人看了很不忍。」

阿瑪狄洛的目光又黏在丹尼爾身上了。「真是個傑作，這個人形機器人。」他說，「難以想像法斯陀夫的保密工作那麼到家。真可惜詹德就這麼沒了，法斯陀夫做了一件不可饒恕的事。」

「閣下，法斯陀夫博士否認他和這件事有任何牽連。」

「是啊，貝萊先生，他當然會否認。但他可曾說過我反倒有牽連？或者那全然是你自己的想法？」

貝萊從容不迫地說：「我並沒有那麼想。我只是希望針對這件事，請教你幾個問題。至於法斯陀夫博士，如果你要提出誹謗的指控，不該把他也列在裡面。他早就肯定你和詹德一案毫無關係，因為他相當確定，你的學識和你的能耐都無法令一個人形機器人停擺。」

倘若貝萊希望藉此激怒對方，那麼他顯然失敗了。阿瑪狄洛坦然接受了這個嘲諷，心情絲毫未受影響。「就這點而言，他說得很對，貝萊先生。除了法斯陀夫自己，再也沒有第二個機器人學家——不論現在或過去——擁有這樣的能力。我們那位大師中的大師，是不是曾經謙虛地這麼說？」

「對，他的確說過。」

「那麼我很好奇，在他看來，詹德身上到底發生了什麼事？」

「一個隨機事件，純屬偶然。」

阿瑪狄洛哈哈大笑。「他有沒有計算過這種隨機事件的機率？」

「有的，首席機器人學家。但即使機率小到不能再小，還是有發生的可能，尤其是，如果還有其他因素增加了它的可能性。」

「比方說什麼？」

「那正是我希望查出的真相。既然你已經安排好，要把我逐出這個世界，你是打算拒絕接受偵訊嗎——還是我可以繼續調查下去，直到我的活動被依法終止那一刻？——在你回答這個問題之前，阿瑪狄洛博士，請務必想想，目前我的調查尚未依法終止，所以，如果你堅持現在就要結束這場晤談，等到舉行聽證會的時候，不論是明天或後天，我都能指控你拒絕回答我的問題。這樣一來，很可能就會影響主席的決定。」

「不會的，親愛的貝萊先生。千萬別以為你有辦法左右我——然而，我們的晤談還是可以繼續下去，你要談多久都行。即使只是為了參與法斯陀夫的困獸之鬥，享受其中的樂趣，也值得我充分和你合作。我並不是那種復仇心切的人，貝萊先生，但就算詹德是法斯陀夫的心血結晶，他也沒有權利毀掉它。」

貝萊說：「目前尚未依法認定這件事就是他做的，所以你剛才這番話，或多或少有誹謗的嫌疑。因此，姑且把這點擺到一邊，繼續我們的晤談吧。我需要知道實情。我的問題會盡量直接而簡短，如果你的回答也一樣，我們很快就能結束這番問答。」

「不，貝萊先生，問答的規則不該由你來訂。」阿瑪狄洛說，「我想，你帶來的兩個機器人，至少有一個能把我們的對話通通錄下來。」

「應該沒錯。」

「我就知道。我自己也有錄音裝置，所以親愛的貝萊先生，別以為你能藉著一大堆簡短的問題，從我嘴裡套出對法斯陀夫有利的說詞。我會根據自己的意思回答，還要確保我的答案並未遭到誤解——我自己的錄音能幫助我做到這一點。」此時，在友善的羊皮底下，阿瑪狄洛首次露出一絲惡狼的嘴臉。

「很好，但如果你的回答故意囉哩囉唆或閃爍其辭，同樣會顯示在錄音裡。」

「這當然。」

「取得這個共識之後，我可否先喝杯水再開始？」

「絕無問題——吉斯卡，請你替貝萊先生服務好嗎？」

吉斯卡立刻走出壁凹，位於房間一角的吧台隨即傳來冰塊撞擊聲，不久便有一大杯冰水放到貝萊面前。

貝萊說了一句：「謝謝你，吉斯卡。」然後靜待他回到自己的壁凹。

這時他才開口：「阿瑪狄洛博士，我想你就是機器人學研究院的院長，沒錯吧？」

「是的，沒錯。」

「也是創辦人？」

「同樣正確——你看，我答得很簡短。」

「研究院有多久歷史了？」

「它的理念——醞釀了幾十年。我至少花了十五年的時間，尋找志同道合的人。十二年前，它通過了立法局的許可，九年前開始動工興建，六年前展開實際運作。至於目前這種完整規模，則只有兩年的歷史，此外還有一些遠程擴充計畫尚待實現——這個問題無法簡短回答，閣下，但我還是盡量精簡字句。」

「當初，你為何覺得有必要設立這所研究院？」

「啊，貝萊先生，這回你絕對不會希望我簡短回答了。」

「隨你的意思吧，閣下。」

這時，有個機器人端來一個盤子，上面放了一些小三明治，以及幾塊更小的點心，不過沒有任何一樣是貝萊熟悉的。他嚐了一個三明治，發覺相當酥脆，但是並不可口，得硬著頭皮才能吃完。然後，他把杯中的水一飲而盡，才將它送進肚子裡。

從頭到尾，阿瑪狄洛似乎看得津津有味。「你必須瞭解，貝萊先生，我們奧羅拉同胞可不是普通人。所有的太空族都不是，但我現在主要是在說奧羅拉人。我們的祖先雖然來自地球——這是絕大多數人不願想到的一件事——但我們卻是『自擇』的產物。」

「這話是什麼意思，閣下？」

「長久以來，地球人生存在一個越來越擁擠的世界上，而且彼此互相吸引，形成了一個個更加擁擠的城市，最後，那些蜂窩和蟻穴終於變成你們所謂的『大城』。所以說，什麼樣的地球人會願意離開地球，前往空無一人而且環境惡劣的其他世界，以便從零開始建造新社會，卻注定在有生之年無法享受努力的成果──比方說，當他們去世時，連樹苗都還沒有長大？」

「我想，都是相當不平凡的人。」

「必須很不平凡。尤其是，他們不能過度依賴群居生活，以致無力面對無人的環境。他們甚至要喜歡無人的環境，要喜歡自立更生，以及獨力面對問題──而絕非躲在人群中，以分攤的方式解除自己身上的負擔。個人主義者，貝萊先生，他們是個人主義者！」

「這我懂。」

「而我們的社會就是這樣建立的。太空族世界所發展的每個面向都在強化我們的個人主義。我們是堂堂生活在奧羅拉上的人類，而不是在地球上擠成一團的綿羊。請注意，貝萊先生，我這麼比喻並不是要嘲笑地球──只是你們的社會讓我實在不敢恭維，而你們，我想，你們卻覺得它既理想又舒適。」

「這和你建立這所研究院又有什麼關係呢，阿瑪狄洛博士？」

「即使是最健全、最令人自豪的個人主義，仍然難免有些缺點。不論多麼偉大的學者，如果他拒絕分享學術成果，往往會單獨工作數個世紀，也沒有什麼明顯的進展。一位科學家有可能被一道難題困住一百年，而另一方面，他的同僚或許早已掌握解決方案，卻不知道它派得上用場──這所研究院，至少在機器人學這個狹窄的領域，要試著引進學術社群的制度。」

「你們試圖解決的難題，會不會剛好就是如何建造人形機器人？」

阿瑪狄洛眼睛亮了起來。「對，這點顯而易見，不是嗎？二十六年前，法斯陀夫發展出一套嶄新的數學體系，他稱之為『交叉分析』，使得人形機器人不再只是夢想——可是他並未公開這個理論。許多年後，他克服了所有的技術性難題，開始和薩頓博士合作，利用他的理論設計出丹尼爾。後來，法斯陀夫又獨力做出了詹德，可是所有的細節他仍舊祕而不宣。

「大多數機器人學家只是聳聳肩，覺得這是很自然的事。他們唯一能夠做的，就是各自嘗試自行導出那些細節。而我則不同，我想到了成立研究院以及群策群力的可能性。這可不是簡單的事，一來要說服其他機器人學家相信這是可行的，二來要在法斯陀夫的強烈反對下，說服立法局撥款資助，三來還要努力不懈堅持許多年，但我們做到了。」

貝萊問：「法斯陀夫博士為什麼反對？」

「他最初的動機是很普通的自戀心態——我並不覺得那有什麼不對，你瞭解吧。我們每個人都有非常自然的自戀心態，它和個人主義是平行發展的。問題是，法斯陀夫把自己視為有史以來最偉大的機器人學家，並將人形機器人視為自己的特殊成就。他希望這項成就永遠是他自己的，不希望另一群名不見經傳的機器人學家也做得出來。我猜在他眼中，那只是我們這些三流貨色的陰謀，目的是要搶奪和混淆他個人的豐功偉蹟。」

「你說那是『他最初的動機』，這就意味著還有其他的反對動機，那又是什麼呢？」

「我們規劃的幾項人形機器人的應用，他同樣反對。」

「什麼樣的應用，阿瑪狄洛博士？」

「好了，別裝得那麼天真。法斯陀夫博士一定告訴過你母星黨開拓銀河的計畫吧？」

「他的確說過，而在這個問題上，瓦西莉婭博士也曾提到個人主義者在科學發展上所遭遇的困難。然而，我還是很想聽聽你對這些事情的看法，而你同樣很想告訴我吧。比方說，你是否希望我相信法斯陀夫博士對貴黨計畫的理解既客觀又公平——你是否願意把這句話記錄在案？或者，你想不想用自己的話來描述一下這個計畫？」

「換句話說，貝萊先生，你不打算給我任何餘地。」

「沒錯，阿瑪狄洛博士。」

「很好。我——不，應該說我們，因為研究院的成員對此事的看法一致——我們展望未來，希望能夠看到人類開發出更多而且更新的世界。然而，我們不希望這種『自擇』的過程會毀掉原有的那些世界，或讓它們一蹶不振，就好像——不好意思——地球那樣。我們不希望新世界把我們的精華吸盡，最後只留下糟粕。這點你瞭解吧？」

「請繼續。」

「就任何一個機器人導向的社會，例如我們自己而言，最簡單的解決方案就是派機器人擔任拓荒者。等到機器人把整個社會，甚至整個世界建立起來之後，我們只要去接收成果即可，無須再做任何挑選——因為新世界一定會像原有的世界那麼舒服、那麼適合我們，所以我們一旦抵達新世界，幾乎就等於回到家了。」

「誰說機器人一定會建立人類的世界，而不會創造出機器人的世界？」

「如果我們僅僅派出普通的機器人，你這句話就完全正確。然而，我們有機會派出像丹尼爾這樣的人形機器人，他們在創造自己的世界之際，自然而然會創造出我們的世界。可是，法斯陀夫博士卻反對。在他的想像中，由人類自己把陌生險惡的行星改造成一個新世界，似乎存在著不少優點，那是因為他並未預見，這樣做不但會損失許多寶貴生命，還會因為過程中所出現的天災人禍，使得結果和我們所熟悉的世界完全不同。」

「正如當今各個太空族世界，不但都和地球不同，而且彼此也不一樣？」

接下來幾秒鐘，阿瑪狄洛收起開朗的笑容，顯得心事重重。「實際上，貝萊先生，你說到了一個重點。我剛剛討論的僅限於奧羅拉；太空族世界確實各有各的不同，而且絕大多數我都不太喜歡。我心知肚明——雖然這或許是我的偏見——奧羅拉這個最古老的太空族世界，就是最好而且最成功的一個。我不希望在開拓出一堆五花八門的新世界之後，其中卻只有幾個真正有價值。我希望能夠製造許多的奧羅拉——無數個奧羅拉——因此之故，我希望在人類抵達之前，那些新世界已經被塑造成奧羅拉。對了，這正是我們自稱『母星黨』的原因，我們只認同自己這顆母星——奧羅拉——其他都不屑一顧。」

「你認為五花八門並沒有價值嗎，阿瑪狄洛博士？」

「如果那些五花八門同樣優秀，或許就有價值，但如果某些——或大多數——是劣等貨，對人類又有什麼好處呢？」

「你準備何時展開工作？」

「等到我們有了堪用的人形機器人之後。目前為止，只有兩個人形機器人問世，其中一個還被法斯陀夫自己毀掉了，剩下丹尼爾成了唯一的樣本。」他不知不覺又瞥了丹尼爾一眼。

「你們何時能造出人形機器人？」

「這很難說，我們尚未趕上法斯陀夫博士的水準。」

「雖然他只有一個人，而你們群策群力，阿瑪狄洛博士？」

阿瑪狄洛的肩頭微微抽動。「你的諷刺對我無效，貝萊先生。打從一開始，法斯陀夫就遠遠超越了我們，而且，雖然研究院已經成立很長一段時間，我們全力展開工作才只有兩年而已。此外，我們的目標不但是要趕上法斯陀夫，而且還要超越他。丹尼爾是個優秀的成品，但他只是原型，還不算盡善盡美。」

「像丹尼爾這樣的人形機器人，還需要做哪方面的改進？」

「顯然必須更像真人才行。他們必須有兩種性別，而且還需要有孩童的類型。如果要在新世界建立一個以假亂真的人類社會，必須有兩三個世代生活其中。」

「我想我看出其中的困難了，阿瑪狄洛博士。」

「毫無疑問，困難重重。你預見了哪些困難，貝萊先生？」

「如果你製造出一批人形機器人，他們酷似人類的程度到了足以建立一個人類社會，而且他們還有性別和世代之分，那麼你要如何辨別他們究竟是不是真人？」

「有什麼關係嗎？」

「或許有。如果這種機器人太像人類，他們便有可能融入奧羅拉社會，變成人類家族的一份子——就可能不適宜擔任開路先鋒。」

阿瑪狄洛哈哈大笑。「顯然是因為嘉蒂雅．德拉瑪對詹德的迷戀，讓你腦袋裡出現這種想法。你瞧，我從格里邁尼斯以及瓦西莉婭博士口中，多少知道了些你對那女子的調查結果。我要提醒你，嘉蒂雅來自索拉利，她對『丈夫』兩字的認定和奧羅拉人不一定相同。」

「我並沒有特別想到她。我是想到奧羅拉人對性愛一向採取廣義解釋，即使在今天，把機器人當性伴侶也是社會能夠接受的事，而那些機器人只是粗具人形罷了。如果有一天，你真的無法分辨人類和機器人……」

「別忘了還得有孩童，機器人絕對無法生兒育女。」

「但這就引發了另一個問題。機器人的壽命必須夠長，因為建立一個社會可能需要好幾個世紀。」

「既然各方面都得像奧羅拉人，他們無論如何必須長壽。」

「而孩童呢——也要很長壽？」

阿瑪狄洛默然不語。

貝萊說：「他們會是一批刻意製造的機器人孩童，而且永遠長不大——永遠不會變老變成熟。這必定會形成一個相當違反人性的因素，使得這種社會的本質充滿了疑慮。」

阿瑪狄洛嘆了一口氣。「你可真是一針見血，貝萊先生。我們的確想到過要設計一些機制，使得機器人能夠生育下一代，而這些子女也能夠以某種方式長大成人——至少要能撐到建立起我們想要的社會。」

「然後，當人類抵達時，這些機器人的行為模式就能回歸正常。」

「或許吧——如果這樣比較合適的話。」

「那麼生兒育女的功能呢？顯然，這個機器人社會最好盡量貼近人類，對不對？」

「有可能。」

「性交、受孕、生產？」

「有可能。」

「但如果那些足以亂真的機器人，形成了一個無異於人類的社會，那麼，等到真正的人類抵達之際，機器人難道不會討厭這些新移民，甚至試圖把他們趕走嗎？換句話說，那些機器人對奧羅拉人的態度，會不會就像你們對地球人一樣？」

「貝萊先生，那些機器人仍然會受到三大法則的約束。」

「三大法則要求的是機器人不得傷害人類，以及必須服從人類的命令。」

「完全正確。」

「萬一那些機器人太像人類，把自己視為應當保護和服從的對象呢？他們有可能——非常理直氣壯地——把自己的地位放在那些新移民之上。」

「親愛的貝萊先生，你為何對這類事情那麼關心呢？這些問題都還遠在天邊呢。隨著時代不斷進步，以及我們對問題的本質越來越瞭解，一定能找到解決之道的。」

「但也有可能，阿瑪狄洛博士，一旦奧羅拉人瞭解了這些前因後果，就不再萬分認同你的計畫了。他們或許會轉而支持法斯陀夫博士的觀點。」

「是嗎？法斯陀夫認為，如果奧羅拉人沒有機器人幫助，就不可能自己直接開拓新世界，而在這個前提下，我們應該鼓勵地球人放手去做。」

貝萊說：「我覺得這很有道理。」

「因為你是地球人，我的好貝萊。我向你保證，奧羅拉人不會樂見地球人蜂擁到一個個新世界，建立一個又一個新蜂窩，因為那樣一來，數以兆計的地球人便會逐漸形成一個銀河帝國，而我們太空族世界則會遭到打壓——至於結果呢，最好的情況是變得弱小不堪，最壞的情況是徹底滅絕。」

「但另一個可能的結果，則是由人形機器人開拓新世界，建立起一個個以假亂真的人類社會，而真正的人類卻被摒於門外。他們會逐漸建立一個機器人銀河帝國，而你們太空族世界則會遭到打壓，最好的情況是變得弱小不堪，最壞的情況是徹底滅絕。相較之下，奧羅拉人一定會選擇由人類建立的銀河帝國。」

「你怎麼會那麼有把握，貝萊先生？」

「我的把握來自你們這個社會的現況。我在前來奧羅拉的途中，聽說你們這個世界對人類和機器人一視同仁，不做任何區分，但這個說法顯然是錯的。那可能只是奧羅拉人自我陶醉的一種理想狀況，實際上並不存在。」

「你來這裡才──多久？──不到兩天吧，而你已經這麼肯定？」

「沒錯，阿瑪狄洛博士。或許正因為我是外人，所以看得很清楚；我並未受到習俗和理想的蒙蔽。比方說，機器人不得進入衛生間，就是一項明文規定的人機區分，讓人類能夠找到一個獨立於機器人的地方。此外，你我安坐在這裡，可是你看，我的機器人卻在壁凹中罰站──」貝萊朝丹尼爾的方向揮揮手，「這又是另一個區分。類似這樣的區分，我認為人類──甚至包括奧羅拉人──永遠會樂此不疲，以保障自己的特殊性。」

「難以置信，貝萊先生。」

「一點都不難以置信，阿瑪狄洛博士。你已經輸了。就算你設法讓奧羅拉人普遍相信詹德是法斯陀夫博士毀掉的，就算你削弱了法斯陀夫博士的政治實力，就算你的機器人殖民計畫贏得立法局和奧羅拉民眾的支持，你也只是爭取到一點時間而已。一旦奧羅拉人看清這個計畫背後的本質，他們就會轉而反對你。所以說，你最好趕緊終止和法斯陀夫博士的對立，兩人碰個面，談出一個折衷之道，讓地球人能夠著手開拓新世界，又不會對奧羅拉人或太空族世界帶來任何威脅。」

「難以置信，貝萊先生。」阿瑪狄洛又說了一遍。

「你別無選擇。」貝萊硬生生地說。

可是，阿瑪狄洛卻以既從容又戲謔的口吻答道：「當我說難以置信的時候，我指的並不是你的言論，而是你居然能滔滔不絕講那麼一大串──而且認為會起作用。」

56

在貝萊的注視下，阿瑪狄洛抓起最後一個小點心，一口便咬掉半塊，顯然吃得很開心。

「非常可口，」阿瑪狄洛說：「但我未免有點太貪吃了。我剛才說到哪裡？喔，對了。貝萊先生，你以為自己發現了什麼祕密嗎？以為我把世人還不知道的事告訴了你嗎？以為我的計畫雖然危險，我卻洩漏給每個陌生人嗎？我猜你大概會認為，只要我跟你聊得夠久，就一定會說些傻話，能夠讓你大做文章。千萬記住，我可不是那種人。我的那些計畫，無論是更完美的人形機器人、機器人家庭，或是盡可能模仿人類文明，通通有案可查。凡是有興趣的人，都能在立法局找到完整的資料。」

貝萊問：「一般大眾知道嗎？」

「或許不知道。一般大眾對下個世紀或下個仟年不會太關心，相較之下，他們對於下一餐吃什麼、下一齣超波劇演什麼，以及下一場太空足球的賽事反而更有興趣。話說回來，一般大眾將會樂於接受我的這些計畫，正如那些對它已有通盤瞭解的有識之士。即使有人反對，為數也不會太多，沒什麼關係的。」

「你能肯定嗎？」

「信不信，我還真能肯定。奧羅拉人——以及整個太空族——對於地球人的強烈情緒，只怕你是難以瞭解的。請注意，我自己並沒有這樣的情緒，我能從容和你相處就是現成的例子。我對傳染病沒有與生俱來的恐懼，我不會妄想你身上帶有惡臭，我不覺得你散發著種種令我討厭的人格特質，我也不認為你和你的同胞正在密謀要搶奪我們的財產或謀害我們的性命——可是絕大多數的奧羅拉人都有這種傾向。或許表面上並不明顯，因為面對似乎無害的個別地球人，奧羅拉人都會非常客氣，可是一旦面臨考驗，他們的憎恨和疑慮就會浮現出來。如果告訴他們，地球人會蜂擁至一個個新世界，進而佔領整個銀河，他們便會大聲疾呼把地球給毀掉。」

「即使另一條路是通往機器人社會？」

「毫無疑問。我們對於機器人的看法，我想你並不瞭解。我們對他們很熟悉，而且和他們相處融洽。」

「不。他們是你們的僕人，你們覺得高高在上。只有在這件事不受威脅的情況下，你們才會和他們相處融洽。如果你們面臨取而代之的威脅，如果有可能變成他們高高在上，你們就會出現恐懼的反應。」

「你會這麼說，只是因為地球人會有那種反應。」

「不。你們不讓他們進衛生間，就是一個徵兆。」

「他們沒有必要進去。他們不必大小便，而且他們有自己的盥洗場所——當然，也是因為他們並未具有真正的人形，否則，我們或許就不會做這種區隔。」

「到時候你們只會更怕他們。」

「真的嗎？」阿瑪狄洛問，「那太愚蠢了。你怕丹尼爾嗎？如果我能相信那齣超波劇的內容——我承認其實我做不到——你對丹尼爾有著相當深厚的感情。你自己也感覺到了，對不對？」

貝萊以沉默代替回答，阿瑪狄洛立刻乘勝追擊。

「此時此刻，」他說：「對於吉斯卡靜靜站在壁凹這個事實，你可以說是無動於衷，但我能夠根據你的小幅肢體語言，看出你對丹尼爾的相同處境卻感到不安。你覺得他外表太像人，不該被當作機器人看待。反之，你並不會因為他酷似人類而感到害怕。」

「我是地球人。我們地球上雖然有機器人，」貝萊說：「可是並沒有機器人文化。你不能拿我的例子以偏概全。」

「而嘉蒂雅，她寧願和機器人詹德在一起……」

「她是索拉利人，你同樣不能拿她的例子以偏概全。」

「那麼，什麼例子才不算以偏概全呢？你只是在瞎猜罷了。對我而言，如果一個機器人足夠像人，就該被視為人類，這似乎是天經地義的事。你會要求我證明自己不是機器人嗎？光是我貌似人類就夠了。如果最後再也沒有人能夠分辨人機之別，我們就不會再擔心開拓新世界的奧羅拉人到底是真正的人類，或者只是外表酷似人類而已。然而——不論是人類或機器人——總之那些拓荒者是奧羅拉人，而不是地球人。」

貝萊的信心動搖了，他有點心虛地問：「萬一你永遠造不出人形機器人呢？」

「你為什麼認定我們造不出來呢？請注意我說『我們』，因為有很多人牽涉其中。」

「不管多少庸才加在一起，恐怕也抵不上一個天才。」

阿瑪狄洛回嘴道：「我們並不是庸才，法斯陀夫或許還會希望和我們合作呢。」

「我可不這麼想。」

「我卻相當肯定。他不會樂見自己在立法局中失勢，只要我們的銀河殖民計畫有了進展，他看出來無法阻止我們，就會加入我們的。他會這麼做，乃是人之常情。」

「我認為你無法獲勝。」貝萊說。

「因為你相信你的調查結果能替法斯陀夫洗刷冤屈，然後，或許還能把嫌疑指向某人，例如我自己。」

「或許吧。」貝萊硬著頭皮說。

阿瑪狄洛搖了搖頭。「朋友，我若認為你的行動有可能破壞我的計畫，還會端坐在這裡靜待一切發生嗎？」

「你當然不會。你正在窮盡一切手段，設法令我的調查半途夭折。如果你確信我無論如何也妨礙不了你，又何必這麼做呢？」

「嗯，」阿瑪狄洛說：「如果研究院某些成員的士氣遭到打擊，就等於妨礙了我。你不會構成危險，卻會帶來困擾——這也是我無法容忍的。所以，只要我有能力，一定會消滅這個困擾——但我會用合理的方式，甚至溫和的方式。如果你這個人真的危險……」

「那樣的話，你會怎麼做呢，阿瑪狄洛博士？」

「我能設法逮捕你，把你關起來，直到你被逐出這個世界為止。我想，不管我用什麼手段對付一個地球人，一般奧羅拉人都不會在意的。」

貝萊說：「你在試圖恐嚇我，但這起不了作用。你也非常清楚，只要有我的機器人在場，你就無法動我一根汗毛。」

阿瑪狄洛說：「你有沒有想到我隨時能召來上百個機器人？你的機器人要怎樣對付他們？」

「那上百個機器人通通不敢碰我。他們無法區分地球人和奧羅拉人，對他們而言，我就是三大法則所定義的人類。」

「他們能限制你的行動——並不傷害你——然後毀掉你的機器人。」

「休想。」貝萊說，「吉斯卡聽得到你的聲音，如果你打算召喚機器人，他就會限制你的行動。吉斯卡的動作非常迅速，一旦動起手來，你的機器人將會無用武之地，哪怕你真的把他們叫進來，他們也會瞭解到，無論對我採取任何行動，都會令你受到傷害。」

「你的意思是吉斯卡會傷害我？」

「以免我受到傷害？一定會的。若有絕對必要，他還會殺了你。」

「你當然是在開玩笑。」

「絕對不是。」貝萊說，「丹尼爾和吉斯卡奉命保護我。為了這個目的，法斯陀夫博士想盡一切辦法提高第一法則的強度——並指定以我為對象。他並未對我多做解釋，但我相當確定一切不假。如果我的機器人必須在你我的傷害之間做出選擇，那麼雖然我是地球人，他們仍會毫不猶豫地選擇犧牲你。我想你應該很清楚，法斯陀夫博士不會多麼渴望保障你的身家性命。」

阿瑪狄洛咧開嘴巴呵呵大笑。「我確信你說的每一點都正確，貝萊先生，但我很高興你說了出來。你記得吧，親愛的閣下，這段對話我自己也正在錄音——一開始的時候我就對你說了——我真有先見之明。法斯陀夫博士可能會刪掉最後這一部分對話，但我向你保證我可不會。根據你的說法，顯然他已經準備好了要利用機器人來傷害我——甚至殺掉我，只要做得到的話。可是根據這段對話錄音——或其他任何證據，都無法證明我打算以任何暴力手段對付他，或是對付你。我和他到底誰是壞蛋呢，貝萊先生？我想你心中已經有了答案，所以我想，我們的晤談到此應該正式結束了。」

他站了起來，臉上依舊掛著笑容。貝萊用力吞了一下口水，幾乎下意識地跟著他起身。

阿瑪狄洛說：「然而，我還有一件事想跟你講。它無關乎這個發生在奧羅拉的茶壺風暴——我是指法斯陀夫和我的紛爭。而是你自己的問題，貝萊先生。」

「我的問題？」

「或許我應該說是地球的問題。我猜，你會那麼積極地協助法斯陀夫脫離這個自找的困境，是因為你相信這麼一來，你們地球就能獲得擴展的機會。千萬別這麼想，貝萊先生。你大錯特錯了，如果借用我從地球歷史小說學到的說法，你這麼做就是弄巧反拙。」

「我並不熟悉這句成語。」貝萊硬邦邦地說。

「我的意思是，你正在幫倒忙。要知道，等到我的觀點在立法局大獲全勝——請注意我說『等到』而非『如果』——我必須承認，那時地球人便會被迫待在自己的太陽系內，但實際上這對你們是有好處的。奧羅拉人將會開始擴展疆域，建立一個無邊無際的帝國。而如果我們知道地球將永遠只是地球，還會對它操什麼心呢？既然整個銀河都在我們掌握之中，我們不會吝惜把地球留給地球人。我們甚至會願意在可行的範圍內，盡可能把地球改造成一個宜人的世界。

「另一方面，貝萊先生，如果奧羅拉人接受法斯陀夫的觀點，允許地球派出許多殖民隊伍，那麼不久之後，我們的同胞便會有越來越多人想到，地球人終將佔領整個銀河，把我們團團包圍起來，而我們只有坐以待斃的份。如果到了那種地步，我可就無能為力了。我自己對地球人的好感，勢必無法抵禦奧羅拉上普遍燃起的疑慮和偏見，而結果將對地球非常不利。

「所以，貝萊先生，如果你真正關心自己的同胞，就該積極阻止法斯陀夫，別讓他用那個錯得離譜的計畫迷惑奧羅拉人。換句話說，你應該當我的忠實盟友。考慮一下吧，我向你保證，我這番話是出於真誠的友誼，以及對你和對地球的好感。」

阿瑪狄洛再度展現燦爛的笑容，但狼子野心已表露無遺。

57

貝萊和他帶來的兩個機器人，一起跟著阿瑪狄洛走出那個房間，沿著長廊一路走下去。

經過一扇不顯眼的房門之際，阿瑪狄洛停下了腳步，問道：「走以前，你要不要用用化妝室？」

貝萊並未聽懂這句話，不禁皺起了眉頭，顯得相當困惑。好在他自己也愛讀歷史小說，很快便想到了阿瑪狄洛喜歡賣弄古老詞彙這回事。

他答道：「古時候有一位將軍，我忘了叫什麼名字，他有鑑於軍事行動瞬息萬變，所以曾說：『千萬別放棄撒尿的機會。』」

阿瑪狄洛露出開懷的笑容。「絕佳的建議。就像我建議你認真想想我剛才那番話，同樣是肺腑之言——但我注意到，你還是有些猶豫不決，你總不會以為我設了什麼陷阱害你吧。請相信，我並非野蠻人。既然你來到這裡，就是我的客人，光憑這一點，你就絕對安全。」

貝萊小心謹慎地回應：「若說我在猶豫，那是因為我在考慮，使用你的——呃——化妝室是否得體，畢竟我並非奧羅拉人。」

「沒那回事，我親愛的貝萊。你還有其他選擇嗎？所謂人有三急，請你放心用吧。希望你能因此感受到，我自己並沒有一般奧羅拉人的偏見，我是真心為你和地球著想。」

「你能更上一層樓嗎？」

「上哪層樓，貝萊先生？」

「可否請你向我證明，你也並不認同這個世界對機器人的偏見——」

「我們對機器人沒有任何偏見。」阿瑪狄洛搶著更正。

貝萊嚴肅地點點頭，像是接受了這一點，同時繼續把話說完：「——很簡單，只要准許他們跟我進衛生間即可。我越來越覺得，沒有他們跟著，我就坐立不安。」

阿瑪狄洛似乎吃了一驚，但他幾乎立刻恢復鎮定，卻幾乎是沉著臉說：「沒問題，貝萊先生。」

「但如果現在裡面有人，他可能會強烈反對，我可不希望出醜。」

「裡面沒有人。這是單人衛生間，如果正有人用，燈號會顯示出來。」

「謝謝你，阿瑪狄洛博士。」貝萊一面說，一面推開門。「吉斯卡，請進來。」

吉斯卡顯然遲疑了一下，但還是不發一語便走了進去。而在貝萊的示意下，丹尼爾緊跟在吉斯卡後面，不過在經過門口之際，他抓住貝萊的手肘，將他也拉了進去。

門快關上的時候，貝萊說：「我很快就會出來，謝謝你允許我這麼做。」

他盡可能懷著輕鬆的心情走進去，但腹部還是有一陣抽緊的感覺。會不會出現什麼意想不到的變故呢？

58

然而，貝萊發現衛生間內空無一人。它比法斯陀夫家的衛生間還要小，所以他甚至不必怎麼搜查。

最後，他才注意到丹尼爾和吉斯卡靜靜地並排站在門口，背部緊貼著門，彷彿他們還是盡量不要走進這個房間。

貝萊想以平常的方式開口說話，發出的聲音卻有些沙啞。他大力清了清喉嚨，又說：「你們可以走進來一點——而你，丹尼爾，不必刻意保持沉默。」（丹尼爾曾經到過地球，知道在衛生間內說話是地球上的一大禁忌。）

丹尼爾果然記得很清楚，他立刻舉起食指放到嘴巴上。

貝萊說：「我知道，我知道，可是別管了。如果阿瑪狄洛能夠放棄機器人不得進入衛生間的禁忌，我這個地球人同樣能放棄不得說話的禁忌。」

「這樣會不會令你不自在，以利亞夥伴？」丹尼爾低聲問。

「一點也不會。」貝萊以普通的口吻回答（實際上，跟丹尼爾這個機器人說話，感覺就是有點不一樣。在衛生間這樣的房間裡，當沒有其他人類在場的時候，說話的聲音聽起來並沒有那麼可怕。而且老實講，當只有機器人在場的時候，不論他是不是人形機器人，這種經驗根本一點都不可怕。當然，這種事貝萊說不出口。雖然丹尼爾並沒有情感，不至於受到傷害，可是貝萊自己卻有）。

然後，貝萊又想到另外一件事，猛然驚覺自己實在太笨太笨了。

「或者，」他突然把聲音壓得非常低，對丹尼爾說：「你建議別出聲，是因為這間屋子有鬼？」最後兩個字，他只是做出嘴形而已。

「以利亞夥伴，如果你的意思是，屋外的人能利用某種竊聽裝置聽到屋內的對話，那是很不可能的事。」

「為什麼不可能？」

這時，便器以極佳的效率開始自動沖水，貝萊則向洗臉台走去。

丹尼爾說：「在地球上，每一座大城都極為擁擠，使得隱私蕩然無存。別人的交談傳到你耳中是理所當然的，而利用某種設備增強這個效果，也似乎是很自然的一件事。如果你不希望自己說的話傳到他人耳中，只要不開口就行了，正因為如此，在那些假裝有隱私的地方，例如你們所謂的衛生間，才會強制要求人人保持沉默。

「另一方面，無論在奧羅拉，乃至所有的太空族世界，隱私是生活中真正存在的事實，而且極度受到重視。你該記得索拉利，以及他們那些病態的極端習俗吧。但即使奧羅拉並非索拉利，人與人之間仍被極大的空間阻絕，這是地球人所難以想像的，何況還加上了機器人組成的圍籬。想要打破隱私，根本是不可能的事。」

貝萊問：「你的意思是，竊聽是一種犯法的行為？」

「比犯法還糟得多，以利亞夥伴。一個有教養的奧羅拉紳士，絕對不會做這種事。」

貝萊四下望了望，丹尼爾誤會了他的意思，以為這個地球人一時找不到紙巾供應器，便隨手抽了一張給他。

貝萊接過紙巾，不過那並非他真正在找的東西。他之所以四下張望，當然是想找找有沒有竊聽器，因為他實在難以相信，僅僅因為那是沒教養的行為，對方就會放棄這樣的大好機會。然而，這麼做只是白費力氣，貝萊雖然相當沮喪，還是接受了這個事實。即使屋內有奧羅拉竊聽器，他也沒本事找出來，這點他心知肚明。在這個陌生的文化環境中，他根本不知道該找的是什麼。

想到這裡，他開始追究起心中另一個疑團。「丹尼爾，既然你比我更瞭解奧羅拉人，我問你，你認為阿瑪狄洛為什麼不厭其煩地招呼我？他和我侃侃而談，他親自送我出來，還主動勸我使用衛生間——這是瓦西莉婭絕對不會做的事情。他在我身上似乎花多少時間都無所謂，這是出於禮貌嗎？」

「許多奧羅拉人都對好禮的教養感到自豪。或許阿瑪狄洛也是這樣，他曾不止一次強調自己並非野蠻人。」

「另一個問題：你認為他為什麼願意讓我帶你和吉斯卡進來這裡？」

「我覺得那是為了消除你的疑慮，以免你懷疑這裡頭設了陷阱。」

「他何必操這個心呢？因為他不希望我承受毫無必要的焦慮？」

「我猜，為了更加突顯他是有教養的奧羅拉紳士吧。」

貝萊搖了搖頭。「嗯，如果這個房間有鬼，阿瑪狄洛能竊聽到我這番話，那就讓他聽吧。我並不認為他是個有教養的奧羅拉紳士。他已經說得很明白，如果我不放棄調查，他保證會讓整個地球跟著遭殃。這是有教養的紳士該有的行為嗎？還是殘酷至於極點的勒索呢？」

丹尼爾說：「必要的時候，有教養的奧羅拉紳士也會威脅他人，但即便如此，他也會用相當紳士的方式。」

「正如阿瑪狄洛這樣。所以，某人到底算不算紳士，取決於他的談吐態度，而並非他的言論內容。可是，丹尼爾，你是機器人，因此並不能真正批判人類，對不對？」

丹尼爾說：「我很難這麼做。不過，我可否問個問題，以利亞夥伴？你為何要求把我和吉斯卡好友帶進這個衛生間呢？在我看來，你原本不大相信自己身處險境。難道你現在斷定，如果我們不在身邊，你的安全便失去保障？」

「不，一點也不會，丹尼爾。我相當確定自始至終我都沒有危險。」

「可是剛進來的時候，你的行為充分顯示了你的疑慮，以利亞夥伴，你搜查了這個房間。」

貝萊答道：「當然要搜！我只是說我自己沒危險，並沒有說危險不存在。」

「我覺得自己無法分辨其中的差別，以利亞夥伴。」丹尼爾說。

「這點我們稍後再討論吧，丹尼爾。我仍不確定這個房間到底有沒有遭到竊聽。」

這時，貝萊已經梳洗完畢。他換個話題說：「好啦，丹尼爾，我故意慢條斯理，一點也不趕時間。現在我要出去了，不知道阿瑪狄洛是否還在耐心等著我們，或是他早已離開，委派手下送我們出研究院。畢竟，阿瑪狄洛是大忙人，不可能整天陪著我們。你怎麼想呢，丹尼爾？」

「相較之下，阿瑪狄洛博士委派他人代勞，比較合乎邏輯。」

「你呢，吉斯卡？你又怎麼想？」

「我同意丹尼爾好友的看法——雖然經驗告訴我，人類並非總是做出合乎邏輯的反應。」

貝萊說：「至於我自己，我猜阿瑪狄洛仍在相當耐心地等著我們。如果真有什麼原因，驅使他在我們身上花費那麼多時間，我覺得這個驅動力——不論原因為何——目前仍未消失。」

「我想不出你所謂的驅動力究竟是什麼，以利亞夥伴。」丹尼爾說。

「我也想不出來，丹尼爾，」貝萊說：「所以我極為不安。但我們還是趕緊打開門，揭曉謎底吧。」

59

結果阿瑪狄洛仍在等待他們，而且仍舊站在原來的位置。他對他們笑了笑，絲毫沒有不耐煩的神情。貝萊忍不住向丹尼爾拋了一個「我說對了吧」的眼神，丹尼爾坦然接受。

阿瑪狄洛說：「你沒有把吉斯卡留在外面，貝萊先生，這點令我相當遺憾。很久以前，當我和法斯陀夫關係還不錯的時候，我應該有機會認識他，可惜總是失之交臂。你可知道，法斯陀夫曾經是我的老師。」

「是嗎？」貝萊說，「事實上，我並不知道。」

「除非有人告訴你，你會知道才奇怪呢——不過我想，你來到這個世界只有短短幾天，幾乎沒時間對這類瑣事多做瞭解——來吧，我剛剛想到，如果不藉著你光臨研究院的機會，帶你好好逛一逛，你很可能會覺得我未盡地主之誼。」

「老實說，」貝萊的口氣有點硬，「我必須……」

「我堅持。」阿瑪狄洛帶著一點專橫的口吻說，「你昨天上午才抵達奧羅拉，但我擔心你在這個世界待不了太久。如果你想瞧瞧尖端的機器人學實驗室，這也許是唯一的機會了。」

他索性挽起貝萊的手臂，繼續用老友般的口吻說下去。（大感意外的貝萊不禁想到「沒話找話」這種說法。）

「你已經洗過臉，」阿瑪狄洛說：「也已經方便過了。現在，或許你還想再找幾位機器人學家問問話，我很歡迎你這麼做，因為我已決心向你證明，在你仍能進行調查的這段短短時間內，我絕不會從中作梗。事實上，你大可和我們共進晚餐。」

吉斯卡說：「先生，我能否插個嘴……」

「不行！」阿瑪狄洛說得堅決無比，吉斯卡立刻閉上嘴巴。

阿瑪狄洛說：「親愛的貝萊先生，我瞭解這些機器人。還有誰比我更瞭解他們呢？——當然，那位令人遺憾的法斯陀夫是個例外。我相當確定，吉斯卡是要提醒你還有別的事，例如另有行程、另有承諾或是另有公務——不過這些都不重要了。既然你的調查工作即將終止，我向你保證，無論他要提醒你什麼事，都沒有任何意義了。讓我們把那些無聊的事通通拋在腦後，暫時交個朋友吧。

「你一定要瞭解，親愛的貝萊先生，」他繼續說：「我對你們地球以及它的文化相當狂熱。在奧羅拉，這並非多麼流行的東西，但我卻覺得十分迷人。我特別感興趣的是地球古代的歷史，當時你們有上百種語言，星際標準語則尚未成形——對了，我可否讚美一下你所說的星際語？

「走這邊，走這邊。」他一面說，一面拐了個彎。「我們會經過徑路模擬室，它本身就具有奇特的美感，或許我們有個原型正在運作當中，事實上，那簡直就像交響樂——不過，我剛才正在講你說得一口流利的星際語。奧羅拉人對地球有許多迷信，其中之一就是地球人說的星際語我們幾乎聽不懂。那齣關於你的超波劇播出時，很多人都說那些演員不可能是地球人，因為他們的口音並不難懂。可是，我就聽得懂你說的每句話。」說到這裡，他微微一笑。

「我曾試著閱讀莎士比亞，」他繼續交心似地說：「可是，我當然無法閱讀原文，偏偏譯文讀起來味同嚼蠟。我不得不相信問題出在翻譯，絕不在莎士比亞。狄更斯和托爾斯泰的作品給我的感覺就好得多，或許因為並非韻文的關係，雖然其中每個人物的名字我幾乎都唸不出來。

「我想要說的是，貝萊先生，我是地球的朋友，此事千真萬確。我希望替地球做出最好的安排，你瞭解嗎？」他望向貝萊，閃爍的目光中又透出了狼子野心。

貝萊提高了音量，在對方的喋喋不休中，硬生生插進一句話：「只怕我難以從命，阿瑪狄洛博士。我在此地的訪談已經結束，沒有什麼問題需要問你或其他人了。但我還另有要務，可否請你……」

貝萊突然住口，因為空中隱隱傳來一陣古怪的隆隆聲。他抬起頭，大驚小怪地問：「那是什麼？」

「什麼是什麼？」阿瑪狄洛反問，「我覺得什麼也沒有。」他轉過頭去，望向那兩個默默跟在後面的機器人。「什麼也沒有！」他強而有力地說，「什麼也沒有。」

貝萊聽得出來，他這麼說等於是在下命令。現在，兩個機器人都不能再聲稱曾經聽到隆隆聲，否則就是和人類唱反調——除非貝萊自己施以相反的壓力，以抵消那道命令，但他相當確定，自己可沒本事和阿瑪狄洛這位專家一較高下。

話說回來，那也無所謂。他自己聽到了那個聲音，而他並非機器人，不是對方三言兩語就能打發的。他說：「根據你自己的說法，阿瑪狄洛博士，我的時間所剩無幾，所以我更應該……」

隆隆聲再度傳來，這回更響了。

貝萊改以極其尖銳的口吻說：「我想，這正是你不論剛才或現在都聽不到的那種聲音。讓我走，院長，否則我要向我的機器人求救了。」

阿瑪狄洛立刻鬆開貝萊的手臂。「好朋友，你怎麼不早說呢。來吧！我這就帶你去最近的出口。雖然機會微乎其微，但如果你能再來奧羅拉，請務必舊地重遊，我一定信守承諾，擔任你的嚮導。」

他們開始加快腳步，先走下螺旋梯，又一路走過長廊，來到了那間寬敞的前廳。剛才貝萊就是從這裡進來的，可是現在此處已空無一人。

每扇窗戶都黑漆漆的，難道已經入夜了嗎？

其實並沒有。阿瑪狄洛喃喃自語：「爛天氣！他們把窗戶都轉不透明了。」

他轉向貝萊，又說：「我猜現在正在下雨。氣象預報早就說了，而他們通常都報得很準——壞天氣更是一向準。」

門一打開，一股冷風猛然襲來，貝萊倒抽一口氣，同時向後跳了一大步。外面的天色雖然不算漆黑，也好不了多少，而襯著這個灰暗的背景，一枝枝的樹梢都在拚命搖擺。

戶外正下著傾盆大雨，像是憑空出現了許多瀑布。當貝萊心驚膽戰地向外望去，一道無比耀眼的閃電正劃過天空，不久隆隆聲便隨之而至，這次還伴隨著巨大的爆裂聲，彷彿那道閃電撕裂了天空，因而帶起一聲巨響。

貝萊趕緊轉身逃進屋內，不知不覺哭了起來。

第十五章　丹尼爾與吉斯卡之二

60

貝萊感覺到丹尼爾將手伸到自己腋下，緊緊抓住自己的臂膀。他停下腳步，明顯地感到全身發抖，但已經能強忍住嬰兒般的啜泣。

丹尼爾以無比恭敬的口吻說：「以利亞夥伴，這只是一場雷雨——很正常——早已預測到——早在預料中。」

「我知道。」貝萊低聲說。

他真的知道。在他的閱讀經驗中，不論小說或非小說，有數不清的書籍描述過這種雷雨。此外，他也在全像照片和超波劇中看過——而且聲光效果俱佳。

然而，真正的雷雨，真正的雷鳴和閃電，卻從來未曾鑽進大城之內。因此在他一生中，從未有過這種真實的體驗。

儘管在理智上，他對雷雨有相當的認識，可是內心深處，他仍舊無法面對這樣的真實場景。雖然他讀過那麼多的文字描述，看過那麼多的照片和影像，聽過那麼多的實況錄音，縱使如此，他從未想到閃電會那麼明亮、那麼壯觀，也從未想到破空而來的雷聲會引起那麼強的震盪，他更沒想到兩者都來得那麼突然，還有，雨水竟然真像臉盆被打翻般下個不停。

他絕望地低聲道：「這種天氣，我出不去。」

「你不必出去。」丹尼爾趕緊安慰他，「吉斯卡會把氣翼車開過來，會直接開到門口來接你，你一滴雨也淋不到。」

「為什麼不等雨停了再走？」

「那絕非好主意，以利亞夥伴。這種雨，有時會一直下到半夜還不停，如果阿瑪狄洛博士並未唬人，主席的確明天上午就會抵達，你今晚最好和法斯陀夫博士商討一下對策。」

貝萊強迫自己轉過身來，面對著他想逃離的方向，並直視著丹尼爾的眼睛。那雙眼睛似乎顯露出深切的關懷，可是貝萊悲觀地想到，那只是他自己對這樣的眼神所做的解讀。機器人根本沒有感情，有的只是模擬人類感情的正子突波罷了（或許人類同樣沒有感情，有的只是被解讀為感情的神經突波而已）。

他忽然察覺阿瑪狄洛已經離去，於是說：「阿瑪狄洛想盡辦法拖延我——又勸我用衛生間，又跟我言不及義說個沒完，還不讓你或吉斯卡插嘴提醒我快變天了。他甚至試圖說服我參觀這座大樓，並且和他共進晚餐。直到雷聲響起，他才終於罷手，因為他等的就是這場雷雨。」

「似乎正是如此。如果雷雨真能把你困在這裡，那麼他等的應該就是這一刻。」

貝萊深深吸了一口氣。「你說得對。我必須——無論如何也得走。」

他頗為勉強地向門口走去，那扇大門依舊敞開，外面依舊是狂風暴雨所交織的一片昏暗。他倚在丹尼爾身上，跨出沉重的一步又一步。

吉斯卡則默默等在門口。

貝萊半途停下腳步，將眼睛閉上一會兒。然後他低聲（其實是對自己而非丹尼爾）說：「我非做到不可。」隨即繼續向前走。

61

「你還好嗎，先生？」吉斯卡問。

真是個蠢問題，貝萊心想，這機器人是受到了程式的指揮，才不得不這麼問。不過，人類有時也會受到禮節的指揮，問出種種極不合宜的問題，愚蠢的程度可謂不相上下。

「還好。」貝萊想要大聲回答，偏偏力不從心，只能發出嘶啞的低語。這樣的回答其實毫無意義，因為即使吉斯卡是機器人，也一定看得出貝萊狀況不佳，所以這個答案顯然是個謊言。然而，經過這輪虛偽的問答之後，吉斯卡總算能採取下一步行動了。他說：「我現在就去把氣翼車開到這兒來。」

「這種天氣——簡直像在倒水——車還能開嗎，吉斯卡？」

「沒問題，先生，雨勢其實還算普通。」

說完他隨即離去，在傾盆大雨中穩健地向前走。閃電一個接一個，幾乎沒有停過，轟隆隆的悶雷則是每幾分鐘就拔一次尖。

有生以來第一次，貝萊覺得自己羨慕起機器人來。想想看，能夠在這種天氣中大步前進，能夠毫不在意雨水、閃電和雷聲，能夠無視於周遭的環境，能夠擁有勇氣十足的虛擬生命，更重要的是，對痛苦和死亡能夠無所畏懼，因為他們根本沒有痛苦和死亡。

但另一方面，則是無法擁有原創性的思想，無法產生意料之外的直覺或靈感——人類為這些天賦所付出的代價，是否真的值得？

此時此刻，貝萊心中並沒有答案。他只知道，只要不再感到恐懼，那麼為了身為人類，付出任何代價都算不了什麼。可是現在，他所感受到的只有心臟的猛烈跳動，以及意志的全盤崩潰，他因而不得不懷疑，倘若無法克服這些內心深處的恐懼——這個強烈的空曠恐懼症——身為人類又有什麼用呢？

但過去這兩天，他大部分時間都待在戶外，幾乎沒有什麼不適。

可是現在他終於明白了，自己並未真正克服恐懼。他一直刻意想些別的事情，藉此轉移注意力，但雷雨終究擊敗了他的意志。

他絕對不能允許這種事。如果其他一切通通失守——包括思想、自尊、意志——那麼剩下的就只有羞恥心了。他絕不能在機器人眼前崩潰，讓他們看人類的笑話。羞恥心一定要勝過恐懼才行。

他突然覺得丹尼爾緊緊摟住自己的腰際，此時此刻，他最想做的一件事，就是轉一個身，將自己的臉埋進機器人的胸膛，但羞恥心不准許他這麼做。假如丹尼爾是真人，他或許就無法抑制這個衝動了。

他的意識早已脫離了現實，因而覺得丹尼爾的聲音彷彿來自很遠的地方。丹尼爾的口氣似乎透出類似驚慌的感覺。「以利亞夥伴，你聽到我說話嗎？」

吉斯卡的聲音則從另一個遙遠的方向傳來：「我們必須抱他走。」

「不，」貝萊咕噥道，「讓我自己走。」

或許他們並未聽見這句話，也或許他只是自以為說了，而事實並非如此。他隨即覺得自己被抬了起來。於是，他使盡全身的力氣，想要舉起孱弱無力的左手，想要搭到某人的肩膀，想要撐起自己的上半身，還想將雙腳踩到地板上，以便重新站起來。

但他的左臂仍舊無力地垂掛在肩頭，他的一切努力都徒勞無功。

他似乎察覺到自己正在前進，而且有一股水花噴到臉上。那並非真正的雨水，只能算是分外潮濕的空氣。然後，他感到一個硬物壓向自己的左側，右側則同時感到一股較為柔軟的壓力。

他已經進了氣翼車，再度夾在吉斯卡和丹尼爾之間。而他最清楚的感覺，就是吉斯卡身上非常濕。

接著，他覺得有一股溫暖的氣流，將自己從頭到腳包裹起來。在近乎黑夜的戶外和車窗上的一層薄霧之間，那些玻璃若能變不透明就好了——或說貝萊先這麼想，不久之後便如願以償，車內真正成了一片漆黑。而當氣翼車從草地緩緩升起、搖搖晃晃之際，輕柔的噪音壓過了雷聲，雷雨似乎就不再那麼可怕了。

吉斯卡說：「真抱歉，我身上的雨水讓你很不舒服，先生，但我很快就會乾了。我們可以先等一等，等你恢復了再出發。」

貝萊的呼吸比較順暢了，密閉空間令他感到無比安心舒適。他不禁想到：把大城還給我吧。整個宇宙關我何事，讓太空族去殖民吧，我們只要地球就好了。

不過，即使在這樣想的時候，他也明白這只是個瘋狂念頭，自己其實並不相信。

他體認到不能讓腦筋閒下來。

他以虛弱的聲音喚道：「丹尼爾。」

「什麼事，以利亞夥伴？」

「是關於那位主席。阿瑪狄洛明白指出主席會下令終止調查，你認為這個判斷正確嗎，或者只是他一廂情願的想法？」

「以利亞夥伴，主席或許的確會就這件事，和法斯陀夫博士以及阿瑪狄洛博士晤談一番。要解決諸如此類的紛爭，這是標準的程序，而這有許多先例可循。」

「可是為什麼呢？」貝萊有氣無力地問，「如果阿瑪狄洛這麼有說服力，主席何不直接下令終止調查？」

「那位主席，」丹尼爾說：「目前的政治處境十分艱難。當初，在法斯陀夫博士力促之下，他答應了把你請到奧羅拉來，如果這麼快就做一百八十度的轉變，勢必顯得他懦弱和優柔寡斷——而且一定會觸怒法斯陀夫博士，博士在立法局仍是非常有影響力的人物。」

「那麼他何不乾脆拒絕阿瑪狄洛的要求？」

「阿瑪狄洛博士的影響力也很大，以利亞夥伴，而且可能會越來越大。為了兩不得罪，主席必須先聽取雙方的意見，而且至少要表現得經過一番深思熟慮，才能夠做出決定。」

「根據什麼來決定？」

「我們必須假設，會根據本案成立與否。」

「所以明天早上，我必須拿出些東西來說服主席支持法斯陀夫，而不是跟他唱反調。如果我做到了，就代表我們贏了嗎？」

丹尼爾說：「主席的權力並非至高無上，但是他的影響力確實很大。如果他表明了堅決站在法斯陀夫博士這邊，那麼，在當今這種政治情勢下，法斯陀夫博士確有可能贏得立法局的支持。」

貝萊發覺自己的思路又變得順暢了。「這似乎就足以解釋阿瑪狄洛為何試圖耽擱我們的行程。想必他推測到，目前我還沒有什麼能提供給主席的，他只需要把我所剩無幾的時間耗盡，就立於不敗之地了。」

「似乎就是這樣，以利亞夥伴。」

「直到他認為這場雷雨能困住我，他才肯讓我走。」

「或許吧，以利亞夥伴。」

「既然這樣，絕不能讓這場雷雨阻擋我們。」

吉斯卡平心靜氣地說：「你想去哪裡，先生？」

「回法斯陀夫博士的宅邸。」

丹尼爾說：「我們要不要再等一下，以利亞夥伴？你是否打算告訴法斯陀夫博士，你不能繼續進行調查了？」

貝萊厲聲問道：「你為何這麼說？」這句話，無論是音量或其中的火氣，都充分顯示他已恢復正常。

丹尼爾答道：「我只不過是擔心，你忽然忘了那只是阿瑪狄洛博士拿地球的福祉當幌子，慫恿你那麼做的。」

「我沒忘，」貝萊繃著臉說：「可是我很驚訝，丹尼爾，你居然認為我會受到他的影響。我一定要替法斯陀夫平冤，也一定要讓地球展開銀河殖民。如果這麼做會激怒母星黨，我們也不得不冒這個險。」

「可是，既然這樣，以利亞夥伴，我們為何要回去找法斯陀夫博士呢？在我看來，我們還沒有什麼重要的結果要向他報告。難道再也沒有其他方向，能讓我們在向他報告之前，再做些進一步調查嗎？」

貝萊挺直腰桿，將左手放在吉斯卡已經烘乾的身上。「我對目前的進展相當滿意，丹尼爾。我們走吧，吉斯卡，向法斯陀夫的宅邸出發。」他以稀鬆平常的口吻說。

然後，他攥起拳頭，繃緊全身的肌肉，又補了一句：「還有，吉斯卡，把窗戶轉成透明，我要親眼看看雷雨的真面目。」

62

貝萊屏息以待這個變化。這輛小小的氣翼車將不再完全密封，不再是個毫無隙縫的圍牆。就在窗戶開始透光之際，天空出現了一道閃電，它來得急去得快，只不過將整個世界襯托得更暗而已。

一兩秒之後，傳來了震耳欲聾的雷聲，貝萊雖然試著從容以對，畏縮之色還是怎麼也掩不住。

丹尼爾安慰他說：「雷雨不久就會趨緩，天氣不會更壞了。」

「我才不管天氣會不會更壞。」貝萊從打顫的嘴唇中吐出這句話，「來吧，我們走。」為了自我安慰，他試著維持一個由人類指揮機器人的假象。

氣翼車微微騰空，隨即猛然向旁一偏，貝萊立刻覺得自己倒在吉斯卡身上。

貝萊大叫一聲（更像是倒抽一口氣）：「穩住車身，吉斯卡！」

丹尼爾伸手摟住貝萊的肩膀，將他輕輕拉回來，另一隻手則緊抓著氣翼車內部的手把。

「做不到的，以利亞夥伴。」丹尼爾說，「外面的風太強了。」

貝萊覺得毛髮直豎。「你的意思是——我們會被吹跑？」

「不，當然不會。」丹尼爾說，「如果這輛車具有反重力——當然這是並不存在的科技——以致車子的質量和慣性暫時消失，它才會像羽毛那樣被吹到天上。事實則是，雖然我們被氣流抬起來，浮在半空中，我們的質量卻完全不變，所以仍能藉著慣性抵抗風力。話說回來，即使這輛車完全在吉斯卡的掌控下，強風還是會吹得我們搖搖晃晃。」

「我可不覺得它受到掌控。」貝萊隱約聽見一陣嗖嗖聲，猜想那是氣翼車在破空前進之際，車身捲起一股氣流所引起的。就在這個時候，氣翼車又猛然傾斜，貝萊情急之下，只好死命抓住丹尼爾的脖子。

丹尼爾靜候了一會兒，直到貝萊喘過氣來，雙手也稍微鬆開的時候，他才輕輕掙脫，同時將貝萊的肩膀摟得更緊。

他說：「為了保持方向，以利亞夥伴，吉斯卡必須用不對稱的氣流來抵消風力。也就是說，將氣流灌到一邊，使得氣翼車傾向強風來襲的方向，由於風力和風向不斷改變，這些氣流的力量和方向也必須隨時調整。吉斯卡是箇中高手，但即便如此，偶爾還是會造成車身的抖動和搖晃。所以，如果吉斯卡沒加入我們的談話，你千萬別怪他，目前他必須全神貫注在氣翼車上。」

「這……這安全嗎？」想到他們正在和強風玩這樣的遊戲，貝萊不禁感到腹部抽緊。謝天謝地，好在他有幾小時沒吃東西了。他絕不能——也不敢——在侷促的氣翼車內噁心欲嘔。光是想到這一點，便令他更加不安，他只好試著把心思擺在別的地方。

他突然想到了地球上流行的奔路帶。這種活動的玩法很簡單，從一條運動中的路帶出發，不斷轉換到旁邊另一條較快的路帶，最後再反過來，逐步換到較低速的路帶。不論是「奔加速」或「奔減速」（這是奔路帶玩家的專用詞彙），每次轉換路帶的時候，都必須熟練地在強風中將身體向左或向右打斜。年輕的時候，貝萊能夠毫不間斷且毫無失誤地做出整套的動作。

當年，丹尼爾毫不費力就學會了這些技巧，那回他們一起奔路帶，丹尼爾表現得完美無缺。嗯，現在沒什麼兩樣！氣翼車正在奔路帶。沒錯！完全一樣！

但嚴格說來，還是有些差別。在大城中，每條路帶都有固定的速度。你在奔路帶的時候，所謂的強風其實是路帶運動的結果，風速和風向皆在預料之中。然而，如今在暴風雨裡面，強風卻有自己的意志，或者說，受到許多變數的影響（貝萊刻意堅持理性思考），所以似乎有它自己的意志，而吉斯卡必須將這點考慮在內。差別就在這裡，除此之外，目前的情況只比奔路帶再複雜一點點——這條「路帶」並非等速前進，而是不斷猛烈地變速。

貝萊喃喃道：「萬一我們撞到樹呢？」

「機會非常小，以利亞夥伴，吉斯卡的技術高明得很。而且，我們非常接近地面，因此氣流分外強而有力。」

「我們可能撞到岩石，可能因此被活埋。」

「我們不會撞上岩石的，以利亞夥伴。」

「為何不會？吉斯卡怎麼看得出該往哪兒走呢？」貝萊望向前方，只見一片昏暗。

「現在只是黃昏而已，」丹尼爾說：「仍然有些光線透過雲層。再加上車頭燈幫忙，我們足以看到外面。等到天色更暗一點，吉斯卡會把車頭燈調得更亮。」

「什麼車頭燈？」貝萊以挑釁的口氣問。

「你幾乎看不到，因為其中有很強的紅外線成分，吉斯卡對這部分很敏感，而你則不然。此外，相較於波長較短的可見光，紅外線具有較強的穿透力，因此在雨天或霧氣中，能夠發揮更高的功效。」

即使忐忑不安，貝萊仍舊感到一絲好奇。「那你的眼睛呢，丹尼爾？」

「我的眼睛，以利亞夥伴，被設計得盡可能接近人類的眼睛。在這種節骨眼，或許就是個遺憾了。」

氣翼車開始猛烈晃動，貝萊不知不覺又屏住了呼吸。他壓低聲音說：「就算機器人的視覺高人一等，太空族的眼睛仍舊適應著地球的陽光。這樣其實也不錯，因為這能提醒他們，別忘了自己是地球人的後裔。」

他沒有再說下去。現在天色越來越暗，他什麼也看不見了，斷斷續續的閃電只會使人眼冒金星，無法照亮任何事物。他閉上眼睛，卻無濟於事。反之這麼一來，轟轟的雷聲更加令他心驚膽跳。

他們不該停車嗎？他們不該避開這陣最強的風雨嗎？

吉斯卡突然說：「車子的反應不正常了。」

與此同時，貝萊也體會到顛簸的感覺，彷彿氣翼車成了有輪子的交通工具，正在駛過崎嶇的路面。

丹尼爾問：「會不會是暴風雨造成的損壞，吉斯卡好友？」

「感覺上並不像，丹尼爾好友。何況，無論什麼樣的狂風或暴雨，也不該對這輛車造成這樣的損壞。」

貝萊有點聽不懂了。「損壞？」他喃喃道，「什麼樣的損壞？」

吉斯卡說：「我判斷應該是壓縮機在漏氣，先生，不過漏得很慢，並不是普通破洞造成的。」

「那麼，到底是怎麼回事？」貝萊問。

「或許是車子停在行政大樓外面的時候，遭到了蓄意破壞。不久前，我開始注意到有人跟在我們後面，但刻意不超過我們。」

「為什麼呢，吉斯卡？」

「可能性之一，先生，他們在等我們徹底拋錨。」這時，氣翼車顛得更厲害了。

「你能撐到法斯陀夫博士家嗎？」

「似乎不太可能，先生。」

貝萊試著啟動仍在發昏的腦袋。「這樣的話，我就完全誤判了阿瑪狄洛拖延我們的原因。他之所以拖住我們，是為了讓他的機器人有機會破壞氣翼車，這樣就能把我們困在雷電交加的荒郊野外。」

「可是他為何要那麼做呢？」丹尼爾顯得有些震驚，「為了抓你嗎？——其實可以說，他已經抓到你了。」

「他不是想抓我，沒有人想抓我。」貝萊帶著些微怒意說，「有危險的是你，丹尼爾。」

「是我，以利亞夥伴？」

「對，丹尼爾，是你！——吉斯卡，選個安全的地方降落，然後，丹尼爾必須立刻下車，找個安全的地方藏起來。」

丹尼爾說：「那是不可能的，以利亞夥伴，我不能在你不舒服的時候離開你——更何況還有人正在追捕我們，而且可能傷害你。」

貝萊說：「丹尼爾，他們是在追你，你一定得走。至於我，我會留在氣翼車內，不會有危險的。」

「你要我怎麼相信你？」

「拜託！拜託！如今天旋地轉，我怎能把一切解釋得清清楚楚——丹尼爾，」貝萊的聲音突然冷靜得出奇，「你是我們當中最重要的人，你的重要性遠超過我和吉斯卡的總和。現在不只是我個人關心你，希望你別受到傷害，事實上，全體人類都寄望在你身上。別掛念我，我只是一個人，請掛念好幾十億的人類吧。丹尼爾——拜託——」

63

貝萊感到自己正在前後搖晃，或是氣翼車在晃？車子整個壞了嗎？吉斯卡再也控制不住了？還是他正在進行閃避行動？

貝萊並不關心，絲毫不關心！讓氣翼車墜毀吧，讓它摔成碎片吧。只要能夠擺脫這種可怕的恐懼，擺脫這種什麼也做不了的全然無力感，他還巴不得走入歷史呢。

不過，他必須先確保丹尼爾平安離去，但要怎麼做呢？

一切似乎都那麼不真實，他根本沒辦法對這兩個機器人做任何解釋。如今的情勢在他看來明顯得很，問題是，他要如何把自己的理解傳遞給兩個並非人類的機器人？除了三大法則，他們什麼也不懂，除了眼前這個人，他們什麼也不關心；即使葬送掉所有的地球人，進而葬送所有的人類，他們也毫不在乎。

人類為什麼要發明機器人呢？

萬萬沒想到，較為原始的吉斯卡竟適時對他伸出援手。

他以不帶絲毫感情的聲音說：「丹尼爾好友，我無法讓氣翼車再撐多久，或許你應該照貝萊先生的意思去做，他對你下了一道非常堅決的命令。」

「我能在他不舒服的時候離開他嗎，吉斯卡好友？」丹尼爾惶惶無措地說。

「這麼大的風雨，絕不能讓他跟你同行，丹尼爾好友。何況，他似乎急著要你走，如果你留下來，恐怕會對他造成傷害。」

貝萊覺得逐漸恢復了元氣。「對——對——」他勉強以沙啞的聲音說，「吉斯卡說得對。吉斯卡，你和他一起去，找個地方把他藏好，並確定他不會離開——然後再回來找我。」

丹尼爾強而有力地說：「不能這麼做，以利亞夥伴，我們不能留你一個人在這裡，沒人照顧又沒人保護。」

「沒危險——我並沒有危險。照我說的做——」

吉斯卡說：「這種風雨會使得人類裹足不前，所以跟蹤我們的可能都是機器人，而機器人是不會傷害貝萊先生的。」

丹尼爾說：「他們可能把他帶走。」

「不會的，丹尼爾好友，如果在暴風雨中把他拖走，顯然會令他受到傷害。我現在要把氣翼車停下來，丹尼爾好友，你一定要遵照貝萊先生的命令行事，而我也一樣。」

「很好！」貝萊低聲道，「很好！」他很高興吉斯卡有個簡單的頭腦，不但容易接受命令，而且不會像那些越來越精密的機器人，動不動便會感到茫然和猶豫不決。

他模模糊糊地想到，丹尼爾現在一定進退維谷，一方面察覺到貝萊處境惡劣，另一方面又有來自緊急命令的強大壓力——他進而想到，在這樣的衝突中，那副正子腦正在劈啪作響。

貝萊心想：不不，丹尼爾，別再提出質疑，照我的話去做就對了。

他居然沒力氣把這句話說出來，也幾乎沒意願這麼做，因此這個想法始終沒有化為命令。

隨著一下撞擊，氣翼車停了下來，帶起一陣短短的刺耳摩擦聲。

兩側車門同時猛然打開，又在輕巧的氣流聲中慢慢關上。下一刻，兩個機器人就不見了。一旦有了決定，他們便毫不猶豫地展開行動，以人類無法企及的速度飛快離去。

貝萊深深吸了一口氣，同時打了一個哆嗦。氣翼車現在穩若磐石，彷彿成了地表的一部分。

他忽然想通了，剛才之所以那麼狼狽，全是因為氣翼車的搖擺和顛簸，令他感到心裡不踏實，感到自己脫離了這個宇宙，感到被一股無情的力量捏住不放。

然而，現在一切恢復平靜，他終於張開了眼睛。

在此之前，他並未注意到那雙眼睛是閉著的。

地平線上仍不時出現閃電，雷聲則已大大減緩。不過，由於氣翼車不再閃躲騰挪，強風吹在硬邦邦的金屬上，聲音聽起來更加淒厲。

天色已暗，除了偶爾明滅的閃電，貝萊的一雙肉眼無法看到任何光線。太陽一定早已下山，而且雲層相當厚重。

64

自從離開地球之後，這還是貝萊頭一回落單！

落單！

他身心備受煎熬，實在理不出一個清楚的頭緒。然而，如果在疲憊的心靈中，除了丹尼爾必須逃走這個念頭，還能擠出另外一點空間，他會盡力設法釐清思緒，想想自己應該怎麼做，以及到底會怎麼做。

比方說，剛才他就應該問問此時身在何處，附近有些什麼，而丹尼爾和吉斯卡又打算去哪裡。他完全不瞭解如何操作這輛氣翼車，無法駕駛它是理所當然的事，然而，如果他覺得冷，也許就該打開暖氣，或在溫度過高時把暖氣關上——問題是，他也不知道如何下這樣的指令。

即使想要和外界隔絕，他也不知道該怎樣把車窗轉成不透明，同理，如果他想下車離去，也不知道該如何打開車門。

現在他唯一能夠做的，就是等吉斯卡回來找他，而吉斯卡當然也會預期他這麼做。他對吉斯卡下的命令很簡單：回來找我。

這個命令絲毫沒有暗示貝萊可能會前往他處，所以，吉斯卡那簡單明快的心靈一定會把「回來」解釋為要他回到氣翼車的位置。

貝萊試著讓自己接受這一點。就某方面而言，瞭解到目前只能等待，暫時不能做任何決定，也不失為一種解脫，因為他根本沒決定可做。而且此時此刻，他穩穩地待在車內，見不到可怕的閃電，聽不到任何擾人的噪音，更令他感到輕鬆無比。

或許他應該試著睡一會兒。

但他隨即繃緊神經——自己敢這麼做嗎？

他們正在遭到追捕，正在遭到監視。這輛氣翼車是停在行政大樓外面時被動了手腳的，由此可想而知，對方很快便會找到他。

所以，不只吉斯卡會來找他，對方同樣也會。

剛才狼狽不堪之際，他真的把一切都想清楚了嗎？氣翼車是在行政大樓外被動手腳的，雖然任何人都有嫌疑，但嫌疑最大的當然是知道它停在那兒的人——而除了阿瑪狄洛，還有誰更清楚呢？

阿瑪狄洛故意拖延到暴風雨來臨，這點顯而易見。這樣一來，自己就得在風雨中趕路，最後勢必會精神崩潰。阿瑪狄洛研究過地球以及地球人，他曾就這點吹噓了一番。戶外環境給地球人帶來的困擾，尤其是雷電交加的暴風雨所導致的震撼，他一定相當清楚。

他十分確定，貝萊會變得如嬰兒般無助。

可是，他為何要這麼做呢？

為了把貝萊帶回研究院？貝萊雖然早已送上門去，但那時是有備而來，身邊還帶著兩個機器人，他們隨時可以出手保護他。現在情況完全不同了！

如果氣翼車在暴風雨中拋錨，貝萊的情緒勢必跌到谷底。或許，他甚至會失去意識，如果有人要帶他回去，他當然無法抵抗。那兩個機器人同樣不會反對——既然貝萊的身體顯然出了問題，他們應當採取的行動正是協助阿瑪狄洛的機器人拯救他。

事實上，兩個機器人一定會跟著貝萊走，毫無選擇的餘地。

萬一有人質疑阿瑪狄洛的行動，他可以辯稱由於風雨交加，他擔心貝萊可能出事；他曾試著把貝萊留在研究院，可惜未能成功；於是他派自己的機器人跟在貝萊後面，確保他安全無虞；當氣翼車在暴風雨中出了故障，那些機器人就把貝萊救了回去。除非有人瞭解內情，知道氣翼車之所以故障，全是阿瑪狄洛在幕後指使（誰會相信，誰又能證明呢？），否則，輿論會一面倒地讚揚阿瑪狄洛的人道精神——何況，這次的關懷對象居然是個次等人類，一定更加令人讚嘆。

那麼，阿瑪狄洛會怎樣對付貝萊呢？

別擔心，只會讓他消失一陣子。貝萊自己並非真正的獵物，而這正是關鍵。

那兩個機器人也會留在阿瑪狄洛那裡，不可能有絲毫主見。他們所接受的指令，以最嚴格的方式要求他們守護貝萊，如果貝萊病倒了，正在接受治療，只要阿瑪狄洛裝出一副對貝萊關懷備至的模樣，他們就不得不遵從他的命令。而貝萊（或許）也無法再下任何命令來保護他們——在鎮靜劑的作用下，他當然無能為力。

太明顯了！太明顯了！貝萊、丹尼爾和吉斯卡曾經落入阿瑪狄洛的掌心——可是對他毫無用處。於是他將他們送到風雨中，好讓他們重新回到自己的掌心——這回就有用了。尤其是丹尼爾！丹尼爾才是關鍵人物。

事實上，法斯陀夫終究會開始尋找他們，而且一定會找到，並將他們帶回去，可是那個時候，一切已經太遲了，不是嗎？

而阿瑪狄洛要丹尼爾做什麼呢？

貝萊雖然頭痛欲裂，還是確定自己掌握了答案——可是他要怎麼證明呢？

他實在想不下去了——他若能將車窗轉成不透明，就能營造一個封閉的、靜止的小世界，然後也許就能讓思緒延續下去。

可是他不知道怎樣下指令。他唯一能做的就只有坐在那裡，望著窗外逐漸減弱的風雨和越來越細的閃電，聽著雨水打在車窗上的聲音以及有如低喃的雷鳴。

他使勁閉上眼睛。眼皮也算一堵牆，但他不敢睡著。

右側車門突然打開，帶起的氣流聲極其明顯。他感覺到濕冷的空氣灌了進來，車內溫度隨即降低，與此同時，他還聞到一股由植物和濕泥所散發的強烈氣味——車內原本隱約泛著機油和皮椅交織成的味道，雖然不好聞，卻有親切感，因為能使他聯想到可能再也回不去的大城，現在這種味道完全給掩蓋了。

他張開眼睛，發現有個機器人正近距離瞪著自己。那機器人的頭顱並未真正移動，臉部卻像是往一旁飄去，感覺上相當詭異。貝萊感到一陣頭暈眼花。

在漆黑的背景中，那機器人彷彿一個更黑的暗影，顯得相當巨大。而且看起來，他絕不是等閒之輩。他說：「不好意思，先生，不是有兩個機器人跟你在一起嗎？」

「走了。」貝萊咕噥道，他盡可能假裝不舒服的樣子，卻發覺根本不必裝。他微微張開眼睛，正巧看到天空又出現一道明亮的閃電。

「走了！走去哪裡，先生？」當他等待對方回答之際，又補了一句：「你病了嗎，先生？」

從殘存的一點點清醒頭腦中，貝萊察覺到一絲病態的成就感。如果這個機器人未曾接受特別的命令，他在第一時間就會對貝萊的明顯病徵做出回應。而他竟然先問那兩個機器人的下落，意味著在他所接受的命令中，特別強調了那兩個機器人的重要性。

一切都吻合了。

他強打起精神，裝作若無其事地說：「我很好，你不必為我擔心。」

在一般情況下，機器人不太可能這麼輕易就被說服，但眼前這個機器人一心掛念著丹尼爾（這很明顯），因此接受了貝萊的說法。「那兩個機器人去哪裡了，先生？」他又問。

「回機器人學研究院去了。」

「回研究院去了？為什麼，先生？」

「因為首席機器人學家阿瑪狄洛命令他們回去，而我正在這裡等他們。」

「但你怎麼沒跟他們一起去呢，先生？」

「首席機器人學家阿瑪狄洛不希望我暴露在風雨中，所以命令我等在這裡。我現在這麼做，是在遵從首席機器人學家阿瑪狄洛的命令。」

藉由不斷重複這個如雷貫耳的名字，並刻意冠上那個顯赫的頭銜，再加上不斷重複「命令」這兩個字，他希望能夠打動這個機器人，讓他允許自己繼續留在這裡。

另一方面，如果他們的確接受過特別的指令，要他們務必將丹尼爾帶回去，而他們又已經相信丹尼爾正在趕回研究院，那麼他們對於丹尼爾的關注程度就會下降，就會有時間顧慮到貝萊，而他們就會說——

那機器人說：「但你看起來不太好，先生。」

貝萊又體會了一次病態的成就感。他說：「我很好。」

在這個機器人後面，他能隱約看到好些機器人，但看不清到底有多少——偶爾出現閃電時，他們的臉孔會被照得發亮。每當貝萊的眼睛再度適應黑暗，還能看到他們的雙眼射出昏暗的光芒。

他轉過頭去，左側車門外也有些機器人，不過車門並沒有打開。

阿瑪狄洛究竟派出多少機器人？若有必要，他們是否會被強押回去？

他說：「首席機器人學家阿瑪狄洛的命令是要我的機器人回研究院去，而我留在這裡等他們。你看得出來，他們已經回去，而我正等在這裡。如果你們是來幫忙的，如果你們有交通工具，就該去找那兩個已經上路的機器人，以便載他們一程。這輛氣翼車已無法行駛了。」為了假裝一切安好，這番話他盡量說得堅決而毫不猶豫，結果並未非常成功。

「他們徒步走回去嗎，先生？」

貝萊說：「去找他們，這個命令很明確。」

對方卻顯得遲疑，而且十分明顯。

貝萊終於想到應該移動右腳——他希望自己做得到。他早就該這麼做了，無奈身體不怎麼聽從心思的使喚。

那些機器人還在猶豫，貝萊卻苦無良策。他並非太空族，不知道該用什麼語句、什麼口氣、什麼姿態，才能最有效率地指揮機器人。一位高明的機器人學家，只要做做手勢，揚揚眉毛，就能令機器人任他擺布，彷彿操縱傀儡一般——如果機器人是他自己設計的，效率就更高超了。

但貝萊只是一個地球人。

他皺起眉頭——此時的他很容易做出這個表情——頗不耐煩地輕喚一聲：「走！」同時揮了揮雙手。

或許這麼一來，剛好讓這個命令的力道超過了臨界點——也或許只是時間上的巧合，這些機器人藉由正子徑路中此起彼伏的正反電壓，總算想通了該如何解讀他們聽到的指令，才算符合三大法則。

總之，他們終於下定決心，然後就再也不遲疑了。他們毅然決然地衝回自己的交通工具——姑且不論它在哪裡，也不論是什麼車輛——速度之快，彷彿瞬間消失一般。

那扇被打開的車門隨即自動關閉，但貝萊早已把右腳擋在門軌上。他難免有點擔心，這隻腳會不會被切下一截，或是骨頭給輾得粉碎，但他仍舊一動不動。任何車輛在設計之初，都一定會設法排除這種慘劇的可能性。

現在他又落單了。他以智取勝，硬逼著那些機器人離開了一個顯然身體違和的人類——阿瑪狄洛這位機器人學大師，為了遂行自己的目的，刻意在命令中加強第二法則的比重，給了他一個可乘之機。另一方面，貝萊自己所編織的明顯謊言，又進一步降低了第一法則的力道。

自己究竟做得多好呢，想著想著，貝萊不禁有點自滿——然後他注意到，由於自己右腳的阻擋，車門留了一條縫，而那隻腳果然毫髮無傷。

65

貝萊覺得右腳被一股冷風包圍，還有寒冷的雨水在不斷澆灌。那是一種相當詭異的陌生感覺，但他不敢讓車門整個關上，否則還真不知道如何才能再打開來（那些機器人是怎麼打開的？毫無疑問，對這個社會的成員而言，此事一點也不困難。可是在他所讀過的奧羅拉書籍中，沒有一本詳細介紹過如何開啟一輛標準氣翼車的車門。凡是重要的事皆被視為理所當然，你就是應該知道——雖然理論上而言，作者正在告訴你）。

他一面想，一面摸索著上衣的口袋，偏偏這也並非一件容易的事。所有的口袋都不在應該在的位置，而且每個都封了口，因而他必須先摸索一番，找出解開封口的正確方法。然後，他從中掏出一條手帕，扭成一團，塞到那道門縫裡，好讓車門不會完全關上。直到這個時候，他才把右腳縮回來。

現在開始動腦筋——但願他做得到。除非他打算出去，否則沒必要讓車門一直開著。然而，他出去有什麼用嗎？

如果他等在原地，吉斯卡終究會回來找他，而且，想必會將他帶到安全的地方。

他敢等下去嗎？

他不知道吉斯卡需要多少時間，才會把丹尼爾藏妥，然後回到這裡。

而他同樣不知道，那些機器人需要多少時間，便能確定無法在回研究院的路上找到丹尼爾和吉斯卡（丹尼爾和吉斯卡當然不可能真的一路往回走，以便尋找藏身之處。貝萊並未真的命令他們別那麼做——可是，萬一就只有那麼一條路呢？不！不可能）！

貝萊搖了搖頭，默默否定了這個可能性。這個動作竟引發了頭痛，他不禁齜牙咧嘴，雙手抱住了頭。

那些機器人還會繼續尋找多久，才會確定他們給貝萊耍了，或是以為貝萊自己被誤導了？然後，他們會不會再回來逮捕他——態度非常客氣，而且絕對避免傷害他？如果他告訴他們，一旦暴露在風雨中，自己就會沒命，能否令他們不敢輕舉妄動？

他們會相信嗎？他們會不會向研究院報告？他們一定會這麼做。然後會不會有真人趕來？他們可不會特別關心自己的死活。

如果貝萊下了車，在附近的樹叢裡找個藏匿地點，那些追捕他們的機器人就很難找到他了——這樣就能替他爭取到時間。

雖然這樣做，同樣會讓吉斯卡難以找到他，可是相較之下，要求吉斯卡守護貝萊的命令強而有力，要求那些機器人尋找他的命令則微弱不堪。前者的首要任務是找到貝萊——後者則是找到丹尼爾。

此外，吉斯卡的程式是法斯陀夫親自設定的，不論阿瑪狄洛多麼高明，終究比不上法斯陀夫。

所以，如果一切條件完全相等，吉斯卡一定會比其他機器人更早回來。

可是雙方的條件會完全相等嗎？貝萊有點自嘲地想到：我已經筋疲力盡，無法真正思考了，我只會死命抓著各種自我安慰的想法。

話說回來，針對心目中這個優勢，他除了放手一搏，還能做什麼呢？

他傾身頂開車門，走到了外面。那條手帕隨即掉進潮濕而茂密的草叢裡，他自然而然彎腰把它撿起來，緊緊抓在手中，然後跌跌撞撞地向前走去。

雨水不斷打在他的臉龐、雙手和全身各處，不久之後，濕透的衣服就黏在他身上了，冷得他直打哆嗦。

一道突如其來的閃電撕裂了天空——他根本來不及閉上眼睛——然後，一聲巨響嚇得他僵在原地，只能舉起雙手摀住耳朵。

風雨又轉強了嗎？還是因為他走了出來，雷聲才特別響亮？

他必須向前走。他必須盡量遠離氣翼車，那些機器人才不會那麼容易找到他。他絕不能猶豫不決或留在附近，否則還不如待在車內——至少能享受乾爽。

他想要擦擦臉，可是那條手帕和他的臉一樣濕。一點用也沒有，他隨手將它扔了。

他將雙手舉在前面，一步步走下去。奧羅拉有沒有自己的衛星？他似乎記得某本書裡提過，期盼著能見到它的光亮——可是又有什麼差別？即使真有這麼一顆衛星，而且此時它真的高掛天際，雲層也會將它整個遮掩。

他摸到一樣東西，雖然完全看不見，但他知道那是粗糙的樹皮。沒錯，他摸到了一棵樹，即使是大城居民，也能肯定這一點。

然後，他想起來閃電可能會擊中樹木，還有可能將人擊斃。至於給閃電擊中是什麼感覺，以及有什麼方法可以避免，他卻不記得讀到過這方面的記載。總之，他從未聽說過有哪個地球人是閃電的受害者。

他滿懷憂慮和恐懼，慢慢繞過那棵樹。為了保持原來的方向，他必須恰好繞半圈，可是到底該走幾步呢？

繼續前進！

周遭的灌木越來越濃密，就像一根根瘦骨嶙峋的手指緊緊抓住他，令他舉步維艱。他賭氣般用力拉扯，隨即聽到衣服撕裂的聲音。

繼續前進！

他全身發抖，牙齒更是格格作響。

又是一道閃電。這倒也不錯，剛好讓他瞥一眼周遭的環境。

一棵又一棵的樹，好多好多！他正置身於樹叢中。就雷擊而言，許多樹會比一棵樹更危險嗎？

他不知道。

如果他避免碰觸任何樹木，會有幫助嗎？

他同樣不知道答案。生活在大城中，向來不必擔心會被閃電擊斃。至於歷史小說（以及若干歷史記載），即使偶爾提到，也都語焉不詳。

他抬頭望向漆黑的天空，立刻覺得像是被潑了一盆水。他只好用濕淋淋的雙手，擦擦濕漉漉的眼睛。

他蹣跚地向前走，每一步都努力把腳舉高。不久，他走進一條小溪，踩著滑溜溜的石頭涉水而過。

真奇怪！他並未因此變得更濕。

他繼續前進。那些機器人找不到他了，可是吉斯卡找得到嗎？

他不知道自己身在何處，或是要往哪裡去，或是自己已經走了多遠。

如果想要折返氣翼車，他自問做不到。

如果想要試著找到自己，他自問也做不到。

這場暴風雨永遠不會停止，他最後將整個溶解，化成一條名叫貝萊的小溪，再也不會被任何人找著。

而從他身上解離出的分子，將會慢慢流到海裡。

奧羅拉有海洋嗎？

當然有！而且比地球的海洋還要大，但兩極的冰冠也比較寬。

啊，他將漂到冰冠旁，凍結在那裡，在寒冷的橙色陽光下閃閃發亮。

他又摸到了一棵樹——雙手是濕的——樹也是濕的——轟隆一個雷聲——奇怪竟然沒有先看到閃電——閃電應當先出現的——難道他被擊中了？

他什麼感覺也沒有——只覺得接觸到了土地。

土地就壓在他身體下面，因為他的手指正扒抓著濕冷的泥土。他側過頭去以便呼吸，那是相當舒服的感覺。他不必再走了，他可以等在這裡，吉斯卡會找到他的。

他突然非常肯定這一點。吉斯卡一定會找到自己，因為……

糟糕，他忘了因為什麼。他再度忘記一件重要的事，上次是在睡前——兩次忘記的是同一件事嗎？——真的是嗎？

無所謂了。

反正沒事了——沒——

於是在滂沱大雨中，他躺在一棵樹旁，孤孤單單，人事不省，無情的風雨則繼續打下。

第十六章 嘉蒂雅之二

66

事後回顧，根據準確的估計，貝萊失去意識的時間，介於十到二十分鐘之間。

不過，在他當下的感覺中，那段時間則有可能從零到無限大。然後，他聽到一個聲音，卻只知道那是有人在說話，聽不清楚說些什麼。那聲音聽起來很古怪，但他還是設法解開了這個謎，因為他終於聽出那是個女子的聲音。

好幾隻手開始抓住他，慢慢將他舉起來。其中一隻手——他自己的右手——無力地垂蕩著，而他的腦袋也一樣。

他試著抬起頭，偏偏毫無反應。不久，他又聽到那女子的聲音。

他睏倦地睜開眼睛。雖然仍舊覺得又濕又冷，但他忽然驚覺雨水不再打到身上。而且，周遭已不再是全然的黑暗。藉著一點昏暗的光線，他看到了一個機器人的臉孔。

他立刻認出來，輕聲叫道：「吉斯卡。」隨著這聲呼喚，他想起了那場暴風雨，以及逃亡的過程。所以說，吉斯卡的確先一步找到自己，他的確搶在那些機器人前面了。

貝萊滿意地想到：我就知道他會搶先一步。

他再度閉上眼睛，隨即感到自己正在迅速移動。一路上都有輕微（但很明確）的顛簸，代表抱著他的人正在步行。然後他們停下來，慢慢做了一些調整，最後讓他躺到一個相當溫暖舒適的物件上。他知道那是車內的座椅，上面或許還蓋著毛巾，但他並未追究自己是怎麼知道的。

他感到進行了一段安穩的飛行，接著又出現了一連串的感覺：柔軟的毛巾（或類似的布料）

壓向他的臉龐和雙手、上身的衣服被撕開、胸膛接觸到冷空氣、毛巾隨即又壓下來。

然後，更多的感覺接踵而至。

他置身於一座宅邸。每當他睜開眼睛，便會瞥見一堵又一堵的牆壁，一團又一團的燈光，以及許多形狀各異的東西（想必是各式各樣的家具）。

他覺得身上的衣服被一件件脫下來，雖然他勉強試著配合，卻幫不上什麼忙。然後他的肌膚感到了水的溫暖，以及強有力的擦拭動作——來來回回好舒服，他希望永遠別停下來。

突然間，他想到了一件事，立刻抓住抱著自己的那隻手。「吉斯卡！吉斯卡！」

他果然聽見吉斯卡的聲音。「我在這裡，先生。」

「吉斯卡，丹尼爾安全嗎？」

「他相當安全，先生。」

「很好。」貝萊再度閉上眼睛，再也不管自己會被怎樣擺布了。不久，他覺得自己在乾燥的氣流中翻來覆去，最後被披上一件溫暖的、想必是睡袍之類的衣服。

真享受！唯有在嬰兒時期，他才享受過這樣的待遇。他突然為那些寶寶感到遺憾：雖說事事有人服侍，他們並未充分意識到自己多麼幸福。

真是這樣嗎？嬰兒時期的美好記憶，雖然塵封已久，仍會決定成年後的行為嗎？他現在這種感受，象徵著他樂於重溫嬰兒時期的舊夢嗎？

而且，他曾聽到一個女子的聲音。是母親嗎？

不，不可能。

——媽？

現在他坐在一張椅子上，他的感官至少能確定這一點。此外，他還察覺到「重溫舊夢」的短暫快樂時光即將結束。他必須回到悲慘的現實世界，自行面對一切真實的喜怒哀樂。

但他的確聽到過一個女子的聲音——究竟是誰呢？

貝萊猛然張開雙眼。「嘉蒂雅？」

67

那並非呼喚，而是個疑問，一個令他驚訝的疑問，可是在他內心深處，其實並不真的驚訝。只要回想一下就知道，他當然早已認出她的聲音。

他環顧四周，看到吉斯卡站在壁凹內，但他暫時不理會他，因為事有輕重緩急。

他問：「丹尼爾在哪裡？」

嘉蒂雅說：「他已經洗淨烘乾，換上一身乾衣服了。現在他待在機器人的房間，我派了好些管家機器人陪他，他們都奉有明確的命令。我可以告訴你，外人無論從哪個方向接近我的宅邸，一旦來到方圓五十公尺內，我們都會立刻知道——吉斯卡同樣洗淨烘乾了。」

「對，我看得出來。」貝萊說。現在他只關心丹尼爾，無心想到吉斯卡。嘉蒂雅似乎也同意確有必要把丹尼爾保護好，因此他不必多費唇舌解釋這件事，這使他鬆了一口氣。

然而，這個保護網還是有個漏洞，於是他帶著一絲埋怨的口吻說：「你為什麼要離開他，嘉蒂雅？你一走，你的宅邸若闖進一幫外來的機器人，就沒有人類能阻止他們了，而丹尼爾就有可能被強行帶走。」

「亂講。」嘉蒂雅中氣十足地說，「我們並沒有走開多遠，而且事先還通知了法斯陀夫博士。他派了許多機器人來我這兒，和我的機器人合作，若有必要，他自己也能在幾分鐘內抵達——我倒想看看外來的機器人要怎樣對付他。」

「你回來之後，有沒有見過丹尼爾，嘉蒂雅？」

「當然有！我告訴你，他很安全。」

「謝謝你！」貝萊閉上眼睛，總算放心了。說也奇怪，他竟然想到：這樣也不壞嘛。當然不壞啦。他歷劫歸來了，對不對？當他想到這裡，心中忍不住竊笑竊喜了一番。他歷劫歸來了，對不對？

他睜開眼睛，又問：「你是怎麼找到我的，嘉蒂雅？」

「多虧了吉斯卡。他們來到這裡——兩人一起來的——吉斯卡很快對我說明了當時的情形。我立刻想要把丹尼爾藏起來，不過，直到我答應會命令吉斯卡去找你，他才終於願意配合。他非常會說話，而且一提到你，他的反應就非常強烈，以利亞。

「當然，丹尼爾再也沒有離開，這令他非常不高興。但吉斯卡堅持要我用最高的音量，命令他務必留下來。你一定對吉斯卡下了萬分嚴格的命令。然後我們和法斯陀夫博士取得了聯絡，再然後，我們就上了我自己的氣翼車。」

貝萊有氣無力地搖了搖頭。「你不該來找我，嘉蒂雅。你應該堅守在這裡，確保丹尼爾的安全。」

嘉蒂雅做了一個不以為然的表情。「什麼也不做，任由你死在風雨中？或是被法斯陀夫博士的敵人抓走？我無法想像自己會坐視那種事。不，以利亞，如果其他機器人搶先找到你，我就能派上用場，不會讓他們碰你一根汗毛。或許我有許多事做不好，可是讓我告訴你，任何一個索拉利人都能輕易應付一大堆機器人，我們從小就習慣了。」

「但你到底是怎麼找到我的？」

「並沒有多麼困難。事實上，你的氣翼車停得並不太遠，如果沒有風雨，其實走都走得到。我們……」

貝萊問：「你的意思是，我們幾乎開到了法斯陀夫家？」

「對。」嘉蒂雅說，「有可能是因為你們的氣翼車損壞得不太嚴重，並未太早拋錨，也可能是因為吉斯卡技術高明，讓氣翼車的表現出乎對方意料之外。這真是萬幸，如果車子迫降在研究院附近，你們三個或許都給他們抓去了。總之，我們駕著我的氣翼車前往你們停車的地點。吉斯卡當然知道正確位置，於是我們下了車……」

「你們都淋濕了，是嗎，嘉蒂雅？」

「完全沒有。」她答道，「我帶著一個很大的雨篷，還有一個光球。我的鞋子的確沾到了泥巴，腳也弄濕了一點，那是因為我沒時間噴上乳膠，但這絲毫不礙事——總之，我們很快趕到了你們停車的位置，距離吉斯卡和丹尼爾離開你還不到半小時。當然，你已經不在那裡了。」

「我試著……」貝萊只說了三個字。

「對，我們知道。我原本以為他們——對方——把你帶走了，因為吉斯卡曾說有人跟蹤你們。可是後來，在距離氣翼車大約五十公尺的地方，吉斯卡發現了你的手帕，便一口咬定你朝那個方向跑了。吉斯卡還說，那是不合邏輯的行為，不過人類行事經常不合邏輯，所以我們應該去找你。於是藉著光球的照明，我們——我和他——開始四下尋找，但最後是他找到你的。他說，他遠遠看到一棵樹下發出紅外線，認出了那是你的體熱，我們便趕緊把你抱回來。」

貝萊帶著些許惱怒說：「我的做法為什麼不合邏輯？」

「他沒有說，以利亞，你想問他嗎？」她指了指吉斯卡。

貝萊問：「吉斯卡，你是什麼意思？」

吉斯卡立刻跳脫了呆滯狀態，兩隻眼睛緊盯著貝萊，答道：「我覺得你沒必要闖進風雨中，如果你等在原地，我們會更早把你接到這裡來。」

「對方的機器人有可能先找到我。」

「他們的確找到了——但又被你趕走了，先生。」

「你怎麼知道？」

「兩側車門附近的地面，先生，都有許多機器人的腳印，但氣翼車內卻幾乎沒有水跡，由此可知那些機器人並未伸手進來抓你。而根據我的判斷，你絕不會自行走出氣翼車，主動跟他們離去，先生。所以說，一旦把他們趕走了，你就不必擔心他們很快會再回來，因為他們要找的是丹尼爾，而不是你——這是你自己對情勢的研判。此外，你應該可以確定，我很快就會回來找你。」

貝萊喃喃道：「我正是這麼推論的，但我覺得故布疑陣或許會有幫助。我所採取的行動，是我心目中最佳的選擇，即便如此，你終究還是找到我了。」

「是的，先生。」

貝萊說：「可是為什麼把我帶到這裡來呢？既然我們停車的地點離嘉蒂雅家很近，那麼離法斯陀夫博士家應該也不遠。」

「並不盡然，先生。相較之下，這座宅邸的確比較近。由於你的命令異常急迫，在協助丹尼爾脫險的任務中，我判斷一分一秒都很珍貴。丹尼爾雖然萬分不願離開你，但他還是認同這一點。既然他來到了這裡，我覺得你應該也會想來這兒，這樣你就能親眼見到他安全無虞。」

貝萊點了點頭，沒好氣地說（他仍然對「不合邏輯」的批評耿耿於懷）：「你做得很好，吉斯卡。」

嘉蒂雅說：「你是不是得盡快和法斯陀夫博士碰個面，以利亞？我可以把他請到這裡來，或者你也可以用三維顯像和他交談。」

貝萊上身靠回椅背上。他終於有機會體認到自己非常疲倦，而且腦筋也變遲鈍了。現在和法斯陀夫見面，對自己並沒有什麼幫助。於是他說：「不，明天吃完早餐後，我再跟他碰面不遲。然後，我想我還會見到那個叫凱頓·阿瑪狄洛的傢伙，也就是機器人學研究院的院長。還有那個高官——你們管他叫什麼？——主席是吧。我猜，他也會來到這裡。」

「你看起來疲倦極了，以利亞。」嘉蒂雅說，「當然啦，這裡並沒有地球上那些微生物——我是指細菌和病毒——而你全身也早已消毒乾淨，所以地球上那些常見的疾病，你通通不會染上，但你顯然很疲倦。」

貝萊心想：經過這麼一番折騰，竟然不會傷風？不會感冒？不會得肺炎？——太空族世界果然還是有些優點。

他說：「我承認我很累，但只要稍加休息，就能復元了。」

「你餓了嗎？現在是晚餐時間。」

貝萊做了個鬼臉。「我並不想吃東西。」

「我覺得這可不是什麼好主意。你或許不想大吃一頓，但喝碗熱湯如何？會對你有好處的。」

貝萊差點笑了出來。她或許是索拉利人，但在某些情況下，她的口吻像極了地球女子。他不禁懷疑，奧羅拉人也不例外吧，有些事情和文化差異是扯不上關係的。

他說：「你有現成的湯嗎？我不想給你添麻煩。」

「你怎麼會給我添麻煩？我有一班機器人——雖然不比在索拉利時那麼多，但足以在短時間內做出任何像樣的食物。你只要坐在那裡，告訴我想喝什麼湯，就能很快心想事成。」

貝萊不能再婉拒了。「雞湯可以嗎？」

「當然可以。」然後，她一派天真地說：「我正想做這個建議呢——再加上些雞塊，這樣就能填飽肚子。」

一碗雞湯以驚人的速度出現在他面前。「你不一起吃嗎，嘉蒂雅？」他問。

「剛才你在接受清理和治療時，我已經吃過了。」

「治療？」

「只是例行的生化調整罷了，以利亞。你受到的心理創傷不輕，我們可不想讓你留下後遺症。快吃吧！」

貝萊將湯匙舉到嘴邊，試著喝了一小口。算是挺好喝的雞湯，只不過對貝萊而言，它像其他奧羅拉食物一樣口味過重了些。或者，也可能是裡面的佐料都是他所不熟悉的。

他突然想起了自己的母親——在驀然湧現的回憶中，她顯得比現在的自己還年輕好幾歲。他記得，每當自己拒喝那碗「好湯」的時候，她總是會來到他身邊。

她會說：「別這樣，利亞。這是真正的雞肉，非常珍貴，就算太空族也吃不到。」

他們吃不到。他在心裡遙遙對她呼喚：媽，他們真的吃不到！

千真萬確！如果這些記憶值得相信，而且小貝萊的味蕾確實靈光，那麼他母親所做的雞湯——除非偶爾喝膩了——真的好喝得多。

他喝了一口又一口，喝到一滴不剩時，他有點害羞地輕聲問道：「能再給我一點嗎？」

「你要多少都行，以利亞。」

「再一點就好了。」

等到他終於喝完了，嘉蒂雅開口道：「以利亞，明天早上那場會議——」

「怎麼樣，嘉蒂雅？」

「是否代表你的調查結束了？你知道詹德的死是怎麼回事了嗎？」

貝萊審慎地說：「對於這件事，我自己有個理論。不過，我想我無法說服任何人相信我是對的。」

「那你為什麼要召開這場會議？」

「不是我，嘉蒂雅，而是那個首席機器人學家阿瑪狄洛的主意。他反對進行這樣的調查，所以要設法把我趕回地球。」

「不就是他破壞了你們的氣翼車，還派他的機器人追捕丹尼爾嗎？」

「我想你說得對。」

「好，既然他做了這些事，難道不能讓他受審定罪，接受應有的懲罰嗎？」

「理論上當然可以。」貝萊語重心長地說，「只不過有個小問題，那就是我完全無法證明。」

「難道他能夠逍遙法外——還能讓你的調查半途夭折？」

「這兩件事，只怕他做得到的機會都很大。正如他自己所說，對正義不抱希望的人也就不會失望。」

「但絕不能這樣，你絕不能讓他得逞。你一定要完成調查，把真相找出來。」

貝萊嘆了一口氣。「萬一我無法找出真相呢？或是即使我能找出真相，卻無法讓大家相信我呢？」

「你一定能找出真相，也一定能讓大家相信你。」

「你對我的信心令人感動，嘉蒂雅。不過話說回來，如果奧羅拉世界立法局決定把我送回地球，並下令終止調查，我可是一點辦法也沒有。」

「你絕不會願意一事無成地回到地球吧。」

「我當然不願意。事實上，結果會比一事無成更糟，嘉蒂雅。我一動身，自己的前途和地球的未來就等於毀了。」

「那就別讓他們這麼做，以利亞。」

他回應道：「耶和華啊，嘉蒂雅，我會努力的。但我不可能赤手空拳舉起一顆行星，你不能指望我製造奇蹟。」

嘉蒂雅點了點頭，然後她垂下眼瞼，用手摀著嘴巴，一動不動地坐在那裡，彷彿陷入了沉思。過了一會兒，貝萊才注意到她正在默默哭泣。

68

貝萊趕緊站起來，繞過桌子走到她身邊。他依稀察覺（因而有點惱怒）自己的雙腿正在發抖，而且右大腿的肌肉還在抽筋。

「嘉蒂雅，」他急切地說：「別哭嘛。」

「別管我，以利亞，」她悄聲道，「一會兒就好了。」

他不知所措地站在她身邊，想伸出手又縮了回來。「我不會碰你的，」他說：「我想我最好別那麼做，可是……」

「喔，碰我吧，碰我吧。我並沒有那麼珍惜自己的身體，何況你也不會傳染什麼給我。我已經不是——當年的我了。」

於是貝萊將手伸過去，用指尖非常輕柔、非常笨拙地撫摸她的手肘。「我明天會盡力而為，嘉蒂雅。」他說，「我會盡全力放手一搏。」

聽到這句話，她忍不住站起來，面對著他喚道：「喔，以利亞。」

貝萊自然而然伸出雙臂，幾乎未曾意識到自己正在做什麼。與此同時，她也自然而然衝向他。當她的頭靠上他的胸膛，他一把抱住了她。

他盡可能輕輕地抱著她，等待她察覺自己正在一個地球人的懷抱中（毫無疑問，她曾經投入一個人形機器人的懷抱，但詹德並不是地球人）。

她緊靠著貝萊，發出濃重的鼻息，說話的聲音也含混不清。

她說：「真不公平。因為我是索拉利人，就沒有人真正關心詹德的死因。如果我是奧羅拉人，情況將完全不同。歸根究柢，都是偏見和政治因素作祟。」

貝萊心想：太空族果然也是人。如果潔西碰到類似的情況，一定也會這麼說。而如果換成是格里邁尼斯抱著嘉蒂雅，他也會做出和我現在完全相同的回應——但願我知道自己該如何回應。

然後他說：「不能一概而論，我確信法斯陀夫博士他就真正關心詹德的死因。」

「不，他不關心，並不真正關心。他只是想鞏固自己在立法局的勢力，而阿瑪狄洛也想鞏固自己的勢力，他們兩人都把詹德當成了交換條件。」

「我向你保證，嘉蒂雅，我不會拿詹德交換任何條件。」

「不會？如果他們跟你說，你回到地球後，非但前途不受影響，你的世界也不會受到任何懲罰，而條件是你要把詹德忘得一乾二淨，你會怎麼做呢？」

「這種不可能發生的假設性狀況，討論起來毫無意義。他們絕對不會因此給我任何回報。他們只是想把我送回去，唯一的附贈品就是毀掉我和我的世界。可是，如果他們讓我辦下去，我就會抓到那個毀掉詹德的元兇，而且務必讓他受到應有的制裁。」

「你說『如果他們讓我辦下去』是什麼意思？一定要讓他們答應你！」

貝萊擠出一抹苦笑。「如果你覺得由於你是索拉利人，奧羅拉人因此不重視你，那麼請想想，如果你和我一樣是地球人，又會受到什麼樣的待遇。」

他將她抱得更緊了，簡直忘了自己是地球人，雖然他嘴上正在這麼說。「但我會努力的，嘉蒂雅。我不想讓你抱任何希望，但我手中並非完全沒有籌碼。我會努力的……」他越說越小聲。

「你一直在說你會努力——但要怎麼做呢？」她將他稍微推開一點，抬頭直視著他的臉龐。

貝萊一臉錯愕地說：「喔，我可以——」

「找出兇手？」

「不無可能——嘉蒂雅，拜託，我得坐下了。」

他伸手扶住桌子，傾身靠在桌面上。

她問：「怎麼回事，以利亞？」

「誰都知道我今天多災多難，我想是還沒完全康復吧。」

「那麼你最好躺到床上去。」

「實話告訴你，嘉蒂雅，我很想這麼做。」

她放開了他。這時她臉上充滿關切之情，再也沒有空間容納淚水了。她舉起手來，迅速做了一個動作，（在他看來）立刻就有好些機器人來到他身邊。

當他終於躺下來，而所有的機器人都離去之後，他張大眼睛，望著上方的一片黑暗。

他無從判斷戶外是否還在下雨，也不知道強弩之末的閃電是否還在苦撐，但他確定自己再也沒有聽到雷聲了。

他深深吸了一口氣，心想：我對嘉蒂雅到底做了什麼承諾？明天到底會發生什麼事？

這齣戲的最後一幕，叫做「失敗」？

當意識逐漸飄向夢鄉之際，貝萊想到了之前那不可思議的靈光一閃。

69

那種情形前後發生過兩次。一次是在昨夜，當他像現在這樣快要入睡之際；另一次則是在幾小時前，當時他在暴風雨中，靠在一棵樹下，即將陷入昏迷。每一次，突如其來的靈感都帶給他解謎的啟示，宛如一道閃電照亮了夜空。

不過，這個靈感也像閃電一樣短暫。

到底是什麼靈感呢？

它還會再出現嗎？

這回，他試著在意識層面將它攫獲，試著抓住這個飄忽的真相——或者，只是個飄忽的幻象？只是因為大腦無法正常運作，導致理性思維出走，由胡思亂想取而代之？

然而，不論要找的是什麼，他都越來越不起勁了。就好像在一個沒有獨角獸的世界裡，想要召喚一隻獨角獸一樣。

不如想嘉蒂雅以及她的觸感，那要簡單多了。他剛才直接碰觸的，只是她的絲質上衣，但在衣裳之下，便是她纖細的手臂，以及柔滑的背脊。

當時如果雙腿並未開始發軟，他敢不敢親吻她？或是那樣做會太過分了？

他聽見自己的呼吸化作輕微的鼾聲，一如往常地感到有點窘。他硬生生將自己喚醒，繼續想著嘉蒂雅的種種。當然，在他離去前——但若是無法提供她回報可不行——這就是他想要的報酬嗎——他又聽見自己的鼾聲，這次他不在乎了。

嘉蒂雅——他從未想到自己會再見到她——更何況是碰觸——更何況是擁抱——擁抱她——

他無從確定自己的思緒是何時由清醒進入夢境的。

他又像剛才那樣抱著她了——但這回她沒穿衣服——她的肌膚溫暖而柔嫩——他的手慢慢從

她的肩胛骨向下滑，一路滑到肋骨最底端——

一切實在太像真的了。他所有的感官都派上了用場。他聞到了她的髮香，嚐到了她肌膚上淡淡的鹹味。他倆不知不覺已經躺了下來——是剛剛躺下的，還是打從一開始就沒有站著？燈光又是怎麼暗下來的？

他感覺到床墊和被單將自己夾在中間——周遭一片漆黑——她仍在他的懷裡，而且全身一絲不掛。

他終於給嚇醒了。「嘉蒂雅？」

那是尾音上揚、難以置信的口氣——

「噓，以利亞。」她用手指輕輕抵住他的嘴唇，「什麼也別說。」要他什麼也別說，還不如要他的血液停止流動。

他問道：「你在幹什麼？」

她說：「你不曉得我在幹什麼？我和你在床上。」

「可是為什麼呢？」

「因為我想要。」她用身體磨蹭著他。

然後她伸出手來，在他的睡衣頂端掐了一下，接縫隨即整個裂開。

「別動，以利亞。你太累了，我不想讓你再消耗體力。」

以利亞覺得有股暖流在體內竄動。他決定不再替嘉蒂雅把關了，於是說：「我不累，嘉蒂雅。」

「不。」她厲聲道，「躺好！我要你躺好，一動也別動。」

她的唇貼了上來，彷彿打算強行封住他的嘴。貝萊鬆懈下來，心中閃過一個念頭：他是在服從命令；他已經很累了，樂意放棄主動改採被動。然後，他不無羞愧地想到，這個想法多少沖淡了自己的罪惡感（我沒辦法，他聽見自己在心裡說，是她強迫我的）。耶和華啊，真孬種！真是自甘墮落！

但這些想法也逐漸消散了。不知不覺間，耳畔響起了輕柔的音樂，室溫也升高了一點。被單不見了，他的睡衣也失蹤了。他覺得自己的頭埋在她雙臂之間，感受到一股柔軟的壓力。

他猛然想通了，從她的姿勢不難判斷，那股柔軟壓力來自她左邊的乳房，而且乳頭正尖挺地塞進他嘴裡。

她隨著音樂輕哼，那是個令人沉醉的優美曲調，但他聽不出究竟是什麼歌。

她緩緩地前後搖擺，手指不時劃過他的下巴和頸部。他全身放鬆，樂得什麼也不做，完全讓她採取主動，主導著每一個動作。當她抓住他的雙手，他絲毫未曾抗拒，由得她將這雙手擺放在任何地方。

從頭到尾，他都沒有出力協助。而當他興奮至於極點，達到高潮之際，也是因為他並沒有選擇的餘地了。

她似乎毫不疲倦，而他也不希望她停下來。除了性愛的官能享受，他還再度感受到了先前那種愉悅──那種像嬰兒般一切全由他人照料的幸福。

終於，他再也無法消受，而她似乎也不能繼續了。她躺了下來，腦袋塞進他左側的腋窩，左手壓在他的肋骨上，手指溫柔地輕撫著那片捲捲的胸毛。

他似乎聽見她在呢喃：「謝謝你──謝謝你──」

謝什麼？他不禁納悶。

不多久，他就幾乎不覺得她的存在了，今天經過無數波折，最後以這個溫柔的方式畫下句點，令他像是吃了傳說中的忘憂草般昏昏欲眠。他能感覺到自己正在逐漸滑落，彷彿他已鬆開了緊抓著現實懸崖的手，讓自己從嚴酷的真實世界不斷墜落——墜落——穿過濃濃睡意織成的雲朵，最後掉進輕柔搖晃的美夢之洋。

而在這個過程中，原本召喚不到的事物，竟然自行出現了。神祕的戲碼第三度開演，他離開地球後所發生的每一件事，再次在他腦海中重新聚焦，而且和前兩次一樣清晰無比。他掙扎著想開口，想聽聽必須聽到的那句話，想將它烙印在思緒中。可是，雖然他放出所有的心靈觸鬚設法抓住，它還是狡猾地溜走，最後消失無蹤。

因此，就這點而言，貝萊在奧羅拉上的第二天，結束的方式和第一天幾乎完全一樣。

第十七章　主席

70

當貝萊睜開眼睛的時候，陽光正透過窗戶大把大把灑進來。他立刻感到無任歡迎，令睡眼惺忪的他自己都有些驚訝。

這意味著風雨已經結束，甚至好像從來沒有出現過。如果把陽光拿來和大城內那些柔和、溫暖、受控的照明互相比較，只能說它是太強太烈且不穩定的替代品。可是和風雨相較之下，陽光就等於是平和的保證。貝萊不禁感嘆，萬事萬物都是相對的，而他心知肚明，自己再也不會把陽光和邪惡畫上等號了。

「以利亞夥伴？」丹尼爾正站在床邊，吉斯卡則站在他後面。

貝萊的長臉展現了一個罕見的愉悅笑容。他向這兩個機器人各伸出一隻手，激動地說：「耶和華啊，老兄——」此時此刻，他完全不覺得用詞有什麼不當。「上次我看到你倆在一起的時候，幾乎以為那是最後一次了。」

「無論在任何情況下，」丹尼爾柔聲說：「當然誰都傷害不了我們。」

「如今陽光普照，我完全同意你這句話。」貝萊說，「可是昨晚，我卻覺得自己會死在風雨中，而且我很肯定，你的處境萬分危險，丹尼爾。甚至，如果吉斯卡不顧一切來保護我，也很可能無法全身而退。我承認這有點危言聳聽，但你也知道，當時我頭腦不太清楚。」

「這些我們都瞭解，先生。」吉斯卡說，「因此，雖然你的命令十萬火急，我們還是難以離你而去。但我們相信，現在你不會再因此而不高興了。」

「當然不會，吉斯卡。」

「此外，」丹尼爾說：「我們還知道，當我們不在你身邊的時候，你獲得了很好的照顧。」

直到這個時候，貝萊才記起昨晚那些事。

嘉蒂雅！

他猛然一驚，急忙四下張望。她並不在這個間房裡。難道那是他的幻想——

不，當然不是，那是不可能的。

然後，他皺著眉頭望向丹尼爾，彷彿懷疑他剛才那句話帶有性暗示。

不，那同樣是不可能的。一個機器人，無論設計得多麼像真人，也不會想要在冷嘲熱諷中找樂子。

他說：「我獲得相當好的照顧。但我現在最需要的，是有人告訴我衛生間在哪裡。」

「我們來這兒，先生，」吉斯卡說：「就是來服侍你起床的。嘉蒂雅小姐覺得，如果派她自己的機器人來，你不可能像跟我們在一起那麼自在，她還特別強調，要我們不遺餘力地讓你感到舒適。」

貝萊顯得有些狐疑。「她命令你們做到什麼程度？現在我覺得很好了，所以誰也不必替我洗澡，我可以自己來。我希望她瞭解這一點。」

「你不必擔心會有什麼尷尬，以利亞夥伴。」丹尼爾露出淺淺的笑容，如果他是真人，這個及時的笑容（貝萊覺得）會被解讀為他心中泛起了關懷之情。「我們只是來確保你一切舒適自在。無論什麼時候，如果你覺得獨處最舒適最自在，我們都會在一定距離外等候。」

「這樣的話，丹尼爾，我們一言為定。」貝萊三兩下爬下了床。他很高興地發現，自己的雙腿相當穩健。休息了一整夜，再加上那些所謂的治療（不論那是什麼），的確發揮了神奇功效

——當然，嘉蒂雅也功不可沒。

71

剛沖完澡的貝萊神清氣爽，他還沒穿衣服，身體也還沒乾，便忙著以嚴格的標準審視剛梳好的頭髮。想必他會跟嘉蒂雅共進早餐，那是再自然不過的事，只是不確定她會怎樣招呼自己。或許，最好先裝作什麼也沒發生，再根據她的態度見機行事。無論如何，他想，在可行的範圍內，把自己打扮得好看些總是有幫助的。最後，他對著鏡子做了一個不滿意的鬼臉。

「丹尼爾！」他叫道。

「請吩咐，以利亞夥伴。」

貝萊含著一嘴牙膏說：「看來你穿的是新衣服。」

「以利亞夥伴，這原本不是我的衣服，而是詹德好友的。」

貝萊揚起了眉毛。「她讓你穿詹德的衣服？」

「當我自己的濕衣服送洗之際，嘉蒂雅小姐不希望我赤身露體。現在，我的衣服雖然已經洗好烘乾，但嘉蒂雅小姐說這套不用還她了。」

「她是什麼時候說的？」

「今天早上，以利亞夥伴。」

「所以說，她醒了？」

「是啊。等你梳洗完畢，就要和她一起吃早餐。」

貝萊緊抿著嘴。說也奇怪，此時此刻，他最關心的並非稍後將和那位主席會面，而是馬上要再見到嘉蒂雅了。畢竟，主席那檔事只能聽天由命，他早已決定好採用什麼對策，就等著看是否奏效了。至於如何面對嘉蒂雅——他根本毫無對策。

好吧，既然無法避不見面。

他盡可能以隨口問問的方式說：「嘉蒂雅小姐今天早上還好嗎？」

丹尼爾答道：「似乎不錯。」

「愉快？沮喪？」

丹尼爾猶豫了一下。「人類的內在狀態是很難研判的。但從她的言行舉止，看不出她內心有任何騷動。」

貝萊迅速瞄了丹尼爾一眼，再次懷疑他是否在影射昨晚那件事——但也再次否定了這個可能性。

即使他仔細審視丹尼爾的臉孔，仍是無濟於事。你不可能從機器人的表情猜測到他的思想，因為他並不具有人類所謂的思想。

等到他重新走進臥室，一眼便看到他們替他準備的衣服。他好好想了想，仍不確定是否不必機器人的協助，自己就能準確無誤地穿戴整齊。風雨和黑夜皆已成為過去，他想要重新戴上「成人」和「獨立」這兩個面具。

「這是什麼？」他拿在手中的是一條長長的飾帶，上面有著色彩繁複的阿拉伯式圖案。

「那是睡衣飾帶。」丹尼爾說，「純粹是裝飾用的。要先把它掛在左肩，然後拉到右側腰際打個結。根據某些太空族世界的傳統，吃早餐時要佩戴這種飾品，但它在奧羅拉並不怎麼流行。」

「那我為何要戴？」

「嘉蒂雅小姐認為你戴起來會很好看，以利亞夥伴。打結的方法相當複雜，我很樂意提供協助。」

耶和華啊，貝萊悔恨交集地想，她希望我看起來賞心悅目。她心裡到底在想些什麼？別再想了！

貝萊說：「不必，我打一個簡單的領結就好了——可是聽著，丹尼爾，早餐後我要去法斯陀夫家，會在那裡和阿瑪狄洛以及立法局主席碰面，當然還有法斯陀夫本人。除此之外，不知還會不會碰到其他人士。」

「是的，以利亞夥伴，這我知道，我想應該沒有其他人了。」

「嗯，好吧，」貝萊一面說，一面開始穿內衣，為了避免出錯，他故意放慢動作，這樣就不必求助於丹尼爾了。「跟我講講這個主席。根據我所讀到的資料，在奧羅拉這個世界，他是最接近行政長官的人，但同樣的資料也告訴我，這個職位純屬榮譽職。我想，他並沒有實權吧。」

丹尼爾說：「以利亞夥伴，只怕我……」

吉斯卡插嘴道：「先生，因為我運作得比較久，我要比丹尼爾好友更瞭解奧羅拉的政治現況。可不可以讓我回答這個問題？」

「啊，當然可以，吉斯卡，請講。」

「先生，在奧羅拉政府設立之初，」吉斯卡以上課的口吻開始敘述，彷彿體內有個「資料軸」正在規律地轉動。「故意只讓行政長官執掌儀式性的工作。例如迎接其他世界的貴賓，召開立法局的例會，主持每一項協商——只有在僵持不下時，他才投下關鍵的一票。然而，在『河川爭議』之後……」

「對，我讀過這段歷史。」貝萊搶著說。那是奧羅拉歷史上極其沉悶的一頁，由於水力發電權的分配引發了無解的紛爭，險些導致了這個世界絕無僅有的一次內戰。「你不必詳細解釋了。」

「好的，先生。」吉斯卡說，「然而，在『河川爭議』之後，大家一致決定再也不要讓這種對立危及奧羅拉的社會。從此便形成一個慣例，每當再度出現類似的紛爭，都改為在立法局之外，以私下的、平和的方式解決。等到議員們真正投票的時候，只是追認這個共識而已，因此總會有一方是壓倒性的多數。

「而在解決紛爭的過程中，關鍵人物正是立法局主席。他被視為立場超然，否則他的權力——理論上雖然等於零，實際上卻相當大——便會消失於無形。因此之故，主席總是小心謹慎地力求客觀，而只要他不偏不倚，那麼無論任何爭議，通常都是靠他最後的一句話來解決的。」

貝萊問：「你的意思是，主席會先後聽取我的陳述、法斯陀夫的陳述，以及阿瑪狄洛的陳述，然後做出決定？」

「有此可能。另一方面，先生，也或許他還需要聽取更多的證詞，或是花更多的時間思考，那麼他就會暫不表態。」

「倘若主席果真做出決定，而這個決定對阿瑪狄洛不利，他會屈從嗎？同理，如果決定對法斯陀夫不利，他又會屈從嗎？」

「這點並非絕對必要。幾乎總會有人不接受主席的決定，而阿瑪狄洛博士和法斯陀夫博士都是那種頑強不屈的人物——從他們的行動就不難看出來。然而，無論主席如何決定，大多數的議員都會附和他。等到投票結果出爐，法斯陀夫博士或阿瑪狄洛博士——其中遭到主席否決的那位——肯定會發現自己成了絕對的少數。」

「有多肯定，吉斯卡？」

「幾乎完全肯定。在正常情況下，主席的任期是三十年，期滿即由立法局改選，得以連任一屆。然而在此期間，只要主席提出的建議遭到否決，他就得立刻辭職下台，這時便會出現政治危機，因為立法局必須在紛紛擾擾中選出另一位主席。很少有議員願意冒這個險，所以，利用表決來扳倒主席的機會幾乎等於零。」

「那麼，」貝萊憂心地說：「一切都取決於今天上午的會議了。」

「非常有可能。」

「謝謝你，吉斯卡。」

貝萊懷著憂鬱的心情，一遍又一遍理著自己的思緒。在他看來自己還是有希望的，但他完全不知道阿瑪狄洛會說些什麼，而主席又是怎樣的人。主動召開這場會議的是阿瑪狄洛，因此他一定充滿自信，有著十足的把握。

就在這個時候，貝萊再度想起，昨晚當他摟著嘉蒂雅沉沉入睡之際，他曾經看穿——或說自認曾經看穿——或說幻想自己曾經看穿——奧羅拉上這一連串事件背後的意義。每一件事似乎都極其明顯、極其肯定。可是醒來之後，這些洞見再次（第三度）消失無蹤，彷彿從來未曾存在。

想到這裡，他心中的希望似乎也消失了。

72

貝萊隨著丹尼爾來到吃早餐的地方，感覺上，這裡比一般的餐廳溫馨不少。它是個小房間，而且相當樸素，除了一張餐桌和兩把椅子，沒有其他任何家具。而丹尼爾則直接告退，並未退到壁凹內——事實上，室內根本沒有任何壁凹。一時之間，貝萊變成一個人待在這裡，陷入完全孤單的狀態。

不過，他肯定自己並非真正孤單，只要一聲召喚，立刻會有機器人出現。話說回來，這是個僅供兩人使用的房間——是個排斥機器人的房間——是（貝萊有些遲疑地想到）保留給一對戀人的房間。

餐桌上有兩疊像是煎餅的食物，聞起來很香，偏偏並非煎餅的味道。左右各有一碟像是液態奶油的東西（但也可能不是），此外還有一壺取代咖啡的熱飲（貝萊之前嚐過，並不怎麼喜歡）。

嘉蒂雅走了進來，她打扮得整整齊齊，頭髮閃閃發亮，彷彿剛保養過。她頓了一下，才露出一個很淺的笑容。「以利亞？」

貝萊被她嚇了一跳，連忙站了起來。「你好嗎，嘉蒂雅？」他有些結結巴巴。

她當作什麼也沒發生，一副輕鬆愉快、心情很好的樣子。「如果你因為丹尼爾不在眼前而開始擔心，那大可不必。他百分之百安全，不會出任何問題。至於我們——」她朝他走過去，站在他近前，伸手慢慢撫過他的臉頰，就像很久以前她在索拉利所做的那樣。

她輕聲笑了笑。「當時我就只是這麼做，以利亞，你記得嗎？」

以利亞默默點了點頭。

「你睡得好嗎，以利亞？——坐下吧，親愛的。」

他坐了下來。「非常好——謝謝你，嘉蒂雅。」他遲疑了一下，才決定不用「親愛的」回敬她。

她說：「別謝我。至於我自己，已經有幾星期沒睡得這麼好了。在確定你熟睡之後，如果我仍留在你身邊，就不可能享受一夜的好眠。如果我沒離開——我還真不想離開——恐怕整晚都會騷擾你，害你也無法好好休息。」

他覺得有必要獻獻殷勤了。「有些事情比……休息更重要，嘉蒂雅。」但他說得太公式化，令她再度笑出聲來。

「可憐的以利亞，」她說：「你難為情了。」

她居然看了出來，令他感到更難為情。貝萊早已做好心理準備，她或許會哭泣、悔恨、厭惡、羞愧，甚至裝作若無其事——卻萬萬沒想到，她會大大方方和他調情。

她說：「好啦，別再跟自己過不去。你餓了吧，昨晚你幾乎沒吃東西。裝些熱量到肚子裡，你就會飽暖思淫慾了。」

貝萊以充滿懷疑的目光，望著那些似是而非的煎餅。

嘉蒂雅說：「喔！或許你從未見過這種食物。這是索拉利的美食，煎餅派！我必須重新設定廚師機器人的程式，才能讓他做出道地的煎餅派。首先，你必須使用從索拉利進口的穀物，絕不能用奧羅拉品種。而且這裡面還有餡，事實上，有上千種餡料可供選擇，但這是我最愛吃的一種，我知道你一定也會喜歡。我不會告訴你到底有些什麼，只能透露有栗子漿和一點蜂蜜，總之你嚐嚐看，再把你的評價告訴我。你可以用手抓來吃，但咬的時候要小心。」

她自己抓起一個，用雙手的拇指和中指優雅地夾住，慢慢咬了一小口，並將流出來的金色漿汁舔了個乾淨。

貝萊模仿著她的動作。這種煎餅派摸起來有點硬，但並不燙手。他小心翼翼地把一角送進嘴裡，沒想到竟然咬不動。他加大力道，總算把它咬碎了，但雙手隨即沾滿了餡料。

「你咬得太大口，也太用力了。」嘉蒂雅一面說，一面將紙巾遞給他。「把它舔乾淨吧，要吃煎餅派就別怕髒，想全身而退是不可能的，你幾乎會在糖漿裡打滾。理論上來說，應該光著身子吃，吃完後再沖個澡。」

貝萊猶豫地伸出舌頭，舔了一下之後，他的表情便說明了一切。

「你喜歡，對不對？」嘉蒂雅問。

「很可口。」貝萊小口小口地慢慢吃。它並不太甜，而且似乎入口即軟即化，幾乎不用怎麼咀嚼。

他總共吃了三塊煎餅派，那是因為他實在不好意思再拿第四塊。然後，他好整以暇地舔著手指頭，刻意避免使用紙巾——即使擦走一點糖漿，他都覺得是莫大的浪費。

「把你的手指放到洗滌劑裡頭，以利亞。」她邊說邊示範。顯然，那碟「液態奶油」其實是個洗手盆。

貝萊有樣學樣地做了一遍，等擦乾手指後，他仔細聞了聞，完全沒有任何味道。

她問：「昨晚的事令你難為情嗎，以利亞？這就是你唯一的感覺嗎？」

該怎麼回答呢？貝萊有點傷腦筋。

最後，他終於點了點頭。「只怕正是如此，嘉蒂雅。若說那是我唯一的感覺，倒也不盡然，但我的確感到難為情。你想想，我是地球人，這點你心知肚明，可是你把這個事實暫時拋在腦後，讓『地球人』對你而言只是毫無意義的三個字。昨天晚上，你為我感到難過，你擔心風吹雨打對我造成傷害，你把我當小孩子般呵護，而且——你過來找我——或許是由於傷心人別有懷抱，所以你很同情我。但是那種感覺遲早會消失的——我很驚訝它目前還在——等它消失後，你就會想起來我是地球人，於是你會感到羞愧、墮落、骯髒。你會痛恨我對你所做的事，可是我不希望你恨我——我不希望你恨我，嘉蒂雅。」（如果他的表情能忠實反映內心感受，那麼他現在確實很不快樂。）

她一定也有同感，因為她對他伸出手，輕撫著他的手掌。「我不會恨你的，以利亞。我為什麼要恨你呢？你對我所做的，我都絕不反對。而我對你所做的事，在我的餘生中都會令我感到欣慰。兩年前那輕輕一觸，我等於已經解放了，以利亞，而昨天晚上，你更進一步解放了我。兩年前，我需要知道自己還能感受到欲求——而昨天晚上，我則是需要知道在詹德死後，自己還能有同樣的感受。以利亞——留下來吧，我們……」

他一本正經地插嘴道：「這怎麼可能呢，嘉蒂雅？我必須回到自己的世界。我在那裡有責任，還有奮鬥的目標，而你卻不能跟我一起去。你不可能在地球上好好活下去，你會死於地球的傳染病——擁擠的群眾和封閉的空間還可能提前令你窒息。這些你當然瞭解。」

「我對地球相當瞭解。」嘉蒂雅嘆了一口氣，「可是，你當然不必立刻回去。」

「今天中午之前，主席就有可能命令我離開奧羅拉。」

「不會的，」嘉蒂雅中氣十足地說：「你會有辦法的——萬一真沒辦法了，我們可以到其他太空族世界去，有好幾十個可供我們選擇。難道地球對你意義那麼重大，你毫不考慮在太空族世界定居嗎？」

貝萊說：「我可以找個藉口，嘉蒂雅，我可以指出沒有哪個太空族世界會讓我永久居留——你知道這是事實。不過，更深切的事實則是，就算有太空族世界願意收留我，地球對我的意義還是太重大了，所以我必須回去——即使這意味著不得不離開你。」

「從此再也不來奧羅拉？再也不和我見面了？」

「如果能再見到你，我當然會來。」貝萊幽然神往地說，「而且會一來再來，請相信我。可是這麼講又有什麼用呢？你知道他們不太可能再邀請我，而你也知道，如果沒有受邀，我是不可能再回來的。」

嘉蒂雅低聲道：「我不想相信，以利亞。」

貝萊說：「嘉蒂雅，別自尋煩惱了。你我之間曾經擦出奇妙的火花，可是今後，你的生命中還會出現其他的火花——許許多多，各式各樣，但和如今並不相同。抬起頭來，向前看吧。」

她陷入了沉默。

「嘉蒂雅，」他突然急切地說：「我們之間的事，需要告訴別人嗎？」

她抬頭望向他，露出痛苦的表情。「你覺得羞恥嗎？」

「對於這一切，我當然不覺得羞恥。但即便如此，還是可能出現不愉快的結果，例如會成為人們茶餘飯後的話題。別忘了你我是新聞人物，這都要歸功於那個可恨的超波劇，把我們的關係給扭曲了。我們，一個地球男子和一個索拉利女子。只要人們有一絲一毫的理由，懷疑你我之間有——戀情，緋聞就會以超空間引擎的速度傳回地球。」

嘉蒂雅揚起眉毛，顯得有幾分高傲。「然後地球人就會認為你自甘墮落？因為你和配不上你的人有了性愛關係？」

「不，當然不會。」貝萊說得很心虛，因為他明白，幾十億地球人確實都會抱持那樣的觀點。「你有沒有想到，緋聞也會傳到我太太耳中？我是有家室的人。」

「如果她知道了，那又怎麼樣？」

貝萊深深吸了一口氣。「你並不瞭解，地球人和太空族行事方式不同。在我們的歷史上，也曾有過性尺度較寬的時候，至少在某些地區、某些階級如此。如今則不然，如今地球人過著極其擁擠的生活，在這種情況下，必須採用嚴謹的道德尺度，才得以維持家庭制度的穩定。」

「你的意思是，每個人只有一個伴侶，絕無例外？」

「不。」貝萊答道，「老實說，並不是那樣。可是，例外的情形都會盡量謹慎和低調，這樣大家就能……就能……」

「裝作不知道？」

「嗯，沒錯，但我們的情形——」

「因為一切都在檯面上，誰也不能裝作不知道——所以你太太會生你的氣，會揍你一頓。」

「不，她不會揍我，但她會因而蒙羞，這要比她揍我更糟。我自己同樣會蒙羞，我兒子也逃不掉。我的社會地位將岌岌可危，而……嘉蒂雅，如果你不瞭解，不必試著瞭解，但請答應我，你不會像奧羅拉人那樣，把這件事掛在嘴邊。」他察覺到自己是在低聲下氣地求饒。

嘉蒂雅語重心長地說：「我並非有意嘲弄你，以利亞。你一直對我很好，我不會恩將仇報，可是——」她高舉雙手，顯得很絕望。「你的地球作風實在太荒謬了。」

「這點毫無疑問。但我必須維持這個作風——正如你從小到大，一直遵循著索拉利的作風。」

「沒錯。」她陷入了回憶，表情憂鬱起來。然後她又說：「請原諒我，以利亞，我真心誠意向你鄭重道歉。我妄想著自己無法擁有的事物，還把氣出在你身上。」

「沒關係。」

「不，有關係。拜託，以利亞，我一定要對你解釋一番。昨晚發生的事，我認為你並非真正瞭解。如果我開口解釋，會不會令你更難為情？」

貝萊忍不住想，如果潔西聽得到這段對話，她會有什麼感受，又會有什麼反應呢。其實他相當明白，此時該把心思放在即將和主席舉行的那場會議，而不是自己的婚姻危機上。他應當擔心的是地球，而不是自己的妻子，可是，事實上，他卻一心想到潔西。

他說：「我或許會感到難為情，但還是請你說吧。」

嘉蒂雅刻意不召喚任何機器人，自己動手挪動椅子。貝萊只是緊張兮兮地等著，並未提供任何援助。

她把自己的椅子搬到他旁邊，故意和他的椅子方向相反，以便坐下之後，剛好能和他面對面。等到一切就緒，她將右手放到他的手掌上，而他自然而然就捏住了。

「你瞧，」她說：「我不再害怕和你接觸。我不再像當初那樣，只敢輕撫你的臉頰一下子。」

「或許沒錯，可是對你而言，現在的感覺遠比不上當初那麼震撼，對嗎，嘉蒂雅？」

她點了點頭。「對，的確比不上，但我還是一樣喜歡。事實上，我認為這是一種進步。輕輕一觸便令我感到天翻地覆，彰顯了我長久以來過著極其不正常的生活。而現在好多了，我能告訴你好在哪裡嗎？我剛剛說的其實只是開場白。」

「告訴我吧。」

「我希望我們正躺在黑漆漆的床上，那樣我更容易開口。」

「可惜現在燈火通明，你我又正襟危坐，不過嘉蒂雅，我正洗耳恭聽呢。」

「好吧——在索拉利，以利亞，根本沒有性愛可言，這你是知道的。」

「對，我知道。」

「就真正的性愛而言，我從未有過任何體驗。偶爾——只是偶爾——我的丈夫會來找我盡義務。我實在不想做進一步的描述，但如果我告訴你，事後回顧，那種性經驗還不如沒有的好，請務必相信我。」

「我相信你。」

「但我知道性愛是什麼。我在書上讀到過，有時也會和其他女性討論，而她們通通裝模作樣地說，那是索拉利人必須承擔的苦差事。而凡是子女數已經達到定額的婦女，一律高興地表示再也不必做那檔事了。」

「你相信她們的說法嗎？」

「我當然相信。我從未聽過別的說法，雖然我讀過幾本其他世界的書籍，但據說內容都是扭曲和虛構的。這點我也相信。後來，我的丈夫發現了那些書，斥之為色情讀物，立刻把它們銷毀了。你知道嗎，一個人可以被訓練得相信任何事情。我想索拉利婦女的確相信自己說的每一句話，而且真的鄙視性愛。她們當然都說得言詞懇切，令我覺得自己問題極其嚴重，因為我對性愛有著某種好奇——還有著無法理解的奇怪感覺。」

「當時，你並沒有用機器人來解決問題吧？」

「沒有，我根本沒想到，我也沒有用其他替代品。關於那些東西，人們多少會口耳相傳，但是都說得很可怕——或許是故意的——所以我做夢也沒想過要用那種東西。當然，我常常做夢，有些時候會從夢中驚醒，如今回顧，那一定就是所謂的夢中高潮。當然，那時我完全不懂，也不敢跟別人討論。事實上，我感到羞恥極了。更糟的是，那種經驗所帶來的快感令我心生恐懼。然後，你也知道，我就來到了奧羅拉。」

「你告訴過我，奧羅拉式的性愛無法滿足你。」

「對，我還因而相信，索拉利人的說法畢竟是對的。真實的性愛和我的夢境完全不同。直到遇到了詹德，我才恍然大悟，奧羅拉人的性愛根本不算性愛，而是，而是——一種舞蹈。每個步驟皆有固定模式，從開始到結束毫無例外。其中沒有任何意外的驚喜，沒有任何即興的動作。在索拉利，由於罕有性愛活動，根本談不上什麼付出或接受；而在奧羅拉，性愛過於儀式化，到頭來同樣沒有付出和接受，你瞭解嗎？」

「我不確定，嘉蒂雅，我從未和奧羅拉女性有過性關係，或者說，我從來也不是奧羅拉男性。但你不必再解釋了，我對你的說法已有一點概念。」

「你難為情極了，對不對？」

「還沒到聽不下去的程度。」

「然後我有了詹德，學會了怎麼用他。他並非奧羅拉男性，他唯一的心願——唯一可能擁有的心願——就是要取悅我。他付出，我接受，於是有生以來第一次，我體驗到了真正的性愛。這你能瞭解嗎？突然間，我明白自己並沒有發瘋，並不是變態，心理並未扭曲，甚至沒有任何不對；我只是個正常的女人，擁有一個滿意的性伴侶——你能想像那種情形嗎？」

「我應該可以想像。」

「然而，不久之後，得來不易的幸福就被奪走了。我想——我想——這就是我的下場，我命中注定如此。在今後幾個世紀的歲月中，我再也不會，再也找不到另一段美好的性關係了。自始至終未曾擁有固然很可憐，可是曾經意外獲得，卻又突然失去，回到了一無所有，那簡直令人難以承受——因此你該瞭解，昨晚為何對我那麼重要吧。」

「但為何是我呢，嘉蒂雅？為什麼不能是別人？」

「不，以利亞，一定非你不可。昨天我們，我和吉斯卡，終於找到你的時候，你是那麼無助，真正的無助。你並非不省人事，但你的身體不聽使喚。我們必須抬你起來，把你抱到車子裡。後來，你任由機器人擺布，接受他們的治療，讓他們替你洗澡和烘乾，那時我也全程在場。機器人以非凡的效率完成這一切，他們一心一意照顧你，避免你受到傷害，可是毫無真正的感覺。而旁觀的我，感覺卻十分強烈。」

貝萊低下頭，想到自己那種無助的模樣，不禁咬牙切齒。當時他曾覺得那是至高無上的享受，現在獲悉有人全程旁觀，唯一的感覺就是太丟臉了。

她繼續說道：「我很想親手為你做那些事。我不禁怨恨起那些機器人，他們竟然霸佔了對你好，以及為你付出的權利。當我想像自己在服侍你的時候，感到一股越來越強的性衝動，那是自從詹德死後，我就再也沒有過的感覺——於是我終於想通了，在我僅有的成功性經驗中，我所做的只有接受而已。我想要的詹德都會給我，但他從來不求回報。他沒有那個能力，因為他唯一的快樂來自於取悅我。而我也從未想到付出，因為我是由機器人帶大的，知道他們不求回報。

「直到昨天晚上，我才明白自己對性愛頂多只懂一半，而我多麼渴望能體會另外那一半。後來，你坐在餐桌旁喝雞湯的時候，看起來已經恢復了；你似乎又強壯如昔，強壯到了足以安慰我的程度。由於在此之前，我已經對你生出那種感覺，我不再害怕你是地球人，我樂意投入你的懷抱。我很想那麼做。可是，雖然讓你抱著我了，我還是有失落感，因為我並未付出，我不知不覺又接受了。

「然後你對我說：『嘉蒂雅，拜託，我得坐下了。』喔，以利亞，那是你對我說的最甜蜜的一句話。」

貝萊覺得臉紅了。「當時我覺得羞愧極了，我竟然承認自己是弱者。」

「那正是我想要的，那句話挑起了我的情慾。我催你趕緊上床，隨後又去找你，於是生平第一次，我付出了，而且未求任何回報。這麼一來，詹德的魔咒便解除了，因為我瞭解到他還不夠完美。一定要既能付出又能接受，缺一不可——以利亞，留下來吧。」

貝萊搖了搖頭。「嘉蒂雅，即使我把心撕成兩半，也無法改變這個事實。我不能留在奧羅拉，我一定要回地球去，而你卻不能去地球。」

「以利亞，若是我能去呢？」

「你為什麼要說這種蠢話？即使你能在地球定居，我也很快會變老，很快會配不上你。再過二十年，頂多三十年，我就會是個老頭，也或許根本不在人世了，而你則會維持這個樣子，長達好幾個世紀。」

「但這正是我的意思，以利亞。我到了地球之後，就會染上你們的傳染病，就會和你們一樣很快變老。」

「你這話太天真了。更何況，老化並不是傳染病。一旦到了地球，你只會很快病倒，然後死去。嘉蒂雅，你可以找到別的男人。」

「奧羅拉男人？」她以輕蔑的口吻說。

「你可以教他們。既然你已經知道如何付出和接受，教教他們吧。」

「就算我願意教，他們會願意學嗎？」

「有些人會，這種人一定有的。你的時間很多，可以慢慢尋找這樣的人。比方說——」

（不，他想，現在提格里邁尼斯並非明智之舉，但或許，今後他來找她的時候——少一點禮數，多一點決心……）

她似乎若有所思。「有這個可能嗎？」然後，她望著貝萊，灰藍色的眼睛噙著淚水。「喔，以利亞，昨夜發生的事，你還多少記得些嗎？」

「我必須承認，」貝萊有點傷感地說：「很遺憾，某些部分相當模糊。」

「如果你通通記得，就不會想離開我了。」

「我現在同樣不想離開你，嘉蒂雅，只不過我身不由己。」

「激情過後，」她說：「你似乎很高興，很放鬆。我依偎在你的肩頭，感覺得到你的心跳起初很快，然後越來越慢，越來越慢，直到你突然坐起來，心跳又猛然加快。你記得這回事嗎？」

貝萊吃了一驚，上身微向後仰，惶急地凝視著她的眼睛。「不，我不記得。你這話是什麼意思？我做了些什麼？」

「就像我說的，你突然坐了起來。」

「對，可是還有什麼嗎？」他的心跳開始加速，想必已經和昨夜做愛之後跳得一樣快了。那個似乎就是「真相」的靈感，曾經三度在他心頭浮現，但前兩次他完全是孤單一人。然而第三次，也就是昨夜，他身邊還有嘉蒂雅，他有了一個目擊證人。

嘉蒂雅說：「真的沒什麼了。我說：『怎麼回事，以利亞？』但你沒理會我，自顧自說：『我懂了，我懂了。』你說得含糊不清，而且你目光渙散，看起來有點嚇人。」

「我就說了那幾個字嗎？耶和華啊，嘉蒂雅！我還有沒有說些什麼？」

嘉蒂雅皺起眉頭。「我不記得了。然後你又躺了下來，我就說：『別怕，以利亞，別怕，你現在安全了。』我輕輕撫摸你，你逐漸平靜下來，最後總算睡著了——而且還發出鼾聲。我從來沒聽過別人打鼾，可是根據書中的描述，那一定是鼾聲沒錯。」她顯然越想越覺得有趣。

貝萊說：「聽著，嘉蒂雅，我到底說了些什麼？『我懂了，我懂了。』我有沒有說懂了什麼？」

她又皺起了眉頭。「不，我不記得了——等等，你的確小聲說了一句話，你說：『他首先趕到』。」

「『他首先趕到』，我是這麼說的嗎？」

「對，我自然想到你是指吉斯卡比其他機器人先找到你，你是想克服可能被抓走的恐懼感，因為你的思緒又回到了暴風雨當時的情境。對！所以我才輕撫著你，不斷對你說：『別怕，以利亞，你現在安全了。』直到你放鬆為止。」

「『他首先趕到』，『他首先趕到』，現在我不會忘記了。嘉蒂雅，謝謝你昨夜陪著我，更謝謝你現在告訴我。」

嘉蒂雅問：「你說吉斯卡先找到你，有什麼特殊含意嗎？事實的確如此，你是知道的。」

「我不會是指那件事，嘉蒂雅。那一定是我不知道的某種想法，只有在心思完全放鬆的情況下，我才能勉強捕捉到它。」

「那麼，這句話到底是什麼意思呢？」

「我不確定，但如果我真那麼說，它就一定有意義。我有一小時左右的時間，可以設法弄明白。」他站了起來，「現在我得走了。」

他朝門口走了幾步之後，嘉蒂雅飛奔過去，雙手環抱住他。「等等，以利亞。」

貝萊遲疑了一下，便低下頭來親吻她，兩人緊緊擁抱了好久。

「我還能再見到你嗎，以利亞？」

貝萊悲傷地說：「我說不準，但我衷心希望。」

然後他就前去找丹尼爾和吉斯卡，以便在那場論戰開始之前，先做一些必要的準備。

73

直到走過大草坪，前往法斯陀夫的宅邸之際，貝萊仍舊未能揮去心頭的悲傷。

兩個機器人走在他兩旁，丹尼爾似乎很從容，但吉斯卡由於程式使然，顯然無法輕鬆以對，仍對周遭的環境保持著高度警戒。

貝萊問：「這位立法局的主席叫什麼名字，丹尼爾？」

「我答不出來，以利亞夥伴。每次我聽到有人提起他，一律管他叫『主席』。而當著他的面，則稱呼他『主席先生』。」

吉斯卡說：「他名叫魯提蘭．侯德，先生，但這個名字在正式場合絕不會出現，唯一會被用到的就只有他的頭銜。這能讓人感受到政府的持續性。擔任主席一職的個人雖然有固定任期，但是『主席』永遠存在。」

「而目前這位主席——他多大年紀？」

「年紀相當大，先生，三百三十一歲了。」吉斯卡答道，他隨時能夠提供這類數據。

「身體健康嗎？」

「從未聽說他健康不佳，先生。」

「他可有什麼人格特質是我得先做好心理準備的？」

吉斯卡似乎給難倒了，他頓了頓才說：「我難以回答這個問題，先生。他被視為很稱職的主席，工作努力，成果豐碩。目前是他的第二任。」

「他暴躁嗎？有耐心嗎？行事霸道嗎？善體人意嗎？」

吉斯卡說：「這些必須由你自己判斷，先生。」

丹尼爾說：「以利亞夥伴，主席的地位超越任何黨派。根據定義，他代表著公平和正義。」

「這點我肯定，」貝萊喃喃道，「不過定義是抽象的，正如『主席』這個頭銜一樣，然而個別的主席——有名有姓的個人——則是具體的，各有各的腦袋，各有各的想法。」

他搖了搖頭。他可以發誓，自己的腦袋含有很具體的糨糊成分。他曾三度想到一件事，又三度將它遺忘，雖然現在終於知道自己當時對這個想法下過註腳，怎奈仍舊毫無幫助。

「他首先趕到。」

「誰首先趕到？趕到何時何地？」

貝萊心中沒有答案。

74

貝萊看到法斯陀夫站在宅邸門口迎接自己，身後還站著一個機器人。那機器人似乎極為反常，一副惴惴不安的模樣，彷彿由於無法執行迎接訪客的功能，因而感到心煩意亂。

（話說回來，人們總是喜歡從機器人身上找尋人類的動機和反應。更接近真實的情況，應該是機器人並沒有任何感覺，更不會心煩意亂——只因為他的使命是迎接並檢查每一位訪客，可是現在除非推開法斯陀夫，否則無法執行任務，偏偏他又找不到充分理由這麼做，這才導致他的正子電位產生輕微的震盪。因此，他的行為一次又一次遭到糾正，令他顯得好像惴惴不安。）

貝萊不知不覺望著那個機器人出神，最後必須強迫自己把視線拉回法斯陀夫身上（他一心一意在想機器人，自己也不知道為什麼）。

「很高興再見到你，法斯陀夫博士。」他一面說，一面伸出手來。和嘉蒂雅有過那麼一段之後，他很難再記得太空族不願碰觸地球人這回事。

法斯陀夫猶豫了片刻，然後，顯然是禮貌戰勝了謹慎，他握住對方的手，不過輕輕握一下便很快放開。他說：「其實我比你更高興，貝萊先生，你昨晚的遭遇令我提心吊膽。那場暴風雨並不算特別強，但對地球人而言，一定像是排山倒海。」

「所以說，你知道事情的經過了？」

「這件事，丹尼爾和吉斯卡對我做了完整的報告。昨晚如果他們直接來我這兒，最後把你也帶過來，我會感到更放心。可是由於氣翼車的出事地點比較接近嘉蒂雅的宅邸，而你的命令又十萬火急，並將丹尼爾的安全置於你自己之上，他們才會根據這些因素，做出那樣的決定。他們沒有誤解你的意思吧？」

「沒有，是我強迫他們離開的。」

「這是明智之舉嗎？」法斯陀夫把他請進屋內，朝一張椅子指了指。

貝萊坐了下來。「那應該是正確的作法，當時我們正遭到追捕。」

「吉斯卡向我報告過，他還報告說……」

貝萊插嘴道：「法斯陀夫博士，拜託，時間所剩無幾，而我有好些問題需要問你。」

「請盡量問吧。」法斯陀夫立刻回應，而且一如往常地彬彬有禮。

「有人告訴我，你把大腦功能的研究工作看得比什麼都重要，而且你——」

「讓我接下去吧，貝萊先生。而且我打著科學研究的旗幟，不允許任何阻撓，無視於道不道德，不在乎邪不邪惡，我毫無人性，絕不會手軟，也絕不會罷手。」

「沒錯。」

「有什麼關係嗎？」

「是誰告訴你的，貝萊先生？」法斯陀夫問。

「或許沒有，何況並不難猜。一定是我的女兒瓦西莉婭，我相當確定。」

貝萊說：「或許吧。我想要知道的是，她對你的人格評價是否正確。」

法斯陀夫擠出一抹苦笑。「我自己的人格，你指望我給你一個中肯的答案？就某些方面而言，針對我的這些指控都不假。我的確把自己的研究看得重要無比，我也的確有不惜犧牲一切的衝動。如果世俗的善惡道德觀擋了我的路，我的確很想視而不見——然而，問題是我並未那樣做，我做不了那種事。尤其是，如果有人指控詹德是我殺的，目的是為了增進我自己對人類大腦的瞭解，那我更要否認到底。事實並非如此，我並沒有殺害詹德。」

貝萊說：「你曾經建議我接受心靈探測，以便從我的大腦中挖出連我自己都無法接觸的訊息。你有沒有想過，如果你願意接受心靈探測，就能證明你的清白了？」

法斯陀夫若有所思地點了點頭。「我想瓦西莉婭曾對你說，我拒絕接受心靈探測正是我有罪的明證。事實並不然，心靈探測是很危險的一件事，我和你一樣不敢輕易嘗試。話說回來，若非我的對手萬分希望我能同意，那麼雖然害怕，我還是願意勉強一試。心靈探測器還不算是多麼敏銳的儀器，並不足以扎扎實實地證明我的清白，因此任何對我有利的結果都會遭到他們駁斥。他們祭出心靈探測器，是想藉此獲得人形機器人的理論架構和設計藍圖。那才是他們真正想要的，也正是我絕不會給他們的。」

貝萊說：「答得很好，謝謝你，法斯陀夫博士。」

法斯陀夫說：「別客氣。好，請容我回到剛才的話題，根據吉斯卡的報告，他們把你單獨留在車內之後，曾有些陌生的機器人來找過你。至少，後來他們在風雨中，找到昏迷不醒的你，你含含混混地提到了那些機器人。」

「的確有些陌生的機器人向我盤問，法斯陀夫博士，但我設法誤導他們，把他們支開了。不過我隨即想到，最好趕緊離開氣翼車，別等著他們再回來找我。在做這個決定的時候，我也許並沒有想得很清楚，後來吉斯卡就是這麼說的。」

法斯陀夫微微一笑。「吉斯卡的世界觀太單純了。你認為他們是誰的機器人？」

貝萊在椅子裡動來動去，似乎怎麼也找不到一個舒服的姿勢。「主席來了嗎？」他問。

「還沒有，但他隨時可能抵達。此外還有阿瑪狄洛，就是機器人學研究院的院長，據說你昨天也和他見過面。我不確定那是不是明智之舉，你激怒了他。」

「昨天我非見他不可，法斯陀夫博士，但他似乎並未被我激怒。」

「阿瑪狄洛這個人高深莫測。藉著指控你誹謗他，以及玷污了他不容侵犯的學術聲譽，他已迫使主席介入此事。」

「此話怎講？」

「主席的職責就是在出現爭議之際鼓勵雙方坐下來談，設法找出和解之道。如果阿瑪狄洛希望和我開會，那麼根據定義，主席不能勸他打消念頭，更不能加以阻止，他必須主持這場會議。而阿瑪狄洛若能找到對你不利的足夠證據——既然你是地球人，此事簡單得很——調查工作就要結束了。」

「既然地球人那麼脆弱，法斯陀夫博士，當初你或許就不該向我求助。」

「或許吧，貝萊先生，但我實在想不到別的辦法了。現在依然如此，所以必須請你自己說服主席接受你的觀點——希望你做得到。」

「責任在我身上了？」貝萊沒好氣地說。

「全在你身上了。」法斯陀夫毫不猶豫。

貝萊問：「就只有我們四個人開會嗎？」

法斯陀夫說：「實際上，只有我們三人：主席、阿瑪狄洛，以及我自己。也就是說，兩造當事人，加上一個和事佬。而你這個外人，貝萊先生，是勉強獲准出席的。主席隨時可以命你退席，所以我希望你別惹他不高興。」

「我會小心的，法斯陀夫博士。」

「比方說，貝萊先生，千萬別跟他握手——請原諒我有話直說。」

貝萊想到自己剛才的魯莽舉動，不禁羞得兩頰發燙。「我不會的。」

「而且一定要客客氣氣，可別義憤填膺地提出指控，也別堅持那些沒有佐證的言論……」

「你的意思是，別用激將法試圖從任何人嘴裡套出實情，比如說阿瑪狄洛。」

「是的，別那樣做。否則你就是犯了誹謗罪，反而弄巧成拙，招致不良的後果。因此，一定要客氣！但如果你笑裡藏刀，倒是不會有人抗議的。還有，除非有人跟你說話，別主動開口。」

貝萊說：「這是怎麼回事，法斯陀夫博士，現在你不遺餘力地對我提出忠告，可是在此之前，你從未警告我誹謗罪的嚴重性。」

「這的確是我的錯。」法斯陀夫博士說，「對我而言，這只是基本常識，所以我從未想到需要對你解釋一番。」

貝萊哼了一聲。「是啊，我也這麼想。」

法斯陀夫突然抬起頭來。「我聽見外面有氣翼車的聲音，不只如此，我還聽見我家的一個機器人正朝門口走去。我想，主席和阿瑪狄洛已經到了。」

「一起來的？」貝萊問。

「毫無疑問。你懂了吧，阿瑪狄洛提議在我的宅邸舉行會議，看起來好像是給了我地利之便。但他也因此有機會向主席提出——名義上當然是出於禮貌——由他負責把主席接來這裡。畢竟，他們兩人都必須到這兒來開會。這樣，他就能爭取到和主席獨處幾分鐘，以便推銷他自己的觀點。」

「這太不公平了。」貝萊說，「你就不能制止嗎？」

「我不想那麼做。阿瑪狄洛是在冒險，他雖然精於計算，仍有可能在言語間激怒了主席。」

「這位主席特別容易被激怒嗎？」

「不能這麼說，任何主席在這個職位上超過四十年，都會和他差不多。話說回來，由於主席必須嚴格遵守規範，更要絕對不偏不倚，而且實際上掌握著獨斷的大權，這些因素加在一起，免不了讓每位主席或多或少都易怒。而阿瑪狄洛並非真的那麼有智慧，他那副開朗的笑容，那口潔白的牙齒，那種過分和藹可親的態度，萬一碰到心情不好的人，他居然還使出渾身解數，對方就有可能大起反感——但我必須去迎接他們了，貝萊先生，而且要盡可能展現我的個人魅力。請你待在這裡，別離開這張椅子。」

現在貝萊除了等待，什麼也不能做。他突然毫無來由地想到：自己來到奧羅拉，還幾乎不滿五十個標準小時。

第十八章 主席之二

75

主席非常矮，矮到令人驚訝的程度。相較之下，阿瑪狄洛比他高了將近三十公分。然而，他之所以那麼矮，主要是因為兩腿太短，因此當大家就座之後，主席在身高上的缺陷就不那麼明顯了。事實上他相當粗壯，有著結實的胸膛和肩膀，這使得他幾乎顯得盛氣凌人。

他的頭也很大，臉上布滿歲月的痕跡。感覺上，那些皺紋絕非笑容所累積的，而是由於長期行使權力，在臉頰和額頭所留下的記錄。他的頭髮花白稀疏，髮漩附近則是一片光禿。

他的聲音低沉而果決，十分適合他的身份。或許由於年事已高，音色難免沙啞，聽起來有些嚴厲，但是這點（貝萊想到）對一位主席而言只有加分作用。

法斯陀夫將歡迎儀式做到十足，當然少不了言不及義地寒暄幾句，並且奉上點心和飲料。從頭到尾，誰也沒有提到貝萊這個外人，甚至誰也沒有注意到他。

直到完成所有的準備工作，而且人人皆就座之後，貝萊（他比其他三人坐得遠些）才有了被介紹出場的機會。

他並未伸出手來，只是叫了一聲：「主席先生。」然後，他隨便點了點頭，又說：「當然，我曾見過阿瑪狄洛博士。」

雖然貝萊態度不佳，阿瑪狄洛的笑容沒有絲毫改變。

主席並未對貝萊做出任何回應，他將雙手放在膝蓋上，十指張開，開口道：「我們開始吧，看看能否用最短的時間獲致最大的成果。

「首先我想強調，有關這個地球人行為不當——或說有此可能——這個議題我希望能略去不談，直接跳到核心議題。而在討論核心議題的過程中，誰也不要提到另外那個小題大作的機器人議題。中斷機器人的運作屬於民法的範疇，民事法庭可能會判被告侵害財產權，然後處以罰款，頂多如此而已。更何況，即使真能證明是法斯陀夫博士令詹德．潘尼爾終止運作，那個機器人畢竟是他參與設計並監督製造的，而且事發當時，其所有權仍屬於他。既然一個人可以任意處置自己的財產，法斯陀夫博士是不會受罰的。

「該如何探索和開拓銀河，才是今天真正需要討論的問題。究竟是要由奧羅拉單獨進行，還是讓我們和其他太空族世界攜手合作，或是把這件任務留給地球？阿瑪狄洛博士和母星黨主張由奧羅拉一肩扛起這個重責大任，法斯陀夫博士則希望把機會留給地球。

「如果我們能解決這個歧見，機器人那件案子可以留給民事法庭，至於這個地球人是否行為失當，或許根本不必有結論，直接打發他走就行了。

「因此首先我要請問，阿瑪狄洛博士是否準備接受法斯陀夫博士的立場，以便達成一致的決議，或是法斯陀夫博士基於同樣理由，準備接受阿瑪狄洛博士的立場。」

他暫停發言，開始等待。

阿瑪狄洛說：「很抱歉，主席先生，我必須堅持把地球人留置在地球上，由奧羅拉人單獨開拓銀河。然而，若能避免我們之間不必要的紛爭，我願意做出妥協，允許其他太空族世界加入我們的行列。」

「我懂了。」主席說，「而你，法斯陀夫博士，聽了這番陳述之後，是否願意放棄你原本的立場？」

法斯陀夫說：「阿瑪狄洛博士的妥協幾乎沒有實質意義，主席先生，我願意提出一個更有意義的妥協方案。何不將銀河同時開放給太空族和地球人？銀河大得很，不愁容不下雙方的人馬。這樣的安排，我會願意接受。」

「毫無疑問，」阿瑪狄洛立刻回應，「這根本不算什麼妥協。地球有八十多億的人口，比太空族世界人口總數的一倍半還要多。地球人壽命很短，全靠快速生育來遞補。我們對於個體生命的尊重，在他們那個世界上付之闕如。他們會不惜任何代價，蜂擁至每一個新世界，然後像昆蟲般開始繁殖，當我們還在進行準備工作之際，他們已經霸佔了整個銀河。提供所謂的平等機會給地球人，無異於把銀河拱手讓給他們——那絕非什麼平等。地球人必須留置在地球上。」

「針對這點，你有什麼回應呢，法斯陀夫博士？」主席問。

法斯陀夫嘆了一口氣。「我的觀點早已記錄在案，我確信不需要再重複了。阿瑪狄洛博士打算利用人形機器人來建設新世界，等到完工後，再由奧羅拉同胞進駐，可是目前他連一個人形機器人也沒有。他根本造不出人形機器人，但就算他在這方面有所突破，這個計畫還是行不通。除非阿瑪狄洛博士同意，至少讓地球人能夠參與開拓新世界的工作，否則不可能有妥協的餘地。」

「那就不可能有任何妥協了。」阿瑪狄洛說。

主席顯得不太高興。「恐怕你們其中一人必須讓步。我可不想在這麼重大的問題上引發意氣之爭，讓奧羅拉分裂成兩個陣營。」

他淡然地望著阿瑪狄洛，刻意避免流露出支持或反對的神情。「你打算利用那個機器人詹德的停擺，當作反對法斯陀夫觀點的論證，對不對？」

「是的。」阿瑪狄洛說。

「那是訴諸情感的論證。你打算聲稱，法斯陀夫為了顛覆你的觀點而故意造假，讓人形機器人顯得並非那麼有用。」

「那正是他想要做的……」

「誹謗！」法斯陀夫低聲抗議。

「只要我能證明，就不算誹謗。」阿瑪狄洛說，「我的論證或許訴諸情感，可是它站得住腳，主席先生，您也看出來了吧？我的觀點一定能勝出，但如果我孤軍奮戰，難免會拖泥帶水。我建議由您來說服法斯陀夫博士，請他坦然接受失敗，否則奧羅拉人所面對的巨大困境，將削弱我們在太空族世界的地位，進而動搖我們對自己的信心。」

「你如何證明是法斯陀夫博士令那個機器人停擺的？」

「他自己也承認，他是唯一做得到這件事的人。這點您也知道。」

「我是知道，」主席說：「但我想聽你親口說出來——並非對你的支持者，也並非對媒體，而是私下對我說。你剛才已經這麼做了。」

他轉向法斯陀夫。「你又怎麼說呢，法斯陀夫博士？只有你才能毀掉那個機器人嗎？」

「在不著痕跡的前提下？據我所知，的確如此。我不信阿瑪狄洛博士在機器人學上有那麼高的造詣，而且我常感到訝異，在他創立了機器人學研究院之後，有那麼多的同仁作為後盾，他還是不遺餘力地聲稱自己無能為力——而且是公開宣示。」他對阿瑪狄洛擠出一個並非沒有惡意的笑容。

主席嘆了一口氣。「別這樣，法斯陀夫博士。別玩弄修辭伎倆，今天我們要把冷嘲和熱諷都放在一邊。你要如何為自己辯護？」

「很簡單，就是我從未傷害詹德。我並沒有影射任何人，此事純屬偶然——是測不準原理作用在正子徑路上的結果，這種事經常可能發生。請讓阿瑪狄洛博士承認它是偶發事件，在沒有證據的情況下不該指控任何人，然後，我們就可以針對兩個殖民方案的優劣，展開一場理性的辯論。」

「不，」阿瑪狄洛說：「意外故障的機率實在太小了，相較之下，法斯陀夫博士是元兇的機會大得多——如果我們因此輕忽法斯陀夫博士的刑責，那就太不負責任了。我不會放棄立場，而且我一定會贏。主席先生，您也知道我一定會贏，而在我看來，目前唯一合理的作法，就是強迫法斯陀夫博士承認失敗，以免造成奧羅拉的分裂。」

法斯陀夫迅速回應：「講到這裡，就要談談我請地球人貝萊先生所進行的調查了。」

阿瑪狄洛同樣迅速回應：「打從一開始，我就反對這樣做。那個地球人或許是高明的偵探，但他對奧羅拉一無所知，根本查不出什麼來。除了四處造謠中傷，令奧羅拉在太空族世界丟人現眼，他一事無成。如今在五、六個太空族世界上，至少有六、七個重要的超波新聞節目把這件事當成鬧劇來報導。相關影音記錄已經送到您的辦公室了。」

「我已經注意到了。」主席說。

「而在奧羅拉，也已經有人在私下抱怨。」阿瑪狄洛繼續說，「我其實是基於私心，才讓調查工作持續下去。那會折損法斯陀夫在民間的支持度，以及他在立法局中的得票數。調查進行得越久，我就越有勝算。可是另一方面，它對奧羅拉會造成傷害，而我絕不希望為了增加勝算，拿我自己的世界當作代價。我建議——誠心誠意建議您——主席先生，下令終止這項調查，並勸法斯陀夫博士趁早優雅地接受這個必然的結果，否則拖得越久，他要付出的代價就越大。」

主席說：「我同意，當初我允許法斯陀夫博士安排這項調查，或許並非明智之舉，但我只是說『或許』。我也承認，現在我很想下令結束調查。不過這個地球人——」他的言談舉止彷彿他並不知道貝萊也在場，「已經來了好一陣子了——」

他頓了頓，似乎是要給法斯陀夫一個附和的機會，法斯陀夫當然不放過，趕緊說：「他的調查工作已經進入第三天，主席先生。」

「既然如此，」主席說：「在我下令終止調查之前，應該先問問目前可有任何重大發現，我想這樣才公平。」

他又頓了頓，法斯陀夫迅速瞄了貝萊一眼，並微微點了點頭。

貝萊低聲道：「主席先生，我不希望在沒人問我的情況下，擅自發表任何意見。您是否問了我一個問題？」

主席皺起眉頭，並未望向貝萊便直接說：「我請來自地球的貝萊先生告訴我們，他是否有任何重大發現。」

貝萊深深吸了一口氣，時候到了。

76

「主席先生，」他開始發言，「昨天下午，我曾經偵訊過阿瑪狄洛博士，他非常合作，主動提供許多資料。當我們離開的時候……」

「你們？」主席追問。

「我在進行調查之際，有兩個機器人全程陪伴，主席先生。」貝萊答道。

「是法斯陀夫博士的機器人嗎？」阿瑪狄洛問道，「我這麼問，是希望留下記錄。」

「請列入記錄，答案是肯定的。」貝萊說，「其中一位是人形機器人丹尼爾．奧利瓦，另外一位名叫吉斯卡．瑞文特洛夫，他是比較舊型的非人形機器人。」

「謝謝你，」主席說：「請繼續。」

「等到我們離開研究院之後，發現我們的氣翼車被動了手腳。」

「動手腳？」主席驚訝地問道，「被誰動手腳？」

「我們不曉得，但這是在研究院裡面發生的事。我們是受邀前往的，因此研究院中有不少人知道我們在那裡。更重要的是，當時不太可能有其他的不速之客。想要為這件事找個合理的解釋，就必須認定是研究院成員動的手腳，然而這是無論如何不可能的——除非是阿瑪狄洛博士親自下令，但這點同樣不可思議。」

阿瑪狄洛說：「你似乎對不可思議的事做了很多設想。有沒有找過合格的技師來檢查那輛氣翼車，確認它真被動了手腳？會不會只是普通的故障呢？」

「回院長，並沒有，」貝萊說：「不過吉斯卡堅稱它被動了手腳——他不但是合格的氣翼車司機，而且經常駕駛那輛氣翼車。」

「此外他還是法斯陀夫博士的手下——他的程式是他設定的，日常命令也是他下達的。」阿瑪狄洛說。

「你是在暗示……」法斯陀夫只說了幾個字。

「我並未暗示什麼。」阿瑪狄洛舉起手來，做了一個表示友善的手勢。「我只是做個陳述——以便留下記錄。」

主席有點煩躁了。「請來自地球的貝萊先生繼續好嗎？」

貝萊說：「當氣翼車故障時，我們正遭到追捕。」

「遭誰追捕？」主席問。

「其他的機器人。他們不久就來了，但那時我的機器人已經走了。」

「等一等。」阿瑪狄洛說，「當時你情況如何，貝萊先生？」

「不能算很好。」

「不能算很好？你是個地球人，只能適應你們那些大城裡的人工環境，到了戶外你就會渾身不自在。是不是這樣，貝萊先生？」阿瑪狄洛問。

「是的，院長。」

「而且昨晚狂風暴雨、雷電交加，我相信主席一定也記得。所以更正確的說法，應該是你很不舒服，對不對？至少處於半昏迷狀態？」

「好吧，我很不舒服。」貝萊勉強承認。

「那麼你的機器人怎麼會走開呢？」主席厲聲問道，「既然你身體不適，他們不該留在你身邊嗎？」

「是我命令他們離開的，主席先生。」

「為什麼？」

「我認為那是最好的辦法。」貝萊說，「如果允許我說下去，我會詳加解釋。」

「說下去。」

「我們的確遭到了追捕，因為我的機器人剛剛走開，追捕我們的那批機器人就到了，他們劈頭便問我的機器人在哪裡，我則回答我已命令他們離去。直到這個時候，他們才問我是否身體不舒服。我說我沒事，他們就不管我了，因為他們要繼續搜尋我的機器人。」

「搜尋丹尼爾和吉斯卡？」主席問。

「是的，主席先生。我十分肯定，有很強的命令在驅使他們這麼做。」

「你為何如此肯定？」

「當時，雖然我的身體明顯有問題，他們卻先問我的機器人在哪裡，然後才問及我的健康狀況。不久之後，他們就丟下病懨懨的我，繼續去搜尋我的機器人。他們一定背負著極其強烈的命令，否則面對一個健康顯然不佳的人類，他們不可能置之不理。事實上，我早已料到我的機器人會遭到搜捕，所以才及時把他倆支開。我覺得萬萬不能讓他倆落到外人手中。」

阿瑪狄洛說：「主席先生，能否讓我針對這點，繼續詢問貝萊先生，以便證明這個陳述毫無價值？」

「可以。」

阿瑪狄洛說：「貝萊先生，你的機器人離去後，就只剩下你一個人了，對不對？」

「是的，院長。」

「因此後來這些事，你並未保有任何記錄？你身上並未安裝記錄裝置？也沒有隨身攜帶這類裝置吧？」

「院長，這三個問題，答案都是否定的。」

「而且當時你很不舒服。」

「是的，院長。」

「精神渙散嗎？或許記憶也有些模糊？」

「沒有，院長，我記得相當清楚。」

「我想，你大可這麼講，但你當時也很可能已經精神錯亂，產生了幻覺。在那種情況下，那些機器人說了些什麼，甚至到底有沒有那些機器人，似乎都得打上大大的問號。」

主席若有所悟地說：「我同意。來自地球的貝萊先生，假設你的記憶——或說你所聲稱的記憶——都是正確的，對於你所敘述的事情，你要如何詮釋呢？」

「我有點猶豫要不要把自己的想法告訴你，主席先生，」貝萊說：「因為我擔心會誹謗了尊貴的阿瑪狄洛博士。」

「既然你是在我要求之下講的，而且你說的話出不了這個房間——」主席環顧四周，沒有任何壁凹裡站著機器人。「也就不存在誹謗的問題，除非我覺得你在做惡意攻擊，那又另當別論。」

「既然這樣，主席先生，我的設想如下，」貝萊說：「阿瑪狄洛博士故意和我討論了很多無關緊要的問題，好讓我在他的辦公室待得夠久，給他足夠的時間破壞我的車輛。然後他又設法讓我再多留一陣子，以便我在雷雨交加時才動身離去，這就能確保我的身體會在半途出狀況。他曾經研究過地球的社會，這點他跟我提過好幾次，所以他知道雷雨會對我造成什麼影響。我認為一切都在他的算計之中，他派機器人跟蹤我們，等到我們的氣翼車拋錨，他們便能把我們通通帶回研究院，表面上是營救我，實際上則是這麼一來，法斯陀夫博士的機器人便會落到他手中。」

阿瑪狄洛輕輕笑了幾聲。「我有什麼動機要做這些事。您瞧，主席先生，這只是一個接著一個的臆測，在奧羅拉任何法庭都會被判是誹謗。」

主席嚴肅地說：「對於這些假設，來自地球的貝萊先生可有任何佐證？」

「我有一連串環環相扣的推理，主席先生。」

主席站了起來，氣勢立刻打了折扣，因為他的高度幾乎沒有任何改變。「我要去走走，以便想想我剛剛聽到的一切，很快就會回來。」他朝衛生間走去。

法斯陀夫傾身湊向貝萊，貝萊也趕緊向他湊過去（阿瑪狄洛則是一副滿不在乎的表情，彷彿無論他們說什麼都和他無關）。

法斯陀夫悄聲道：「你有沒有更具體的論述？」

貝萊說：「我想應該有，但需要適當的時機來借題發揮，可是主席似乎並不認同我。」

「的確如此。目前為止，你只是讓事情變得更糟。如果他回來後，直接宣布休會，我也不會感到驚訝。」

貝萊搖了搖頭，目光集中在自己的鞋子上。

77

等到主席回來的時候，貝萊仍舊盯著自己的鞋子。主席重新就座，隨即對這位地球人投以嚴厲（而且相當不友善）的一瞥。

他說：「來自地球的貝萊先生？」

「請說，主席先生。」

「我認為你是在浪費我的時間，但我可不想有人說我並未充分聽取雙方陳述，即便這似乎的確是在浪費時間。你指控阿瑪狄洛博士做出這些瘋狂行為，但他到底有什麼動機，你能告訴我嗎？」

「主席先生，」貝萊以近乎孤注一擲的聲音說：「我的確找到了動機——一個非常好的動機。首先我要強調一件事實，如果阿瑪狄洛博士和他的研究院無法製造人形機器人，他的銀河殖民計畫就會成為泡影。而目前為止，他並未造出任何人形機器人，也根本造不出來。您不妨問問他，是否願意讓立法局成立一個委員會，專門來調查他的研究院是否成功製造出或設計出了人形機器人。如果他願意聲稱研究院目前正在生產人形機器人，或者只是剛完成設計——甚至只是掌握了理論基礎——而他隨時能對一個合格的委員會證明這件事，那麼我會立刻住口，並承認我的調查工作一無所獲。」說到這裡，他屏住了氣息。

主席望向阿瑪狄洛，後者的笑容開始褪去。

阿瑪狄洛說：「我願意承認，在可見的未來，我們還造不出人形機器人。」

「那麼我就繼續說下去。」貝萊恢復了呼吸，但聽起來很像是猛喘一口氣。「如果阿瑪狄洛博士向法斯陀夫博士求教，當然有機會得到所需要的一切答案，只不過，雖然答案都在他腦子裡，但在這件事情上，法斯陀夫博士是不會願意合作的。」

「對，無論在任何前提下，」法斯陀夫咕噥道，「我都不會願意。」

「可是，主席先生，」貝萊繼續說：「有關設計和製造人形機器人的祕密，並非僅僅掌握在法斯陀夫博士一人手中。」

「是嗎？」主席問，「還有誰知道呢？聽到你這麼講，貝萊先生，法斯陀夫博士自己都顯得很驚訝。」（這是他頭一回沒有冠上「來自地球的」五個字。）

「我的確很驚訝。」法斯陀夫說，「據我所知，絕對只有我一個人知道，我並不瞭解貝萊先生的意思。」

阿瑪狄洛微微翹起嘴唇說：「我懷疑貝萊先生自己也不瞭解。」

貝萊覺得自己成了眾矢之的。他輪流望向其他三人，感到誰也沒有站在自己這邊。

他開始解釋：「難道不能說，任何一個人形機器人都知道這個祕密嗎？或許並非在意識層面，也不能直接提供這方面的資料——可是這些資料當然在他們腦中，對不對？如果好好盤問一個人形機器人，我們就能根據他的答案和反應，窺探出他是如何設計和製造的。理論上，只要有足夠的時間，以及足夠精闢的問題，就能讓一個人形機器人告訴你怎樣設計另一個人形機器人——一言以蔽之，無論任何機器，只要我們有機會詳加研究，都能破解它的祕密。」

法斯陀夫似乎吃了一驚。「我懂你的意思了，貝萊先生，你說得很對。我從沒想到過這一點。」

「恕我直言，法斯陀夫博士，」貝萊說：「但我必須告訴你，你和其他奧羅拉人一樣，懷有一種奇特的自傲心理。你是最頂尖的機器人學家，只有你會製造人形機器人——你太過陶醉於這個虛名，以致對明顯的事實反倒視而不見。」

主席總算綻露笑容。「他把你一語道破了，法斯陀夫博士。我也曾經納悶，你為何那麼積極地主張只有你才知道如何毀掉詹德，雖說這會大大削弱你的政治實力。現在我明白了，你寧願在政治上失勢，也要保住獨一無二的地位。」

法斯陀夫顯得又氣又惱。

阿瑪狄洛則皺著眉頭說：「這和我們正在討論的問題有關嗎？」

「的確有關。」貝萊的信心逐漸增強，「你不能直接向法斯陀夫博士逼問答案，更不能命令你的機器人傷害他，例如對他嚴刑逼供。而法斯陀夫博士身邊永遠有機器人當保鏢，你也無法親自出馬發動攻擊。然而，你卻能設法孤立一個機器人，再讓其他機器人將他帶走，只要在場的人類病得不清，無法採取必要行動阻止即可。昨天下午所發生的一切，都是因為你想染指丹尼爾而臨時策劃的。當身在研究院的我堅持要見你，你就知道機會來了。後來，假使我沒把兩個機器人支開，假使我無法硬撐著裝作若無其事，騙你的機器人朝反方向追去，你就已經抓到他了。而只要持之以恆地分析丹尼爾的行為和反應，你終究會破解人形機器人的祕密。」

阿瑪狄洛說：「主席先生，我抗議。我從未聽過這麼惡毒的誹謗。他所說的這些，只是一個病人的胡思亂想罷了。我們不知道——或許永遠不會知道——那輛氣翼車是否真的遭到破壞；倘若真有其事，又是誰破壞的；此外，是否真有機器人在追氣翼車，他們又是否真的和貝萊先生說過話。他只是把一個又一個的推論堆在一起，唯一的證人就是他自己，唯一的證詞則充滿疑點——別忘了，他當時嚇得快瘋了，而且很可能出現了幻覺。無論在任何法庭上，這些證詞都會立刻遭到否定。」

「這裡並不是法庭，阿瑪狄洛博士。」主席說，「凡是和目前這個議題有關的事，我都有責任仔細聆聽。」

「全然無關，主席先生，他只是在羅織罪名。」

「不過，這些話倒還兜得攏，我看不出貝萊先生有任何明顯的邏輯矛盾。如果我們承認他所聲稱的經歷都是事實，那麼他的結論可謂合情合理。你要否認這一切嗎，阿瑪狄洛博士？包括破壞車輛、追捕對方，以及想將人形機器人據為己有？」

「當然！我否認到底！沒一件是真的！」阿瑪狄洛說——他已有好一陣子不曾展露笑容。

「這地球人能夠提出我們昨天對話的全程錄音，而且毫無疑問，他會指出我為了延誤他的行程，故意把話說得分外仔細，故意邀請他參觀研究院，還故意留他共進晚餐——可是這一切，同樣能解釋為我盡心竭力地展現禮貌和待客之道。或許，我對地球人太過同情，以致表現得有點失常，但這沒什麼大不了的。我否認他的一切推論，而無論他再說什麼，都無法推翻我的否認。我擁有極佳的聲譽，絕非這個地球人聲稱我是奸詐小人，就會有人被他說服的。」

主席若有所思地搔搔下巴，然後說：「當然，我不會根據這個地球人目前所說的這些，就對你提出任何指控——貝萊先生，如果你要說的僅止於此，它只能算是耐人尋味，說服力卻嫌不足。你還有更具實質內容的說詞嗎？我要警告你，如果沒有的話，我在這件事情上就只能花這麼多時間了。」

78

貝萊說：「我最後還想提一件事，主席先生。您或許聽說過一個人，名叫嘉蒂雅．德拉瑪，或是索拉利的嘉蒂雅，她自己則只用嘉蒂雅這個名字。」

「我聽說過她，貝萊先生。」主席的聲音中透出些許不耐煩，「我看過那齣超波劇，你和她在裡面都有重要的戲分。」

「她和那個名叫詹德的機器人相處了好幾個月。事實上，最後他成了她的丈夫。」

主席原本不以為然的目光瞬間轉為怒目逼視。「她的什麼？」

「她的丈夫，主席先生。」

法斯陀夫差點站了起來，他趕緊重新坐下，一臉惴惴不安的表情。

主席厲聲道：「這並不合法，而且還更糟，簡直就是荒唐。機器人無法使她受孕，他們不可能有下一代。如果沒做出生兒育女的承諾，就無法取得丈夫——或妻子——的法律地位。我想，即使是地球人，也該知道這一點。」

貝萊說：「我的確瞭解，主席先生。而且我確定，嘉蒂雅自己同樣瞭解。她口中的『丈夫』只有情感上的意義，和法律並無關係。她將詹德的地位視同丈夫那麼重要，她在情感上將他當成了自己的丈夫。」

主席轉向法斯陀夫。「這事你知道嗎，法斯陀夫博士？他可是你的機器人。」

法斯陀夫顯得很尷尬，答道：「我知道她喜歡他，也曾懷疑她拿他來解決性慾。然而，在貝萊先生告訴我之前，我並不知道這重近似兒戲的關係。」

貝萊說：「她是索拉利人，她對『丈夫』的看法和奧羅拉人並不一樣。」

「顯然如此。」主席說。

「但她對大環境的現實還算清楚，因此懂得保守祕密，主席先生。借用法斯陀夫博士的說法，她並未將這重近似兒戲的關係告訴任何奧羅拉人。前天她一五一十對我說了，是想要我明白我所調查的案子對她而言多麼重要。不過，她之所以提到『丈夫』兩字，主要還是由於我是地球人，能夠以非奧羅拉的角度，瞭解這兩個字對她的意義。」

「很好，」主席說：「衝著她是索拉利人，我勉強可以認同這一點。這就是你要補充的那件事嗎？」

「是的，主席先生。」

「這樣的話，它和今天的議題完全不相干，我們在審議時必須排除在外。」

「主席先生，有個問題我必須問一問。就一個問題，十幾個字而已，主席，然後我就會結束發言。」這番話他說得盡可能認真嚴肅，因為成敗就在此一舉了。

主席猶豫了一下。「同意，最後一個問題。」

「謝謝，主席先生。」貝萊很想將問題一字字大喊出來，可是他忍住了。他甚至沒有提高音量，也沒有伸出手來指著對方。成敗在此一舉，這個問題代表了一切，但他牢記法斯陀夫剛才的警告，故意像是隨口說出來：「阿瑪狄洛博士怎麼知道詹德是嘉蒂雅的丈夫？」

「什麼？」主席萬分驚訝，揚起了那對雪白的濃眉。「是誰說他知道的？」

既然主席發問，貝萊就能繼續說下去：「問他吧，主席先生。」

與此同時，他朝阿瑪狄洛的方向點了點頭，而後者已經起身，以明顯的驚恐目光瞪著貝萊。

79

「問他吧，主席先生，他似乎坐立不安。」貝萊再說了一遍，聲音非常輕柔，以免將大家的注意力從阿瑪狄洛身上引開。

主席問道：「怎麼樣，阿瑪狄洛博士？機器人竟然成了索拉利女子所謂的丈夫，此事你知道任何原委嗎？」

阿瑪狄洛結結巴巴說了兩句，然後閉上嘴巴好一會兒，才又重新開口：「主席先生，這個毫無來由的指控令我措手不及，我完全不知道這是怎麼回事。」他的臉色已經由剛才的煞白轉成了醬紫色。

「我可否解釋一下，主席先生？一下子就好？」貝萊說。（他會被制止發言嗎？）

「如果你有任何解釋，」主席繃著臉說：「就趕緊提出來，我當然願意聽。」

「主席先生，」貝萊說：「昨天下午，我和阿瑪狄洛博士有過一番對話。由於他打算一直把我留到風雨大作，所以故意把話說得分外囉唆，而且顯然並未字斟句酌。在提到嘉蒂雅的時候，他隨口提及那個機器人詹德是她的丈夫。我很好奇，他是怎麼知道這件事的。」

「這是真的嗎，阿瑪狄洛博士？」主席問。

阿瑪狄洛仍舊站著，一副犯人面對法官的模樣。他答道：「不管是真是假，都和目前討論的問題無關。」

「或許無關，」主席說：「可是你面對這個問題的反應令我很驚訝。我認為你和貝萊先生都瞭解其中的意義，而我則不然，因此我也想要瞭解一番。關於詹德和那個索拉利女子的不正常關係，你到底知道還是不知道？」

阿瑪狄洛像是掐著脖子說：「我不可能知道啊。」

「這並不算回答。」主席說，「這是閃爍其辭。當我要求你對我交代一段記憶時，你卻做出主觀判斷。關於詹德的那段陳述，你到底說過還是沒說過？」

「在他回答之前，」貝萊覺得自己的立場越來越穩固，因為主席此時已經義憤填膺。「為了公平起見，我必須提醒阿瑪狄洛博士一件事：昨天也在場的那個機器人吉斯卡，能夠奉命將我們的交談完整覆述一遍，非但一字不漏，還會模擬雙方的聲音和語調。簡言之，他擁有那段對話的錄音。」

阿瑪狄洛突然火冒三丈。「主席先生，吉斯卡那機器人的設計者和製造者是法斯陀夫博士，此人不但宣稱自己是全銀河最頂尖的機器人學家，而且還是我的死對頭。這樣一個機器人所做的錄音，我們能夠相信嗎？」

貝萊說：「或許您該先聽聽那段錄音，然後自行決定，主席先生。」

「或許我該這麼做。」主席說，「今天我來這裡，阿瑪狄洛博士，可不是來請別人幫我拿主意的。但我們暫且擱下這件事。不管那段錄音說些什麼，阿瑪狄洛博士，你是否希望正式做個聲明，強調你原本並不知道那個索拉利女子將機器人視為自己的丈夫，而且你也從來沒有這麼講過？請記住一件事——你們兩位都是立法局議員，應該都明白——雖然沒有機器人在場，我自己的錄音裝置仍將我們的對話完整錄了下來。」他拍拍前胸鼓鼓的口袋，「一句話，阿瑪狄洛博士，有還是沒有？」

阿瑪狄洛的聲音中透出一絲絕望。「主席先生，我當真不記得我在聊天時隨口說了些什麼。如果我的確提到丈夫兩字——這並不代表我承認了——也許只是因為之前和別人聊天的時候，有人提到嘉蒂雅迷戀她的機器人，彷彿把他當成自己的丈夫。」

主席問：「你究竟是跟誰聊的天？是誰跟你提到這件事的？」

「一時之間，我也說不上來。」

貝萊說：「主席先生，阿瑪狄洛博士若能熱心地把可能的對象一個個列舉出來，我們就可以逐一詢問，查出到底是誰提到這件事的。」

阿瑪狄洛說：「主席先生，我希望您能考慮到，如果真這樣做，會對研究院的士氣造成多大的打擊。」

主席說：「我希望你也考慮一下，阿瑪狄洛博士，然後針對我們問你的問題，提出一個比較好的答案，以免我們被迫使用極端手段。」

「等一等，主席先生，」貝萊以極盡逢迎的口吻說：「還有一個問題。」

「什麼？還有問題？」主席不以為然地望著貝萊，「什麼問題？」

「阿瑪狄洛博士為何極力避免承認自己知道詹德和嘉蒂雅的關係？他說過那是件不相干的事。既然如此，他何不乾脆承認自己的確知道，以便結束這個議題？我要說，此事絕對有關，而阿瑪狄洛博士心知肚明，一旦他承認了，我就會用這點來證明他的罪行。」

阿瑪狄洛怒吼道：「我無法接受這種說法，我要求鄭重道歉！」

法斯陀夫淡淡一笑。貝萊則緊緊抿起嘴，一臉嚴肅的表情，他已經將阿瑪狄洛逼到了牆角。

主席漲紅了臉——像是隨時會腦溢血——萬分激動地說：「你要求？你要求？你向誰要求？我才是主席。我負責聽取各方陳述，然後做出決定，建議一個最佳的解決方案。我要聽聽這個地球人如何分析你的行為。如果他誹謗你，一定會受到懲罰，這點你大可放心；而且我會對誹謗罪採取最廣義的解釋，這點你同樣大可放心。可是你，阿瑪狄洛，千萬別對我提出要求。繼續吧，地球人，你要說什麼儘管說，但字字句句都要格外謹慎小心。」

貝萊說：「謝謝您，主席先生。事實上，嘉蒂雅的確把她和詹德的祕密關係告訴了一個奧羅拉人。」

主席打岔道：「啊，那人是誰？可別在我面前玩超波劇的把戲。」

貝萊說：「我只想直截了當提出一個陳述，絕對沒有其他意圖，主席先生。我所謂的奧羅拉人，當然就是詹德自己。他雖然是機器人，但他也是奧羅拉居民，因此或可被視為奧羅拉人。嘉蒂雅一定曾在激情之際，當面稱呼他『我的丈夫』。既然阿瑪狄洛博士承認，關於詹德和嘉蒂雅的夫妻關係，他或許是從他人口中獲悉的，那麼我們能否假設正是詹德告訴他的呢？阿瑪狄洛博士是否願意立刻做個正式聲明：在詹德進駐嘉蒂雅宅邸這段時期，他從來沒有和詹德說過一句話？」

阿瑪狄洛兩度張嘴像是要說話，卻兩次都沒有發出任何聲音。

「好啦，」主席說：「在此期間，你到底有沒有和詹德說過話，阿瑪狄洛博士？」

仍舊沒有回答。

貝萊輕聲說：「答案若是肯定的，就和目前的議題百分之百有關了。」

「我開始看出這是必然的了，貝萊先生。好啦，阿瑪狄洛博士，再問一次——有還是沒有？」

阿瑪狄洛衝口而出：「這地球人到底掌握了什麼對我不利的證據？他手裡有我和詹德的任何談話錄音嗎？他找到任何目擊我和詹德碰面的證人嗎？除了那些自說自話的陳述，他到底還掌握了什麼？」

主席轉頭望向貝萊，貝萊回應道：「主席先生，如果我毫無證據，阿瑪狄洛博士應該趕緊否認他和詹德做過任何接觸，以便留下正式記錄——但他並未這樣做。事實上，我在調查過程中，曾經詢問過法斯陀夫博士的女兒瓦西莉婭．茱露博士，此外還詢問過一位名叫山提瑞克斯．格里邁尼斯的奧羅拉青年。在這兩段訪談錄音裡，很容易聽出瓦西莉婭博士曾經鼓勵格里邁尼斯去追求嘉蒂雅。您大可問問瓦西莉婭博士這麼做到底有何目的，以及是不是阿瑪狄洛博士建議她這麼做的。而且看起來，格里邁尼斯經常性地和嘉蒂雅一起散步出遊，兩人都很喜歡這個活動，但詹德從未和他們同行。您若覺得需要，主席先生，不妨調查一下。」

主席淡淡地說：「我會考慮，但若一切如你所說，又意味著什麼呢？」

貝萊說：「我曾經強調，除了法斯陀夫博士自己，就只有丹尼爾能夠提供人形機器人的祕密。但在詹德死前，當然可以利用同樣的手法，從詹德身上套取這些祕密。丹尼爾住在法斯陀夫博士的宅邸，相較之下接觸不易，詹德則是常駐嘉蒂雅的宅邸，而她對於機器人的保護措施，不會做得像法斯陀夫博士那樣嚴密。

「有沒有可能，阿瑪狄洛博士利用嘉蒂雅不在宅邸的機會，也就是當她和格里邁尼斯定期出遊的時候，試圖和詹德交談——或許是利用三維顯像——以便研究他的反應，甚至對他進行各種測試，最後再抹除詹德的相關記憶，讓他無法把這件事告訴嘉蒂雅？很可能他即將找到他想知道的答案——偏偏詹德此時停擺了，令他功敗垂成。然後，他的注意力便轉移到丹尼爾身上。他覺得也許只剩下幾個測試和觀察便能成功，所以設下昨晚那個圈套，正如我先前的……的證詞所言。」

主席以近乎耳語的音量說：「現在一切都兜攏了，令我幾乎不得不相信。」

「我還要指出最後一點，然後我就真的發言完畢了。」貝萊說，「在研究和測試詹德的過程中，阿瑪狄洛博士當然有可能一不小心——但並非蓄意——把詹德弄壞了，因而犯下了這樁機殺案。」

阿瑪狄洛瘋狂地咆哮：「不！絕對沒有！我對那機器人做的事情，絕無可能導致他停擺！」

法斯陀夫插嘴道：「這點我同意，主席先生，我也認為並非阿瑪狄洛博士令詹德停擺。然而，主席先生，阿瑪狄洛博士剛才所做的陳述，似乎間接承認了他曾經研究過詹德——因此貝萊先生的分析原則上完全正確。」

主席點了點頭。「我不得不同意你，法斯陀夫博士——阿瑪狄洛博士，你可以堅持正式否認這一切，那就會迫使我展開一次全面性調查，無論結果如何，都會對你造成極大的傷害——根據目前的態勢，我相當擔心調查的結果將對你極為不利。我建議你別逼我這麼做——以免損及你自己在立法局的地位，或許還會傷害到奧羅拉一向穩定的政局。

「依我看，當詹德一案尚未發生之際，在銀河殖民這個議題上，法斯陀夫博士的觀點在立法局佔了多數——但顯然並非絕大多數。而你藉由宣揚法斯陀夫博士應對詹德的停擺負責，爭取到不少議員轉投你的陣營，因而從少數變成了多數。可是現在，如果法斯陀夫博士願意，他可以指控你非但是終結詹德的元兇，事後還故意誣陷你的對手，而將局勢翻轉過來——一定會讓你輸得很慘。

「如果我不出手干預，那麼你，阿瑪狄洛博士，以及你，法斯陀夫博士，或許會由於倔強頑固，甚至是由於憤恨難消，而動員雙方的人馬，用各種罪名互相指控。我們的政界和輿論界也會注定分成兩個陣營——甚至四分五裂——給我們帶來無窮的傷害。

「我相信，在那種情況下，雖然法斯陀夫一定會獲勝，但大家都將付出極大的代價。為了奧羅拉著想，身為主席的我有責任從一開始就替他拉票，並對你和你的同黨施壓，要求你們以最佳的風度接受法斯陀夫的勝利，而且要立刻表態，阿瑪狄洛博士。」

法斯陀夫說：「我無意獲得壓倒性的勝利，主席先生。我再次提出我的妥協方案，讓奧羅拉和地球，以及其他太空族世界，一律擁有開拓銀河的自由。而我樂意加入機器人學研究院，把我對人形機器人的知識毫無保留地貢獻出來，協助阿瑪狄洛博士實現他的計畫，用以換取他鄭重承諾，從今以後，再也不會興起任何報復地球的念頭，並將這個承諾寫成書面協定，由我們和地球代表共同簽字。」

主席點了點頭。「這是個既明智又有政治家風範的建議。我能請你也接受嗎，阿瑪狄洛博士？」

阿瑪狄洛終於坐了下來，表情活像一隻鬥敗的公雞。他說：「我從未爭取個人的權勢或個人的勝利。我想要推動的，是我認為對奧羅拉最有利的方案，而我堅決相信，法斯陀夫博士這個計畫意味著奧羅拉遲早自取滅亡。然而我瞭解到，這個地球人的作為，令我現在毫無反擊之力——」他以惡毒的目光很快瞥了貝萊一眼，「我被迫接受法斯陀夫博士的建議——但我提出一個要求，請允許我在立法局針對這個議題正式發言，公開宣示我對這些後果的恐懼，以便留下歷史記錄。」

「當然，我們會准許的。」主席說，「而你如果願意聽我的忠告，法斯陀夫博士，請盡快讓這個地球人離開我們的世界。他已經替你打贏這一仗，讓你的觀點獲勝，但如果奧羅拉人有充分的時間覺悟到這是地球人打贏奧羅拉人，你的觀點恐怕就不會太受歡迎了。」

「您說得很對，主席先生，貝萊先生會在接受我的道謝——我相信還有您的道謝之後，很快就離開的。」

「嗯，」主席的態度並不算十分大方，「既然他憑藉智慧和勇氣，替我們免去一場政治上的腥風血雨，我願意向他道謝——謝謝你，貝萊先生。」

第十九章　貝萊之二

80

貝萊站在遠處，目送著阿瑪狄洛和主席離去。雖然他們一同前來，回程則是各走各的。法斯陀夫送完他們兩人，回到了貝萊身邊，絲毫不想掩飾如釋重負的神情。

「來吧，貝萊先生，」他說：「請你和我共進午餐，飯後，我會盡快安排將你送回地球。」

他的機器人顯然都知道主人的心意，已經開始張羅了。

貝萊點了點頭，語帶嘲諷地說：「主席勉強向我道了謝，但那聲謝謝像是鯁在他的喉嚨。」

法斯陀夫說：「你不明白這是多麼大的榮耀。主席幾乎不會感謝任何人，反之也不會有人感謝他。主席的豐功偉績，通常都是留給歷史來歌頌。這位主席已經在位超過四十年，個性越來越古怪，也越來越愛發脾氣，這是主席在位數十年之後的通病。

「然而，貝萊先生，我要再說一聲謝謝你，而奧羅拉也會通過我向你道謝。雖然你壽命不長，但一定能活著見到地球人前往太空，而我們會提供科技上的協助。

「我實在想不通，貝萊先生，你如何能在兩天半——還不到——的時間內，就解開了我們這個死結。你真是個傳奇人物。算了，來，你該想要洗把臉吧，我自己就很想。」

從主席抵達開始算起，直到此時此刻，貝萊才有時間想到除了「下句話該說什麼」之外的事情。

那接二連三乍現的靈光——第一次是在入睡前，其次是即將昏迷之際，第三次則是在性愛後的鬆弛狀態下——他依舊不知道意義究竟何在。

「他首先趕到！」

這句話他至今莫名其妙，但即使並未將它參透，他還是讓主席接受了他的觀點，並因此大獲全勝。所以說，如果根本派不上用場，或是似乎不需要，它到底還有沒有任何意義呢？或者只是一句囈語罷了？

由於心裡還有這個疙瘩，在出席這頓慶功午餐時，他並沒有那種勝利的感覺。不知怎麼回事，他就是覺得自己疏忽了什麼。

比方說，主席會貫徹自己的決定嗎？阿瑪狄洛雖然輸了這一仗，但他似乎是那種在任何情況下都不會放棄的人。姑且相信他說的都是真話，亦即驅動他的力量並非個人榮辱，而是他對奧羅拉的一片赤誠——果真如此的話，他就不可能放棄。

貝萊覺得有必要警告法斯陀夫。

「法斯陀夫博士，」他說：「我認為事情還沒完，阿瑪狄洛博士會繼續設法排擠地球。」

當機器人端菜上桌之際，法斯陀夫剛好點了點頭。「我知道他會，也等著他這麼做。然而，只要詹德這個案子平息下來，我就再也沒有什麼好怕的了。此事一了，我確定自己永遠能在立法局裡制住他。別擔心，貝萊先生，地球會很順利的。你自己也別怕阿瑪狄洛找你報仇，在日落之前，你就會離開這個世界，直奔地球而去——當然，丹尼爾會一路護送你。此外，我們隨船送出的那份公文，一定會讓你好好再升一次官。」

「我也很想趕緊回去，」貝萊說：「但我希望有時間一一道別。我想要——再去看看嘉蒂雅，還想當面向吉斯卡說再見，他昨晚等於是救了我一命。」

「絕無問題，貝萊先生。但請先吃完飯，好不好？」

貝萊開始把食物放入口中，吃起來卻索然無味。正如剛才那場唇槍舌戰，以及隨之而來的所謂勝利，這頓飯同樣是味同嚼蠟。

他其實不該贏的。主席應該半途制止他發言，而阿瑪狄洛若覺得有必要，也該斷然否認這一切。針對一個地球人的言詞——或說推理——這樣的否認應該會被接受。

但法斯陀夫卻顯得歡天喜地，他說：「我早已做好最壞的心理準備，貝萊先生。我本來還擔心見主席的時機尚未成熟，你來不及提出什麼扭轉局勢的說詞。但你應付得很好，聽你講著講著，我就不禁佩服起來。不過我始終提心吊膽，因為阿瑪狄洛隨時可能要求和你這個地球人對質，畢竟，你是在一個陌生的世界上，又經常出入戶外，導致你的心智始終處於半錯亂狀態……」

貝萊冷冷地說：「恕我直言，法斯陀夫博士，我並非始終處於半錯亂的狀態。昨晚是個例外，那是我唯一失控的一次。打從我來到奧羅拉之後，或許常常感到不舒服，但我的心智總是處於最佳狀態。」剛才面對主席，他費盡心力壓抑著滿腔怒火，這時總算有了宣洩的管道。「只有在暴風雨中例外，博士——當然，還有——」他陷入回憶，「當太空船快抵達時，有過那麼一下子……」

他並未意識到這個想法——或說這段記憶、這個解釋——是如何冒出來的，以及速度到底多快。前一刻它還並不存在，下一刻已經在他心中完整成形，彷彿它始終藏在那裡，只需要戳破一個肥皂泡，便能令它無所遁形。

「耶和華啊！」他悄悄驚嘆一聲。然後，他揮拳搥向飯桌，震得餐盤嘎嘎作響。「耶和華啊！」

「怎麼回事，貝萊先生？」法斯陀夫吃驚地問。

貝萊茫然地望著他，過了好一會兒才聽到那個問題。「沒什麼，法斯陀夫博士。我只是在想阿瑪狄洛博士真是可惡透頂，他先弄壞詹德，然後巧妙地嫁禍於你；昨晚他又害我在暴風雨中陷入瘋狂，然後利用這件事來質疑我的說詞。我只是——突然間——怒火中燒。」

「嗯，不必生這個氣，貝萊先生。事實上，詹德不太可能是被阿瑪狄洛弄停擺的，我仍然認為那純粹是偶發事件——老實說，阿瑪狄洛所進行的研究，確有可能增加這種事的發生機率，但我不想再追究這一點。」

貝萊並未專心聆聽這段陳述。他剛剛回答法斯陀夫的話純屬虛構，因此法斯陀夫如何回應並不重要，或說並不相干（正如主席常用的說法）。事實上，今天所發生的一切——貝萊所做的一切解釋——都是不相干的。可是，他卻不必做任何更正。

只有一個例外——但要等一下。

耶和華啊！他在心中默默嘆了一聲，然後，他將注意力轉移到午餐上，開始津津有味地大快朵頤起來。

81

貝萊再度跨越介於法斯陀夫家和嘉蒂雅家之間的草坪。這將是三天以來，他第四次和嘉蒂雅碰面——而（他的心臟似乎扭成了一個死結）這也是最後一次了。

吉斯卡負責護送他，不過這次離他比較遠，而且對周遭的環境格外留意。其實，如今主席充分掌握了事實真相，已經沒有必要再為貝萊的安危操心了——如果真要操心，照理說丹尼爾反倒比較危險。想必在這件事情上，吉斯卡尚未收到更新的指令。

他唯一一次主動貼近貝萊，是因為後者問了他一個問題：「吉斯卡，丹尼爾呢？」

吉斯卡迅速來到貝萊身旁，彷彿絕對不願意提高音量來說話。「先生，丹尼爾正帶著幾個同伴一同趕往太空航站，替你安排返回地球的行程。等你到了太空航站，他會盡快和你會合，還會和你一起上船，直到抵達地球，才會和你道別。」

「真是好消息，和丹尼爾相處的每一天我都很珍惜。那你呢，吉斯卡？你會和我們一起去嗎？」

「不，先生，我奉命留在奧羅拉。然而，即使沒有我，丹尼爾一個人也能把你伺候得很好。」

「這點我肯定，吉斯卡，但我會想念你。」

「謝謝你，先生。」說完，吉斯卡便以同樣的速度退到了遠處。貝萊望著他的背影，若有所思了一兩秒鐘——不，凡事都有先後順序，他得先去見嘉蒂雅。

82

她走上前迎接他——在這兩天之間，出現了多麼大的改變啊。她並不算歡欣，也並沒有雀躍，甚至並未顯得精神愉快；她仍舊和每位遭逢巨變、備受打擊的人一樣，臉上一副嚴肅的神情——不過那股憂慮已經消失無蹤。現在的她散發出一種平靜，彷彿她已逐漸明白日子終將過下去，甚至偶爾還會伴隨著歡笑。

她一面向他走去，一面伸出手來，並擠出一個熱情而友善的笑容。

「喔，握住吧，握住吧，以利亞。」見他顯得猶豫，她立刻這麼說。「經過昨夜之後，如果你還退縮，還假裝不想碰我，那就太可笑了。你瞧，我都還記得，而我並不後悔，事實上剛好相反。」

貝萊採取了（對他自己而言）非比尋常的回應方式，對她微微一笑。「我也記得，嘉蒂雅，而我同樣不後悔。我甚至還想再做一次，不過，我是來跟你說再見的。」

一股陰霾掠過她的臉龐。「所以說，你要回地球去了。可是，從我們兩家之間永不間斷的機器人聯線，我接到的報告是一切順利，你不可能失敗了。」

「我並沒有失敗，事實上，法斯陀夫博士他大獲全勝。我相信從今以後，再也不會有人說他和詹德之死有任何牽連了。」

「因為你的發言嗎，以利亞？」

「我想是的。」

「我就知道。」她帶著些許自滿的口氣說，「當我建議他們請你來辦案時，我就知道你會成功——可是，他們為什麼要把你送回去呢？」

「正是因為案子破了。如果我再不走，顯然會成為這個政治實體的過敏原。」

她狐疑地望著他一會兒，然後說：「我不確定你是什麼意思，聽起來像是地球的用語。不過別管了，你是否找出了殺害詹德的兇手？那才是重點。」

貝萊環顧四周。吉斯卡正站在壁凹裡，此外，另一個壁凹內還站著一個嘉蒂雅的機器人。

嘉蒂雅毫無困難地看懂了他的肢體語言，她說：「好啦，以利亞，你得學著別再顧忌這些機器人。比方說，你不會因為屋裡有這些椅子，或這些窗簾，而有所顧忌吧？」

貝萊點了點頭。「嗯，好吧，嘉蒂雅，我很抱歉——萬分抱歉——但我不得不把詹德是你的丈夫這個事實告訴他們。」

見她瞪大眼睛，他趕緊說下去：「我不得不這麼做，這對破案起著關鍵的作用。但我向你保證，你在奧羅拉的處境不會因此受到影響。」他以盡可能簡短的方式，把事情的經過摘要說明一番，然後做出結論：「所以你看，根本沒有兇手。詹德之所以停擺，是正子徑路中的隨機變化所導致的結果，只不過發生在他身上的事，有可能增加這種隨機變化的機率。」

「而我一直不知道，」她嗚咽著說：「一直不知道。在阿瑪狄洛這個惡毒的陰謀中，我等於做了幫兇——他無論如何要負責，他這麼做無異於故意用大鐵鎚把詹德砸得粉碎。」

「嘉蒂雅，」貝萊真誠地說：「這麼講有欠公平。他並沒有蓄意傷害詹德，而在他看來，他的所作所為都是為了奧羅拉著想。事實上，他已受到懲罰了。他自己一敗塗地，相關計畫也搖搖欲墜，而機器人學研究院則會進入法斯陀夫博士的勢力範圍。你自己即使絞盡腦汁，也想不出更合適的懲罰吧。」

她說：「這點我會想想——可是我該拿山提瑞克斯．格里邁尼斯怎麼辦？這個年輕英俊的小共犯，專門負責把我引出去，怪不得雖然我一再拒絕，他卻一副有志竟成的模樣。嗯，他還會來的，我會讓他好好……」

貝萊猛力搖了搖頭。「嘉蒂雅，別這樣。我曾經偵訊過他，而我向你保證，他根本不知道這是怎麼回事。他和你一樣，完全被蒙在鼓裡。事實上，你本末倒置了。他並非因為要把你引開，才百折不撓地追求你，而是因為他百折不撓，阿瑪狄洛才認定了他有利用價值。而他之所以不屈不撓，是因為他關心你——如果『愛』這個字的意思在奧羅拉和在地球上一樣，那就是因為他愛你。」

「在奧羅拉，愛和跳舞沒有差別。詹德是機器人，而你是地球人，你倆都和奧羅拉人並不一樣。」

「這點你已經解釋過了。可是嘉蒂雅，你從詹德那兒學到了接受，又從我這兒學到了付出——雖然並非我刻意教你。如果你自認學到的都是好東西，難道沒有責任把它再傳授給別人嗎？格里邁尼斯對你足夠迷戀，一定會願意學的。他面對你的拒絕卻不屈不撓，這已經是打破了奧羅拉的傳統，今後他一定還會打破更多。你可以教他怎樣付出和怎樣接受，而在他的幫助下，你可以進一步學習如何同時或輪流付出和接受。」

嘉蒂雅凝視著貝萊的雙眼，像是想看透他的心思。「以利亞，你想要擺脫我嗎？」

貝萊慢慢點了點頭。「是的，嘉蒂雅，我的確這麼想。此時此刻，我最關心的就是你的幸福快樂，它超過了我為自己或為地球所做的任何打算。我無法給你幸福，也不能讓你快樂，但如果格里邁尼斯能做到這兩點，我也會感到快樂——感覺上，幾乎就像是我自己做到了一樣。

「嘉蒂雅，只要你肯教他如何打破那種制式的舞步，他的投入程度將會令你感到驚訝。然後這件事會慢慢傳開，其他人也會紛紛拜倒在你的裙下——而格里邁尼斯或許也能開始教導其他女子。嘉蒂雅，也許你在有生之年，就會在奧羅拉掀起一場性愛革命，你有三個世紀的時間來做這件事。」

嘉蒂雅盯著他，突然哈哈大笑起來。「你在哄著我玩，你在故意裝瘋賣傻。我從沒想到你會這樣，以利亞。你看起來總是那麼鬱鬱寡歡，那麼嚴肅。耶和華啊！」（她試著模仿他那憂鬱的男中音，說出這句口頭禪。）

貝萊說：「或許我有點哄你，但我是真心的。答應我，你會給格里邁尼斯一個機會。」

她來到他近前，他毫不猶豫地伸手摟住她。她將食指放到他的嘴唇上，他立刻做了一個親吻的動作。她輕柔地說：「難道你自己不想要我嗎，以利亞？」

他（無法對兩個機器人視而不見）以同樣輕柔的聲音說：「不，嘉蒂雅，我很想。我必須厚著臉皮說，如果能擁有你，此時此刻就算地球粉碎了我也不在乎——可是我做不到。幾小時後，我就會離開奧羅拉，但你絕對無法獲准和我同行。而今後，我想我再也不能重返奧羅拉，而你也不可能有機會造訪地球。

「我永遠不會再見到你，嘉蒂雅，但也永遠不會忘記你。幾十年後，我就會死去，而那個時候，你將仍舊像現在一樣年輕。所以不論我們會有任何可能的發展，都會很快就得說再見了。」

她將頭倚在他的胸膛。「喔，以利亞，你兩度闖入我的生命，每回都只有短短幾小時。你每次都對我做了那麼多，但隨即又告辭離去。頭一次，我唯一能做的只是碰碰你的臉，但那個小小的動作，卻帶來那麼大的改變。第二次，我做的多得多——帶來了更為天翻地覆的改變。無論我活多少世紀，以利亞，我將永遠記得你。」

貝萊說：「那麼，千萬別讓這段回憶阻斷了你的幸福。接受格里邁尼斯，把幸福帶給他——也讓他把幸福帶給你。還有，別忘了，沒有任何力量能阻止你寫信給我，奧羅拉和地球之間的超波郵件始終通暢。」

「我會的，以利亞，你也會寫信給我嗎？」

「我會的，嘉蒂雅。」

接下來是一陣沉默，然後兩人便依依不捨地分開了。當他走到門口，回過頭來時，她仍站在房間的正中央，而且依然帶著淺淺的笑容。他做了一個「再見」的嘴形，然後，因為不必發出聲音——否則他絕對做不到——他又補上「親愛的」三個字。

而她也掀動嘴唇：再見了，我最親愛的。

然後他便轉身走了出去，心中再明白不過，今後永遠不可能見到她的真身，也永遠不可能再碰觸到她了。

83

過了好一陣子，以利亞才能重新思考尚未完成的工作。在此之前，他已默默走了一大段路，直到大約來到兩座宅邸中間，他才停下腳步，舉起手來。

觀察入微的吉斯卡隨即來到他身邊。

貝萊問：「我何時一定得動身前往太空航站，吉斯卡？」

「三小時又十分鐘之後，先生。」

貝萊考慮了一下。「我想要走到那棵大樹旁，靠著樹幹坐下，獨自一人待一會兒。當然要你陪著我，但我想暫時遠離其他人類。」

「在戶外嗎，先生？」這機器人的聲音無法表達驚訝與震撼，但貝萊就是有一種感覺，吉斯卡若是人類，這句話便會傳達出那兩種情緒。

「沒錯，」貝萊說：「我需要想些事情，而經過昨晚之後，今天一切顯得這麼平靜——陽光普照、萬里無雲、氣候宜人——似乎不會有什麼危險。我向你保證，萬一空曠恐懼症發作，我立刻回到室內。所以，你會陪我嗎？」

「會的，先生。」

「很好。」貝萊走在前面帶路。等到兩人走到大樹旁，貝萊謹慎地摸了摸樹幹，然後仔細盯著自己的手指，發覺指尖仍舊十分乾淨。在確定了貼近樹幹不會把自己弄髒之後，他又檢視了一下草地，這才小心翼翼地坐下來，並將上身靠向樹幹。

雖然比不上靠著椅背來得舒服，可是（說也奇怪）他心中卻有一種安詳的感覺，那或許是置身室內永遠感覺不到的。

吉斯卡仍舊站著，貝萊問：「你不坐下嗎？」

「我站著和坐著一樣舒服，先生。」

「我知道，吉斯卡，但如果不必抬頭望著你，我的思路會更順暢。」

「如果我坐下來，就無法那麼有效地監視各種風吹草動，先生。」

「這我也知道，吉斯卡，但此時此刻，照理說不會再有什麼危險了。案子已經偵破，我的任務結束，法斯陀夫博士的地位也鞏固了。你可以放心大膽地坐下來，而我也命令你這麼做。」

吉斯卡立刻坐下，面對著貝萊，但他繼續眼觀四路耳聽八方，維持著警戒狀態。

貝萊抬起頭，透過濃密的樹葉望向天空，見到了一片藍綠交織的景象。他還豎起耳朵，傾聽著蟲鳴鳥叫，並注意到附近草叢有點騷動，想必剛好有個小動物經過。他不禁想到，這是多麼奇妙的一種安詳，而這種安詳和大城的喧囂多麼不同啊。這是一種寧靜的安詳、從容的安詳、遠離塵世的安詳。

有生以來頭一遭，貝萊隱約領悟到了戶外究竟比大城好在哪裡。他由衷感謝這次在奧羅拉的諸多經歷，尤其是那場暴風雨——因為現在他知道了自己的確能夠離開地球，移居到一個新世界，並面對其上任何可能的環境——當然是和班一起，或許還有潔西。

他說：「昨天晚上，我在漆黑的風雨中突然想到，如果沒有雲層遮掩，不知能否看到奧羅拉的衛星。如果我沒記錯，書上說奧羅拉有一顆衛星。」

「其實有兩顆，先生。大的那顆叫做提托諾斯，不過它還是很小，看起來只像一顆中等亮度的星星。小的那顆肉眼根本看不到，所以沒有名字，我們提到它的時候，就稱之為提托諾斯二號。」

「謝謝你——還有，吉斯卡，謝謝你昨晚救了我。」他望著那機器人，「我不知道該怎麼謝你才對。」

「完全沒有必要謝我，我只是在遵從第一法則。在這種事情上，我沒有選擇餘地。」

「話雖如此，你仍然等於是我的救命恩人，我認為有必要讓你瞭解這一點——而現在，吉斯卡，我該怎麼做呢？」

「你是指什麼事，先生？」

「我的任務結束了，法斯陀夫博士的觀點已經鞏固，地球的前途也已經確保。看起來我似乎沒什麼好做的了，可是詹德的案子還懸著呢。」

「我不瞭解你的意思，先生。」

「嗯，他的死因似乎已經公認是腦部正子電位的隨機漂移，可是法斯陀夫也承認，那樣的機率幾乎是無限小。就算阿瑪狄洛的行動可能有推波助瀾的作用，那個機率在提高後，還是跟無限小差不多。至少，法斯陀夫是這麼說的。所以，我仍然在懷疑詹德是死於蓄意謀殺，但我不敢提出質疑了。一切皆已塵埃落定，我不想再顛覆這個令人滿意的結局。我不希望再把法斯陀夫置於險境，不希望再讓嘉蒂雅痛苦難過。我不知道該怎麼做，也不能和任何人討論這個問題，所以我只好跟你說，吉斯卡。」

「好的，先生。」

「我隨時能命令你把聽到的全部洗掉，把這一切都忘記。」

「是的，先生。」

「依你看，我該怎麼做？」

吉斯卡說：「如果這是一樁機殺案，先生，那就一定有作案的兇手。目前只有法斯陀夫博士有這個能力，但他說並非他下的手。」

「對，當初我們就是從這裡出發的。我信任法斯陀夫博士，相當確定他並不是兇手。」

「那麼，這又怎麼可能是機殺案呢，先生？」

「如果還有一個人，對機器人的瞭解和法斯陀夫博士不相上下，那就有可能了，吉斯卡。」

貝萊屈起雙腿，兩手緊緊抱住膝蓋。他並未望向吉斯卡，而是似乎陷入了沉思。

「那會是誰呢，先生？」吉斯卡問。

貝萊終於推演到了關鍵點。

他說：「就是你，吉斯卡。」

84

假如吉斯卡是人類，他的反應很可能會是目瞪口呆、震驚不已；但也可能會是勃然大怒，或是嚇得縮成一團，或是其他十來種可能的反應。但因為他是機器人，他並未顯露任何情緒，只是回應道：「你為何這麼講，先生？」

貝萊說：「我相當確定，吉斯卡，你完全明白我是如何得出這個結論的，但我要你幫個忙，請允許我在這個寧靜的地點，在必須動身前的這個空檔，為我自己從頭到尾解釋一遍。我想聽聽自己的分析，如果我哪裡說錯了，我希望你立刻糾正。」

「絕無問題，先生。」

「我猜我犯的第一個錯誤，就是假設你不如丹尼爾那麼先進、那麼複雜，因為你看起來不那麼像真人。身為人類的我們，總是假設機器人越是像真人，他就會越先進、越複雜，而且越有智慧。沒錯，像你這樣的機器人確實不難設計，而丹尼爾就只有法斯陀夫那種機器人學天才造得出來，對於其他人，例如阿瑪狄洛而言，要造出丹尼爾那樣的機器人則是難上加難。然而在我看來，丹尼爾的設計困難主要在於模仿人類的各個面向，例如臉部的表情、聲音的抑揚頓挫、各式各樣的姿勢和動作等等，這些模仿雖然細緻繁複之極，可是和心智的複雜度並非真正有關，我猜得對嗎？」

「相當正確，先生。」

「因此我和其他人一樣，自然而然低估了你。但在我們抵達奧羅拉之前，你自己便洩了底。或許你還記得，在降落過程中，我的空曠恐懼症突然發作，有那麼一下子，我比昨晚在暴風雨中更加無助。」

「我記得，先生。」

「當時，丹尼爾在我的艙房裡，而你卻在門外。我陷入了一種僵呆的狀態，發不出聲音來，而他也許並未望向我這邊，所以完全不知道發生了什麼事。你原本在艙房外，但你趕緊衝了進來，關掉了我手中的控制器。你比丹尼爾更早趕到我身邊，雖說丹尼爾的反射動作和你一樣迅速，這點我很肯定——當初法斯陀夫博士冷不防攻擊我，就是他及時出手制止的。

「法斯陀夫博士絕對不可能攻擊你。」

「沒錯，他只是要對我示範丹尼爾的反射動作——但言歸正傳，如我所說，那天在艙房裡，你卻首先趕到我身邊。以當時的情況，我幾乎無法注意到這件事，但我在這方面訓練有素，而且空曠恐懼症並未令我完全失去行動能力，這點我昨晚又證明了一次。我的確注意到了是你首先趕到的，但我很快就忘掉了。當然，這只有一個合理的解釋。」

貝萊頓了頓，彷彿在等待吉斯卡表示同意，但這機器人什麼也沒說。

（多年後，每當貝萊想到這趟奧羅拉之旅，最先浮現腦海的並非暴風雨，甚至不是嘉蒂雅，而是目前這個畫面——他平靜地坐在樹下，頭上是襯著藍天的綠葉，周遭是和煦的微風以及動物的低鳴，而吉斯卡坐在他對面，雙眼微微發出紅光。）

貝萊說：「即使有艙門阻隔，你似乎仍有辦法偵測到我的心靈狀態，知道我出了狀況。或者簡單地說，你擁有讀心術，但這麼說或許過分簡化了。」

「是的，我有，先生。」吉斯卡平靜地答道。

「而且，你還有辦法影響他人的心靈。我相信你早已注意到我發現了這件事，所以你遮蔽了我心中這段記憶，硬是讓我記不起來，即使我不經意地想到，也看不出背後的意義。但你並非做得天衣無縫，這或許是因為你的能力有限……」

吉斯卡說：「先生，第一法則至高無上。雖然明知會露出馬腳，我還是一定要去救你。而為了避免傷害你的心靈，我只能施行最低限度的遮蔽。」

貝萊點了點頭。「我懂了，你有你的難處。最低限度的遮蔽——所以當我的心靈足夠放鬆，可以進行自由聯想之際，便會記起這件事。昨晚在風雨中，我在失去意識的前一刻，已經想到你會首先找到我，正如當初在太空船上一樣。你或許能藉著紅外輻射發現我的位置，但所有的飛禽走獸也都會射出紅外線，很有可能造成混淆——可是你還能偵測心靈活動，不論我是否不省人事，而這就有助於順利將我找到。」

「的確有幫助。」吉斯卡說。

「雖然我在即將睡著或昏迷之前，能夠記起這件事，到了完全清醒時，我又會忘得一乾二淨。然而，昨天夜裡，當我第三次想起來的時候，身旁還有一個人。嘉蒂雅跟我在一起，而她記得我說了什麼，我說的是：『他首先趕到。』即便如此，我還是想不起這句話的意思，直到法斯陀夫博士隨口的一句話，才幫助我衝出了你設下的障礙。一旦開了竅，我很快便想起其他的事情。比方說，當初我懷疑太空船是否真的前往奧羅拉，在我開口發問之前，你就向我保證，目的地確實是奧羅拉——不過我猜，你不讓任何人知道你有讀心的能力。」

「正是這樣，先生。」

「為什麼呢？」

「這種讀心的能力，先生，讓我能以獨一無二的方式詮釋第一法則，所以我分外珍惜。我能以超乎尋常的效率防範人類受到傷害。然而在我看來，無論法斯陀夫博士——或其他任何人——對於一個會讀心的機器人，都不可能容忍太久，所以我對這件事堅決保密。法斯陀夫博士常愛講述蘇珊．凱文摧毀讀心機器人的傳說，在這件事情上，我不希望他成為第二個蘇珊．凱文。」

「對，他也跟我提過這則傳說。我猜，他在潛意識裡早已知道你有讀心的能力，否則不會一再轉述這個故事。而我認為對你而言，他這麼做等於對你構成威脅。例如我當然是因此而注意到這件事的。」

「在不過度干擾博士心靈的前提下，我已盡可能消除這個威脅。因此，法斯陀夫博士在講這個故事的時候，總不忘強調它只是個傳說，實際上不可能發生。」

「對，這點我也記得。但是，既然法斯陀夫不知道你有讀心術，在你的原始設計中，一定沒有這種能力。所以說，你是怎麼得到的？——不，別告訴我，吉斯卡，讓我猜一猜。瓦西莉婭小姐，當她還是小女孩、剛對機器人學感興趣的時候，特別喜歡跟你在一起。她跟我說過，在法斯陀夫的遠距監督下，她曾試著改寫你的程式。有沒有可能，某一回，她無意間所做的一件事，賦予了你這種能力？這麼說正確嗎？」

「完全正確，先生。」

「你知不知道她到底做了什麼？」

「知道，先生。」

「目前為止，你是唯一會讀心的機器人嗎？」

「目前為止是的，先生，將來就不只我一個了。」

「如果我問你，瓦西莉婭博士到底對你做了什麼，才讓你有了這種能力——或者法斯陀夫博士這麼問——你會基於第二法則而回答我們嗎？」

「不會的，先生，因為根據我的判斷，真相會對你們造成傷害，所以第一法則會優先發揮作用，阻止我回答這個問題。然而，其實並不會有人問我，因為我會預先知道某人想要發問和下令，而我會趕在他這麼做之前，從他心中移除這個衝動。」

「沒錯。」貝萊說，「前天傍晚，我們從嘉蒂雅家走回法斯陀夫家的時候，我曾經問丹尼爾，在詹德服侍嘉蒂雅的那些日子裡，他和詹德是否有過任何接觸，而他直截了當否認了。然後我準備問你同樣的問題，結果竟然沒問出口。我想，是你消滅了我想發問的衝動吧。」

「是的，先生。」

「因為如果我問了，你就必須回答你和他很熟，但你還不準備讓我知道這件事實。」

「是的，先生。」

「可是，在你和詹德接觸的這段時間中，你應該知道阿瑪狄洛正在測試他，因為據我猜想，你也能讀取詹德的心靈，或說偵測他的正子電位……」

「是的，先生，機器人和人類的心智活動都難不倒我。相較之下，機器人更容易瞭解得多。」

「你並不贊同阿瑪狄洛的行為，因為在開拓銀河這件事情上，你支持法斯陀夫的主張。」

「是的，先生。」

「那你為何不阻止阿瑪狄洛？為何不從他心中移除測試詹德的衝動？」

吉斯卡答道：「先生，我從不輕易干擾他人的心靈。阿瑪狄洛的決心是那麼根深柢固，想要將它移除，我必須大費周章——而他的心靈相當先進，也相當重要，我實在不願意破壞。我讓這件事持續了好長一陣子，在此期間，我一直在思考該怎麼做才最符合第一法則對我的要求。最後，我終於決定了矯正這個局勢的方式，這絕非一個容易的決定。」

「於是你決定，在阿瑪狄洛研究出如何設計人形機器人之前，先下手令詹德停擺。你知道該怎麼做，因為多年來日積月累，你已經從法斯陀夫的心靈充分瞭解了法斯陀夫的理論。對不對？」

「一點也沒錯，先生。」

「所以說，法斯陀夫終究並非唯一能令詹德停擺的專家。」

「就某個層面而言，他仍然是的，先生。我自己的能力只是他的反射——或說他的延伸而已。」

「但是同樣厲害。難道你看不出來，這會帶給法斯陀夫極大的危險嗎？看不出來他理所當然會成為嫌犯嗎？你是否打算到了必須救他的時候，就公開你的能力，並承認這件事是你做的？」

吉斯卡說：「我的的確確看出法斯陀夫博士會陷入痛苦的困境，但我並未打算承認自己是元兇。我所打的主意，是利用這個情勢把你找來奧羅拉。」

「把我找來這裡？這是你的主意？」貝萊覺得自己有點嚇呆了。

「是的，先生。如果你允許，我想解釋一番。」

貝萊說：「請講。」

吉斯卡說：「當初，我是從嘉蒂雅小姐和法斯陀夫博士那兒獲悉你這個人的，不只從他們口中，同時還從他們心裡。我也因而瞭解到地球的處境。顯然，地球人的生活被圍牆所包圍，他們難以破牆而出。可是我看得很清楚，奧羅拉人同樣活在圍牆裡面。

「奧羅拉人的圍牆是由機器人組成的，這堵牆替他們擋住了人生所有的風浪，而根據阿瑪狄洛的計畫，將由機器人打造更多擁有圍牆的社會，以免奧羅拉人親自開拓新世界。此外奧羅拉人還有另一堵圍牆，那就是他們的倍增壽命，他們因而過度重視個人主義，不想與他人分享科學資源。他們也因此不願陷入紛紛擾擾的爭議，總是在問題尚未公開之前，便請出他們的主席，由他負責排難解紛，並決定一個解決方案。他們懶得絞盡腦汁找出最佳的解答，只想閉上嘴巴撿現成的便宜。

「地球人的圍牆既粗陋又具體，因此顯而易見——而且總是有人渴望逃出去。奧羅拉人的圍牆卻是無質無形，甚至誰也看不出來，因而從未有人興起逃脫的念頭。所以我覺得，必須由地球人——而非奧羅拉人或其他太空族——負責開拓銀河，並建立起銀河帝國的前身。

「這些都是法斯陀夫博士所做的推論，而我完全同意。法斯陀夫博士做出這些推論就心滿意足了，然而，我的能力卻不允許我這麼容易滿足。我至少也得直接研究一個地球人的心靈，以便檢驗我自己悟出來的結論，而你，就是我自認有把握請到奧羅拉的那個地球人。詹德的停擺可以說是一舉兩得，不但阻止了阿瑪狄洛的野心，還提供了邀請你來的藉口。我先輕輕地推了嘉蒂雅小姐一把，讓她向法斯陀夫博士推薦你；接著，我同樣輕輕地推了博士一把，讓他向主席推薦你；最後我又輕輕推了主席一把，讓他同意這件事。而你來到之後，我立刻開始研究你，得到的成果令我很高興。」

吉斯卡閉上了嘴巴，恢復了機器人慣常的漠然神態。

貝萊皺起眉頭。「我突然覺得，自己在這裡的所作所為，其實一點功勞也沒有。你一定在暗中替我鋪路，確保我一路找到真相。」

「不，先生，剛好相反。我刻意給你設下重重阻礙——當然是在合理範圍內。雖然我曾被迫展現自己的能力，但我絕對不要給你看出來。我設法讓你不時會感到灰心和絕望，同時又鼓勵你大膽走出戶外，以便研究你的反應。而你跨越了一個個障礙，替自己找到了出路，這令我很高興。

「我發現你渴望回到大城的圍牆裡，但你也明白必須學著擺脫它。我發現你從太空鳥瞰奧羅拉以及暴露在風雨中都會感到不適，但兩者皆未令你思路受阻，也並未令你打消解謎的決心。我還發現你坦然接受自己的缺陷，包括短暫的壽命——而更重要的是，你面對爭議絕不迴避。」

貝萊說：「你又怎麼知道我能代表一般的地球人？」

「我知道你不能。可是從你心裡，我獲悉了還有像你這樣的人，而我們可以拿這些人當作基礎。我會全力促成——既然確定了該走哪條路，我將催生出更多像我這樣的機器人——他們也會全力促成這件事。」

貝萊猛然問道：「你是指，會有很多的讀心機器人前往地球？」

「不是，不是，但你有這個警覺卻是正確的。那堵機器人圍牆已經讓奧羅拉和太空族世界注定癱瘓，如果直接引進機器人，地球勢必重演這段歷史。地球人必須獨力開拓整個銀河，不能有任何種類的機器人幫助。這意味著將有不計其數的困難、危險和損傷——如果有機器人，通通可以避免——可是人類若能一切自立更生，最後將會得到更美好的成果。或許某一天——很遠很遠的未來——機器人能再度介入。誰說得準呢？」

貝萊好奇地問：「你能預見未來嗎？」

「不能，先生。但在研究人類心靈的過程中，我隱約看出有些法則在規範著人類的行為，正如機器人學三大法則規範機器人的行為那樣。或許利用這樣的法則，人類總有一天能對未來大致做些預測。相較之下，人類的法則要比機器人的法則複雜得多，我對它的具體內容沒有任何概念。它的本質可能是統計性的，所以必須針對廣大的群眾，才能做出較為明確的預測。它也可能幾乎不具約束力，因此除非廣大群眾對它的運作一無所悉，否則它根本毫無意義。」

「告訴我，吉斯卡，這就是法斯陀夫博士所說的『心理史學』這門未來科學嗎？」

「是的，先生。我把這個想法輕輕植入他心中，好讓它有機會生根發芽。既然這個以長壽和機器人為特色的太空族文明即將走到盡頭，而新一波的人類擴張即將展開——由短壽命的地球人主導，沒有機器人參與——這門學問總有一天會派上用場。」

「現在，」吉斯卡站了起來，「先生，我想我們必須回到法斯陀夫博士的宅邸，替你做行前準備了。當然，我們在此所說的一切，不會再轉述給任何人。」

「我向你保證，我絕對會守口如瓶。」貝萊說。

「好的。」吉斯卡平心靜氣地說，「但別擔心保密的重擔會壓在你身上。我會讓你記得這一切，但你永遠不會想要告訴別人——半個字也不會。」

貝萊揚起眉毛，表示姑且接受，然後說：「不過，吉斯卡，在你將我封口之前，我還要說一件事。可否請你確保嘉蒂雅的生活不會受到干擾；不會因為她是索拉利人，而且曾將機器人當成丈夫，而在這個世界上受到不友善的待遇；還有——還有她終究會接受格里邁尼斯的求愛？」

「我聽到了你和嘉蒂雅小姐最後那番談話，先生，我瞭解你的意思，所以請放心吧。現在，先生，我能否趁著沒有旁人的時候，先向你正式道別？」他以貝萊前所未見酷似人類的姿勢伸出右手。

貝萊握住他的手，那五根手指堅硬且冰涼。「再見——吉斯卡好友。」

吉斯卡說：「再見，以利亞好友。請記住，雖然奧羅拉的原意是曙光女神，可是從現在起，地球才是真正的曙光世界。」

YS0007X 經典艾西莫夫 03　ISBN 978-986-262-154-7

機器人四部曲之 III：曙光中的機器人

作　　者　艾西莫夫（Isaac Asimov）
譯　　者　葉李華
選書顧問　陳穎青（老貓）
責任主編　謝宜英
執行編輯　吳欣庭
校　　對　李鳳珠、葉李華、謝宜英
封面設計　吳文綺
版面構成　謝宜欣
總 編 輯　謝宜英
行銷業務　張芝瑜
出　　版　貓頭鷹出版
發 行 人　涂玉雲
發　　行　英屬蓋曼群島商家庭傳媒股份有限公司城邦分公司
104 台北市中山區民生東路二段 141 號 2 樓
劃撥帳號：19863813　戶名：書虫股份有限公司
城邦讀書花園：www.cite.com.tw　購書服務信箱：service@readingclub.com.tw
購書服務專線：02-25007718～9（周一至周五上午09:30-12:00；下午13:30-17:00）
24小時傳真專線：02-25001990～1
香港發行　城邦（香港）出版集團／電話：852-25086231／傳真：852-25789337
馬新發行　城邦（馬新）出版集團／電話：603-90578822／傳真：603-90576622
印 製 廠　成陽印刷股份有限公司
初　　版　2013 年 8 月

定　　價　新台幣 480 元／港幣 160 元

讀者服務信箱　owl@cph.com.tw
貓頭鷹知識網　http://www.owls.tw
歡迎上網訂購；大量團購請洽專線02-25007696轉2729

國家圖書館出版品預行編目（CIP）資料

機器人四部曲之 III：曙光中的機器人／
艾西莫夫（Isaac Asimov）著；葉李華譯. -- 二版. -- 臺北市：
貓頭鷹出版：家庭傳媒城邦分公司發行, 2013. 08
496面；15×21公分
譯自：The robots of dawn
ISBN 978-986-262-154-7（平裝）

874.57　　102010602